Beiträge zur Wissenschaft
vom Alten und Neuen Testament
Sechste Folge

Herausgegeben von
Siegfried Herrmann und Karl Heinrich Rengstorf
Heft 16 · (Der ganzen Sammlung Heft 116)

Verlag W. Kohlhammer
Stuttgart Berlin Köln Mainz

Siegfried Kreuzer

Der lebendige Gott

Bedeutung, Herkunft und Entwicklung
einer alttestamentlichen Gottesbezeichnung

Verlag W. Kohlhammer
Stuttgart Berlin Köln Mainz

CIP-Kurztitelaufnahme der Deutschen Bibliothek

Kreuzer, Siegfried:
Der lebendige Gott : Bedeutung, Herkunft u.
Entwicklung e. alttestamentl. Gottesbezeichnung /
Siegfried Kreuzer. – Stuttgart ; Berlin ; Köln ;
Mainz : Kohlhammer, 1983.
  (Beiträge zur Wissenschaft vom Alten und
  Neuen Testament ; H. 116 = Folge 6, H. 16)
  ISBN 3-17-007909-3
NE: GT

Gedruckt mit Unterstützung des
,,Fonds 600 Jahre Wiener Universität''
der Wiener Handelskammer und der
,,Hochschuljubiläumsstiftung der Stadt Wien''.

Vorwort

Die vorliegende Arbeit ist meine im wesentlichen unveränderte, um einige Nachträge und ein Register erweiterte Dissertation, die im Mai 1981 von der Evangelisch-Theologischen Fakultät der Universität Wien approbiert wurde.

Gerne sage ich vielfachen Dank: Zunächst meinem verehrten Lehrer und Institutsvorstand, Herrn Prof. Dr. Georg Sauer, von dem die Anregung zur Bearbeitung dieses Themas ausging, für alles bei ihm Gelernte, für die vielfache Hilfe und Förderung in mancherlei Belangen und für die Jahre einer angenehmen Zusammenarbeit am 'Institut für Alttestamentliche Wissenschaft und Biblische Archäologie'. Ihm und Herrn Prof. Dr. Kurt Niederwimmer danke ich auch für die Erstellung der Gutachten.

Den beiden Herausgebern, Herrn Prof. Dr. Dr. Siegfried Herrmann und Herrn Prof. Dr. Karl Heinrich Rengstorf danke ich für die Aufnahme der Arbeit in die Reihe der 'Beiträge zur Wissenschaft vom Alten und Neuen Testament', sowie dem W. Kohlhammer Verlag für die Übernahme und Betreuung der Publikation.

Dem 'Fonds 600 Jahre Wiener Universität' der Wiener Handelskammer und der 'Hochschuljubiläumsstiftung der Stadt Wien' danke ich für die großzügige Übernahme jeweils der Hälfte des Druckkostenzuschusses.

Frau Ing. Inge Hofstätter und Herrn Mag. theol. Ing. Heinz Liebeg danke ich für die mühevolle Arbeit der Erstellung des Manuskripts bzw. der hebräischen Zitate.

Herr Prof. Friedrich Mildenberger, Erlangen, stellte mir freundlicherweise sein eigenes Exemplar seiner mir damals sonst unerreichbaren Arbeit über die vordeuteronomistische Saul-David-Überlieferung zur Verfügung, ebenso Herr Prof. Robert Schlichting, Göttingen, das Manuskript seines damals noch nicht erschienenen Artikels 'Leben' aus dem 'Lexikon der Ägyptologie'. Herr Prof. Hans Hirsch, Wien, gab mir nützliche Hinweise für das weite Feld der Akkadistik. Ihnen allen gilt mein Dank.

Ganz besonders danke ich meiner lieben Frau Elisabeth für die Ermunterung, mit der sie das Werden der Arbeit begleitete, und für den Verzicht, den meine vielen Abende in der Bibliothek für sie bedeuteten.

Über allem aber gilt mein Dank dem, der „Leib und Seele . . . Vernunft und alle Sinne gegeben hat und noch erhält", und dessen Wesen und Wirken noch tiefer zu erfassen diese Arbeit an ihrem Thema ein kleiner Beitrag sein möge.

Wien, im September 1982   *Siegfried Kreuzer*

V

Inhalt

3. Teil: Die Vorstellungen in der Umwelt

4. Teil: Ergebnisse und Folgerungen

Verzeichnisse und Register

VIII

Einleitung

Vom "lebendigen Gott" wird immer wieder dort gesprochen, wo
in besonders kräftiger oder feierlicher Weise die aktive Wirksamkeit Gottes hervorgehoben werden soll. Dies geschieht zugleich
häufig mit der Absicht, verkehrte, nichtige Gottesvorstellungen
oder daraus resultierende menschliche Handlungen zu kontrastieren.
Mit der Rede vom lebendigen Gott ist meist ein polemisches oder
auch missionarisches Anliegen verbunden. Die Stoßrichtung dieser
Aussage wechselt natürlich, je nach religiöser Situation war und
ist sie verschieden. Aber beginnend vom Alten und Neuen Testament
bis in die Gegenwart wird immer wieder mit großem Nachdruck vom
"lebendigen Gott" gesprochen. Ja, selbst die Provokation der sogenannten "Gott-ist-tot-Theologie" wurzelt zum guten Teil in dem,
was sie vordergründig negiert.

Der Beliebtheit der Rede vom lebendigen Gott in der Verkündigung und - teilweise! - auch in der Dogmatik der christlichen
Kirche steht das fast völlige Fehlen einer exegetischen Bearbeitung
des Begriffs gegenüber. Und dort, wo das Thema aufgegriffen wird,
dient die Erörterung dann eher der Untermauerung einer anderweiti-
gen, bereits vorgegebenen These, als der Bezeichnung selbst.

In der Erforschung des Alten Testaments im 19. und bis weit
in das 20.Jh. hinein fehlt die Erwähnung des lebendigen Gottes
praktisch völlig, wie eine Durchsicht der Werke zur Religionsgeschichte und zur Theologie des AT zeigt. Zu sehr beherrschen die
Modelle der Entwicklung einer, und d.h. auch der alttestamentlichen
Religion oder die Denkkategorien Schleiermachers das Feld. Manchmal allerdings wird vom lebendigen Gott gesprochen, allerdings eher
im eingangs erwähnten Sinn als eine möglichst aussagekräftige Bezeichnung für das Wirken Jahwes.[1]

---

1) Smend, Lehrbuch der alttestamentlichen Religionsgeschichte
   (1893), in Zusammenfassung des Abschnittes "Jahve, ein Kriegs-
   gott und ein Gott des Rechts" (S.33-36): "So wuchsen Gott
   und Volk fest zusammen, Jahve war ein lebendiger Gott und
   wurde ein einiger Gott, weil man im gesammten Leben der Nation
   sein Walten spürte, das dem Einen nationalen Zweck zustrebte."
   (S.36)

1

In neuer Weise versuchte W.W.Baudissin in seinem Werk "Adonis und Ešmun" (1911) die Bezeichnung "der lebendige Gott" zu erforschen: "Es scheint mir, als ob die bisher, so viel ich sehe, noch kaum bestimmt gestellte Frage nach dem Ursprung der Auffassung Gottes als des 'lebendigen' auch über das Alte Testament hinaus von Bedeutung sei für Religionsgeschichte und Theologie und ob die verbreitete Anschauung von dem Werden der Auferstehungshoffnung des Judentums wenigstens einer Ergänzung bedürfe." (Vorwort, S.V). So erfreulich die Thematisierung "der Auffassung Gottes als des 'lebendigen'" ist, so ist sie doch von Anfang an ein Nebenprodukt der Arbeit über den Gott Tammuz, über die phönizische Religion, und speziell über Heilgötter.[2] Entsprechend kommt Baudissin nach der Behandlung von Adonis, Ešmun und Tammuz erst im letzten Viertel seines umfangreichen Werkes auf "die alttestamentliche Religion" zurück, wobei auch hier zunächst "Jahwe, der Erretter aus Krankheit und Tod" (S.385-402), dann "der Gedanke der Totenauferstehung im Alten Testament" (S.403-449) und erst zuletzt "Jahwe, der lebendige Gott"(S.450-510) behandelt wird. Baudissin kommt das Verdienst zu, alle in Frage kommenden Aussageweisen ("lebendiger Gott", Schwurformel, Ps 18,47, Eigennamen), wenn auch sehr summarisch, behandelt zu haben (S.450-479); aber es ist doch alles von Adonis und Ešmun her geprägt. Selbst der eben genannte alttestamentliche Teil behandelt die babylonischen und phönizischen Gedanken ausführlicher als den Kontext der alttestamentlichen Belege. Schon die Lektüre der ersten Seiten dieses Abschnittes (S.450ff) zeigt, wie bestimmte Schemata die Darlegung fixieren, geradezu im Sinn von "weil nicht sein kann, was nicht sein darf", z.B.: "Auch das könnte kaum eine alte Anschauungsweise von der Gottheit gewesen sein." (S.456). Ganz unverständlich ist schließlich, wie er behaupten kann: "Niemals aber außer in jenen Psalmen (sc. Ps 42.84) wird 'lebendiger Gott' direkt gebraucht als Ausdruck für die Aktivität Jahwe's." (S.453) - Baudissin sieht sich denn auch sogleich genötigt, Jos 3,10, wo sich die Lebendigkeit Jahwes in der Eroberung des Landes ausdrückt(!), zu "erklären" (ebd., A.2). Das Ergebnis ist, daß "bei den Israeliten zunächst ein Lebendigsein der Gottheit geglaubt wurde auf Grund einer seit den Tagen der Vorzeit gemachten Beobachtung" (S.510), bedeutsam und entfaltet wurde die Vorstellung aber erst in Begegnung mit dem Adoniskult. "Die alttestamentliche Religion hat von der Vorstellung des lebendigen Gottes die naturalis-

2) Vgl. den Untertitel und das Inhaltsverzeichnis.

2

tische Form der Todesüberwindung abgestreift, die Vorstellung selbst
aber beibehalten." (S.507). Nach Baudissin ist im phönizischen
Tammuz- und Adonisdienst der Zug der Trauer gleichmäßig vorherrschend,
selbst das Wiederaufleben des Gottes ist nicht Freude, sondern nur
"ein Trost in der Trauer" (S.508). Im Alten Testament dagegen er-
weckt der Gedanke an den lebendigen Gott, der nicht, wie der wiederauflebende Gott bei den Phöniziern, auch seinerseits dem Tod unter-
worfen gedacht wird, nur freudige und siegesgewisse Empfindungen."
(S.509) - Die ganze Darstellung ist von einem Hin-und-Her durch-
zogen: Abhängigkeit und Andersartigkeit der Vorstellungen, frühe
israelitische Ahnung, Beibehaltung der Vorstellung unter Abstrei-
fung der phönizischen Form, usw. Das relativ ausführliche Referat
ist aber an dieser Stelle geboten, indem Baudissin's Arbeit für
lange Zeit die einzige und noch immer die umfangreichste geblieben
ist. Darüber hinaus blieb sie richtungsweisend für die Frage der
Herleitung der Vorstellung aus dem phönizischen, bzw. später aus
dem ugaritischen Bereich.

In der "Geschichte der alttestamentlichen Religion" von E.
König (1924[3u.4]) ist der "lebendige Gott" zweimal erwähnt, S.359
mit einer Aufzählung von Belegstellen (A.3, immerhin unter Einbeziehung der Schwurformel!) und S.189 A.3 unter Ablehnung der
Sicht von Baudissin und mit der an Ex 3,14 anschließenden Erklärung: "In der Betonung des Seins liegt natürlich auch die Lebendigkeit Gottes." In seiner "Theologie des Alten Testaments" (1922)
sieht König den ersten Schritt "in der Entfaltung des Keims des
Monotheismus zur immer volleren Frucht...darin..., daß der Gott
Israels als der lebendige erkannt wurde...(Aufzählung der Belege
ab Gen 16,14)...während die anderen Götter 'tote' (methim, Ps 106,28)
sind." (§ 38,5; S.130). Unter "Wesen und Daseinsform des Gottes der
alttestamentlichen Religion" (§ 39) wird von der "Wesenheit Gottes
...als Geist (ruach)" gesprochen, und es folgt der Satz: "Als ganz
unzusammengesetzte Substanz ist dieser Gott das Lebenszentrum für
das Weltall (Ps 104,29f): Er ist der Lebendige in höchster Potenz,
'der lebendige Gott' (s.o. § 38,5)." - Es ist evident, daß bei
allem Bemühen um die Sache die Kategorien dem AT fremd sind und der
Sache nicht gerecht werden können.

E.Sellin beschreibt in seiner "Theologie des Alten Testaments"
(1933) Gott als einen lebendigen (S.15f) geistigen (S.16-18) und
heiligen (S.18-22) Gott. Er stimmt zunächst Baudissin zu, betont
dann aber noch stärker als jener, "daß das Wort weit über die ur-

3

sprüngliche Reflexion auf den Tod hinaus allmählich einen viel reicheren Inhalt bekommen hat", wobei er bemerkt, daß Gott auch als der lebendige bezeichnet werden kann, "ohne daß irgendwie an andere Götter gedacht ist...da nämlich, wo er der menschlichen Ohnmacht, der Trübsal, dem Leid, dem Tod gegenübersteht, besonders Ps 42,3.9; 84; Hi 19,25ff." (S.15). "Dieses klare Bewußtsein, daß Jahwe und er allein ein wirklich lebendiger Gott sei, geht - darin weichen wir von Baudissin ab - mindestens bis in die Zeit des Elia und des Elohisten, nicht erst 'in spätere Zeit' zurück... Aber wenn man vielleicht auch erst in jener das richtige Wort für den Gedanken gefunden hat, dieser selbst ist viel älter, er ist vorhanden seit den Tagen des Mose. Von vornherein besitzt der Gott Israels eine 'aktive Lebensenergie'...wie kein anderer Gott." (S.15) "Alles bei diesem Gott drängt vorwärts, zum Durchbruch...", von hier aus er- obert er die Herzen der Einzelmenschen und Himmel und Erde, weder ein anderer Gott noch auch der Tod hat auf Dauer neben ihm eine Stätte (S.16). "Aus diesem seinem Lebendigkeitscharakter erklärt sich nun auch ein doppeltes Spezifisches der alttestamentlichen Re- ligion. Zunächst, daß ihr Gott ein Gott der Geschichte ist, er muß handeln, sein Sein in Taten umsetzen...und die zweite Konsequenz ist, daß die alttestamentliche Religion eigentlich von vornherein und immer eschatologisch eingestellt sein muß, immerdar sieht sie dem kommenden, durchbrechenden Gotte entgegen, harrt auf ein Neues ganz Großes, Endgültiges" (S.16) - Hier sind in erfreulicher Weise eine gute Textbeobachtung und eine gute, nach wie vor zutreffende Sicht des Gottesbildes des AT miteinander verbunden. Auch wenn man- ches vom Begriff der Lebendigkeit deduziert erscheint, so sind es doch Aspekte, die, wie die Traditionsgeschichte zeigen wird, mit dem lebendigen Gott zusammengehören bzw. mit dieser Gottesbezeich- nung schon im AT verbunden und von ihr her konkretisiert werden.

Die bei Sellin erreichte Höhe der Darstellung findet sich in einigen außerdeutschsprachigen Darstellungen der Theologie des AT. O.J.Baab, The Theology of the Old Testament (1949) beginnt nach den Vorfragen mit dem Thema "The meaning of God" (S.23-53), mit den Unterabschnitten: "The living God - the personal God - the holy God - the spiritual God - the creator God - the one God". Welche Bedeutung dem "lebendigen Gott" zugemessen wird, zeigen gleich die ersten Sätze: "Perhaps the most typical word for identifying the God of the Old Testament is the word 'living'. The living God is the peculiar God of these writings. This signifies the God who acts

4

in history, who performs mighty acts of deliverance, and who mani-
fests his power among men. He demonstrates, that he is a living
God by disposing of Israel's enemies...(Jos 3,10)." (S.24) Es folgen
Hinweise auf die Bedeutung des lebendigen Gottes für den Einzelnen
(Ps 42,3), für den Gegensatz zu den Göttern, die nicht leben
(Jer 10,10), und auch die Schwurformel wird nicht übergangen ("the
formula includes a central reference to the living, functioning
God of Israel." S.25). Daraus folgt: "This is God, not simply an
idea, therefore; he is an experienced power, acting upon and through
human life and the eternal order which sustains it. He delivers,
redeems, saves, helps, and blesses. Verbs rather than abstract
nouns are needed to characterize him." (S.26) Zum Schluß folgt ein
Blick auf die Beziehung dieses Gottes zur Geschichte, bis hin zu
ihrem Ende: "It was the living God whose great purposes would be
realized in the grand finale of history - the coming of the divine
kingdom." (S.27) - So berechtigt diese Entfaltung der "idea of the
living God" ist, so ist sie doch teilweise in Gefahr, eher die Entfaltung einer "idea" zu werden als auf Textbeobachtungen zu beruhen;
und leider ist die Frage nach der Geschichte der Vorstellung zugunsten der systematischen Darstellung bewußt ausgeklammert
(vgl. S.23f).

Im gleichzeitig vorgelegten Werk von Th.C.Vriezen, Theologie
des Alten Testaments in Grundzügen (1956; holländisch 1949) ist,
nach sehr umfangreichen Prolegomena, ebenfalls das Kapitel "Gott"
vorangestellt (S.123-168). Gott ist ein heiliger Gott - in Gemeinschaft mit den Menschen - ein lebendiger Gott - der eine und einzige Gott - ein ewiger Gott - Gott als Schöpfer, Erlöser und Erhalter - die Namen Gottes. Offensichtlich ist hier zumindest teilweise in chronologischer Hinsicht geordnet, nach der der lebendige
Gott an wohl zutreffender Stelle behandelt ist. Sachlich wertet
Vriezen die Bezeichnung sehr hoch: "Das theologische Zeugnis des
AT wird entscheidend durch die Erkenntnis des lebendigen Gottes be-
stimmt. Das AT redet von seinem Handeln und von seiner Selbstoffen-
barung, von seinem Strafen und Retten, von seinem Wirken in der
Natur und in der Geschichte, von seinen Wundertaten und seiner
Barmherzigkeit. Aber es zeugt von ihm allein in der Sprache des
Glaubens, die der geschichtlichen Bewegung der lebendigen Offenba-
rung folgt." (S.141f). Vriezen betont sehr die Personhaftigkeit
Gottes: "Das Entscheidende ist dabei das personale Sein Gottes.
Er ist nicht eine anonyme Kraft, nicht eine stumme Macht, sondern

5

ein personhaftes Wesen (1.Sam 17,26.36). Darum ist Jahwe auf so
vielerlei Weise ein lebendiger Gott. Er ist lebendig in seiner Be-
weglichkeit und Bewegtheit, in seiner Freiheit von Zeit und Raum,
in seiner lebensschaffenden Kraft, in seiner Gemeinschaft schenkenden Liebe (Ps 42,3; 84,3). Darum konnten Jahwe im AT auch alle Erscheinungen des Lebens zugeschrieben werden, und er konnte, ursprünglich der in die Geschichte und in das persönliche Leben ein-
greifende Gott, zugleich der Gott des Landes, der Gott der Fruchtbarkeit werden und mithin alle Funktionen des Baal übernehmen."
(S.142). Weiters verbindet Vriezen die Lebendigkeit Jahwes mit
M.Bubers Konzeption des Führergottes der Nomadenstämme ("die ein
Wahrheitselement enthält", S.142), mit der Erfahrung des streiten-
den Gottes, "der den israelitischen Scharen voranzieht (Num 10,35f)
und die Helden in der Richterzeit durch seinen Geist beseelt...
In dieser ruach-Erfahrung wird der Charakter Jahwes als des leben-
digen Gottes besonders gut deutlich." (S.142) Aber Jahwe ist nicht
nur Aktivität und Lebendigkeit, "er ist die Fülle des Lebens selbst.
Alles Leben in der geschaffenen Welt ist aus ihm. Er ist der Lebens-
quell (Ps 36,10)... Daher bedeutet das Leben mit ihm für Israel
Glück und Reichtum an natürlichen Gütern (Dt). Man könnte Jahwe das
Leben nennen, so wie das NT Gott die Liebe nennt" (S.143).

Bei Vriezen findet die ganze Fülle des AT ihre Verwurzelung
und Entfaltung im Begriff der Lebendigkeit und der Personhaftigkeit Jahwes, des Gottes des AT. Schon die Aussage des "für Euch
da Seins" (Ex 3; negiert in Hos 1,9) meint auch die Lebendigkeit
Gottes; "Ps 18,47; Hos 2,1 sind (sc. demgegenüber) nur die ältesten
Belege" (S.143). Vriezen verweist dann noch kurz auf die Schwurformel, und zuletzt darauf, daß "die Betonung des Lebens Gottes
in Israel...auffallend (ist). Vielleicht kann sie am besten als
eine gewisse antithetische Entsprechung zum kanaanäischen Glauben
an die sterbenden und wiederauferstehenden Götter der Vegetations-
religion erklärt werden. (Verweis auf Baudissin, Adonis und Ešmun).
Gerade Elia, der große Gegner des Baalismus, kämpft für Jahwe als
den lebendigen Gott, der seine Kraft in der Welt offenbart." (S.143)
- An diese begeisterte und begeisternde Darstellung ist aber
die Frage zu richten, ob hier nicht doch viel mehr von der Fülle
des AT mit dem Begriff "der lebendige Gott" verbunden ist, als es
die Texte tun, während der Gedanke des Gerichts fehlt. Ist der lebendige Gott des AT wirklich nur Retter, Lenker und Erlösergott
(S.158)? Und andererseits geht Vriezen doch mit zu leichter Hand

6

über die Frage der Abhängigkeit von kanaanäischer Religion hinweg.
(Schon Baudissins Adonis und Ešmun, besonders aber die mittlerwei-
le (1929) aufgefundenen Texte aus Ugarit gaben auch zu anderen
Erklärungen Anlaß).

In der "Theologie de l'Ancien Testament" von E.Jacob (1955)
nimmt die Bezeichnung "der lebendige Gott" die erste Stelle unter
den "aspects caractéristiques du Dieu de l'Ancien Testament"
(S.27-95) ein; der lebendige Gott ist "Zentrum der Offenbarung und
des Glaubens" (centre de la révélation et de la foi, S.28). Ähnlich wie Vriezen verbindet Jacob sehr eng den Gedanken der Lebendigkeit und der Personhaftigkeit Jahwes, worin er die ganze Fülle des
im AT bezeugten Wirkens Jahwes begründet sieht, wie er andererseits
von hier aus sehr ausführlich die Frage nach Möglichkeit und Grenzen
anthropomorphen Redens von Gott sowie des Redens von Gott überhaupt
behandelt (S.30-32). Jacob lehnt Baudissins Sicht einer späten, im
Kampf gegen den Kanaanismus begründeten Entstehung des Ausdrucks
"der lebendige Gott" ebenso ab, wie Köhlers Erklärung (s.u.), daß
diese "Aussage...sich im AT nur spärlich, spät und als Abwehr der
Anschauung, daß Gott kein Leben und keine Macht habe" findet (S.29).
Vielmehr sei die Rede vom lebendigen Gott die elementare und ursprüngliche Reaktion des Menschen angesichts jener Mächtigkeit,
die die Ganzheit seiner Person ergreift und die der Mensch daher
ebenfalls nur als Person und das heißt als lebendiges Wesen sich
vorstellen kann.[3] Wenn die Israeliten vom lebendigen Gott reden
oder bei ihm schwören, so appellieren sie an seine Macht und Hilfe.
Es ist das Leben, was Jahwe von anderen Göttern unterscheidet. Bevor sich der Glaube Israels in einem formulierten Monotheismus ausdrückt, ist er schon überzeugt von der Schwäche der Götter der
Völker gegenüber dem lebendigen Gott; die Götter der Völker sind
dumm, nur Jahwe ist der wahre Gott und der lebendige Gott (Jer 10,9f).
(S.19f) - Wir stehen hier vor einem ganz anderen Ansatz zur Erklärung der Bezeichnung "der lebendige Gott", nämlich gewissermaßen
aus einer religiösen Urerfahrung, die, so wie sie den ganzen Menschen
als lebendige Person betrifft, sich auch in den Begriffen der Lebendigkeit und Personhaftigkeit Gottes niederschlägt. Damit ist

3) "Dire de Dieu que c'était un dieu vivant, c'était la réaction
    élémentaire et primordiale de l'homme devant l'expérience de
    la puissance qui, en s'imposant à la totalité de sa personne,
    ne pouvait etre envisagée que comme une personne, c'est-à-dire
    comme un être vivant." (S.29)

der Begriff kaum mehr faßbar. Die gemeinte religiöse Erfahrung mag
alt sein, aber ist es damit auch der Begriff (Jacob zitiert dazu
durchweg Belege, die nicht älter als vom 6.Jh sind: Jer 38,16;
Hab 1,12; Jer 10,10)? Diese Erfahrung ist zudem nicht auf Israel
beschränkt, ja gegenüber der Beziehung Gott und Volk sogar recht
individualistisch. Dementsprechend gelingt es Jacob relativ schlecht
die sich zwischen Jahwe und Volk ereignende (Glaubens)geschichte
hier anzuschließen.

Gegenüber der Bedeutung, die der lebendige Gott in den Theologien des AT bei Sellin, Baab, Vriezen und Jacob hat und gegenüber
der Höhe der Darstellung bei Sellin und Vriezen, tritt diese Bezeichnung in der Literatur der folgenden Zeit weit zurück. In der
"Theologie des Alten Testaments" von W.Eichrodt (Bd.I, 1933;
Bd.II 1935; Bd.III 1939) wird in §5 "der Name des Bundesgottes"
in §6 und 7 "das Wesen des Bundesgottes" behandelt. In §6 finden
wir, nachdem "der Personcharakter der Gottheit" dargestellt wurde,
als Gegenpol zu "allzu starker Vermenschlichung der Gottheit" den
Abschnitt über "die Geistigkeit der Gottesvorstellung" (I, S.104-
110). Hier findet sich die praktisch einzige Bemerkung zum lebendigen Gott: "Es ist in dieser Beziehung interessant, wie stark die
Gottheit als die lebendige empfunden wird. Schon der Name Jahwe
legt ja den Nachdruck auf die unmittelbar gegenwärtige und immer
neu erfahrbare Wirkung und Betätigung der Gottheit. Und wo man
sich zum Erweis der Wahrheit einer Aussage auf Jahwe beruft, da
erinnert man in der Schwurformel יהוה חַי an diese seine lebendige
Gegenwart. Der חַי אֵל wird Jahwe daher schon ziemlich früh und mit
Emphase genannt und als solcher immer wieder in seiner absoluten
Überlegenheit gepriesen. Als Lebendiger ist er die Quelle alles
Lebens und erweist in seinem unablässigen wunderbaren Wirken die
Realität seiner Existenz gegenüber den leblosen und nichtigen Hei-
dengöttern." (I, S.106 = I[8] (1968), S.136). - Eichrodt berücksichtigt verschiedene Formen der Aussage (lebendiger Gott, Schwurformel,
Quelle des Lebens), sie findet sich auch im sachlich richtigen Zusammenhang des Verhältnisses von Gott und Volk, zutreffend ist auch
der Hinweis auf die damit angesprochene Majestät des "Bundesgottes",
aber es fehlt jede nähere exegetische Betrachtung der Belege und
Darstellung einer (eventuellen) Entwicklung. Nicht zuletzt bleibt
die Frage nach Herkunft und eventueller kanaanäischer Beeinflussung ganz unerwähnt. (Wo im Weiteren vom "Leben Gottes" (vgl. Register) gesprochen wird, geht es nicht eigentlich um den "lebendigen

Gott", sondern um das Gott eignende und von ihm gegebene Leben).

In der "Theologie des Alten Testaments" von L.Köhler (1935; 1953[3]) wird unter "die Namen und Bezeichnungen Gottes" auch "der lebendige Gott" kurz und bündig abgehandelt: "Die Aussage, daß Gott ein lebendiger Gott ist, findet sich im AT nur spärlich, spät und als Abwehr der Anschauung, daß Gott kein Leben und keine Macht habe." (1953, S.36). Nach kurzer Anführung der Texte (incl. Ps 18,47!) wird aus Ps 42,3; 84,3 die zusammenfassende Folgerung gezogen, "daß unser Begriff im Schwange ist; aber eine feste und deutliche theologische Auswirkung eignet ihm nicht." (S.36) - Voraussetzung für diese Sicht ist eine Spätdatierung aller entsprechenden Stellen (Jos 3,10; 1.Sam 17; Hos 2,1) und ein Übergehen der Schwurformel.[4)]

Bei O.Procksch, Theologie des Alten Testaments (1950), ist praktisch wieder der Zustand aus der Zeit vor Sellin erreicht. Bei der Behandlung der "Gedankenwelt", unter dem Kapitel "Gott und die Welt" wird im Anschluß an den Gott der Ewigkeit auch "der lebendige Gott" kurz gestreift: "Wir haben gesehen, daß der hier enthaltene Gedanke den Gottesbegriff der Zeit entnimmt und in die Ewigkeit einordnet. Verwandt damit ist der lebendige Gott... Er ist vor Hosea nicht nachweisbar und steht auch bei ihm nicht in ganz sicherem Texte; mit Sicherheit finden wir ihn im Jahrhundert des Deuteronomiums (Dtn 5,23...cf. Jos 3,10; 2.Reg 19,4) und später im Psalter (Ps 42,3; 84,3). Wahrscheinlich steht er im Gegensatz zu den toten Göttern der Heiden, deren Nichtigkeit namentlich Deuterojesaja dargetan hatte, so daß im lebendigen Gott das Bekenntnis zum Monotheismus ausgedrückt ist, aber auch zum Ursprung des Lebens selber." (S.447) "Die Schwurformel...ist anderer Herkunft. Sie bedeutet, daß Gott im Falle des Eidbruches als Rächer lebt" (ebd., A.1). - Bei Procksch ist diese Gottesbezeichnung ganz in den Bereich von "Gott und Welt" gerückt, und damit weg aus der Relation "Gott und Volk" und "Gott und Mensch". Völlig übersehen wird dabei, daß diese Bezeichnung die Beziehung zum Volk (Dtn 5,26; Jos 3,10 1.Sam 17,26.36), wie sich zeigen wird, zur Grundlage hat, andererseits gerade bei DtJes sich diese Bezeichnung nicht findet. Deutlich hat hier bei Procksch eine abstrahierte Vorstellung vom "lebendigen Gott" das Übergewicht gegenüber der Exegese (vgl. S.699, "der lebendige Gott

4) Dieses dürfte in Köhlers Erklärung der Schwurformel als Pfandsetzung des Lebens der Gottheit (!) begründet liegen; vgl. Köhler, Eid, RGG[2] II, Sp.51. Diese Sicht ist als unhaltbar erkannt, z.B. Kraus, der lebendige Gott, S.7. Vgl.u.S.180f.316.

schlechthin"). Die Frage nach der Herkunft und eventuellen außer-
israelitischen Einflüssen fehlt. Das Fehlen der Schwurformel
dürfte von der Sicht Köhlers beeinflußt sein (vgl. A.4).

In den seither erschienen Theologien des AT fehlt der Begriff
"der lebendige Gott" überhaupt. Weder in der "Theologie des Alten
Testaments" von G.vRad (Bd.I, 1957; Bd.II, 1960) noch in jener von
W.Zimmerli (1972) spielt er eine Rolle. Gegenüber allen Schwierigkeiten, die die Unterbringung des Begriffs in der Konzeption bei
vRad verursachen würde, ist die Konzeption der Darstellung bei
Zimmerli beinahe kongruent mit den Themen die, wie wir sehen werden,
im AT mit der Rede vom lebendigen Gott verbunden wurden. Auch bei
C.Westermann, Theologie des Alten Testaments in Grundzügen (1978),
fehlt der Begriff ebenso wie die einschlägigen Stellen.[5]

Zu diesem Fehlen dürfte wesentlich die von G.Widengren,
Sakrales Königtum im Alten Testament und im Judentum (1955) mit
Vehemenz vorgetragene bzw. erneuerte Herleitung unserer Gottesbezeichnung aus der kanaanäischen Religion beigetragen haben. In dem
ausführlichen Exkurs "Über das israelitische Neujahrsfest" sammelte
Widengren alle Belege aus dem AT und der bis dato (1951/55) vorhandenen ugaritischen Literatur, die für "Sterben und Auferstehen
des Gottes" irgendwie verwendbar sind (S.63-76). Unter völliger
Absehung von der Frage, ob die mythologischen Motive der "Tammuz-
liturgie" und die, auf einen geschichtlichen Vorgang (Zerstörung
Jerusalems) bezogenen Klagelieder und Psalmen so einfach vergleichbar sind, werden "Belege" für das Schlafen und Aufwachen bzw. Auferstehen (Thronbesteigung!) Jahwes bzw. des Tammuz gesammelt.
Nachdem für mehrere Stellen "eine deutliche Anspielung auf eine
kultische Situation" (S.68) aufgezeigt wurde, ergibt sich: "Die
Gottheit schläft den kultischen Schlaf, und die betende Gemeinde
erscheint darum als von Gott verworfen" (ebd.). - "Eigentümlich
berührt es" demgegenüber nicht nur, daß sich diese Dinge trotz der
Polemik der Karmelerzählung (1.Kön 18) in Israel verbreiten konnten
(S.68f), sondern auch, daß Widengren gar nicht nach der Relevanz
oder Realität eines solchen Vorganges (etwa bei der Zerstörung
Jerusalems, aber auch im Rahmen der kanaanäischen Religion) fragt.

---

5) Ebenso H.H. Rowley, The faith of Israel, (1956; 1974[6]). Beiläufig erwähnt wird der Begriff bei A.Deissler, Die Grundbotschaft des Alten Testaments (1972; 1976[5]), S.38f, und bei
   G.Knight, A Christian Theology of the Old Testament (1959),
   S.48.

"Der Konservatismus der Sakralsprache hat aber nicht nur diese
Wendungen aus dem Kultdrama bewahrt, sondern darüber hinaus eine
noch bedeutsamere Wendung." (S.69) Diese sieht er nun in jenem
Satz aus dem Baal-Mythos, wo El sein Wissen über die Rückkehr
des Baal "zum Leben" ausspricht: "Ja, ich weiß, daß Al'iyan Baal
lebt, daß der Fürst, der Herr der Erde, existiert. I AB III 8-9
(20-21)." (S.69), und der in Ps 18,47, wenn auch auf Jahwe übertragen, übernommen ist. Die Gegenüberstellung von tot (dort allerdings Menschen!) und lebendig (Jahwe) findet er dann auch in der
Schwurformel 1.Sam 26,16 (die dort ein Urteil bekräftigt!). Dazu
paßt natürlich, daß in Hos 4,15 und Am 8,14 das Schwören abgelehnt
ist, wegen der "richtige(n) Empfindung, daß die Formel 'Jahwe lebt'
als kanaanäisch mit der strengen Jahvereligion nicht zu vereinen
möglich ist." (S.70)

Es ist verständlich, daß ein solcher kanaanäischer, von der
strengen Jahwereligion der Propheten abgelehnter Begriff in den
Darstellungen einer Theologie des AT keinen Platz mehr findet.
Merkwürdig ist, daß Widengren zwar an ganz anderer Stelle als
Baudissin an die kanaanäische Religion anknüpft (Baudissin hatte
den Gedanken der Wirksamkeit ausgeklammert, der wiederauflebende
Gott bei Widengren ist dagegen der wieder wirksame und rettende
Gott, z.B. S.76); dennoch war der Sicht Widengrens eine beinahe
noch größere Wirkungsgeschichte beschieden. Bezeichnend dafür ist,
daß jetzt die Diskussion nicht mehr um den Ausdruck der lebendige
Gott kreist und die Schwurformel vernachlässigt wird, sondern fast
nur noch Ps 18,47 diskutiert wird, und auch dort, wo man ihm widerspricht, Widengren die Grundlage der Diskussion darstellt.

Bezeichnend dafür ist H.J.Kraus, der in seinem Kommentar über
die Psalmen (BK XV) bei Ps 18,47 zunächst Widengren referiert und
dann etwas ambivalent sagt: "Man wird diese Zusammenhänge unter
allen Umständen beachten müssen. Jedoch räumt Widengren der kanaanäischen Komponente im Inhaltlichen eine zu starke Relevanz ein.
Handelt es sich nicht doch nur um Übernahme einer archaischen
Formel?" (Bd. I, 1960,S.149 = 1978⁵, S.295) Demgegenüber möchte er
Vriezen's Wertung als "antithetische Entsprechung" zustimmen (ebd.).
Die kanaanäische Herkunft der Bezeichnung bleibt aber damit bestehen. Ähnlich wie im Kommentar Ps 84,3 von 18,47 her erklärt
wird (z.St.) werden auch in der "Theologie der Psalmen" (BK XV,3,
1979) zwar Ps 84,3 ("lebendiger Gott") und 36,10 ("bei dir ist die
Quelle des Lebens") angeführt, aber von Ps 18,47 her erklärt, wenn

auch hier noch stärker vom kanaanäischen Kultruf abgesetzt (S.25).

H.Ringgren hat in seiner Darstellung der Israelitischen Religion (RM26, 1963) sowohl die Bezeichnung "der lebendige Gott" als auch die Schwurformel kurz aber sehr sachbezogen behandelt: "Wir haben es hier also mit dem wirksamen und handelnden Gott zu tun und mit dem Gott, der den Menschen Gemeinschaft gewährt. Wahrscheinlich schwingt überdies noch die Vorstellung vom lebensspendenden Gott mit. Übrigens ist in Israel wie auch anderswo die Sterblichkeit das Los des Menschen, während Gott das Leben zukommt" (S.78) (Hier ist erstmals wieder der Blick dafür geöffnet, daß es in der Umwelt Israels nicht nur Baal und Tammuz sondern auch noch andere Götter gibt, die eine Rolle spielen!). Ringgren unterscheidet korrekterweise zwischen Schwurformel und Ps 18,47 ("Jahwe lebt, gepriesen sei mein Fels!"): "Es handelt sich hier um das mächtige Eingreifen Jahwes zur Rettung des Psalmisten aus Todesgefahr, also eben um den Umschwung im Psalm. Der Prophet Hosea läßt durchblicken, daß die Schwurformel nicht ganz harmlos ist (4,15), vielleicht weiß er, daß die Kanaanäer eine ähnliche kennen. Amos rügt eine vergleichbare Formel, in der der Gott in Dan und der Dod von Beerseba genannt werden (8,14). Aber das alles läßt doch wohl nicht die Schlußfolgerung zu, man habe in gewissen Kreisen in Jahwe einen sterbenden und auferstehenden Gott wie Ba'al erblickt. Vielmehr beruft sich der Schwörende hier auf eine besonders charakteristische Eigenschaft Jahwes: er ist lebendig, aktiv, die Quelle allen Lebens. Ob die Vorstellung von Jahwe als dem lebendigen Gott ein(en) bewußte(n) Protest gegen die sterbenden Götter darstellt (Verweis auf Baudissin) oder ob sie eher auf das Leben als das Vorrecht des Göttlichen gegenüber den Menschen hinweist, kann auf Grund unseres Materials kaum entschieden werden." (S.78, Fehlerkorrektur von mir). - Ringgren übt Zurückhaltung in der Herleitung der Vorstellung und erweitert die Fragestellung gegenüber der Fixierung auf Ps 18,47. Neben der vorsichtigen Formulierung bezüglich Hos 4,15 und Am 8,14 sollte aber doch die merkwürdige Tatsache Beachtung finden, daß die Schwurformel in der (wie Hosea) ebenfalls antikanaanäisch orientierten Elija/Elischaüberlieferung problemlos und sogar mit Vorliebe gebraucht wird. Zum Alter des Begriffs "der lebendige Gott" äußert sich Ringgren nicht. Im Blick auf die Traditionen Israels scheint er den Begriff der Schöpfungstradition und der Beziehung zwischen Gott und einzelnen Menschen zuzuordnen, nicht der Beziehung Gott und Volk.

12

Die einzige selbständige Veröffentlichung zum Thema liegt, soweit ich sehe, in dem Aufsatz von Kraus, Der lebendige Gott (Ev Theol 27 (1967), S.169-200) vor. Im Sammelband "Biblisch-theologische Aufsätze" (1972) ist dieser Aufsatz offensichtlich mit Bedacht an die Spitze gestellt (S.1-36). Kraus widmet sich zunächst der "Aktualität und Problematik des Themas", wobei er einen auffallenden Dissens in der Forschung feststellt. Diesen erklärt er dadurch, "daß nicht deutlich genug zwischen der engeren Bezeichnung Jahwes als ʾel ḥaj und dem weiteren Theologumenon unterschieden wird. Dann aber auch durch die Vielzahl der Deutungen..." (S.3) Daraus folgt für ihn: "In jedem Fall wird man also zuerst darum bemüht sein müssen, genau zu erarbeiten, welche Bedeutung die Gottesbezeichnung in ihrer jeweiligen Formulierung und in ihrem jeweiligen Zusammenhang hat. Erst dann wird gefragt werden können, ob und inwieweit das Epitheton 'lebendiger Gott' geeignet ist, grundsätzliche theologische Aussagen über den Gott des Alten Testaments und dann wohl auch des Neuen Testaments zu machen." (S.3f) In diesem Sinn untersucht Kraus zunächst "die Schwurformel ḥaj jhwh", dann den hymnischen Ausruf "Jahwe lebt"(d.h. Ps 18,47), "ʾelohim hajim" und den Ausdruck "die Quelle des Lebens", um sich schließlich dem Neuen Testament und "abschließenden Fragen" zuzuwenden. Bei der Schwurformel wird dann die Invokation ḥaj jahwe speziell untersucht. Die Texte werden nicht chronologisch sondern sachlich geordnet. Von Jer 16,14f und 23,7f her folgt, daß sich "für Israel das Leben Jahwes in seinen grundlegenden heilsgeschichtlichen Taten erwiesen hat und zukünftig neu erweisen wird." (S.11) - Hier ist endlich wieder eine Erkenntnis an die erste Stelle gerückt, die sich, wie wir sehen werden, als grundlegend erweist. Allerdings wird sie an einem Text begründet, der frühestens kurz vor dem Exil entstand. Gilt seine Aussage auch für die ältere Zeit? Ps 18,47 behandelt Kraus mit der bereits erwähnten Zurückhaltung gegenüber Widengren, wobei er hier stärker von antithetischer Zuspitzung gegenüber der kanaanäischen Religion spricht: "...so ist die polemische Spitze unübersehbar und unüberhörbar" (S.17). In 1.Sam 17,26 und Hos 2,1 sieht Kraus die ältesten Belege für den "lebendigen Gott", wobei bei 1.Sam 17,26 nichts dafür spricht, eine deuteronomistische Einfügung anzunehmen (S.19). Somit ist dieser Beleg "wahrscheinlich die älteste Stelle" und im Zusammenhang mit der Vorstellung vom "heiligen Krieg im alten Israel" zu sehen (S.20). Methodisch ist es wichtig, daß Kraus rückblickend feststellen kann,

13

daß die meisten der (hymnischen) Erweiterungen der eidlichen Invokation...in ihrer Aussage-Intention mit dem übereinstimmen,
was...zum 'elohim ḥajim ausgeführt wurde... Es wird darum nicht
geurteilt werden dürfen, die Aussage, Jahwe sei ein 'lebendiger
Gott', tauche im Alten Testament erst spät und nur spärlich auf.
Sie ist in der Antithese gegen die sterbenden und toten Götter der
Umwelt in Verkündigung, Bekenntnis und Hymnus schon früh formuliert
und dann in verschiedenartigen Zusammenhängen wiederholt worden."
(S.24) - Da ist sie nun plötzlich wieder: die (wohl weitgehend von
Ps 18,47 her beeinflußte) Sicht der kanaanäischen Herkunft dieser
Gottesbezeichnung, auch wenn sie "antithetisch" ausgebaut und ver-
wendet wurde (vgl. S.17 oben). Den bisherigen Ausführungen wird
noch der Begriff "die Quelle des Lebens" und ein Blick auf das NT
angefügt. Die "abschließende(n) Fragen" offenbaren das besondere
Anliegen des Aufsatzes und zielen auf die theologische Bedeutung
unserer Gottesbezeichnung: "Müßte nicht ein neues Hören auf das
Alte Testament die anthropologische incurvatio in hominem auf-
sprengen und in einer eschatologisch ausgerichteten Ekklesiologie,
die, wenn sie dem Neuen Testament entsprechen will, nur tief in der
Christologie wurzeln kann, ein neues Verständnis des Gottesvolkes
'auf dem Wege' der Geschichte eröffnen? Und müßte dann nicht das
Theologumenon 'lebendiger Gott' wieder so aufgenommen und erkannt
werden, wie es seiner Rolle in der biblischen Theologie entspricht?"
(S.36) - Diese schöne und weithin zutreffende Darstellung, die zudem das Verdienst hat, fast alle in Frage kommenden Ausdrucksweisen
(es fehlen nur die Eigennamen und die kausativen Formen von ḥaja
mit Gott als Subjekt) aufgegriffen zu haben, hat zwei Mängel: Einerseits fehlt eine eingehende Beschäftigung mit der (allerdings
hier meist recht schwierigen) Frage der Datierung der Belege, andererseits ist der religionsgeschichtliche Vergleich, trotz gelegentlicher Forderung, die weitere Umwelt (Ägypten und Mesopotamien) einzubeziehen, letztlich doch auf eine einzige Stelle des
AT (Ps 18,47) und des Baal-Zyklus (I AB III 8-9 = UT 49 III 8-9)
fixiert, denn eine "antithetische Entsprechung" ist, solange keine
weiteren wesentlichen Faktoren vorliegen, doch auch eine Abhängigkeit. Die stärkste Infragestellung kommt aber von Kraus selbst:
Nach den oben zitierten, sehr weitreichenden Schlußsätzen schlägt
man mit großer Erwartung seine Dogmatik "Reich Gottes - Reich der
Freiheit" (1975) auf, und findet den "lebendigen Gott" - nicht!
Dieses "ohne Frage bedeutsame Theologumenon" (1972, S.1) findet

14

sich weder im Inhalts- noch im Stichwortverzeichnis und die einschlägigen Stellen des AT fehlen im Bibelstellenregister.[6]

Weiters ist W.H.Schmidt, Alttestamentlicher Glaube in seiner
Geschichte (1975[2]) zu erwähnen, wo unter den "neuen Gottesaussagen"
der "Königszeit" auch "der lebendige Gott" behandelt wird (S.155-
162). Die Darstellung entspricht weithin jener bei Kraus. War schon
Kraus bezüglich der Herleitung des Begriffs de facto in die Nähe
Baudissins gekommen, so stimmt Schmidt ausdrücklich zu: "Um eine
Formulierung Baudissins aufzugreifen: Der Begriff vom Leben Gottes
ist entlehnt, doch hat das Alte Testament die 'Todesüberwindung ab-
gestreift, die Vorstellung selbst aber beibehalten';" (S.161). Neu
bei Schmidt ist die konkrete Aussage über die Abhängigkeit und die
Festlegung auf die Königszeit (gegenüber "nomadischer Vorzeit" und
"Frühzeit nach der Landnahme").

Zuletzt[7] ist auf H.J.Zobel, Der kanaanäische Hintergrund der
Vorstellung vom lebendigen Gott: Jahwes Verhältnis zu El und Baal
(WZ(G).GS 24 (1975), S.187-194) hinzuweisen. Wie schon der Titel
sagt, steht für Zobel die Herleitung aus der kanaanäischen Religion
fest. Innerhalb dieser aber will Zobel unseren Begriff von El her-
leiten. Zwar ist sowohl für El als für Baal die Vorstellung von
der Lebendigkeit bezeugt, aber "der Unterschied beider Vorstellungen ist der, daß bei Baal das Schwergewicht auf dem Ausdruck der

---

6)   Der Begriff "der lebendige Gott" kommt vor, aber praktisch
     ohne selbständige Bedeutung, z.B. "das lebendige Wort des le-
     bendigen Gottes" (S.68) oder im Zusammenhang des neunten (bzw.
     achten) Gebotes im Blick auf die Schwurformel des AT: "Nicht
     'etwas Heiliges', sondern der lebendige Gott, der in befreien-
     den Geschichtstaten seine lebendige Gegenwart erwiesen hatte,
     wurde als der Zeuge aller menschlichen Rede erkannt und ge-
     ehrt." (S.363) - "Lebendig" ist hier wieder, wie im eingangs
     erwähnten Sinn (s.S.1) zum feierlichen Attribut für Gott, aber
     auch für Wort und Gegenwart geworden.

7)   W.Stenger, Die Gottesbezeichnung "lebendiger Gott" im Neuen
     Testament TThZ 87 (1978), S.61-69, stellt den "alttestament-
     lichen Hintergrund" nur kurz und im Gefolge von Schmidt,
     Kraus und Baudissin dar (S.61f). Auffallend ist jedoch seine
     Bemerkung über die "zur Zeit der Auseinandersetzung mit der
     kanaanäischen Natur- und Fruchtbarkeitsreligion eher vermiedene
     Verbindung dieser Gottesbezeichnung mit dem Schöpfungsge-
     danken" (S.62).

Existenz im Unterschied zum Nicht-Existieren liegt, während die
Rede vom ewigen Leben Els seine unumschränkte Macht zum Inhalt
hat." (S.190) Die wesentliche Grundlage für Zobels Sicht ist der
Vergleich der im AT und in Ugarit belegten, mit dem Verbum haja
gebildeten Eigennamen (Jechiel bzw. Hiel), in denen "ein unmittelbarer Bezug zwischen der Macht Els und seinem menschliches Leben
schenkenden und erhaltenden Wirken" (S.191), also eine vertrauensvolle Beziehung des Individuums zum Schöpfergott, ausgesprochen
ist, wie überhaupt aus der Namengebung hervorgeht, "daß El für die
Bevölkerung Ugarits von größtem Belang war" (S.190). Für Zobel
"liegt es nach alledem auf der Hand, daß in der kanaanäisch-ugaritischen Religion der Gott El als lebendiger Gott im Sinne einer
für das Volk und den einzelnen wirkenden Gott verehrt wurde... Daß
unter den kanaanäisch-ugaritischen Personennamen nicht ein einziger
mit hwy und bʻl gebildeter Name anzutreffen ist, darf als zusätzli-
che Bestätigung angeführt werden." (ebd.) - So berechtigt Zobels
Gegenthese zur alleinigen Bezugnahme auf Baal ist, so ruht sie doch
auf fraglichen Voraussetzungen. Zunächst ist eine vorexilische
Datierung der betreffenden Eigennamen des AT sehr zweifelhaft
(s.u.S. 236-246) und sind auch die von F.Groendahl gesammelten und
von Zobel übernommenen ugaritischen Belege stark zu reduzieren
(s.u.S. 327-330) ; vor allem aber erscheint die strikte Trennung
der Vorstellungen über El und Baal nicht haltbar. Schon die ugaritischen Texte bezeugen den Aufstieg Baals im ugaritischen Pantheon
und Zobel vermerkt selber, daß die phönizischen Königsnamen "überwiegend mit Baal zusammengesetzt sind" (S.190), wie auch, "daß im
Verlauf der Geschichte die von Hause aus bestehende Differenz
der...Wirkungsbereiche der Gottheiten zusehends verwischt wurde"
(ebd.). Man wird auch schwerlich in diesem strengen Sinn zwischen
Existieren und Wirken unterscheiden (und das Wirken für den zum
deus otiosus werdenden El in Anspruch nehmen) können. Zobel kommt
allerdings das Verdienst zu, erstmals seit Baudissin die Eigennamen wieder intensiv berücksichtigt zu haben.

Die Forschungsgeschichte zur Rede vom "lebendigen Gott" zeigt
ein extremes Schwanken zwischen großer Beliebtheit und Einordnung
an zentraler Stelle und andererseits einem völligen Übergehen des
Begriffs. Es zeigen sich in verschiedener Intensität drei Linien
des Verständnisses und der Darstellung: Zunächst jene Linie, die
von einer bestimmten Idee von Lebendigkeit oder Leben ausgeht.
Diese ist teils dogmatisch, philosophisch oder religionspsycholo-

16

gisch bestimmt. Dementsprechend wird der lebendige Gott in die
Nähe der Personhaftigkeit Jahwes oder seiner (wirksamen) Existenz
gebracht oder als Gegenpol und Ursache religiöser Grunderfahrung
erklärt (zum letzteren vgl. neben der Darstellung bei Jacob auch
die Behandlung des lebendigen Gottes in der Nähe des Begriffs der
Heiligkeit oder der "Geistigkeit der Gottesvorstellung").

Die zweite Linie ist stärker alttestamentlich-theologisch bestimmt. In Darstellungen der Theologie des AT, die ihr Zentrum in
der Beziehung zwischen Gott und Volk haben, findet der "lebendige
Gott" gelegentlich hier seinen Ort. Parallel zum sonstigen Gefälle
der Darstellung werden dann von hier aus auch die in Zusammenhang
mit dem lebendigen Gott im AT gemachten Aussagen über das Leben in
der Schöpfung und des Einzelnen integriert. Wenn dabei viele Stellen, wo der lebendige Gott eigentlich nicht wörtlich erwähnt wird,
herangezogen werden, so zeigt sich darin der Einfluß eines - vielleicht durchaus sachgemäßen- aber doch abstrahierten Begriffs von
"Lebendigkeit" Gottes.

Die dritte Linie ist jene der Frage nach der religionsgeschichtlichen Herkunft. Sie gewinnt erst dort Raum, wo die Selbstver-
ständlichkeit der ersten Linie geschwächt ist und tritt fortan in
Konkurrenz zu jener (wie auch zur zweiten Linie), nicht ohne ihrerseits sehr anfällig für Ideen und Schemata (z.B. das cultic-pattern)
zu sein. Diese Frage wurde von Anfang an fast ausschließlich im
Blick auf die kanaanäische Religion und hier oft genug im Blick
auf ein einziges Phänomen (sterbender und wieder auflebender Ve-
getationsgott) bzw. auf einen einzigen Text (aus dem Baalzyklus)
behandelt. Dabei wird in neuerer Zeit besonders nach der sprachlichen Voraussetzung von Ps 18,47 gefragt und diese wird im ugaritischen Mythos gefunden. Für eine wirklich relevante Antwort müßte
auch der ugaritische Text auf die sprachlichen Voraussetzungen seiner Ausdrucksweise hin befragt werden.

Hatte zunächst zwischen der ersten und der zweiten Linie eine
gewisse Beziehung und auch Konkurrenz bestanden, so beherrscht in
neuerer Zeit die dritte Linie das Feld. Die hier gegebene Antwort
der Herleitung aus der kanaanäischen Religion (und zugleich aus
relativ später Zeit innerhalb des AT) machte die Rede vom lebendigen Gott für die Theologie des AT anscheinend unbrauchbar (vRad,
Zimmerli, Westermann) oder zumindest wenig bedeutsam (Köhler,
Proksch, Deissler, Knight, auch Eichrodt).

Zur Methode: Die dargestellte Forschungsgeschichte, insbesondere in den jüngeren Beiträgen, zeigt, daß die Rede vom lebendigen Gott nur unter Einbeziehung des religionsgeschichtlichen Vergleichs und der Frage nach der Wurzel dieser Bezeichnung relevant behandelt werden kann. Aus der Diskussion zu unserem Begriff, aber auch aus der Bedeutung, die der Ugaritistik für die "Erhellung" (so Dahood) des AT vielfach zugeschrieben wird, werden die kanaanäische Religion und die ugaritischen Texte dafür besondere Beachtung finden müssen. Allerdings darf das nicht eine andere Bereiche ausschließende Vorentscheidung bedeuten. Insbesondere aber darf der religionsgeschichtliche Vergleich und die Frage nach eventueller Abhängigkeit nicht zu einem "parallel hunting"[8] werden. Vielmehr ist jede einzelne Vorstellung und Ausdrucksweise sowohl im AT als in der Umwelt Israels auf ihren Sitz im Leben, auf ihre Intention und Funktion sowie auf ihre Voraussetzungen hin zu befragen. Damit sind, soweit möglich, die sprachlichen, religiösen und soziologischen Voraussetzungen auch für außeralttestamentliche Vorstellungen zu eruieren. Auch die äußeren Voraussetzungen für eine mögliche Übertragung sind zu prüfen.

Um zu präzisieren, wonach in der religiösen Umwelt Israels gefragt werden soll, werden zunächst die Ausdrucksweisen des AT für die Vorstellung vom lebendigen Gott untersucht. Dies geschieht nach einem einführenden Überblick über die sprachlichen Ausdrucksmöglichkeiten in der Behandlung der einzelnen Gattungen. Dabei ist gegenüber der gängigen Behandlung des Themas besonderes Augenmerk auf die Datierung gerichtet; für die Wertung innerhalb des AT und für den Vergleich mit der Umwelt ist dies eine wichtige Voraussetzung. Leider sind Datierungsfragen angesichts der Gespaltenheit,

---

8) Ringgren, Israel's Place among the Religions of the Ancient Near East, VTS 23, S.1-8. "Comparative research in the Biblical field has often become a kind of 'parallel hunting'. Once it has been established, that a certain biblical expression or custom has a parallel outside the Bible, the whole problem is regarded as solved. It is not asked, whether or not the extra-Biblical element has the same place in life, the same function in the context of its own culture." (S.1) Im gleichen Sinn fordert Westermann "phänomenologisch faßbare Ganzheiten" für einen relevanten religionsgeschichtlichen Vergleich (Sinn und Grenze religionsgeschichtlicher Parallelen, ThB 55, S.85).

die in der alttestamentlichen Wissenschaft derzeit sowohl im Blick
auf Methoden als auf Ergebnisse herrscht, zu einem mühsamen Ge-
schäft geworden. Von daher habe ich innerhalb der einzelnen Gattungen den Einstieg jeweils dort gewählt, wo die Belege gehäuft auftreten. Zu dieser etwas breiteren Basis können dann die Einzelbelege in Beziehung gesetzt werden. Der Behandlung der Schwurformel (=SF), der hymnischen Aussage(n) und der Eigennamen folgte ursprünglich der religionsgeschichtliche Vergleich (Ägypten, Mesopotamien, Kanaan). Mit Bedacht stand die Untersuchung der Bezeichnung
"der lebendige Gott" am Schluß, um deutlich werden zu lassen, welche
der in Israel und in der Umwelt vorfindlichen Linien darin nun wirklich aufgenommen sind. Zwecks Geschlossenheit des alttestamentlichen
Teiles wurde dieser Abschnitt hier vorgezogen (Kap. VII).

Am Anfang dieser Arbeit stand die Aufgabe, die Bedeutung und
Herkunft des Begriffs "der lebendige Gott" zu untersuchen, und eine
gewisse Kenntnis der nicht allzu ergiebigen Literatur - nicht aber
eine fertige These. Daraus ergab sich, daß manche Einzelheiten, die
im Nachhinein weniger bedeutsam erschienen, zunächst gründlicher
untersucht wurden, wie sich umgekehrt manche Fragestellungen erst
allmählich herauskristallisierten oder vertieften. [9] Es war eine
Freude und auch eine Bestätigung des eingeschlagenen Weges, als
sich bei der oft mühsamen Einzeluntersuchung allmählich gewisse
Verbindungslinien zeigten und sich die einzelnen Mosaiksteine zu
einem Gesamtbild formten. Wenn am Schluß der Arbeit in einem
"Ausblick" einige Linien zum Neuen Testament und zur Systematischen
Theologie gezogen werden, so ist dies ein Bekenntnis zu dem größe-
ren Horizont, in dem und für den ich die exegetische Arbeit am
Alten Testament als relevant betrachte.

---

9) Insbesondere machten sich die Besonderheiten der Literatur zu
    den Samuel- und Königbüchern (durch die Orientierung an meist
    nur einer, mit den anderen wenig verbundenen Arbeitsweise und
    Zielsetzung) und die fehlende Beachtung der Schwurformel in
    den Untersuchungen über die Gattungen des Rechtslebens gerade
    am Anfang erschwerend bemerkbar.

Zum Formalen: Die Abkürzungen sind die in der Fachliteratur geläufigen (vgl. z.B. Abkürzungsverzeichnis der "Theologischen Realenzyklopädie"). Die Literatur ist bei der ersten Erwähnung meist ausführlicher, später nur mit Verfasser und Stichwort zitiert, jedoch immer so, daß der vollständige Titel im alphabetisch geordneten Literaturverzeichnis eindeutig zu identifizieren ist. Zur Verdeutlichung der Forschungsgeschichte ist verschiedentlich das Erscheinungsjahr auch im Text oder in Anmerkungen angegeben. Als Zeichen ökumenischer Hoffnung im Hören auf die der Christenheit gemeinsame Grundlage ist für die Schreibung der Namen das "Ökumenische(s) Verzeichnis der biblischen Eigennamen nach den Loccumer Richtlinien" (Stuttgart 1971) zugrunde gelegt. Allerdings stehen dadurch im Text und in den Zitaten verschiedene Formen nebeneinander (z.B. Elia - Elija), wie leider auch die "Richtlinien" noch nicht endgültig waren. Die Abkürzungen für die biblischen Bücher sind dagegen auch in den Zitaten vereinheitlicht. Zur Verdeutlichung des Chet schreibe ich Jechiel und Jechija statt Jehiel und Jehija.

Für die Drucklegung wurden nur geringfügige Änderungen vorge-
Die mittlerweile erschienene Literatur konnte nicht mehr eingearbeitet werden. Soweit ich sehe, würden sich kaum gravierende Änderungen ergeben.

Besonders gerne würde ich das Gespräch mit F. Stolz: Das erste und zweite Buch Samuel, ZBK, 1981, führen. Leider mußte ein kurzer Hinweis genügen (s.u.S. 83). Interessante Perspektiven für die Behandlung von Jer 4,2; 5,2 und 23,7f ergeben sich aus dem Aufsatz von R. Albertz: Jer 2-6 und die Frühzeitverkündigung Jeremias, ZAW 1982. Dasselbe gilt für die von J.A. Emerton: New Light on Israelite Religion: The Implications of the Inscriptions from Kuntillet ʿAjrud, ZAW 1982, diskutierten Belege von 'Yahweh of Samaria' und 'Yahweh of Teman' im Blick auf Amos 8,14 und Jer 46,18. Auch hier müssen jeweils kurze Hinweise genügen (s.u.S. 125 bzw. S.105 und 218).

I. Jahwe der Lebendige: Ausdrucksmöglichkeiten und Belege.

Bei der Frage nach den Aussagen des AT über den "Lebendigen Gott" beginnen wir zunächst bei den entsprechenden sprachlichen Ausdrucksformen.

Dem deutschen Wort "Leben", "lebendig sein" entspricht im Hebräischen das Verbum חיה mit seinem Wortfeld:[1]

חיה hat die Grundbedeutung (Qal) 'leben', 'am Leben sein (bleiben)', 'wieder lebendig werden'.

Im Pi. ergeben sich die Bedeutungen 'am Leben erhalten', 'zum Leben (zurück-)bringen' und ähnlich,

im Hi. 'am Leben erhalten (oder lassen)' und 2x 'neu beleben'.[2]

Davon gibt es die Derivate:

I חַי (Substantiv): Leben, mit dem Plural חַיִּים Lebenszeit, -zustand, -glück, -unterhalt.

II חַי (Adjektiv): lebendig, am Leben

I חַיָּה pl. חַיּוֹת: Tiere, Getier aller Art

II חַיָּה das Lebendige, das Leben

(חַיּוּת nur 1x : Lebzeit)

מִחְיָה Erhaltung des Lebens (im weitesten Sinn)[3]

Daneben gibt es noch die männlichen Eigennamen

יְחִיאֵל und יְחִיָּה.[4] Schwierig ist die Gottesbezeichnung לַחַי רֹאִי in Gen 16,13f.

Aus diesem weiten Wortfeld sind für uns hier vor allem חיה und I חַי und II חַי interessant und dazu die theophoren Eigennamen.

Für unser Thema würde man zuerst die Verbindung des Gottesnamens[5] als Subjekt mit dem Grundstamm von חיה erwarten, also die Aussage 'Gott/Jahwe lebt'. Dem ist aber überraschenderweise nicht so! An keiner einzigen Stelle mit חיה im Qal findet sich Gott/Jahwe als Subjekt der Aussage. Auch eine entsprechende Aussage in einem Nominalsatz gibt es eigentlich nicht. Die in diesem Sinn gerne herangezogene Stelle Ps 18,47

---

1) HAL I 295-298; Gerleman, חיה, THAT I, Sp. 549-557.

2) Vergleiche dazu auch E.Jenni, Das hebr. Pi'el, S.20 und 61-64.

3) HAL II 538f

4) מחויאל bzw. מחייאל, Gen 4,18 ist gegen HAL II 538 hier nicht heranzuziehen, dazu wurden in der Exegese zu viele Ableitungen versucht. Vgl. Westermann, Gen, BK I1, 445f.

5) Gott und Jahwe sind im Folgenden ohne Unterschied gebraucht, sofern dies nicht sachlich notwendig ist.

und die, wie wir sehen werden, ähnlichen hymnischen Aussagen in Jer 16,14f
par. 23,7f und Jer 46,18 wollen etwas anderes sagen als einfach, daß er
(Gott bzw. Jahwe) "am Leben" sei. S.u.S. 146ff; 115ff; 208ff.

Erst in den faktitiven und kausativen Stammformen ist Gott das
Subjekt, wobei die Mehrzahl der Belege auf das Pi. entfällt. Hi. und
Pi. sind in der Übersetzung sehr ähnlich, unterscheiden sich aber darin,
daß das Pi. die Lebendigkeit im Gegensatz zum Todeszustand meint, während
das Hi. auf den fortdauernden Vorgang des Lebens abhebt.[6]

Für das Hi. gibt es 2 Belege: Jos 14,10 "Und nun, siehe der Herr
hat mich am Leben gelassen, wie er mir zugesagt hat."
Jes 38,16 "Herr, laß mich wieder genesen und leben."
Dazu kommt noch eine Stelle mit dem Engel Jahwes als Subjekt, der die
Eselin Bileams am Leben lassen will (Num 22,33).

Für das Pi. gibt es nun 24 Belege mit Gott bzw. Jahwe als Subjekt:
Dtn 32,39; 1.Sam 2,6; Jer 49,11; Hos 6,2; Hab 3,2; Ps 30,4; 41,3;
71,20; 80,19; 85,7; 119,25.37.40.88.93.107.149.154.156.159; 138,7;
143,11; Hi 36,6; Neh 9,6.
Alle diese Belege sind in feierlicher, poetischer Sprache, und außer
Jer 49,11, einem Gerichtswort gegen Edom, handelt es sich durchwegs um
Psalmen und Gebete. Den Löwenanteil trägt dabei Ps 119 davon (10x),
wobei allerdings der Gegensatz von Leben und unmittelbarer (physischer)
Todesgefahr etwas verblaßt. Interessanterweise finden sich keine Stellen
aus den Pentateuchquellen und dem dtrG (Dtn 32,39 und 1.Sam 2,6 sind in
den Zusammenhang aufgenommene Psalmen [7]). Die ältesten Belege sind
Hos 6,2 und Jer 49,11.

Aus dem lexikalischen Befund zu חיה wird nun in der Literatur der Schluß gezogen, daß dem AT wenig an der Aussage "Jahwe lebt"
gelegen zu sein scheint, dagegen aber die Fähigkeit Jahwes, Leben zu
geben, lebendig zu machen (aber auch zu töten, 1.Sam 2,6) stark und
von verschiedenen Seiten betont wird.[8]

Um vom Leben oder der Lebendigkeit Gottes/Jahwes zu sprechen,
ist nun meist חי verwendet, sowohl substantivisch als auch adjektivisch.
Das häufigste Vorkommen ist in der sogenannten Schwurformel חַי יהוה;
gelegentlich חַי הָאֱלֹהִים oder auch (erweitert) in Bezug auf Menschen
חֵי(וְ) נַפְשְׁךָ. Wo die Schwurformel in die Gottesrede hineingenommen ist,

------

6) Jenni, Pi'el, S.62
7) zu Dtn 32,39 siehe vRad, Deuteronomium, ATD, S.139.143; zu
    1.Sam 2,6 siehe H.W.Hertzberg, ATD , Samuelbücher, S.18 "hier
    ist ein bereits vorhandener Psalm... eingefügt worden".
8) So Gerleman, חיה, THAT I, Sp.555f.

22

ist sie zu אֲנִי חַי umgeformt.[9]

Die Schwurformel findet sich 76x im AT[10] in den verschiedensten Verbindungen, teils als Anrufung Jahwes oder Gottes, in der Bezugnahme Gottes auf sich selbst, aber auch in der Bezugnahme auf Menschen und auch in der unbekümmerten Nebeneinanderstellung von Gott und Mensch.

Außer den Schwurformeln gibt es nur wenige Stellen, insgesamt 14, wo Gott bzw. (2x davon) Jahwe als lebendig bezeichnet wird. Dtn 5,26; 1.Sam 17,26.36; Jer 10,10; 23,36; Jos 3,10; Hos 2,1; Ps 42,3; 2.Kön 19,4.16 = Jes 37,4.17; 2.Sam 22,47 = Ps 18,47.[11] Eventuell käme noch Ps 84,3 in der masoretischen Textform dazu. Mehr als die Hälfte der Schwurformeln ist von der Form חי יהוה (insgesamt 41x). Dabei ist diese gelegentlich erweitert; Jahwe wird genauer definiert als der אֱלֹהֵי יִשְׂרָאֵל (1.Sam 25,34; 1.Kön 17,1), als "dein (= Elias) Gott" (1.Kön 17,12; 18,10) als Jahwe Zebaot (1Kön 18,15) und als Jahwe der Herr (Jer 44,26). Interessanterweise gibt es auch die unbekümmerte Nebeneinanderstellung von חַי יְהֹוָה und חֵי נַפְשֶׁךָ (beim Leben Jahwes und bei deinem Leben; 1.Sam 20,3 in Bezug auf Jonatan; 25,26 David; 2.Kön 2,2.4.6 Elia; 4,30 Elisa) und חי אדני המלך (mein Herr der König (= David) 2.Sam 15,21).

Von diesen 41 Stellen finden sich nun 30 in Ri bis 2.Kön, also im sogenannten deuteronomist. Geschichtswerk bzw dessen Quellen. Neben dieser Form gibt es חַי הָאֱלֹהִים (2.Sam 2,27), חַי אֵל (Hi 27,2) und in Dan 12,7 wird beim Leben des Ewigen geschworen (וַיִּשָּׁבַע בְּחֵי הָעוֹלָם). Hierher gehört nun auch die analoge Selbstaussage Jahwes חַי אָנִי (Num 14,21.28; Jes 49,18; Jer 22,24; 46,18; Zeph 2,9 und 16x in Ez; weiters 1x חַי אָנֹכִי in Dtn 32,40). Diese Form findet sich nun wiederum gerade nicht in dtrG.

Neben Bezugnahme auf Gott findet sich auch 5x die Verbindung von חי allein mit Menschen: Gen 42,15.16 (Pharao), 1. Sam 1,26 (Eli), 17,55 (König Saul), 2.Sam 14,19 (David).[12] Dieser Schwur bei bzw. dieser

---

9) Vgl. HAL I, S.295; Greenberg, Hebrew Oath Particle, S.38f.

10) Nach den übereinstimmenden Angaben der Konkordanzen von Lisowsky und Mandelkern.

11) Edb. und Gerleman, חיה, THAT I Sp.554.

12) 2.Sam 11,11 ist wahrscheinlich zu ändern. Statt der, dem AT wenig entsprechenden Aufteilung bzw. des wenig sinnvollen Parallelismus "du und deine Seele" ist besser die häufige Wendung חי יהוה וחי נפשך zu setzen. Siehe Vorschlag BHK; gegen Hertzberg, ATD, S.246, A.1; vgl. bereits K.Budde, Die Bücher Samuel, KHC, z.St. unter Hinweis auf Wellhausen.

Hinweis auf Menschen erscheint ganz unproblematisch, ähnlich wie die
Nebeneinanderstellung von Jahwe und Menschen. Darauf wird bei der Interpretation zu achten sein. Über die angeführten Belege hinaus findet
sich noch die interessante Stelle Am 8,14. Die dortige Drohung gilt
den schönen Mädchen und Jünglingen, die bei der 'Verschuldung Samarias'
schwören und sprechen: "So wahr dein Gott lebt, Dan!" und "So wahr dein
Liebling[13] lebt, Beerscheba!". Auch hier haben wir einen Hinweis auf
die weite Verbreitung der Schwurformel. Sie ist üblich im Nordreich
und wird ausgesprochen in Bezug auf 2 Orte, die die nördlichste und
südlichste Erstreckung von Juda/Israel bezeichnen.

Fragen wir nach diesem ersten Überblick nach dem zeitlichen und
inhaltlichen Kontext der erwähnten Stellen mit der Schwurformel: Von
den 41 Stellen der Schwurformel חי יהוה finden sich 30 in dtrG und
zwar in den Reden. Hier dient die Schwurformel durchwegs der Bekräftigung bestimmter Aussagen. Etwa: Ri 8,19 "Er (Gideon) sprach...Beim Leben
Jahwes, wenn ihr sie am Leben gelassen hättet, würde ich euch nicht
töten." 1.Sam 14,39 (Saul) "Beim Leben Jahwes...auch wenn sie (die
Schuld) bei meinem Sohn wäre, so soll er sterben!" 1.Sam 28,10 "Saul
aber schwor ihr bei Jahwe und sprach: Beim Leben Jahwes: es soll dich
in dieser Sache keine Schuld treffen." 1.Kön 17,12 (Witwe zu Sarepta)
"Sie sprach: Beim Leben Jahwes, deines Gottes: ich habe nichts Gebacke-
nes..."

Die Belege finden sich in den Reden der verschiedenen Epochen der
Geschichte Israels. Es stellt sich die Frage nach dem Alter der Texte.
Ist man zunächst geneigt, die Reden an das Ende des Überlieferungs-
prozesses heranzurücken und damit in die Nähe der Entstehung von dtrG,
so steht dem gegenüber die Beobachtung, daß alle Stellen zu den Erzählungen um Saul/Jonatan/David bzw.zu den Elija/Elischageschichten
gehören, also zu in sich geschlossenen Überlieferungskomplexen. Die
einzige Ausnahme Ri 8,19 gehört ihrerseits zu einem ähnlich geschlossenen Koplex, nämlich den Gideongeschichten. Diese Beobachtung weist
auf ein höheres Alter hin. Der Frage ist bei den einzelnen Texten nach-

---

13) Die Stelle ist unsicher und schwer zu erklären, dh besonders
    der Ausdruck דרך באר שבע. Sicher zu sein scheint Beerscheba
    (so auch J.Simons, Geographical...Texts, § 1460: "certain in
    every respect"), auch wenn es tief im Südreich liegt. Schwierig
    aber ist דרך (Weg, Wallfahrt?) insbesondere in Verbindung mit
    חי (Leben des Weges nach Beerscheba?). Darum und weil es einen
    guten Parallelismus ergibt, folge ich der Änderung zu דֹּדְ
    (mit den bei H.W.Wolff zitierten Autoren, aber gegen Wolff;
    Wolff, Amos, BK, z.St.)

zugehen.

Außerhalb von dtrG findet sich die Schwurformel häufig bei Jer,
nämlich 9x. Sonst nur noch Hos 4,15; Rut 3,13; 2.Chr 18,13 (par.zu
1. Kön 22,14). Dabei wird sie in Rut 3,13; 2.Chr 18,13 und in Jer 38,16
zur Bekräftigung der Rede gebraucht. An den übrigen Stellen (Hos 4,15;
Jer 4,2; 5,2; 12,16; 16,14f par. 23,7f; 44,26) handelt es sich um den
meist kritischen Hinweis auf bestehende (falsche) Schwurpraxis, wobei
Hos 4,15 Am 8,14 sehr nahe steht.

Zusammenfassend läßt sich sagen, daß die Bekräftigung einer Aussage durch die Schwurformel während der ganzen Königszeit verbreitet
gewesen zu sein scheint. Dies zeigen die Belege aus dtrG aber auch
die kritischen Stimmen der Propheten gegen die fahrlässige und miß-
bräuchliche Verwendung. Daß dieser Gebrauch der Schwurformel auch nach
dem Exil vorhanden war, läßt die dtr. Stelle Jer 16,14f par. vermuten,
wo der Schwur an sich bejaht wird. Anzuführen ist, daß auch Menschen
in die Schwurformel einbezogen werden können.

In einen anderen Bereich führt der Gebrauch der Schwurformel im
Munde Jahwes, חי אני. Dies findet sich besonders häufig bei Ezechiel,
nämlich 16x von insgesamt 23 Vorkommen, und zwar als Bekräftigung der
Jahweworte (in der Mehrzahl Drohworte). In eine ähnliche Zeit führt
Jes 49,18, wo DtJes mit dem חי אני den "Beschluß Gottes, das Geschick
seines Volkes zu wenden"[14] und die entsprechende Vision bekräftigt.

Auch die Jer-Stellen (22,24; 46,18) stammen aus etwa derselben Zeit.
Beide gehören jeweils zu einer Sammlung von Gerichtsworten: Jer 22,24
zu den Königssprüchen (Jojachin) und 46,18 zur Weissagung gegen Ägypten.
Ob die Schwurformeln auf Jeremia zurückgehen oder bei der Sammlung zur
Bekräftigung hinzugefügt wurden, wird zu untersuchen sein (s.u.S.208ff).
Für Letzteres spricht aber die "dtr." Stelle Jer 22,5, wo Jahwe betont:
"bei mir habe ich geschworen" (בי נשבעתי נאם יהוה).[15]

Es bleiben noch 4 Stellen: Num 14,21.28; Dtn 32,40; Zeph 2,9. Alle
diese Stellen erweisen sich bei näherem Zusehen jünger als ihr Kontext.

Zeph 2,9 gehört zu den Sprüchen gegen Fremdvölker, konkret gegen
Moab und Ammon (V.8f).[16]

---

14) Westermann, Jes 40-66, ATD, S.178.

15) zu Jer 22,5 siehe Rudolph, HAT, S.137; vgl. u.S. 170.

16) Vgl. z.St. Elliger, Zeph, ATD 25, S.71 und Rudolph, Zeph, KAT
    S.281. Rudolph tritt für Echtheit des Verses ein. Aber auch hier
    würde der Einwand Elligers gegen eine "komplizierte Redaktion"
    gelten.

Num 14,21.28: Hier stehen wir in einem schwierigen und widersprüch-
lich beurteilten Abschnitt. G.v.Rad ordnet V.26-38 P zu[17], und V.11-25
stellt er zu J, wobei aber der Abschnitt "so stark mit deuteronomistischen Redewendungen und Anschauungen durchsetzt (ist), daß man hier
einen umfangreichen späteren Zuwachs zur J-Erzählung annehmen muß."[18]
Die erweiternde Erwähnung des Kabod Jahwe scheint ebenfalls auf spätere
Zeit hinzuweisen und darüber hinaus in die Nähe Ezechiels zu führen.

Dtn 32,40: Dieser Vers gehört zum sogenannten 'Lied des Mose', das
vom Kontext unabhängig entstanden ist[19] und, bei Aufnahme alter Überlieferung, DtJes und Ez nahe steht.[20]

Die Wendung חי אני führt uns also primär zu Ezechiel, für den diese
bekräftigende Schwurformel im Munde Jahwes bezeichnend ist[21], und in
die Zeit unmittelbar vor dem Exil (?) und während des Exils. Die verschiedenen Belege lassen an Priester oder diesen nahestehende Kreise
(Leviten ?) als Traditionsträger für diese Formel denken. Zu beachten
ist auch, daß die Formel fast immer im Zusammenhang mit einem Gerichtshandeln Jahwes vorkommt.

Zusammenfassung:

Dieser Überblick über die Vorkommen von חי im Zusammenhang mit
Jahwe/Gott, im speziellen der sogenannten Schwurformel, zeigte die
weite Verbreitung dieser Ausdrucksweise. Darüber hinaus bestehen große
Unterschiede im Gebrauch: teils unreflektiert und formelhaft, teils
sehr reflektiert (wie etwa bei Ez aber auch an anderen Stellen zu vermuten), teils in positiver Erwähnung des Schwörens (Jer 23,7f par),
teils in polemischer Ablehnung (etwa bei Hos und Amos).

Diese Beobachtungen machen skeptisch gegen die bei unserem Thema
oft geübte Vernachlässigung der Schwurformel und Beschränkung auf die
explizite Form אל חי.[22]

---

17) M.Noth , Numeri, ATD, S.97f

18) ebd. S.96

19) G.v.Rad, Dtn, ATD, S.139

20) "Die Nähe zu DtJes und Hesekiel oder das gelegentliche Hinüber-
    wechseln in deuteronomistische Phraseologie lassen allenfalls
    an die Zeit des Exils denken." v.Rad, ebd. S. 143. So auch be-
    reits S.R.Driver, Deuteronomy, ICC, (1902), S.347 unter Verweis
    auf König, EinlAT.

21) W.Zimmerli, Ezechiel, BK, S.39

22) Z.B. L.Köhler, TheolAT³, S.36

Übersicht zu den Belegen, nach Gattungen geordnet:

- Schwurformel (3.Person, Erweiterungen, 1.Person, hymnisch)
- 'lebendiger Gott'
- Eigennamen

    (Klammern bezeichnen abweichende Formen)

	חי יהוה	חי אל(הים)	חי יהוה וחי נפשך	חי נפשך	חי אני	אל(הים) חי(ים)
Gen				(42,15) (42,16)		
Num					14,21 14,28	
Dtn					32,40	5,26
Jos						3,10
Ri	8,19					
1.Sam	14,39 14,45 19,6 20,12 20,21 25,34 26,10 26,16 28,10 29,6		20,3 25,26	1,26 17,55		17,26 17,36
2.Sam	4,9 12,5 14,11 22,47	2,27	11,11 15,21	14,19		
1.Kön	1,29 2,24 17,1 17,12 18,10 18,15 22,14					

	חי יהוה	חי אל(הים)	חי יהוה וחי נפשׁך חי נפשׁך	חי נפשׁך	חי אני	אל(הים) חי(ים)
2.Kön			2,2 2,4 2,6			
	3,14		4,30			
	5,16 5,20					
						19,4 19,16
Jes						37,4 37,17
					49,18	
Jer	4,2 5,2					
	12,16 16,14 16,15					10,10
	23,7 23,8				22,24	
	38,16 44,26					23,36
					46,18	
Ez					5,11 14,16 14,18 14,20 16,48 17,16 17,19 18,3 20,3 20,31 20,33 33,11 33,27 34,8 35,6 35,11	
Hosea	4,15					2,1
Amos	(8,14) (8,14)					
Zef					2,9	

	חי יהוה	חי אל(הים)	חי יהוה וחי נפשך	חי נפשך	חי אני	אל(הים) חי(ים)
Psalm	18,47					42,3 84,3
Ijob		27,2				
Rut	3,13					
Daniel						(6,21) (6,27)
	12,7					
2.Chr	18,13					
Lachisch -Ostraka	3,9 6,12 (12,3)					

Eigennamen: לַחַי רֹאִי   Gen 16,14
             (חִיאֵל)   1.Kön. 16,34)
             יְחִיָּה   1.Chr. 15,24
             יְחִיאֵל   1.Chr. 15,18.20; 16,5; 23,8; 27,32; 29,8
                            2.Chr. 29,14; 31,13; 35,8; 21,2
                            Esra 8,9; 10,2; 10,21.26
             יְחִיאֵלִי   1.Chr. 26,21f

II. Die Schwurformel: Grammatik, Syntax, Bedeutnng.

Die Schwurformel (im Folgenden: SF) erscheint im AT in Verbindung
mit Jahwe, mit Elohim (bzw. 1x El) und mit Menschen. Dazu kommt noch
die Gottesbezeichnung "dein Liebling" (Am 8,14).

Zunächst fällt auf, daß bei konstantem Konsonantenbestand die
Vokalisation zwischen חַי und חֵי wechselt. Mit der Klärung dieser Frage
Hand in Hand geht die andere, ob חי substantivisch oder als Verbum auf-
zufassen ist. Die Hauptform ist חַי יהוה . Hier kann חי Verbum sein oder
Nomen. Durch Zusammentreffen von י und י bleibt חַי erhalten an Stelle
der normalen Status-Constructus-Form חֵי .[1] Als Verbalform andererseits
würde es sich um die 3.m.sg.perf.Qal handeln, gebildet nach ע"ע .
Diese Form findet sich meist statt der vollen Form חיה .[2]

In praktisch allen Übersetzungen[3] findet sich das verbale Verständnis der SF חי יהוה . So bereits in der LXX[4], in der Lutherbibel[5],
in der Einheitsübersetzung[6] und in Kommentaren[7].

Dieses Verständnis hat M.Greenberg entschieden in Frage gestellt.[8]
Zunächst entscheidet er sich mit der oben angeführten Begründung und
unter Berufung auf Sievers und die Grammatiken von Gesenius-Berg-
strässer und Bauer-Leander dafür, daß חַי als die für יהוה phonetisch
berechtigte Constructus-Form analog auf die anderen Gottesbezeichnungen
übertragen wurde.[9] Die phonetische Differenzierung wurde zu einer
theologischen erweitert.

Hierzu könnte man auf Am 8,14 verweisen, wo der Schwur חי אלהיך דן

1) **Bauer-Leander, Grammatik, S.204 w.**
2) **a.a.O., S.423; siehe auch HAL I, S.296 zu חיה.**
3) **Geprüft an 1.Sam 14,39; Jer 4,2; 2.Sam 2,27; Ez 5,11; Am 8,14;
   Gen 42,15**
4) **A.Rahlfs, Septuaginta, (außer Gen 42,15; ὑγίεια !).**
5) **Das Alte Testament, Revision 1964.**
6) **Einheitsübersetzung der Heiligen Schrift, Das Alte Testament,
   Stuttgart 1974; jedoch: Gen 42,15: "Beim Leben des Pharao".**
7) **Z.B. Budde, Samuel, KHC,zu 1.Sam 14,39 mit Verweis auf Gese-
   nius-Kautzsch, Grammatik; Gunkel, Genesis, HK[3], sogar bei
   Gen 42,15; Zimmerli, Ezechiel, BK, zu Ez 5,11. Wolff, Amos,
   BK, zu Am 8,14.**
8) **Moshe Greenberg, Hebrew Oath Particle, JBL 76 (1957) S.34-39**
9) **A.a.O., S.35f Sievers, Metrische Studien, I S.296,A.1.**

30

mit חַי punktiert wird, weil es sich um einen illegitimen Gott handelt.
Greenberg läßt offen, ob die Unterscheidung חַי/חֵי auf "living speech"
zurückgeht oder "a masoretic device" darstellt.[10] Die Beobachtung an
Amos würde eher für Letzteres sprechen. Von da aus ist nun zu klären,
wie חֵי zu verstehen ist. Gegen die normale Übersetzung "so wahr Gott
lebt" stehen grammatikalische Schwierigkeiten. Besonders bei חֵי־ך und
bei חֵי נַפְשְׁ . Ersteres stellt deutlich ein Nomen dar, bei Letzterem
wäre die Constructus-Form eines Partizipiums außergewöhnlich und zudem
würde zum Femininum נֶפֶשׁ die Form חַיַּת gehören. Von da her und vom
Vergleich mit mischnisch-hebräischen Eiden und mit akkadischen und
arabischen Anrufungen und Schwüren entscheidet sich Greenberg für die
nominale Bedeutung von חֵי .[11]

"To conclude then: There is good evidence that the ḥaj/ḥe of
the oath formula is a noun, 'life' in the construct. Such an interpretation is in accord with the common semitic usage of making
mention of the name or the life of gods, kings, etc., in oaths.
There appears to be no warrant from Hebrew usage or cognate cultures
for construing the word participially and rendering 'as truly as X
lives'. This may accord with European usage; it has little support in
the oath formularies of the Semites."[12]

Greenberg geht auch noch auf חֵי אָנִי ein und kommt zu dem Schluß,
daß אָנִי ein Ersatz für das Tetragramm ist, wenn Gott bei sich selbst
schwört.[13]

Die Erwägungen von Greenberg finden eine Bestätigung aus dem
Kontext und der Verwendung der SF. Es stimmt zwar, daß die SF und
נשבעti, das Verb für "schwören", keineswegs zusammengehen[14] ,aber wo
es vorkommt wird נשבע mit ב konstruiert.[15]

10) A.a.O., S.36, Anm.9.

11) A.a.O., S.36f.

12) A.a.O., A.39.

13) G. führt dafür die analoge Verwendung des Pronomens הוּא in
Qumran-Schriften an und verweist auf die entsprechende Erklärung von Namen wie Elihu, Abihu etc. (S.38). In ähnliche Richtung würden interessanterweise die bei Zimmerli, Ez, BK, S.1256f
erwähnten "Ersatzlesungen" weisen. Zur Kritik an diesem Teil
der Ausführungen von G. S.u.S.162f.

14) "...daß sich der Gebrauch dieses Verbums in keiner Weise mit
demjenigen der sogenannten Schwurformel deckt." C.A.Keller,
שבע , THAT II, 857. - Ist damit aber auch die Sache bzw. die
damit verbundenen Vorstellungen so leicht zu trennen?

31

So scheint es berechtigt, dieselbe Vorstellung auch für die anderen
Fälle anzunehmen, besonders da dies in anderen semitischen Sprachen
ebenfalls zutrifft: "Der- oder dasjenige, bei dem man schwört, wird
in allen semitischen Dialekten mit einer Präposition, die sonst lo-
kale Bedeutung hat, wiedergegeben. So im Hebräischen b^e, im Arabischen
bi, im Assyrischen ina, ja sogar ina libbi."[16) 17)]

Bei חי יהוה handelt es sich also wie bei den anderen SFn um eine
Genitivverbindung. Geschworen wird bei bzw. angerufen wird das Leben
Jahwes/Gottes. Dabei scheint das Hauptgewicht auf Jahwe zu liegen und
nicht auf einem davon ablösbaren "Leben". Dafür spricht das häufige
Vorkommen von שבע ni mit ביהוה [18)].

Allerdings wird man kaum so weit gehen können, wie etwa Pedersen,
der חי beinahe nur noch als Demonstrativpartikel sehen will.[19)] Die
Beobachtung der demonstrativen Funktion - aber nicht nur von חי,
sondern der SF insgesamt - scheint aber Richtiges zu enthalten. Zu
beachten ist auch, daß der "Eid" im AT wie auch in anderen semitischen
Sprachen mannigfache Formen und entsprechend verschiedene Funktionen hat,
ohne daß sich die Übergänge immer genau bestimmen ließen. Diese Formen reichen von שבע ni in der Bedeutung "versprechen"[20)] bis hin zu
Eiden, die mit entsprechenden (Selbst)verfluchungsformeln[21)] oder
äußerst aussagekräftigen Symbolhandlungen einhergehen[22)].

Auf zwei Fragen ist noch einzugehen: Die erste betrifft das Verhältnis zur Zeit, d.h. die Unterscheidung zwischen promissorischen,

---

15) KBL S.943 mit verschiedenen Beispielen: "בשבע bei gibt das
Gut an, das man aufs Spiel setzt" und: "mit ב bei nennt den
Gott, der Zeuge und Bürge des Schwurs ist".

16) J.Pedersen, Der Eid bei den Semiten, S.14.

17) Interessanterweise scheint sich eine analoge Wurzel zu שבע
nicht im Ugaritischen zu finden. Vgl. Gordon, UT und Aistleitner. Wörterbuch der ugaritischen Sprache, 1967^3, gegen den
Hinweis in KBL s.v.!

18) KBL S.943; z.B. Jos 2,12; 9,18; Ri 21,7; 1.Sam 24,22; Ps 63,12.

19) Pedersen, Eid, S.16

20) Keller, שבע, THAT II 856.

21) "In a few cases we have the full form of the oath with full
elaboration of the curses (Num 5,19-28; Ps 7,4-6; 137,5-6).
These are exceptional cases, where the issue is grave and the
emotion is very strong. The classic example is Job's apology
for his life (ch.31)." M.H.Pope, Oaths, IDB III 577.

22) Z.B. Gen.15,7ff; Jer 34,18; F.Horst, Eid im AT, S.380.

also auf die Zukunft, und assertorischen, also auf die Vergangenheit
bezogenen Eiden. Letztere haben besonders in der Rechtspflege ihren
Platz und begegnen vor allem in der Form des Reinigungseides (eines
Beklagten) oder im Ordaleid.[23] Wesentlich häufiger aber ist der promissorische Eid. Ein bestimmtes Verhalten wird dem oder den Anderen
zugesagt oder auch angedroht. Praktisch alle Handlungsabsichten können mit einem solchen Eid bekräftigt werden, sei es Schutz, Schonung,
Drohung oder Rache. In der Zusage oder Übernahme von Verpflichtungen
oder im Zwang dazu nähert sich der Eid dem Bund, sei es im menschlichen
Bereich, sei es im Verhältnis zu Gott. Diese Beobachtung[24] bekommt
besonders auch für das AT ihre Relevanz: "Insonderheit konnte ein Bundesschluß als Eidschwur gelten (vgl. den Parallelismus der Aussagen in
Ps 89,4 und 105,8f), der Eid den Bund sowohl garantieren wie perfi-
zieren. Es gibt 'Bundesgenossen' (Gen 14,13) und es gibt 'Eidgenossen'
(Neh 6,18), und beides meint den gleichen Sachverhalt. Handelt es sich
um gewährten Bund, so ist sein eigentlicher Inhalt die eidliche Zu-
sicherung von Frieden (Jos 9)."[25] Die im AT weitaus häufigere Form
ist, wie bereits festgestellt, der promissorische Eid. Das gilt ganz
besonders für die uns hier interessierende SF, die von da her treffend
als Bekräftigungs- oder Zusicherungsformel bezeichnet werden könnte.

Die andere Frage ist die nach der Besonderheit des Eides. Was
unterscheidet den Eid von einer "gewöhnlichen" Aussage und wie "wirkt"
dieser Unterschied? Der Eid bekräftigt die gemachte Aussage, die gegebene oder auferlegte Verpflichtung. Der Eid ist Kraftwort: "Alle
diese Momente zeigen am Eid den Charakter des Kraftwortes".[26]
Diesen besonderen Charakter erhält der Eid aus der im Eid angerufenen
Sphäre von Mächtigkeit[27], die die Einhaltung des Eides garantiert
und das heißt genau genommen, die Nichteinhaltung bestraft. Das ist
die Funktion der in der Schwurformulierung angedeuteten Verfluchung
bzw. Selbstverfluchung für den Fall der Nichteinhaltung: "So wird und
wolle Gott tun, wenn (wenn nicht)..." Die nähere Ausführung unterbleibt
normalerweise, wohl aus Scheu vor diesen, wenn auch nur konditional
ausgesprochenen, greulichen Folgen. Was in etwa dabei gemeint war
und mehr oder weniger deutlich in der Vorstellung des Schwörenden

---

23) F.Horst, Eid, S.368-370.
24) vgl. Pedersen, Eid, die Reihenfolge der ersten Kapitel seines
    Buches und besonders S.31ff.
25) F.Horst, Eid, S.367.
26) F.Horst, Eid, 380.
27) Vgl. Hebr 6,13.16.

lag, ist ausgesprochen in Num 5,21-27 und Hi 31, aber auch etwa
Ps 137,5f[28].

Wer bewirkt nun diese Folgen bzw. was ist diese angerufene
Sphäre der Mächtigkeit? Hier erstreckt sich ein Kontinuum an Möglichkeiten, von Manavorstellungen angefangen bis hin zum Glauben an einen
personalen, in freien, konkreten Taten wirksamen, eben "lebendigen"
Gott. Die eine Seite erwartet das Wirksamwerden des Eides aus der
Selbstwirksamkeit und Machtgeladenheit des gesprochenen Wortes[29]
oder aus der Kontaktnahme mit machthaltigen Objekten,[30] die andere
aus dem personalen Handeln Gottes.

Für beide Fälle finden wir ein Beispiel im AT. In Num 5,11-31
gibt der Priester der Frau das Fluchwasser zu trinken. In diesem be-
findet sich Staub vom Boden des Heiligtums und in dieses hinein wurden die Worte des Fluches "gespült". Ist die Frau unschuldig, so
soll ihr das Wasser nichts anhaben, ist sie schuldig, so soll das
Wasser ihre Hüften einfallen und ihren Bauch anschwellen lassen
(V.27), bzw. Jahwe soll das Tun und ihren Namen "zum Fluch und zur
Verwünschung unter deinem Volk" werden lassen (V.21).

Dieser Text läßt mehrere Entwicklungsstadien des wohl sehr
alten[31] Vorganges erkennen. Das älteste Stadium scheint das Trinken
von heiligem Wasser gewesen zu sein, dessen Kraft sich als schädlich
bzw. unschädlich erweisen soll. Diese Kraft wird durch den in das
Wasser hineingewaschenen Fluch noch ganz wesentlich erhöht und auf
den konkreten Fall spezifiziert. Dieser sehr eindrückliche Vorgang
zeigt die ungeheure Mächtigkeit des Fluchwortes und die Dinghaftig-
keit des hier beschriebenen Wortes zeigt sich im "Hineinwaschen"
des Fluches. Das "getrunkene Wort"[32] entfaltet seine Wirksamkeit.
In der jetzigen Form des Textes ist aber alles auf Jahwe bezogen,
weder das Wasser noch das in es hineingewaschene Fluchwort haben eine
eigene Mächtigkeit, sondern Jahwe ist es: "J a h w e mache dich inmitten

---

28) S.H.Blank, Curse...Oath, S.91.

29) "...point to the belief that the power of the curse derived
    from the effective power of the words which expressed it."
    S.H.Blank, Curse...Oath, S.95.

30) "Damit die Worte des Schwörenden diese Zauberkraft erlangen,
    erfolgt eine Berührung desselben mit machthaltigen Objekten..."
    F.Heiler, Erscheinungsformen und Wesen der Religionen, S.312.

31) B.Baentsch, Ex - Lev - Num, HK, S.471; Noth, Num, ATD, S.45.

32) Das "getrunkene Wort" erinnert an das "gegessene Wort" in Ez 2
    und an die Fluchrolle von Sach 5,1-4.

34

deines Volkes zu einem Beispiel von Selbstverfluchung und Schwur, indem J a h w e deine Hüfte einfallen und deinen Bauch anschwellen läßt" (V.21). Das Ordal ist entzaubert und konsequent "jahwesiert".[33]

Ein Beispiel für die Kontaktnahme mit machthaltigen Objekten ist besonders der altertümliche Schwurgestus von Gen 24 (und ähnlich Gen 47,29). Der Verwalter Abrahams soll seine Hand "unter die Hüfte" Abrahams, d.h. an sein Zeugungsglied legen und dann "bei Jahwe" (ביהוה), dem Gott des Himmels und der Erde schwören. Die Genitalien des Mannes vertreten hier vermutlich das Geschlecht, zunächst die Kinder, dann die ganze Sippe. Und das gerade ist ja die Lebenssphäre des Schwörenden. "Es ist ein Eid bei dem Geschlecht, von dem man im Fall der Verletzung losgerissen wird." - so Pedersen[34]. Man wird aber wohl darüber hinausgehen und auf die religionsgeschichtliche Bedeutsamkeit hinweisen müssen: "Das männliche Geschlechtsorgan ist dem primitiven Menschen heilig als Träger der Zeugungskraft[35]; auch hier also Kontaktnahme mit einem Objekt besonderer Mächtigkeit. Dieser alte Zug ist allerdings in unseren Texten ganz unbedeutend geworden und war vielleicht kaum mehr bewußt. Es folgt ja auch sofort der Schwur "bei Jahwe".[36]

Diese Übergänge und das sehr verschiedene Verständnis der Wirksamkeit von Eid (und Fluch) führen uns zu einer ähnlichen Erkenntnis wie Pedersen: "Es gibt keine gemeinsemitische Bezeichnung für den Eid, und innerhalb der einzelnen Dialekte ist der Sprachgebrauch weniger fest abgegrenzt als bei uns. Die Worte, welche den Eid bezeichnen, können zum Teil auch andere, damit verwandte Begriffe bezeichnen. Dieser Mangel an fester Beschränkung des Begriffs im Sprachgebrauch der Semiten ist ein Zeugnis dafür, daß der Schwur bei den Semiten kein erstarrtes Überbleibsel ist, sondern vielmehr ein natürliches Glied im ganzen geistigen Organismus."[37]

---

33) "Mit der Nennung des Namens Jahwe ist das Verfahren, wo auch immer sein Ursprung zu suchen sein mag, in den alttestamentlichen Gottesglauben einbezogen." Noth, Num, ATD, S.47.

34) Pedersen, Eid, S.150.

35) Heiler, Erscheinungsformen, S.102; die Überlegungen von Gunkel, HK[3], z.St. sind aber mit Pedersen, Eid, S.165, A.1, abzulehnen.

36) Die Rabbiner beseitigten den Anstoß, den sie empfanden, durch Hinweis auf die Beschneidung und lösten damit das Problem sehr elegant. Pope, Oath, IDB III S.576.

37) Pedersen, Eid, S.19.

Bei diesen religionsgeschichtlichen Betrachtungen zeigt sich, wie
eng das Verständnis des Eides mit dem Gottesverständnis zusammenhängt.
Der Eid wird damit zugleich zum Ausdruck für die Zugehörigkeit zu
Gott. Indem Israel im Bund Jahwes steht (z.B. Jos 24,14ff) gibt es
für Israel auch kein anderes "Objekt der Mächtigkeit" zur Leistung
des Eides. Das Volk ist verpflichtet zur Treue auf Jahwe. "Von daher
begreift es sich, daß der der Person Jahwes geleistete Eid auch das
Kennzeichen der Bekenntniszugehörigkeit zu ihm wird (Jes 19,18; 45,23f;
Jer 4,2). Zufolge solcher Bundeszugehörigkeit ist dann aber auch hin-
fort jedweder Eid ausschließlich bei und mit dem Namen dieses Gottes
zu schwören. Der Eid bei anderen Gottheiten ist jedenfalls ein Zeichen von Apostasie Dtn 6,12f;10,20; Ps 63,12;Jer 12,16;Jos 23,7; Am 8,14;
Zeph 1,5;Jer 5,7)."[38]

Von hier aus können wir uns nun der alttestamentlichen Schwurformel,
meist יהוה חי, zuwenden, wobei aus dem bisher Erarbeiteten sich ergibt,
daß die konkrete Bedeutung der Formel und die damit verbundene Gottesvorstellung primär aus dem jeweiligen Kontext (und weniger von religionsgeschichtlichen Überlegungen her) erhoben werden muß.

---

38) Horst, Eid, S.370.

Bei der Übersicht fiel auf, daß die SF (zunächst ohne die Selbst-
aussagen חי אני) nur in bestimmten Teilen des AT vorkommt[1]:

Im Pentateuch fehlt die SF bis auf ein Vorkommen in der Josefsgeschichte und hier erscheint sie auch nur in Bezug auf den Pharao
חי פרעה (Gen 42,15.16). Die größte Zahl der Belege findet sich in den
Vorderen Propheten und zwar in 1. und 2.Sam und 1. und 2.Kön. Dazu einmal in Ri. Jos bietet keinen Beleg. Von den (Hinteren) Propheten erwähnen Hos, Am und Jer die Schwurpraxis und damit die SF. Im 3. Teil
des hebräischen Kanons findet sich die SF nur je 1x in Ijob, Rut,
Dan und 2.Chr.

Ganz anders verteilt sind die Belege von חי אני. Das Haupt-
vorkommen bietet Ez (16x). Daneben DtJes und Zeph je 1x. Die übrigen Stellen (Num 2x; Dtn 1x; Jer 2x) scheinen noch jünger zu sein.[2]

Beginnen wir mit der SF חי יהוה‚חי נפשך etc. Um eine sichere
Ausgangsbasis für die Interpretation zu bekommen, setzen wir dort
ein, wo sie sich am häufigsten findet: In den Samuel- und Königs-
büchern (insgesamt 35 von 53 Vorkommen). Damit stehen wir sogleich
inmitten der Problematik der These vom "deuteronomistischen Geschichtswerk" (=dtrG), die trotz weiter Anerkennung im Großen noch viele ungelöste Einzelprobleme birgt.[3] Auffallenderweise drängen sich auch
hier die Belege in bestimmten Komplexen zusammen und zwar (außer
Ri 8,19 und 1.Sam 1,26) ausschließlich in den Saul-Jonatan-David
Erzählungen und in den Elija-Elischa Geschichten.

---

1) Siehe oben S. 22-25.

2) Siehe oben S. 25f.

3) Martin Noth, Überlieferungsgeschichtliche Studien, S.3-110.
   Zur Diskussion siehe besonders die Forschungsberichte von Jenni,
   Zwei Jahrzehnte Forschung an den Büchern Josua bis Könige,
   ThR 27 (1961), S.1ff und 97ff; und Radjawane, Das deuteronomistische Geschichtswerk, ThR 38 (1974), S.177-216. Dazu noch
   die 'Einleitung' bei Stoebe, Das erste Buch Samuelis, KAT,
   1973; und neuerdings R.Smend, Entstehung des AT, 1978, S.110-
   139, besonders 111-125. Weiters s.u.S. 70-82 den Exkurs zu den
   Arbeiten von Mildenberger und Veijola.

A. Die Saul - Jonatan - David-Erzählungen

Nach den Anfängen des Königstums, der Salbung bzw. Wahl Sauls
zum König, den ersten Siegen Sauls und der Abschiedsrede Samuels
bringt 1.Sam 13 einen Neueinsatz in der Geschichte Sauls[4] mit den
Kämpfen gegen die Philister, wobei hier plötzlich[5] auch Jonatan,
der Sohn Sauls in Erscheinung tritt. Hier begegnet auch das Versagen
Sauls und der Versuch, dieses und den weiteren Gang der Ereignisse
theologisch und d.h. als Wirken Jahwes zu begreifen.[6]

1. 1.Sam 14,39.45

Die Kapitel 13 und 14 bilden eine Einheit. In 14,24ff erfahren
wir von dem Gelübde Sauls, der dem Volk verbot, etwas zu essen.
Jonatan tut dies unwissend, als er Honig findet. Saul begehrt ein
Orakel bezüglich der Verfolgung der Philister, doch Gott antwortet
nicht (14,37). Saul läßt den Schuldigen ausforschen und gelobt dazu:
"Beim Leben Jahwes, des Retters Israels", auch wenn die Schuld bei
Jonatan wäre, so soll er sterben (V.39). Prompt findet sich die Schuld
bei Jonatan. Dieser ist bereit, zu sterben und auch Saul will seinen
Sohn opfern. Doch hier interveniert plötzlich das Volk. Gott hat durch
Jonatan "geholfen" und das Volk gerettet, wieso soll dieser dann
sterben!, und das Volk bekräftigt seine Meinung durch ein חי יהוה.

Die SF dient hier zur Bekräftigung der Absichten Sauls bzw.
des Volkes. Kontext ist ein verpflichtender Eid, der einerseits bekräftigt, andererseits gelöst wird. Angesprochen ist der Bereich des
Rechtes, konkret des Todesrechtes. Von Jahwe ist die Rede als dem,
der Israel rettet (המושיע , V.39) und dem Gott, der bei Jonatan
war, der diese große Befreiung (הישוע הגדולה , V.45) "gemacht" hat.
Der Vergleich der Formulierungen in V.39 und 45 mit V.44 zeigt חי
in Parallele zu עשה und יסף und damit die in der Eidesformulierung
mitgedachte Handlung. Damit ist auch die SF an diesem 'Handlungsaspekt'
beteiligt, sie verweist auf ein Geschehen.(Zu detaillierteren formkritischen Beobachtungen zu dieser Stelle s.u.S. 169).

---

4) Nach Mildenberger, Saul-Davidüberlieferung, 1962, beginnt mit
   13,2 die eigentliche Geschichtsschreibung von Saul und David.
   (Stoebe, Sam, KAT, S.51).

5) Stoebe, a.a.O., S.241: "unvorbereitete Einführung Jonathans".

6) Es geht um die "glaubende Bewältigung" der Ereignisse, wie
   Stoebe, a.a.O., immer wieder herausstellt: S.53.55.58.262.275 u.a.

2. 1.Sam 17,55

Nach der Verwerfung Sauls (c.15) erfahren wir von der heimlichen
Salbung Davids durch Samuel und von Davids Berufung an den Hof (c.16);
c.17 bringt den anderen Bericht über Davids Weg an den Hof Sauls,
nämlich nach der Besiegung Goliats.

Hier begegnet die SF im Gespräch zwischen Abner und David. Abner
bekräftigt mit חי נפשך המלך, daß er den heldenhaften נער nicht
kenne (V.53). Der Abschnitt ist literarisch sehr schwierig zu beurteilen und jedenfalls vielschichtig.[7] V.55-58 sind schwer einzuordnen.
Stoebe zieht Parallelen zur Josefsgeschichte[8] und betrachtet weiters
das vorläufige Unbekanntsein des Siegers als Überhöhung der Goliatgeschichte: der von Gott bestellte Retter kommt aus dem Nichts.[9]
Haftpunkt scheint eine Heldentat Davids zu sein[10], die aber in viel-
fachem Überlieferungsinteresse weitergesponnen und ausgeschmückt und
um verschiedene Motive bereichert wurde.[11] Es ist ein längerer
Prozeß und ein Neben- und Nacheinander von schriftlichen und mündlichen
Formen der Überlieferung anzunehmen.

Die Tradition ist auch an anderen Stellen vorausgesetzt (1.Sam 21,
10; 22,10; Ps 78,70[12]). Die jetzt vorliegende Gestalt der Erzählung
scheint relativ jung zu sein. Darauf weist besonders das Mittelstück
V.12-31[13] hin. Wenn man die Parallele von V.26 und V.36 beachtet,
verbietet sich eine zu starke Verselbständigung von V.32-58[14].
Zu beachten ist doch wohl das dtn Verständnis von קהל als kultischer
Versammlung in V.47.[15] Die Einordnung des Abschnittes ins 8. bis 7.
Jh. scheint von da her sachgemäß zu sein, wobei jedoch an das 7. Jh.
zu denken sein wird.[16]

---

7)   Stoebe, a.a.O., S.312-340, bes. 312-315.

8)   Stoebe, Goliathperikope, VT6, 1956, S.403f.

9)   ebd.

10)   Stoebe, Sam, KAT, S.315.

11)   Vgl. Stoebe, Goliathperikope, S.412f.

12)   Ob Ps 78,70 auch den Goliatsieg voraussetzt ist aber fraglich.

13)   Stoebe, Sam, KAT, S.324.

14)   Gegen Stoebe, a.a.O., S.335, der aber auch auf die wechsel-
      seitigen Einflüße hinweist. Vgl. Budde, Sam, KHC, S.128:
      "V.12-31 und 32ff von gleichem Fleisch und Bein sind".

15)   Hertzberg, Sam, ATD, S.122 und Stoebe, Sam, KAT, S.333.

16)   Galling, Goliath, S.151: "Von den kerygmatischen Formulierun-
      gen in 17,45ff scheint mir eine Datierung v o r dem 8.Jh.

Für uns ist zu beachten, daß hier eine Aussage durch Verweis auf das Leben des Königs bekräftigt wird. Diese Bekräftigung scheint ohne jede weitere (theologische) Reflexion zu erfolgen, einfach gewohnheitsmäßig. Einzelne Motive weisen auf die Josefsgeschichte hin[17]. Die dortige Verwendung der SF mit פרעה חי (Gen 42,15f), als dem ägyptischen König[18], weist ebenso auf eine gewisse Verwandtschaft.

Stilistisch ist interessant, daß in den Reden von c.17 nirgends die SF zur Bekräftigung angewendet wird, obwohl sie sich hier durchaus anbieten würde (wieder ähnlich in der Josefsgeschichte). Andrerseits wird hier der "lebendige Gott" erwähnt, dessen Schlachtreihen verhöhnt werden, und damit Gott selbst. Hier wird in Verbum und Nomen die Terminologie des Sakralen Krieges aufgegriffen, wenn auch aus dem Blick einer späteren Zeit.[19] Auffallend ist die Ähnlichkeit von Formulierung und Situation mit den Worten Hiskias in 2.Kön 19,4.16 par. Jes 37,4.17. Auch dort wird von der Verhöhnung des lebendigen Gottes (dort direkt, nicht des Heeres) in bewegten Worten gesprochen. Hier wie dort geht es um den von Fremden verhöhnten Gott Israels, also neben der politischen auch um theologische Auseinandersetzung; und beide Texte haben ausgeprägt kerygmatische Intention[20]; zum 'lebendigen Gott', V.26.36 s.u.S. 279-283.

3. 1.Sam 19,6

Mit c.18, dessen erste Verse eng an c.17 anschließen, beginnt die Geschichte von der Freudschaft zwischen David und Jonatan und parallel dazu jene von der Feindschaft Sauls gegenüber David. Folgen wir in großen Zügen den Ereignissen: Saul versucht seine Anschläge gegen David (c.18) und gibt seine Tötungsabsicht bekannt (19,1). Auch Jonatan erfährt davon und versucht, seinen Vater umzustimmen: David hat sehr gute Dienste getan (V.4) und Jahwe schenkte - eben durch David! - siegreiches Heil.[21] Saul läßt sich durch diese Intervention seines Sohnes umstimmen. David soll nicht sterben. Und

völlig ausgeschlossen."

17) S.o.A.8 und Stoebe, Sam, KAT, S.327.

18) "andrerseits verwendet P das Wort nur für den Pharao", Soggin, מלך , THAT I Sp.909.

19) Stoebe, Sam, KAT, S.326.

20) Vgl. Galling, Goliath, S.151: "Von den kerygmatischen Formulierungen..." "Der paradigmatische Charakter der Legende".

21) תשוע גדולה לכל־ישראל - vgl. die große Nähe zu 14,45.

er beschwört diesen Entschluß "beim Leben Jahwes" (V.6)[22].

Hier dient also die SF zur bewußten Bekräftigung von Sauls Schwur.[23] Dabei handelt es sich wieder um eine Entscheidung über Tod und Leben.

Die folgenden Abschnitte 19,9-24 bringen wieder Berichte von den Angriffen Sauls (wodurch sein oben angeführter Eid gebrochen ist), von Davids Rettung durch Michal und Davids Flucht zu Samuel. Danach trifft sich David wieder mit Jonatan. Dabei geht es neuerlich um Erkundung der Absicht Sauls und um eine geheime Mitteilung derselben an David.

4.   1.Sam 20,3.12.21

Die Berichte in c.20 und 21 sind verschiedene Ausformungen des Ereignisses der Trennung von David und Saul. Sie stellen alle klar, daß David nicht die Schuld daran trug. Gerade das soll anscheinend auch durch die Wiederholung dieses Vorganges ausgedrückt werden. Als chronologische Abfolge ergeben die Berichte unvereinbare Spannungen. Der Bruch war doch so evident, daß ein wiederholter Anlauf zur Trennung kaum vorstellbar ist.[24] In der Frage nach dem historischen Kern ist m.E. Stoebe zuzustimmen: "Zweifellos ist dieser historische Kern vorhanden; das gilt nur vom Gegenstand der Berichte, nicht in gleichem Maße von den Ausformungen selber."[25] Es handelt sich um die redaktionelle Zusammenfassung verschiedener erzählender Ausgestaltungen des großen Themas Jonatan und David. "Redaktionell ist dabei ebenso die chronologische Beziehung der Stücke zueinander, wie die Verwendung des Komplexes als Ganzem dazu, den endgültigen Abschluß des Hofdienstes Davids zu markieren "[26]

C.20 berichtet vom Höhepunkt der Verbindung Davids mit Jonatan und zugleich von ihrem Ende. Es fällt auf, daß sowohl in 19,1-7.(8)

---

22) Hier haben wir eine zwar knappe aber fast vollständige Zusammenstellung der Elemente eines Schwures: Das Verbum נשבע,
die Anrufung חי יהוה und dann den Schwursatz אם־ירמת.
Es fehlt lediglich die Ellipse, die die Folgen des eventuell gebrochenen Schwures beschreibt.

23) Sehr nahe kommt 30,15 wo lediglich באלהים statt חי יהוה steht, wohl weil im Mund eines Nichtisraeliten.

24) Stoebe, Sam, KAT, 354.380-382.

25) Stoebe, a.a.O., S.382.

26) Stoebe, Sam, KAT, 382f.

wie auch in c.20 das Motiv der Unterredung auf dem Feld eine Rolle
spielt und von unserem Thema her, daß die SF חי יהוה sich gerade in
c.14; 19,1-7 und c.20 findet.[27]

Pedersen erwähnt, wie eng im Semitischen Eid und Bund zueinander
gehören.[28] Die beiden Partner stehen durch den Bund in einer Sphäre
der Gemeinschaft. Im Bund werden die -bisher getrennten- Sphären der
beiden Personen oder Gruppen in Verbindung miteinander gebracht. "Es
ist ohne Belang, welcher der beiden Partner der aktive ist."[29] Die
Berit, die hier (18,3f) Jonatan mit David schließt, ist ein solches
"gegenseitige(s) Verhältnis der Zusammengehörigkeit mit allen Rechten
und Pflichten, welche dies Verhältnis der Beteiligten mit sich führt"[30]
und es wird bestätigt bzw. vollzogen in der Übergabe der Kleidung und
Rüstung. Die SFn in c.20 stehen also im Kontext dieser Berit.

In der Exegese wurde wiederholt überlegt, warum Jonatan als Sohn
des Königs und daher vermutlicher Thronfolger nicht ebenso wie Saul
auf David eifersüchtig war. Dieses Argument der Thronfolge ist allerdings nicht so selbstverständlich, wie es im Lichte der späteren
dynastischen Entwicklung in Jerusalem zu sein scheint. Saul war der
erste israelitische König, so gab es zunächst noch keine etablierte
Regelung der Thronfolge.[31] Aus der edomitischen Königsliste in
Gen 36,31-39 vermutet Morgenstern[32], daß hier jeweils ein tüchtiger
Krieger des Heeres die Königstochter geheiratet habe und so König geworden sei. Genau das ist nun aber Davids Situation. Vielleicht zog
man in Israel daraus eben diese Konsequenz. "In other words, becoming
the son-in-law of the king made David, the mighty warrior, in popular

---

27) Bereits Caspari, Sam, KAT (1926), S.247, wies auf eine Ähnlich-
     keit zwischen c.14 und c.20 hin. Aufgenommen bei Stoebe,
     a.a.O., S.383.

28) Pedersen, Eid, S.21ff. Diese Zusammengehörigkeit wird auch bei
     Lehmann, Biblical Oaths, ZAW 81 (1969) S.74-92 deutlich (Seine
     sonstigen Hypothesen zu Bedeutung und Entwicklung des Eides
     sind aber weithin fragwürdig).

29) Pedersen, Eid, S.23.

30) A.a.O., S.33f.

31) "inasmuch as Saul was the very first king of Israel, there
     could be as yet no established rule or principle for determining
     succession to the throne... it did not as yet follow of
     necessity, that the king must be succeeded by his oldest son."
     J.Morgenstern, David and Jonathan, 1959, S.322.

32) A.a.O., S.323.

42

opinion the one natural and logical candidate for the kingship in
succession to Saul. And so he was in Jonathans eyes especially."[33]

Abgesehen von dieser sehr ansprechenden Vermutung spielt es
jedenfalls eine bedeutende Rolle, daß Jonatan und David derselben
Generation angehören. Einer Generation, die nicht mehr wie Saul
zwischen alten Formen der sakralen Kriegführung und neuen, anderen
Formen stand,[34] sondern "David wie Jonathan vollbringen entscheidende,
als charismatisch anzusprechende Heldentaten, ohne eigentlich Charismatiker zu sein. Beide haben anscheinend eine 'moderne' Einstellung
zu der im Krieg gemachten Beute und ihrer Verwendung, die von den
durch Saul vertretenen altväterlichen Anschauungen abweicht. Sicherlich Grund genug, um beide auch sachlich zueinander und in eine
Front gegen Saul zu bringen."[35]

Daß, abgesehen von diesen vermutlichen bzw. wahrscheinlichen
sachlichen Gründen, das persönliche Element in den Berichten betont
wird (18,1.3) darf aber nicht übersehen werden. Zudem übersieht
jedenfalls Morgenstern die Rolle des charismatischen Führertums in
Israel, das in der vorausgegangenen 'Richterzeit' von grundlegender,
und bei Saul jedenfalls noch von anfänglicher Bedeutung war, ja später
im Nordreich noch immer eine gewisse Rolle spielte. Jonatans Loyalität gegen David mag auch hierin eine Wurzel gehabt haben.

In c.20 also trifft David Jonatan und beklagt sich über die Anschläge Sauls. Jonatan bestreitet Sauls Absichten. David erinnert an
den Freundesbund, der sehr wohl ein Grund für Saul sei, seine Absichten vor Jonatan zu verheimlichen. David charakterisiert seine Sicht
der Lage so: "Es ist nur ein Schritt zwischen mir und dem Tod" und er
bekräftigt dies mit "beim Leben Jahwes und bei deinem Leben". Daraufhin schlägt David einen Plan vor, um die Haltung Sauls zu testen und
Jonatan vor Augen zu führen. Wie aber soll David das Ergebnis erfahren?
Zunächst beschwört Jonatan seine Absicht, alles getreulich mitzuteilen.
Dabei wird Jahwe, der Gott Israels angerufen und es folgt eine Bitte
um Davids Wohlverhalten gegenüber der Familie Jonatans. Danach läßt
Jonatan David schwören und zwar auffallenderweise "bei seiner Liebe
zu ihm".

Die beiden beschließen daraufhin das berühmte Bogenschießen, bei
dem die Anweisung an den Diener eigentlich dem im Versteck liegenden
David gelten soll. Die Gültigkeit und Richtigkeit dieser verschlüssel-

33) A.a.O., S.324.
34) Vgl. auch Herrmann, GI, S.170f.181-184.
35) Stoebe, Sam, KAT, S.383.

ten Information wird wieder mit einem חי יהוה bekräftigt (V.21) und
schließlich weist Jonatan noch ausdrücklich darauf hin, daß bezüglich
dieser Abmachung "Jahwe zwischen mir und dir ist". Der Rest des Kapitels bringt die Ausführung des Planes und den Abschied der beiden.

In diesem Kapitel finden wir eine Vielzahl eidlicher Formulierungen, die zugleich explizit in den Rahmen eines Bundesverhältnisses
gestellt werden, konkret einer ברית יהוה (V.8). Jahwe ist zwischen
den beiden "bis in Ewigkeit". Der geschlossene Bund erstreckt sich in
alle Zukunft - es werden die Nachkommen genannt (V.14-16) - , Jahwe
ist Wahrer und Garant des Bundes und auch des Wohlergehens der Partner.

In diesem Rahmen finden wir nun die Anrufung יהוה אלהי ישראל.
Erwarten würde man חי יהוה אלהי ישראל [36]. Die Vielfalt der Invoka-
tionen verbietet aber eine Vereinheitlichung. Vermutlich handelt es
sich einfach um Breviloquenz.[37] Das Gegenstück bildet der Schwur
bei der Liebe Davids. Dies weist ebenso wie der Nachsatz "er hatte
ihn lieb wie sein eigenes Herz" auf den Bund von 18,3 (und 20,8), zu
dem diese Liebe führte und in dem sie sich neu manifestiert. Die
Formulierung ist aber in ihrer anscheinenden Profanität auffallend.[38]

V.21 bringt - in auffallender Nachstellung - wieder die SF zur
Bekräftigung des Gesagten. Und V.3 brachte - zum 1.Mal im Kanon -
die Erweiterung der SF zu "beim Leben Jahwes u n d bei d e i n e m
Leben". Diese Nebeneinanderstellung von Jahwe und von Menschen ist
sehr auffallend. Sie findet sich nur um David und bei Elija/Elischa.
Hier redet David Jonatan auf diese Weise an. Sonst wird David 3x so
angeredet: von Abigail (1.Sam 25,26; s.u.S. 47), von Ittai (2.Sam
15,21; s.u.S. 60) und vermutlich von Uria (2.Sam 11,11; s.u.S. 56).
Elischa sagt so zu Elija (3x in 2.Kön 2,2.4.6) und bekräftigt damit
seine Weigerung, diesen (vor seiner Entrückung) allein weitergehen
zu lassen. Und mit denselben Worten bedrängt die Schunemiterin den
Elischa, persönlich zu ihrem toten Sohn zu kommen und nicht nur
Gehasi zu senden (2.Kön 4,30).

Betrachtet man diese Stellen, so ergibt sich der Eindruck, daß
hier die jeweilige Aussage nicht nur sehr stark bekräftigt, sondern
auch auf den Adressaten persönlich zugespitzt werden soll. Die Personen stehen dabei immer in einer besonderen Beziehung von Zuneigung

---

36) So auch die syrische Übersetzung.

37) Stoebe, Sam, KAT, S.374.

38) Stoebe, a.a.O., S.376 sieht denselben Zusammenhang zu 18,3.
    Textliche Änderungen (z.B. Budde, Sam, KHC, z.St.) scheinen
    zu wenig begründet und sind auch nicht unbedingt nötig.

und vor allem Verehrung. "Es (sc. dieser Schwur) ist eine Form geworden, um die Verehrung und Anhänglichkeit auszudrücken, die man für den anderen hegt."[39]

Wie bei den bisher behandelten Stellen, so ist besonders hier die Zukunftsbezogenheit der SF (und des Bundes, in dessen Kontext sie steht) deutlich. Es handelt sich um "promissorische" Eide. Es werden Zusagen gemacht und Handlungsabsichten für die Zukunft - sei es für die nächsten Tage, sei es für die kommenden Generationen (V.14-16) - durch die SF bekräftigt. Verbunden damit ist die gegenwärtige und zukünftige Wirksamkeit des Gottes, bei dessen Namen dieser Bund geschlossen wurde (20,8.23) und der bei den entsprechenden Handlungsabsichten angerufen wird, eben Jahwes Wirksamkeit.

5. 1.Sam 25,26.34

Die SF begegnet weiterhin an verschiedenen Stellen bis hin zum Ende der sogenannten Thronfolgegeschichte (16x). Dabei steht immer David (außer 1.Sam 28,10; Saul) im Mittelpunkt.

In c.25 finden wir David bei seiner Begegnung mit Abigajil. David ist Führer einer Streitschar (von schwer zu schätzender Größe[40]), der teilweise als Beschützer agiert (V.15f vgl. 23,1-6), der aber auch Gegenleistungen fordert. Die (kontinuierlich notwendigen) Forderungen mögen dabei manchmal häufiger gewesen sein als die Notwendigkeit, Schutz zu bieten.[41] Als Verhältnis der Gegenseitigkeit wird es in Davids (allerdings zornigen) Worten V.21 bezeichnet.[42]

---

39) Pedersen, Eid, S.141.

40) Die angegebenen 400 bzw. 600 Mann scheinen besser in etwas spätere Zeit (Ziklag) zu passen. Hier stehen wir vermutlich (vgl. V.10b und die Antwort Nabals insgesamt) am Anfang dieser Periode im Leben Davids. Vgl. Stoebe, Sam, KAT, S.453f.

41) A.Alt sah David als "im regulären Dienst der Bauernschaften des Südlandes" stehend. Vorlesung 1953, zitiert bei Schottroff, Gedenken, S.161 A.1.

42) Klopfenstein übersetzt V.15: (durch die Männer Davids) "gerieten wir nicht in Mißkredit, noch mußten wir den geringsten Verlust nachweisen". So ist das "nicht beschämt werden" von der Hüterhaftung her zu verstehen. Der Verlust von Tieren hätte die Hirten in Schande gebracht. Klopfenstein, Scham und Schande, S.122f; so auch bereits Caspari, Sam, KAT, S.311. Vielleicht gibt dieser Hintergrund einen zusätzlichen Aspekt

Nabal, der reiche Bauer hat Schafschur, d.h. der Ertrag des
Jahres[43] wird eingebracht, was mit einem Fest verbunden ist (V.8
"Festtag" und V.11). David sendet 10 seiner Leute, um einen Anteil
zu erbitten. Sie werden aber mit beleidigenden Worten abgewiesen. David
sieht sich betrogen, ergrimmt und schwört Rache (wie in V.21 an drama-
tischer Stelle nachgetragen ist) und befiehlt den Aufbruch zum Rache-
zug (nicht einer soll übrig bleiben, V.22).

Abigajil, die Frau Nabals, erfährt von der Sache und von der
Vermutung der Männer, daß Unheil drohe, und handelt schnell und klug.
Sie zieht David mit einem "königlichen" Geschenk[44] entgegen und es
gelingt ihr, David zu besänftigen. Damit rettet sie nicht nur ihren
Mann und ihr Haus, sondern - darauf legt sich im Verlauf der Erzäh-
lung der Hauptton - sie bewahrt vor allem David, den zukünftigen
König, vor Blutschuld.

Gerade diese Bewahrung vor Blutschuld wird in V.26 durch die
SF bekräftigt. Und David preist in seiner Antwort "Jahwe, den Gott
Israels, der dich (sc. Abigajil) heute mir entgegengesandt hat"
(V.32) und Abigajils Klugheit und Abigajil selbst (ברכה את) für
eben diese Bewahrung. David bekräftigt die Gewißheit des Unheils,
das sonst in der kommenden Nacht eingetroffen wäre "beim Leben
Jahwes, des Gottes Israels, der mich bewahrt hat, Schlimmes an dir
zu tun"(V.34). Das Unglück ist abgewendet. David ist befreit vom
Zwang zu eigenmächtiger Rache und das Haus Nabals ist gerettet.
David nimmt die Geschenke an und sendet Abigajil in Frieden (לשלום)
zurück (V.35). Nabal erfährt zu gegebener Stunde von der Sache, "da
erstarb sein Herz in seinem Leibe", und 10 Tage später stirbt Nabal.
Als David vom Ende Nabals erfährt, dankt er Jahwe für diese Rache
und dafür, daß er selbst von böser Tat bewahrt blieb. Anschließend
sendet er Boten, die Abigajil bitten sollen, seine Frau zu werden,
was diese auch tut. "Und sie zog den Boten Davids nach und wurde
seine Frau." (V.42)

Besonders dieser Schluß zeigt, daß diese Geschichte primär

---

für den Zorn Davids, der ja durch Nabals spöttische Ablehnung
sehr wohl in Schande gebracht ist.

43) "Die Schafschur geschah einmal des Jahres, und zwar Ende April
oder Anfang Mai, wenn...die winterliche Kälte von dauernder
starker Wärme abgelöst wird." Dalman, AuS V,S.1.

44) ברכה Segens (=Ehren)geschenk im Kontext der Anspielungen auf
das Königtum V.26ff. Vgl. Stoebe, Sam, KAT, S.459: "Charakter
der Huldigungsgabe an den König".

Familiengeschichte Davids ist, die zeigen soll, "wie David eine Frau findet, und wer diese Frau ist"[45]. Abigajil ist dabei auch der Mensch, durch den Jahwe David bewahrt, schuldig zu werden. Diese Bewahrung (gegenüber der Bewährung, die in c.24 und 26 in den Vordergrund tritt), ist der zweite Pol, um den die Erzählung kreist. Beide weisen in ihrer Interessenlage, ebenso wie die Formulierungen V.27-31, auf die Königzeit Davids hin. Und auch die uns überkommene Gestalt der Erzählung wird nicht weit davon entfernt anzusetzen sein.[46]

Die SF finden wir hier wieder im Dialog der beiden Hauptpersonen der hier - ebenso wie in c.20 - den Höhepunkt des Geschehens und der Spannung darstellt.[47] Die SF dient dabei wieder der Bekräftigung der Worte und Handlungsabsichten Davids. Bereits in V.22 erfolgte die Bekräftigung von Davids Absicht durch einen Schwursatz. In V.26 verwendet Abigajil die erweiterte SF. Für diese Erweiterung gilt das oben zu 20,3 Gesagte (S.44). (Der Blick des Erzählers geht hier auf den späteren König und Gatten Abigajils). Die SF ist sowohl in V.26 als auch in V.34 in den Verlauf der Rede eingebettet, jeweils an der Wende von der Feststellung des Geschehenen zur Erklärung der Handlungsabsicht und bekräftigt natürlich den Inhalt der ganzen Rede.

Die Erweiterung der SF bezeichnet beide Male Jahwe als den, der David bewahrt, in Blutschuld zu geraten, bzw. Böses zu tun, damit auch als den, der Menschen sendet (V.32) und d.h. ihre Entschlüsse und Gedanken leitet. Jahwe wird charakterisiert als der "Gott Israels". Zudem kommt hier das Königtum (Davids) in den Blick. Jahwe wird dem David bestimmt ein beständiges Haus (בית נאמן) bauen. Dies ist verbunden mit der Anspielung auf die Kriege Jahwes, die David führt und der alten Bezeichnung נגיד על ישראל . Jahwe ist zudem der, der Gutes tut (V.30) das zugesagte Gute einlöst und über das Leben Davids (seines נגיד , aber es darf wohl verallgemeinert werden das Leben der Menschen[48]) herrscht.

---

45) Stoebe, a.a.O., S.454.

46) Sofern man nicht letzten Endes bloß hypothetische Schemata der literarischen Entwicklung in Israel anlegt, wie etwa Caspari, Sam, KAT, S.321: Nur ein junger Erzähler könnte in V.37 auf die Wiederholung der Worte Abigajils verzichtet haben. (Im Kritik an L.Köhler, der 1.Sam 25 auf "vor 800, vielleicht gar vor 900" ansetzt. Köhler, Zum hebr. Wörterbuch d.AT, FS Wellhausen, 1914, S.257f).

47) Zum "Höhepunkt durch eine Rede" siehe Koch, Formgeschichte S.184.

Die Reden Davids und Abigajils zeigen eine hohe Reflexion und
machen sehr bewußte theologische Aussagen und anscheinend einen bewußten Gebrauch der Schwurformel. So darf man annehmen, daß auch חי,
das Leben Jahwes, bewußt gebraucht und mit den erwähnten Aspekten
des Wirkens Jahwes in Verbindung gesehen wurde.

6. 1.Sam 26,10.16

1.Sam 26 berichtet die letzte Begegnung zwischen David und
Saul. David wird von den Bewohnern von Sif an Saul verraten. Dieser
macht sich mit einer Streitmacht auf, David zu suchen. David weiß
durch Kundschafter von Sauls Kommen und Lagerplatz. Er kommt, beurteilt die Lage (וירא את המקום) und fragt nach Begleitung für seinen
tollkühnen Plan, sich ins Lager Sauls zu schleichen. Abischai
(vgl. 2.Sam 23,15-19)kommt mit. Es gelingt den beiden[49], bis zum
innersten Lagerring vorzudringen, wo Saul neben dem in den Boden
gesteckten Speer schläft.[50] Hier bietet sich nun die Gelegenheit,
Saul mitten im eigenen, scheinbare Sicherheit gewährenden Lager zu
ermorden - und Abischai bietet sich zu dieser Tat an, ja er drängt
sich geradezu. David aber weist das Ansinnen zurück: Wer könnte die
Hand an den Gesalbten Jahwes legen und ungestraft bleiben? Und er
sprach: " חי יהוה, der Herr wird ihn schlagen,...oder er wird in
den Krieg ziehen und umkommen." David aber will nicht Hand an den
Gesalbten Jahwes legen. Die beiden Eindringlinge nehmen den Spieß
und den Wasserkrug und verschwinden. Niemand merkt etwas, "denn es
war ein tiefer Schlaf von Jahwe auf sie gefallen". (V.12)

Aus sicherer Entfernung ruft David nun zum Lager hinüber und
stellt Abner, den Anführer, ironisch zur Rede wegen seiner Nachlässigkeit in der Bewachung des Königs und er beschreibt die Gefahr, die
dem König drohte. "Das war kein Heldenstück, das du da geleistet
hast. Beim Leben Jahwes, Kinder des Todes seid ihr, weil ihr euren
Herrn, den Gesalbten Jahwes, nicht bewacht habt..." (V.16). David
weist den Speer vor - letzten Endes ist er der Schützer des
Königs![51] Inzwischen erwacht Saul und schaltet sich ein. Das fol-

---

48) Siehe Nabals Frau und Haus. "Bündel der Lebendigen" schließt
    zudem viele ein. Zum Begriff siehe Stoebe, Sam, KAT, S.450.

49) Oder war Ahimelech dabei und tritt nur in der weiteren Er-
    zählung zurück? vgl. Caspari, Sam, KAT, S.334.

50) "Die in den Boden gesteckte (Waffe) zeigt den Anhängern
    den Platz des Führers". Ebd.

gende Gespräch zwischen David und Saul über Grund und eventuellen
Abbruch der Verfolgung geht bereits über unsere Fragestellung hinaus.

Die SF begegnet hier zweimal im Munde Davids. Einerseits weist
er Abischais Vorhaben zurück, Jahwe ist der, der das Vergehen gegen
seinen Gesalbten straft, er ist aber auch der, der diesen Gesalbten
auch schlagen, also das Leben nehmen kann, auf diese oder jene Art
und "zu seiner Zeit". Es ist also Jahwe, der - im Gegensatz zum
Menschen - nach freiem Entschluß, "zu seiner Zeit" das Leben nehmen
kann, besser gesagt, das Recht dazu hat, und ebenso ist er der, der
das Leben eben dieses Gesalbten schützt indem er das Vergehen straft.
Andrerseits bekräftigt David mit der SF die drohende Strafe für
Abners "Nachlässigkeit" in der Bewachung Sauls. Diese Nachlässigkeit,
die ja Gefährdung des Gesalbten bedeutet, bezeichnet David als todes-
würdig. Die Vernachlässigung der Wache ist Verbrechen nicht nur
gegen den Charismatiker ('crimen laesi charismatis')[52] sondern gegen
Jahwe, der Saul salben ließ und seine Hand über ihn hält.[53,54]
Jahwe schützt den von ihm Erwählten und Beauftragten.

Die Kapitel 24, 25, und 26 bilden eine gewisse Einheit, indem hier
"zu einem bestimmten Thema aus der Überlieferung drei Episoden zu-
sammengestellt wurden, wobei die Dreizahl das Thema als erschöpfend
und abschließend behandelt darstellt."[55] Der Hintergrund ist dabei
die, die Zeitgenossen bewegende Frage nach dem Verhalten Davids
während seiner Flucht. Das Thema von c.24 und 26 ist die Frage nach
Davids Bewährung, das von c.25 besonders seine Bewahrung. Auffallend
ist, daß c.24 und 26 jeweils mit einem gewissen Friedensschluß
enden, wobei die daraus entstehenden Spannungen zwischen c.24 und
26 und weiters zu c.27 (Übergang zu den Philistern) nicht ausge-
glichen sind. Diese Anordnung läßt vermuten, daß die Ausformung der
Gesprächsgänge, wenigstens im Ansatz, schon zum ursprünglichen Über-
lieferungsgut gehörte."[56] - Somit dürfen wir wohl auch von da her die

51) Stoebe, Sam, KAT, 469.
52) Stoebe, a.a.O., S.440 zu c.24. *sic!*
53) Caspari, Sam KAT, 337 vergleicht mit V.9: "Fahrlässigkeit
     kann...dieselben Folgen haben wie Antastung".
54) Hier ergeben sich interessante Aussagen zum Verhältnis von
     menschlichem und göttlichem Handeln, und ist auch der Vergleich
     mit der im Jahwekrieg geforderten Hilfe des Menschen beim
     Wirken Jahwes am Platz (Ri 5,23); siehe Zimmerli, TheolAT,51.
55) Stoebe, Sam, KAT, 431.
56) Ebd.

von uns untersuchten Formulierungen als den ursprünglichen nahestehend
oder wenigstens jenem größeren Zeitraum zugehörig betrachten.

7. 1.Sam 28,10

Die restlichen Kapitel von 1.Sam bringen die Erzählung von
Davids Übergang zu den Philistern (c.27), Sauls Besuch bei der Totenbeschwörerin von En-Dor (c.28), dem Aufgebot der Philister und der
Ablehnung Davids (c.29), Davids Sieg über die Amalekiter (c.30) und
schließlich den Bericht von der verlorenen Philisterschlacht, der
sich ganz auf das Ende Sauls und seiner Söhne konzentriert, mit der
kurzen Erwähnung der Ehrentat der Leute von Jabesch in Gilead. Die
SF begegnet uns je 1x in c.28 und c.29.

In c.28 geht Saul, da er keinen anderen Ausweg mehr sieht,
wohl zugleich gegen eigenes besseres Wissen (V.3b), am Vorabend
der Schlacht verkleidet zur Totenbeschwörerin von En-Dor. Nachdem
der - verkleidete - König seine Bitte geäußert hat, lehnt die Frau
zunächst das Ansinnen unter Berufung auf Sauls Verbot der Mantik
ab. Sie fürchtet eine Falle. Der König[57] aber sichert ihr Straffreiheit zu. Es soll sie keine עון treffen, d.h. der Zusammenhang von Tat und Tatfolge ist aufgehoben.[58] Diese Ent - Schuldi-
gung wird von Saul durch einen Schwur ביהוה eidlich zugesichert,
was eben dann durch die SF חי יהוה geschieht.

Es handelt sich hier um Rechtssprache. Der Freispruch wird
hier ebenso wie in 2.Sam 14,11 durch חי יהוה bekräftigt, wie
andererseits der Schuldspruch 2.Sam 4,9; 12,5 und 1.Kön 2,24.[59]

---

57) Die Frage, wie und wann die Frau Saul erkennt, ist viel
    diskutiert. Die Erzählung ist in dieser Hinsicht unlogisch,
    jedenfalls problematisch. Das rührt wohl daher, daß es dem
    Erzähler um die Darstellung der letzten Begegnung Sauls (des
    Königs!) mit Samuel geht. Vgl. Stoebe, a.a.O., 491.493f.
    Hier in V.10 muß jedenfalls an den König und nicht an einen
    verkleideten Unbekannten gedacht sein, denn nur der König
    kann die Straffreiheit beim Verstoß gegen sein eigenes Gebot
    zusagen.

58) עון "ist die Situation zwischen 'Tat' und 'Strafe'". Knierim,
    עון , THAT II Sp.244; siehe auch Liedke, Rechtssätze, S.69.99.

59) Es ist bedauernswert und ein Mangel der betreffenden Unter-
    suchungen, daß weder Boecker, Redeformen des Rechtslebens
    noch Liedke, Rechtssätze, auf die SF eingehen.

Eventuell schwingt in dem Freispruch für die Frau der Schuldspruch für Saul mit.[60] Auffallend ist die doppelte Erwähnung
Jahwes. Saul schwört bei dem, der sein Feind geworden ist (V.16)[61],
und gerade darin den Gang der Ereignisse lenkt. So kommt auch hier
(V.10) die "konsequent theozentrische Haltung"[62] zum Ausdruck, jedoch eher nur andeutend, wie es wohl der Situation angemessen ist;
man wird daher den Text nicht überinterpretieren dürfen. Wichtig
ist die Erkenntnis des "juristischen" Kontextes.

8.   1.Sam 29,6

In c.29 finden wir die SF im Gespräch zwischen David und
Achisch. David war zunächst dem Aufgebot der Philister gefolgt
und mit Achisch zum Sammelplatz gekommen. Bei der Musterung des
Heeres aber erregen David und seine Truppe Mißtrauen und Achisch
wird gezwungen, seinen Lehensmann David zurückzuschicken. Achisch
windet sich sichtlich unter dieser Aufgabe und beruft sich nach
einer "captatio benevolentiae" auf die Entscheidung der Fürsten[63]
(V.6) und schickt David zurück. Mit der Beschwichtigungsformel
מה עשיתי [64] weist David den implizierten Verdacht zurück,
worauf Achisch nochmals sein Vertrauen zu David erklärt. David
zieht daraufhin ab, scheinbar gekränkt, de facto befreit von der
Alternative, entweder gegenüber seinen Volksgenossen oder gegenüber seinem Lehensherrn zum Verräter zu werden.[65]

Besonders bei Liedke würden von da her die Überlegungen über
"Ähnlichkeiten zwischen autoritärem Urteil und apodiktischen
Rechtssatz" (129f) und seine weiteren Überlegungen "zur Ge-
schichte des apodiktischen Rechtssatzes" (138ff), nämlich
Herkunft aus dem Bereich der Familie, ergänzt und z.T. auch
korrigiert; s.u.S. 183 f , Gebrauch der SF bei Ez.

60) Im israelitischen Rechtsleben scheint die Unschuldigerklärung
des einen Partners erst durch die Schuldigerklärung des anderen verbindlich zu werden; (Boecker, Redeformen, 123ff,
"Unschuldigerklärungen") und die Schuld bzw. das unrechte
Handeln ist in der Erzählung ja deutlich.

61) Ursprüngliche Samuelrede sind wahrscheinlich nur 16.19aß.b;
17-19aα dagegen Ergänzung. Stoebe, Sam, KAT, S.495.

62) Ebd.

63) Zum Wechsel סרנים-שרים vgl. Stoebe, a.a.O., S.501.

64) Boecker, Redeformen, S.56.

Das Kapitel bringt an 2 Stellen eine theologische Andeutung: Achisch beginnt seine Rede mit חי יהוה und in V.10 vergleicht er David mit einem Engel Gottes. Der Engel Gottes ist der Beauftragte Gottes. Er "verkörpert das die Erde berührende Reden und Handeln Gottes"[66], und sein Auftreten bedeutet Rettung aus Gefahr oder Not.[67] Dabei kann er die Rettung durch sein Wort ankündigen oder durch sein Wort vollziehen.[68]

Unsere Stelle gehört mit 3 anderen zusammen, an denen David ebenfalls mit dem Engel Gottes verglichen wird (2.Sam 14,17. 20; 19,28). Der Engel Gottes ist dort der, der Gutes und Böses unterscheiden kann, der alles weiß, was auf Erden geschieht und der völlige Entscheidungsfreiheit hat. Hier ist der Engel Gottes der, der "gut" ist in den Augen der Menschen. Mit diesen Aussagen wird der König in die Nähe des Engels Gottes und damit Gottes selbst gerückt.[69] 1.Sam 29,9 gibt damit eine Anspielung auf die Retterfunktion Davids und auf das spätere Königtum aus dem Munde Achischs.

Ähnlich mag es sich mit dem auffallenden[70] חי יהוה im Munde des Achisch verhalten. Es handelt sich sicher um kein Abschreibversehen,[71] weil die SF praktisch immer mit יהוה gebildet wird[72]. Sicherlich ist es "vom Standpunkt des Israeliten gesagt"[73], vielleicht darf man aber doch, bei aller Vorsicht, einen Hinweis des Erzählers sehen auf den, der alle diese Ereignisse letztlich leitet, eben Jahwe.[74]

9. 2.Sam 2,27

In 2.Sam finden wir die SF nur 7x, also halb so oft wie in 1.Sam.

---

65) Diese Lösung von außen erinnert an c.25; vgl. Stoebe, Sam, KAT, 502.
66) Westermann, Engel, EKL I Sp.1072.
67) Ficker, מלאך , THAT I Sp 904.
68) Ficker a.a.O., Sp 905.
69) Diese Aussagen werden von Eichrodt, TheolAT, I S.303, und von Zimmerli, TheolAT,S.78f, mit dem kanaanäischen Denken in Verbindung gebracht. Eichrodt bewertet sie sehr kritisch.
70) Budde, Sam,KHC, S.185.
71) Gegen Budde, ebd.
72) Außer 2.Sam 2,27; Hi 27,2; Am 8,14; zu 2.Sam 11,11 s.S.56.
73) Stoebe, Sam, KAT, S.499.
74) Stoebe, a.a.O.,S.502.

2.Sam 2,12ff berichtet von dem Zusammenstoß zwischen Israel und Juda, konkret der Truppe Abners und Joabs, vermutlich ca. 2 Jahre nach Beginn der Regierung Davids.[75] Es ist nicht recht klar, in welcher Weise der Kampf ausbricht. Sicherlich lagen Spannungen zwischen beiden Gruppen, vermutlich u.a. durch Besitzansprüche und -erwartungen vor. Die Männer Davids siegen in der Auseinandersetzung und verfolgen die Flüchtigen. Es gelingt Abner, seine fliehenden Leute zu sammeln, und er ruft Joab zu, doch den Kampf einzustellen. "Joab sprach: Beim Leben des Gottes (חי האלהים), wenn du das eher gesagt hättest, so hätte schon heute morgen jeder von seinem Bruder abgelassen." (V.27). Daraufhin läßt Joab den Kampf abblasen – und versagt sich damit für den Augenblick die Blutrache für seinen Bruder (3,27)[76]. Die beiden Parteien trennen sich. Daß das nicht der letzte Kampf zwischen Nord und Süd war, sagt 3,1 deutlich.

Joab bekräftigt seine Haltung mit der SF, hier in der für das AT singulären Form חי האלהים. Die LXX (bzw. ihre hebräische Vorlage) hat aber die gebräuchliche Form חי יהוה. Vom Gewicht der Textzeugen[77] her ist beides möglich. Die Lesart der LXX würde sich nahtlos in den allgemeinen Gebrauch der SF einreihen. Beim MT fällt neben der seltenen Form auch der Artikel auf. Ähnliches gibt es nur in Hi 27,2: חי אל. Diese Stelle ist aber viel jünger. Ebenfalls in die Königszeit fällt nur Am 8,14: חי אלהך דן [78]. Doch würde sich dem Propheten bzw. dessen Schülern die Nennung Jahwes auf Grund ihrer Kritik verbieten, zumal die betreffende Gottheit hier offensichtlich als Lokalgottheit gezeigt werden soll. Andrerseits bietet Hos 4,15, das in die gleiche Umgebung gehört, die normale SF חי יהוה.

חי אלהים scheint also nicht in diese alte Zeit zu gehören. Für die spätere Zeit des AT kann aber Jahwe und Elohim ohne weiteres austauschbar gebraucht werden.[79] Auffallend ist aber auch der

---

75) Hertzberg, Sam, ATD, S.205.

76) Vgl. Hertzberg, a.a.0., S.206f; anders Caspari, Sam, KAT, S.414, der "weiß", daß Joab nur in Unkenntnis des Familienverlustes nachgibt.

77) Stoebe, Sam, KAT, S.25-32: "Der Text der Samuelbücher".

78) Wolff, Amos, BK, S.374.381f.

79) "Vielleicht darf man für diese Spätzeit bereits voraussetzen, daß der Jahwename zurücktreten konnte, weil die Unterscheidung zwischen Eigenname und Gattungsbegriff durch das Bekenntnis zu Israels Gott als dem einzigen wahren Weltherrn hinfällig

Artikel (האלהים). Es ist die Frage, ob der Artikel wirklich nur
nach freier Wahl und aus euphonischen Gründen gebraucht wird.[80]
Jedenfalls gehört die SF nicht zum"altertümlichen Sprachgut" von
"festen Zusammensetzungen" mit Elohim.[81] So kommen wir zu der
Vermutung, daß der MT auf eine Rezension zurückgeht, in der das
vermutlich ursprüngliche יהוה durch אלהים ersetzt wurde. Möglicherweise wurde diese Veränderung zu einer Zeit vorgenommen, da man
begann, die Aussprache des Tetragramms zu meiden. Vielleicht weist
die Determination auf die Anfänge solcher Praxis. Bleibt die Frage,
warum die Korrektur nur hier erfolgte. Joab ist ja eine teilweise
etwas dunkle Figur[82] und dann auch, gerade in Fortsetzung unseres
Zusammenhanges, durch einen Mord und daraus resultierend einen
Fluch Davids (3,28f) belastet. Vermutlich wollte man, d.h. einer
der Bearbeiter der Samuelbücher, den Namen Jahwes in seinem Munde
vermeiden.[83]

Für unser Thema der Lebendigkeit Jahwes lassen sich aber
keine, über die Beobachtungen zum Gebrauch der Gottesbezeichnungen
hinausgehenden Folgerungen ableiten. Zu beachten ist jedoch, daß
auch hier wieder die SF in einem Kontext steht, wo es um Tod und
Leben geht. Allerdings nicht in der Situation des Rechtslebens,
sondern des Kampfes. Die SF hat hier die Funktion eines Eides in
einem Fall, "where the issue is grave and the emotion is strong".[84]

10. 2.Sam 4,9

2.Sam 4 berichtet von der Ermordung Isch-Boschets. Die Haupt-
leute Baana und Rechab bringen das Haupt des Ermordeten zu David
und stellen sich als Werkzeuge der Rache Jahwes an Saul zugunsten
Davids dar. Aber David klagt sie des Mordes an. Er hat den vermeint-
lichen Freudenboten, der die Nachricht vom Tode Sauls brachte,

---

wurde. Zu dieser Betonung der Transzendenz und damit der Differenz von Gott und Mensch (vgl.auch das Hiobbuch) mag die
aufkommende Scheu vor der Aussprache des Jahwenamens hinzu-
gekommen sein". Schmidt, אלהים, THAT I, Sp.166f.

80) HAL I S.51.
81) Vgl. auch Schmidt, אלהים , THAT I, Sp.159-161.
82) Vgl. Stoebe, Joab, BHH II, Sp.867.
83) Vgl. die noch weitergehende Korrektur beim Heiden Uria,
2.Sam 11,11.S.u.S.56.
84) S.o.S.32 A.21.

54

töten lassen. - Wieviel mehr haben diese Verbrecher (רשעים),
die einen Gerechten (איש צדיק) töteten, den Tod verdient (V.11).
Dieses als Frage ausgesprochene Urteil und die voraufgehende Begründung bekräftigt David mit der erweiterten SF: "Beim Leben
Jahwes, der mich aus aller Bedrängnis befreit hat: (V.9; genau
entsprechend 1.Kön 1,29!).

Wir befinden uns hier in der Gerichtssituation. Darauf weisen
die charakteristischen Termini צדיק und רשע hin,[85] besonders in
ihrer Gegenüberstellung. Die Worte Davids beinhalten die Schuldigerklärung (רשעים), die Begründung des Urteils (durch Feststellung
des Tatbestandes und Verweis auf einen Präzedenzfall) und schließlich die in der rhetorischen Frage implizierte Folge, die Todesstrafe[86].

Das alttestamentliche Recht ist durchweg verankert im Verhältnis Jahwes zu seinem Volk. Das zeigt sich schon daran, daß
praktisch alle[87] Rechtssatzungen in den Zusammenhang der Sinai-
offenbarung gestellt werden (Ex 19ff).[88] "In Israel ... ist die
Verbindung von Religion, Recht und Moral noch mit unmittelbarer
Lebendigkeit empfunden; alle Gesetzesverletzung wird als Verschuldung gegen Gott aufgefaßt."[89] Dem entspricht es völlig, wenn
David beim Urteil über diesen Mord Jahwe anruft und damit im Namen
Jahwes den Mord feststellt und die Strafe ausspricht. Die Rechtssprechung erfolgt unter Anrufung, also in Gegenwart und Autorität
Jahwes, und indem seine Gebote durchgesetzt werden, erweist sich
sein Leben, d.h. seine Wirksamkeit.

Jahwe wird näher charakterisiert als der, "der mich aus aller
Bedrängnis befreit hat." Dieser Satz findet sich auch 1.Kön 1,29
bei der Regelung der Thronfolge zugunsten Salomos. So ist hier
wieder ausgesprochen, daß Jahwe es ist, der die Dinge geleitet hat.
Keil findet, daß hierin "der Gedanke liegt, daß David nicht nöthig

85) So auch Hertzberg, Sam, ATD, S.217. Vgl. Boecker, Redeformen,
    S.122f (Urteilsformulierungen).
86) Vgl. Boecker, a.a.O., S.135ff(Schuldigerklärungen); leider
    fehlt bei Boecker wieder jede Erwähnung unserer Stelle.
87) Siehe Zimmerli, TheolAT, S.94f.
88) Eichrodt, TheolAT I S.36: "Fragen wir nach der Eigenart des
    mosaischen Rechts gegenüber ähnlichen alten Volksrechten,dann
    ist einmal d i e E n e r g i e hervorzuheben, m i t d e r
    d a s g a n z e R e c h t a u f G o t t b e z o g e n w i r d."
89) Ebd.

hat, durch Verbrechen sich von seinen Feinden befreien zu lassen."[90]
Man wird aber, von der Wiederholung der Formulierung her, hier eine
Gesamtbeurteilung der Zeit Davids, sowohl während seines "Aufstiegs"
als auch während der - manchmal problematischen - Jerusalemer Zeit
sehen können. Diese Wendung ist das subjektive Gegenstück zur sonst
ü b e r David gemachten Aussage "Jahwe mit ihm" (1.Sam 16,18;
18,12.14.28; 2.Sam 5,10).

11. __2.Sam 11,11; 12,5__

     Nach den Berichten über die Ausdehnung und äußere und innere
Konsolidierung des Königreiches finden wir ab 2.Sam 10 den Bericht
vom Ammoniterfeldzug und damit verbunden vom Ehebruch Davids, und
wie der Hofprophet Natan ihn darüber zur Rechenschaft zieht.
     David läßt Urija von der Front kommen, damit er in sein Haus
und zu seiner Frau gehen kann. Der Ehebruch soll verdeckt werden.
Doch Urija bleibt bei den Soldaten. David stellt ihn am anderen
Tag zur Rede, doch Urija begründet sein Verhalten:"Die Lade und
Israel und Juda wohnen in Zelten, die Soldaten (bei ihrem Kriegs-
zug) sind auf freiem Feld, und ich sollte in mein Haus gehen, um
zu essen, zu trinken und bei meiner Frau zu liegen? חי יהוה וחי
נפשך , das tue ich nicht." (2.Sam 11,11).[91] Urija bekräftigt
seinen Entschluß mit der erweiterten SF. Für diese Erweiterung gilt
das oben S. 44 Gesagte: Eine Form, um die Verehrung und Anhänglichkeit auszudrücken (Pedersen). Das ist hier wohl konventionelle
Redeweise gegenüber dem König. Vielleicht ist auch eine ironische
Spitze mitzuhören. Zu dem sich aus der Gesamtschau der SF und der
Namensgebung ergebenden Aspekt dieser Anrede s.u.S. 370f.

     In c.12 stellt dann Natan David zur Rede, wobei es ihm durch
die Darstellung eines besonderen Rechtsfalles gelingt, daß David

---

90)   Keil, Die Bücher Samuelis, BC, S.227.
91)   חיך וחי נפשך gibt keinen Sinn und wäre singulär. Dasselbe
      gilt für die Konjektur חיי "bei meinem und bei deinem Leben"
      (will sich denn Urija David gleichstellen?). So ist zur be-
      kannten und geläufigen Formel חי יהוה וחי נפשך zu konjizieren.
      Sie wurde vermutlich geändert, da hier ein Nichtisraelit
      spricht. Vgl. zu 2.Sam 2,27; s.o.S.53 f). Daß das erste חי
      nicht einfach wegblieb spricht für eine Korrektur an der
      schriftlichen Fassung.

sich selbst das Urteil spricht. Nachdem Natan die Geschichte von
dem reichen Mann, der das einzige Schaf des armen Mannes genommen
hatte, erzählt hat, gerät David in großen Zorn:"Beim Leben Jahwes,
der Mann, der das getan hat, ist ein Kind des Todes. Und das Schaf
soll er vierfach ersetzen..." Auf dieses Urteil folgt das berühmte
"Du bist der Mann".

Zunächst ist deutlich, daß die SF wieder der Bekräftigung eines Urteils dient - vergleichbar den behandelten Stellen. Hervorzuheben ist die große Emotionsgeladenheit des Urteils Davids.
(Stärker noch als in 4,9, wo aber auch, besonders durch die Erinnerung an 2,11ff, starke Emotionen mitschwingen).

Das Urteil Davids ist immer wieder als Problem gesehen worden.[92] Sicher würde einem Diebstahl die vierfache Sühne entsprechen (Ex 21,37). Aber ist es Diebstahl und nicht vielmehr Raub?
Bereits die Parabel betont ja den Machtunterschied zwischen dem
reichen und dem armen Mann. Und aus dem Horizont der Gesamterzäh-
lung sind der Ehebruch und der Mord einfach nicht ausblendbar.
Rost betont, daß auch in 2.Sam14 die Parabel nicht alle Einzelheiten des Falles trifft, aber der Hauptgedanke ist klar.[93] So
wird man hier das Todesurteil wohl als solches stehen lassen
müssen,[94] zumal sich auch das אתה האיש gerade hier anschließt.

---

92) Etwa Rost, Thronnachfolge, S.92-99, wo er aber allzuviel eliminiert. Es bleibt nur das "du bist der Mann".
   Seebaß, Nathan und David, ZAW 86(1974) fragt nach der Berechtigung eines Todesurteiles für den "simple(n) Fall eines Lamm-
   diebstahles" (S.204) und kommt zur Antwort, daß das todeswürdige Vergehen nicht der Diebstahl sondern der Machtmißbrauch ist.
   Wieder anders Gerleman, Schuld und Sühne, Erwägungen zu
   2.Sam 12 (FS Zimmerli, 1977), der das בן מות האיש als
   "affektgeladenen Kraftausdruck" ansieht (S.133). -Allerdings
   fragt man sich, was die blasse Diebstahlsgeschichte mit dem
   üblichen vierfachen Ersatz (Ex 21,37) soll, und in den Überlegungen zum Tod des Kindes spricht auch Gerleman wieder von
   "derart erschwerenden Umständen" (S.134). - Der Mord und der
   Ehebruch können vielleicht aus Davids Bewußtsein aber sicher
   nicht aus dem Horizont der Erzählung ausgeblendet werden.
93) Rost, Thronnachfolge, S.93.
94) gegen Gerleman, vgl.o.A.92. Ähnlich sagt Ackroyd, The Second
   Book of Samuel, 1977: "This is not a death sentence, for such

Die SF bekräftigt hier also wieder das Urteil des Königs. Zugleich verdichtet sich hier in V.5 die Emotionalität der Erzählung.[95] Wenn es zutrifft, daß das Urteil sich vor allem gegen den Machtmißbrauch wendet (s.o.S.57, A.92, Seebaß), so wird hier implizit wieder die theologische Verankerung des Rechts deutlich: auch der durch seinen Besitz Mächtige - ja selbst der König - steht nicht außerhalb der von Jahwe gegebenen Rechtsordnung.

C.11 und c.12 gehören zusammen.[96] Stilistisch ist beachtenswert, daß sowohl in 11,11 als 12,5, jeweils am Höhepunkt und dort, wo der weitere Lauf der Dinge entschieden wird, die SF - und das heißt der Hinweis auf Jahwe - die entscheidenden Worte noch kräftig unterstreicht. Hängt das nicht zusammen mit der Eigenart des Erzählers, im scheinbar profanen Geschehen dem Wirken Jahwes nachzuspüren und dieses anzudeuten?[97]

12. 2.Sam 14,11.19

Mit 2.Sam 13 beginnt die Darstellung der Wirren und Konflikte um die Thronfolge. Amnon, der älteste Sohn Davids, vergewaltigt seine Halbschwester Tamar. Abschalom rächt die Schwester, d.h. erschlägt Amnon und wird dadurch zugleich der nächste Thronanwärter. Zunächst aber muß er fliehen und einige Jahre in Geschur bleiben. David ist schwach gegen seine Söhne, und er hängt an Abschalom (14,1; 19,1). Um Abschaloms Rückkehr in die Wege zu leiten greift Joab zu einer List. Er sendet eine "kluge Frau" aus Tekoa zum König, um diesem einen familienrechtlichen Fall vorzulegen: Der König möge die Blutrache für einen vorgefallenen Brudermord auf-

---

would be inappropriate for the particular offence of theft committed; it is the spontaneous response of righteous indignation to an intolerable action." (S.109), spricht jedoch dann auch von "judgement".

95) Das hat Gerleman zutreffend erspürt.

96) Rost, Thronnachfolge, S.97.

97) Zu diesem, heute allgemein anerkannten Zug der Erzählung: vRad, Geschichtsschreibung, S.181f.188. Bei vRad wäre allerdings zu fragen, ob man die "rhetorischen Apostrophierungen Gottes" wirklich so schnell und als solche (=rhetorische) abtun darf. Bestimmt hier nicht das Bild einer "Epoche der Aufklärung" (S.187) in ihrer neuzeitlichen Bedeutung zu sehr den Blick?

heben, da sonst die Familie ausgelöscht wäre (V.7.) David entscheidet zu ihren Gunsten. Wird aber die Schuld wirklich vom Haus der Frau genommen werden? - Sie bittet den König um Bekräftigung des Urteils durch Anrufung Jahwes, seines Gottes. Der König wiederholt daraufhin seinen Freispruch für den Sohn und bekräftigt diesen durch חי יהוה.

Hier zeigt sich wieder die bindende Kraft des Eides. Durch die Anrufung Jahwes wird das Urteil unverbrüchlich, es steht unter Jahwes Autorität und selbst der König kann es nicht rückgängig machen.

Erst nun geht die Frau weiter, zieht fast beiläufig die Parallele zum Fall Abschalom und lenkt wieder zurück zu ihrem scheinbaren Hauptanliegen, der Familiengeschichte. David durchschaut nun, nachdem er gebunden ist, das Spiel und vermutet Joabs Hand dahinter, der vielleicht schon früher zugunsten Absaloms intervenierte[98]. Die Frau gesteht dies und ihre Rolle ein, wobei sie wieder die Gelegenheit benutzt, dem König zu schmeicheln: "Mein Herr ist weise wie der Engel Gottes, daß er alles weiß, was auf Erden (geschieht)" (V.20). Diesem Eingeständnis und diesem Kompliment stellt sie voran: חי נפשך אדני המלך "Bei deinem Leben, mein Herr (und) König!" Die Rede ist durch unterwürfigen Hofstil gekennzeichnet in Verbindung mit dem entsprechenden Hofzeremoniell.[99] Die Frau verwendet 5x die Anrede mein Herr und König, V.12.17.a.b.18.19; die SF dient hier der stärkeren Betonung und Hervorhebung. Sie gehört zur Hofsprache und scheint in ihrer jeweiligen Verwendung kaum eine Reflexion über das "Leben" des Königs zu erhalten. Die Wendung erinnert im Übrigen an die Erweiterung der normalen SF durch חי נפשך, die ebenfalls Verehrung ausdrückte (s.o.S.44).

13. 2.Sam 15,21

Im Bereich der Abschalomgeschichte finden wir noch einmal die SF. David ist auf der Flucht vor seinem Sohn Abschalom. Es steht schlecht für ihn. Beim Verlassen Jerusalems mustert er seine Leute. Da ist auch Ittai aus Gat. Er ist ein Ausländer und David will ihn nicht in die innenpolitische Auseinandersetzung einbeziehen und dabei vielleicht zu Schaden kommen lassen (V.19f). Doch der Ausländer Ittai schwört - ganz im Gegensatz zum aufständischen Sohn[100]

---

98) Diese ansprechende Vermutung äußert Hertzberg, Sam, ATD, S.272.
99) Zu den einzelnen Elementen: Hertzberg, a.a.O., S.274.

- David mit bewegten Worten Treue und Gefolgschaft: "Beim Leben
Jahwes und beim Leben meines Herrn des Königs, wo immer mein Herr,
der König ist, es gerate zum Tod oder zum Leben, da wird dein Knecht
auch sein."(V.21)

Diese und die anderen hier dargestellten Begegnungen Davids
und die damit verbundenen Reden verwendet der Erzähler in meister-
hafter Weise, um die verschiedenen Aspekte der Lage Davids zu
charakterisieren. Die erweiterte SF dient hier wieder dem Ausdruck
der Verehrung und Zuneigung, wie gerade hier der Kontext sehr schön
zeigt. "Mein Herr und König" entstammt wieder dem Hofstil, es ist
aber doch nicht die Schmeichelei von 14,19. Abgesehen von der Situation entsteht der andere Ton auch durch die voraufgehende Anrufung
Jahwes (חי יהוה), was von Seiten des Erzählers sicher nicht unreflektiert geschah, sondern wohl doch als Hinweis auf das verborgene Wirken Jahwes.[101]

14. 2.Sam 22,47

Die Wendung חי יהוה finden wir wieder in 2.Sam 22,47. Dieser
Text entspricht Ps 18,47. Hier handelt es sich aber nicht um eine
SF und der Psalm ist völlig unabhängig von der Thronfolgegeschichte.[102] Die Stelle muß daher sowohl literarisch als auch inhaltlich
selbständig behandelt werden.

15. 1.Kön 1,29; 2,24

Zum letzten Mal begegnen wir der SF in unserem Komplex in
1.Kön 1,29 und 2,24. Wir stehen am Ende der Thronnachfolgegeschichte. Die Regelung der Nachfolge läßt sich nicht weiter hinausschie-
ben. David ist durch den Bericht vom Festmahl Adonijas und das Vor-
stelligwerden Natans und Batsebas zur Entscheidung gezwungen. Bet-
seba kommt zu David und beruft sich gegenüber der Königwerdung[103]

___

100) vRad, Geschichtsschreibung, S.166: "die Treue des Landfremden
     hebt sich schön und tröstlich ab von der dunklen Folie des
     Verrates des Sohnes."
101) Siehe besonders die Einheit V.32ff und den Deutesatz in 17,14,
     den vRad, Geschichtsschreibung, S.183f so sehr hervorhebt.
102) Vgl. dazu Budde, Sam, KHC, S.313-315.
103) Wieweit die Vorgänge wirklich bereits eine Königskrönung be-
     deuten, ist umstritten. Jedenfalls war es ein entscheidender

Adonijas auf den ihr zugunsten Salomos gegebenen Eid. David hatte
ihr 'bei Jahwe, seinem Gott' die Thronfolge Salomos zugesagt. -
Nun aber diese Vorgänge! Natans Rede zielt in dieselbe Richtung.
So versichert David Batseba der Erfüllung seines gegebenen Schwures.
Salomo soll König werden. Er bekräftigt dies wieder mit einem Eid:
"Beim Leben Jahwes,der mich aus aller Not erlöst hat: So wie ich
dir geschworen habe, bei Jahwe, dem Gott Israels, daß..., so will
ich heute tun." (1,29f) Die Ereignisse nehmen den entsprechenden
Verlauf und führen zur Herrschaft Salomos. "Und Salomo saß auf dem
Thron seines Vaters David und seine Herrschaft hatte sehr festen
Bestand." (2,12)

Den Rest bilden Nachträge. Es scheinen verschiedene Einheiten
angefügt zu sein, die jeweils mit dem Hinweis auf die Festigung der
Herrschaft Salomos enden.[104] Der erste Nachtrag berichtet, wie
Adonija die schöne Abisag von Sunem (vgl. 1,1-4) zur Frau begehrt.
Er bittet Batseba, diesen Wunsch dem König vorzubringen. Als Salomo dies hört, erzürnt er, interpretiert das Verlangen als Schritt
auf dem Weg, sich des Thrones zu bemächtigen und läßt Adonija töten.
Dieser Tötungsbeschluß wird mit einem großen, pathetisch wirkenden
Schwur ausgesprochen. Jahwe wird hier angesprochen als der, der
Salomo "fest hingestellt", ihn auf den Thron seines Vaters gesetzt
und ihm[105] ein Haus gemacht hat. Jahwe ist hier ganz der "Verbün-
dete" Salomos. Die Verheißung an David (2.Sam 7) ist hier ad per-
sonam weitergeführt - und wird zur Ausschaltung der Gegner verwendet.[106]

Schritt in diese Richtung, und eine Gegenpartei durfte ihrerseits nicht mehr länger warten. Würthwein, Kön, ATD, S.13;
vgl. Noth, Kön, BK, S.19 und Zalewski, The struggle between
Adonijah and Solomon over the kingdom, Beth mikra 63 (1975),
s.490-510.

104) V.35 (LXX) und V.46; vgl. die Diskussion um den Schluß bei
Noth, Kön, BK, S.9-11. Die Entscheidung hängt zusammen mit
der Frage nach der Tendenz des Geschichtswerkes (s.u.A.106)

105) יל auf לו zu konjizieren (Vgl. BHK) scheint nicht nötig. Die
Betonung liegt doch auf Salomo, während die Dynastie Davids
ebensogut mit Adonija weitergegangen wäre.

106) Die Tendenz der Thronfolgegeschichte wurde zunächst als durchaus "prosalomonisch" beurteilt: Rost, Thronfolge, S.128 "in
majorem gloriam Salomonis"; ähnlich vRad, Geschichtsschreibung, S.186. Kritisch: Delekat, Tendenz und Theologie der
David - Salomo-Erzählung, FS Rost (Aufforderung zum Sturz

Die SF wird hier bezeichnenderweise wieder im Zusammenhang eines Todesurteiles verwendet. Der Kontext ist aber nur mehr mit Einschränkungen als Bereich des Rechtslebens zu bezeichnen. Dieser Unterschied zeigt nebenbei aufs deutlichste den Wandel der Zeiten.

Wir stehen damit am Ende des Komplexes der Thronfolgegeschichte bzw. unserer Untersuchung des "Saul - Jonatan - David-Komplexes".

Zusammenfassung

Die Untersuchung der 22 Belege der SF in den "Saul - Jonatan - David-Erzählungen" zeigte eine gewisse Vielfalt des Gebrauchs. Es ergaben sich aber auch wesentliche Aspekte zur Zuordnung im Blick auf Gattung und 'Sitz im Leben', und im Blick auf angesprochene Traditionen und den Glauben Israels.

Gattung und 'Sitz im Leben'

Von den 22 Belegen fanden wir 15 in der einfachen Form חי יהוה nur mit ihrem Verweis auf Jahwe. Dazu gehört 1 Beleg der Form חי האלהים (2.Sam 2,27), die offensichtlich eine spätere Ersatzlesung zur Vermeidung des Jahwenamens darstellt. Weiters fanden wir 4 Belege der kombinierten Form חי יהוה וחי נפשך , wobei dreimal David und einmal Jonatan, offensichtlich als "Thronfolger", angesprochen wurde. Schließlich fanden wir 2 Belege der Form חי נפשך, womit einmal Saul und einmal David angesprochen wurde.

Die SF diente an allen Stellen zur Bekräftigung einer Aussage, (insbesondere) einer Handlungsabsicht. Damit Hand in Hand ging die Erklärung oder zumindest die Andeutung einer bestimmten Relation, in der der Sprecher steht. Dies ist besonders deutlich zu sehen bei den kombinierten Formen, wo neben Jahwe der König (David, 1.Sam 25,26; 2.Sam 11,11; 15,21) bzw. der Sohn des Königs (Jonatan, 1.Sam 20,3) angesprochen wurde, und in jenen beiden Belegen, wo überhaupt nur der König genannt wurde (Saul, 1.Sam 17,55; David, 2.Sam 14,19).

Salomos, (S.31) und generell königtumsfeindliche Haltung (ebd.), ähnlich Würthwein, Kön, ATD, S.25-29.

Etwas mehr abwägend: Noth, Kön, BK, S.39-41.

Eine weiterführende Perspektive eröffnet Crüsemann, Der Widerstand gegen das Königtum (1978): David wird positiv gezeichnet, besonders indem er bereit ist, Kritik zu akzeptieren; dieses Bild wird Salomo vorgehalten, dessen erste Taten Bluttaten sind (S.180-188).

Die SF ist hier zugleich eine Anerkennung des Herrschers und eine
Erklärung der Loyalität. In demselben Sinn ist auch die einfache
Form der SF, in der nur Jahwe genannt wird, als mehr oder weniger
deutlicher Hinweis auf die Autorität und das (Herrscher-)Handeln[107]
Jahwes im Blick auf Volk und König zu verstehen. Dies wird bestätigt
durch die expliziten Erweiterungen der SF, in denen diese Beziehung
und dieses Handeln Jahwes thematisiert werden: Jahwe ist der Retter
(המושיע) Israels (1.Sam 14,39); er ist der, der David aus aller
Not errettet (2.Sam 4,9; 1.Kön 1,29) und vor Verschuldung bewahrt
hat (1.Sam 25,26.34) usw. Hierher gehört auch der Verweis auf den
"Bund", den Jonatan mit David schließt und in dessen Rahmen dann
die SF 1.Sam 20,3 steht.[108]

---

107) Der Begriff "herrschen" ist hier, von der Sache her, kaum zu
vermeiden. Er umschreibt am besten die hier angesprochene Beziehung. Zwar ist das Wortfeld מלך vermutlich erst später auf
Jahwe übertragen, bzw. beschreibt zunächst seine Herrschaft
über die Götter (vgl. Schmidt, Königtum Gottes in Ugarit und
Israel), doch ist zu beachten, daß das Hebräische noch andere
Worte für die im Deutschen am besten mit "herrschen/Herrschaft"
wiederzugebende Relation hat, etwa משל aber auch שרה von dem
höchstwahrscheinlich der Name Israel gebildet ist (mit der Bedeutung "Gott möge sich als Herrn, Herrscher beweisen, scil.
dadurch, daß er in die Welt eingreift und besonders den Seinen
hilft", Noth, IP, S.208; vgl. G.Sauer, Bemerkungen zu 1965
edierten ugaritischen Texten, ZDMG 116 (1966), S.240). Wenn
ich hier oder später in dieser Arbeit "herrschen" oder "Herrschaft" verwende, so geschieht dies zur Wiedergabe eines Sach-
verhaltes, nicht als Übersetzung der Wurzel מלך, die erst
später im Rahmen unseres Themas auftritt (z.B. Jer 12,16 und
46,18).

108) "Auch ברית ...ist kein theologisches Reservatwort. Die darin
ausgesagte Verpflichtung kann zwischen Menschen getroffen
werden und durch einen Eid bekräftigt werden." Zimmerli,
TheolAT, S.40. Beim "Bund" ist, ähnlich wie beim Begriff
"herrschen" (vgl. A.107) zwischen der gemeinten Sache und
späterer, differenzierter Begrifflichkeit zu unterscheiden,
die nach Perlitt, Bundestheologie, erst deuteronomistisch ist.
Auch beim Bund zwischen Menschen ist die Beziehung zu Gott
mit angesprochen, indem der Bund nicht nur bei David und Jonatan, sondern etwa auch schon bei Isaak und Abimelech (Gen 26,

63

Die SF war, besonders in ihrer einfachen Form חי יהוה mit dem
Rechtsleben verbunden, besonders der Urteilsformulierung bzw. "Tatfolgebestimmung"[109]. Ein schönes Beispiel dafür ist das Verlangen
der Frau aus Tekoa, David möge seinen Freispruch für ihren Sohn auf
diese Weise bekräftigen (2.Sam 14,11). Aber auch andere Belege zeigen diesen konkreten Ort der SF im Rechtsleben als Einleitung des
Urteilsspruches mit der Tatfolgebestimmung. Dieses kann dabei sowohl positiv als auch negativ ausfallen: "Es soll kein Haar von
seinem Haupt fallen" (1.Sam 14,45; 2.Sam 14,19), "es soll dich in
dieser Sache keine Schuld treffen" (1.Sam 28,10), aber auch "er ist
ein Mann des Todes" (2.Sam 12,5; ähnlich 1.Sam 26,16) oder "heute
noch soll Adonija sterben!" (1.Kön 2,24). Eindeutig gehört Ri 8,19
(s.u.S.126-128) hierher. Etwas von diesem Ort des Rechtslebens
und der Urteilsformulierung entfernt ist die Bekräftigung eines
simplen Nichtwissens (1.Sam 17,55) oder auch der Dankbarkeit für die
Befreiung aus einer Zwangslage (1.Sam 25,34). Schließlich gibt es
Stellen, an denen die SF ganz zur Einleitung einer höf-lichen Anrede wurde, insbesondere dort, wo nur noch der König genannt ist,
aber auch in Belegen der einfachen SF חי יהוה (1.Sam 29,6; in
1.Sam 25,26 dürfte der ausgeführte Wunsch für Jahwes zukünftiges
Handeln sekundäre Erweiterung sein).

Die SF steht demzufolge in einem doppelten Bezug. Als Redeform
des Rechtslebens leitet sie die Tatfolgebestimmungen eines Urteilsspruches ein, bekräftigt also die aus der Sachlage zur Aufrechter-
haltung oder Wiederherstellung der צדקה folgende Aktion. Zugleich
verweist die SF auf die, diese Vorgänge des Rechtslebens letztlich
legitimierende Autorität, nämlich Jahwe als Herrscher über Israel.
Der erste Bezug konkretisiert sich darin, daß immer eine bestimmte
Aktion beschrieben wird, der zweite Bezug in der häufigen Erweiterung
der SF zu einer ausgeführten Beschreibung des Verhältnisses zu Jahwe,
die dabei hymnische Züge annehmen kann (Jahwe, der Retter Israels,
1.Sam 14,39; Jahwe, der mich aus aller Not errettet hat, 2.Sam 4,9).
Es liegt in der Natur der Sache, daß in gravierenden Situationen auch
diese theologischen Aussagen sehr dicht sein können.

26-33) und zwischen Israel und den Gibeoniten (Jos 9,15) beschworen wird. Die Beziehung hat ihren Ort in der Jahwe unter-
stellten Sphäre des Rechts.

109) Diesen Begriff verwendet Boecker, Redeformen des Rechtslebens,
zur Unterscheidung von der Feststellung "gerecht ist...schul-
dig ist..." (S.123; vgl. 123ff und 143ff).

In den Erweiterungen der SF, die im nächsten Abschnitt näher
zu untersuchen sind, wird auf die Tradition von den Jahwekriegen
und dem helfend-rettenden Eingreifen Jahwes angespielt. M. E. wurde
die Terminologie des Rechtslebens mit seinen Vorgängen vom Hilferuf
des Bedrängten (צעק) hin zum helfend-rettenden Eingreifen des
Richters (ישע) auf Israels Erfahrungen mit Jahwe, insbesondere
in der sog. Richterzeit, übertragen. Insofern ist mit der auf diese
Rettertaten Jahwes anspielenden Erweiterung der SF in 1.Sam 14,39
(חי יהוה המושיע ישראל) der Bereich des Rechtslebens nicht verlassen.[110]

Die angesprochenen Traditionen und der Ort der Aussagen im Rahmen des Glaubens Israels.

Jahwe wird in den Erweiterungen der SF zunächst charakterisiert
als der Gott Israels (1.Sam 20,12), und in diesem weiteren Bereich
stehen die wechselseitigen Verpflichtungen der Freunde David und
Jonatan. Als Gott Israels ist Jahwe der, der Israel hilft d.h. rettet. Er hilft in konkreten Ereignissen, zur bestimmten Zeit "an jenem Tag", (1.Sam 14,23). Er hilft durch (einen) Menschen (durch
Jonatan, 1.Sam 14,45), und gerade darin ist es sein, eben Jahwes
Helfen, sodaß er der Retter Israels (המושיע את ישראל) ist. -
Hier wird die Retterterminologie der Jahwekriege verwendet (1.Sam
14,39)!

Der, der Jahwes Taten tut, steht unter dem Schutz Jahwes. Der
Gott Israels bewahrt David davor, schuldig zu werden, er bewahrt
ihn vor böser Tat und er rächt seinerseits die Schmach Davids. Aber
auch Saul steht als der Gesalbte unter Jahwes Schutz. Jahwe selbst
ist der, der zu gegebener Zeit Saul schlagen, also das Leben nehmen
kann. Jahwes Wirken ist beides, das Leben zu schützen, aber auch,
es zu nehmen. Die SF stand gelegentlich auch im Zusammenhang mit
dem Hinweis auf Jahwes verborgenes Wirken: Er ist der, der selbst
durch die Entschlüsse heidnischer Fürsten seinen Gesalbten bewahrt
(1.Sam 29) und der "es zum Leben oder zum Tod geraten läßt" (2.Sam
15,21).

Dieses Wirken Jahwes wird an zwei Stellen zusammengefaßt als
Bekenntnis im Munde Davids: "Beim Leben Jahwes, der mich erlöst hat

110) In den beiden wichtigen Deutestellen 2.Sam 4,9 und 1.Kön 1,29
     ist mit פדה ein Wort verwendet, das ebenfalls zum Rechtsleben
     gehört; siehe Stamm, פדה, THAT II Sp.389-406, bes. Sp.391f.
     398f.

aus aller Not" (2.Sam 4,9; 1.Kön 1,29). Sowohl am Ende der Geschichte vom Aufstieg Davids als auch am Ende der Regierung Davids wird also das bisherige Geschehen im Rückblick als Befreiung (und Bewahrung) durch Jahwe interpretiert - als Bekenntnis im Munde Davids. Damit kommt hier neben der Beziehung Jahwes zu Israel die Beziehung zu David und damit zum Königtum in den Blick.[111]

Konsequent durchgeführt (wenn auch in einem Zusammenhang, der vermutlich bereits dem Erzähler bedenklich war, s.o.) ist die Verbindung Jahwes mit der Dynastie Davids in 1.Kön 2,24. Hier ist Jahwe der, der Salomo bestätigt, auf den Thron gesetzt und ihm "ein Haus" gemacht hat - und das alles in Erfüllung der früher gegebenen Zusage.

In diesen Formen und Ereignissen und in den beiden Polen Israel einerseits, David und sein Königtum andrerseits, sah der (oder die) Erzähler das "Lebendig-sein" Jahwes, sein Wirken. Wir stehen damit vor den beiden Hauptpolen des Wirkens Jahwes an Israel und aller geschichtlichen und theologischen Aussagen des AT. Die aus diesen Texten des ausgehenden 10.Jh. erhobenen Aussagen berühren sich erstaunlich eng mit dem, wie vRad in seiner Theologie die Aussagen des gesamten AT zusammengefaßt: "Reduziert man die weit ausladenden Darstellungen, die Israel von seiner Geschichte geschrieben hat, auf das theologisch Grundlegende, d.h. auf die für Israel schlechthin konstituierenden Setzungen Jahwes, so ergibt sich folgendes: Zweimal hat Jahwe in Israels Geschichte in sonderlicher Weise eingegriffen, um seinem Volk einen Grund des Heils zu legen. Zuerst in dem Komplex von Taten, die in dem Bekenntnis zu der kanonischen Heilsgeschichte (also von Abraham bis Josua) zusammengefaßt sind; zum anderen in der Bestätigung Davids und seines Thrones für alle Zeiten. Um die erste Setzung - Israel ist Jahwes heiliges Volk geworden und hat das verheißene Land erhalten - legt sich der Hexateuch mit der Fülle seiner Überlieferung...Die andere, Davids Erwählung und sein Thron, ist zum Kristallisationspunkt und zur Achse des deuteronomistischen und chronistischen Geschichtswerkes geworden...Auf diesen beiden Heilssetzungen ruhte die ganze Existenz Israels vor Jahwe. Auch die Propheten haben bei ihrer Ver-

111) Zusammenhängen mit 2.Sam 7 nachzugehen, würde hier zu weit führen. Rost, Thronnachfolge kann sagen: "Die Thronfolgequelle könnte nicht in dieser Form aufgebaut sein, wenn dem Erzähler nicht eine derartige Offenbarung Jahwes an David vorgelegen hätte." (S.55).

kündigung von der Neuschöpfung Israels auf keine anderen zurück-
greifen können als auf diese beiden: Sinaibund und Davidbund."
(Bd. I S.366)

Für welche Zeit ist dieser Glaube repräsentativ? Der zweite
Teil der Belege gehört zu der von Rost herausgearbeiteten "Überlieferung von der Thronnachfolge Davids"[112]. Diese wäre bald nach
David, also zur Zeit der Regierung Salomos entstanden.[113] Die neuere Diskussion zu dieser Frage änderte dieses Ergebnis, jedenfalls
für unsere Texte, nicht.[114]
Wie aber verhält es sich mit den Erzählungen die um Jonatan
(1.Sam 14) und um Davids Aufstieg kreisen? Die Einzeluntersuchung
zeigte, daß die Texte nicht zu weit von den beschriebenen Ereignissen abzurücken sind. Auch sie scheinen nicht lange nach David, eher
z.T. noch zu seinen Lebzeiten, entstanden zu sein (allein schon aus
Gründen des Überlieferungsinteresses).
Die auffallende Beobachtung, daß sich die SF in den Geschichts-
büchern gerade von 1.Sam 14 bis 1.Kön 2 und - außer Ri 8 und den
Elija/Elischa Geschichten - nur hier findet, läßt hier einen geschlossenen Erzählzusammenhang vermuten. Gerade aus stilistischen
Gründen, die ja Rosts Leitfrage waren.
An Rosts Darstellung ist der Einsatz der Thronfolgeerzählung
unbefriedigend. Der Einsatz bei der Sterilität Michals erscheint
doch etwas abrupt und ist selbst von der Leitfrage "wer wird auf
Davids Thron sitzen?" her nur beschränkt sinnvoll. Zudem erscheint
diese angenommene Leitfrage erst gegen Ende des Werkes (1.Kön 1,20)
und dort in einem Kontext, der sich nur auf die unmittelbare Situation zu beziehen scheint. Daß der Verfasser an vorgegebene Erzählungen - jedenfalls inhaltlich - anknüpft, wird auch bei Rost deutlich.
Rost fragt, ob die von ihm erarbeitete Erzählung zu einem
größeren Werk gehört.[115] Er kommt zu einem negativen Ergebnis.
Seine Begründungen erscheinen aber fraglich. So bemerkt Rost:
"Alle Personen mit alleiniger Ausnahme Davids werden entsprechend
eingeführt. Alle haben einen entsprechenden Exitus."[116] Wieso
aber soll der Verfasser gerade bei der Hauptperson diese Eigenart

---

112) L.Rost, Thronnachfolge, 1926.
113) Rost, a.a.O., S.127.
114) Vgl. Kaiser, EinlAT, S.144-149, und den Exkurs u.S.70-82.
115) Rost, Thronnachfolge, S.132-136.
116) Rost, a.a.O., S.132.

der Darstellung durchbrechen, ohne jegliche Anfangsbemerkung über
David? Rost überlegt die Möglichkeit der Zusammengehörigkeit der
Thronfolgegeschichte mit der Geschichte von Davids Aufstieg als
"Diptychon", wobei sich Parallelen zwischen beiden Einheiten zeigen.
"Trotzdem ist die Zusammenfassung nicht angängig; denn der Stil und
der Aufbau und schließlich auch die Stellung des Erzählers zum Kult
ist in beiden Quellen verschieden."[117]

Allerdings ist es befremdend, daß Rost jene Stücke, die Reden
beinhalten - eben gerade jene Texte, in denen wir die SF fanden -
von vornherein vom Vergleich ausklammert. Beherrscht nicht in
1.Sam 25 der Dialog die Erzählung? Bei aller Charakteristik des
Schriftstellers wird man dazu doch auch einen Einfluß der Sache
und vorgegebener Überlieferungen akzeptieren müssen.

Zur unterschiedlichen Stellung zum Kult: Was ist das Kriterium
für die Zufälligkeit der Mitteilung, "daß David dem Arkiter Huschai
an dem Platz begegnet, wo er zu beten pflegte (15,32)."[118][119]
Könnte das nicht gerade ein bewußter, wenn auch verhaltener Hinweis
sein: David begegnet dem Mann, durch den sich alles entscheidet,
ausgerechnet an der Stätte des Gebetes!

Es scheint also vieles auf einen größeren Umfang des Erzählwer-
kes hinzuweisen. Jedenfalls ist die von Rost gegebene Begrenzung
nicht klar, wie er es will. Die Forschung ist hier in Fluß,[120] und
es wäre reizvoll, sich an ihr zu beteiligen.

Mit der Erweiterung des Erzählzusammenhanges nach vorne würde
sich natürlich auch die Intention und der Fragehorizont verschieben.
Es ginge nicht mehr um die Regelung der Thronnachfolge, sondern um
die Betrachtung der Entstehung und Stabilisierung des Königtums -
und um das Ringen zur theologischen Bewertung dieser Ereignisse.[121]

---

117) Rost, a.a.O., S.133.
118) Rost, a.a.O., S.134.
119) Ähnlich auch vRad, Geschichtsschreibung, S.184.
120) Vgl. Kaiser, EinlAT, S.142-149; Smend, Entstehung, S.133.
     Ebenfalls zum Schluß einer weitreichenden Zusammengehörigkeit
     der von uns in Betracht gezogenen Texte kommt Rendtorff, Be-
     obachtungen zur altisraelitischen Geschichtsschreibung, FS vRad
     (1971), S.428-439, z.B. "...macht es sehr unwahrscheinlich, hier
     an voneinander unabhängige Verfasser oder Verfasserkreise zu
     denken." (S.439)
121) Vgl. Stoebes Stichwort vom Ringen um die glaubende Bewältigung
     der Entwicklungen, s.o.S. 38 A.6.

So scheint es nicht zufällig, daß die Erweiterung der SF sich in
den beiden Polen bewegt: Jahwe, der Retter Israels und Jahwe der,
der David aus aller Not errettet und ihm Bestand seines Königtums
gibt.

Den Einsatz dieses Geschichtswerkes würde ich in 1.Sam 13
sehen.[122] Warum sollte man dem doch so gepriesenen Verfasser der
Thronnachfolgegeschichte[123] nicht dieses umfassendere Werk zutrauen? Seine Kraft der Darstellung und der theologischen Durchdringung fände hier einen Gegenstand und eine Motivation, die seinem Denken angemessener erscheint,[124] als die Frage, welcher der
Söhne Davids schließlich auf dem Thron sitzen würde.

Unabhängig von diesen Fragen haben wir hier Texte des ausgehenden 10.Jh. vor uns. Rost zeigte (für die Thronfolgeerzählung),
daß die Reden vom Verfasser des Geschichtswerkes stammen und sein
Denken repräsentieren. So gehört auch die SF mit ihren Erweiterungen dazu, und wir dürfen sie, wie die Erzählung selbst, in das aus-
gehende 10.Jh, etwa in die Zeit Salomos, datieren.[125]

---

122) Das ermöglicht auch eine Erklärung dafür, daß die Saulsüber-
lieferung so merkwürdig in 2 Blöcke geteilt ist (vor und nach
1.Sam 12). Sogar der "kulturgeschichtliche Rückblick" (1.Sam
13,19-22) würde dadurch im Sinn einer Beschreibung des "Damals"
sinnvoll in diesen Rahmen passen.

123) Vgl. vRad, Geschichtsschreibung.

124) Vgl. die Charakterisierung bei vRad, a.a.O., S.186-188.

125) Rost, Thronnachfolge, S.126 und die Betonung der Reden als
Kennzeichen des Stiles des Erzählers, z.B. S.133.

Exkurs: Die Arbeiten von Mildenberger, Weiser und Veijola

    Smend hatte in seiner 'Entstehung des Alten Testaments' (1978), S.111-125, auf seine eigene Arbeit[1] und die Arbeiten aus dem Kreis seiner Schüler[2] zum deuteronomistischen Geschichtswerk hingewiesen. Das wesentliche Ergebnis dieser Arbeiten ist die Aufteilung des heute praktisch allgemein anerkannten 'deuteronomistischen Geschichtswerkes' (=dtr G) auf mehrere redaktionelle Schichten. Während Noth[3] zunächst vom 'dtr G' sprach und in der Folge die Frage der Intention dieses Werkes besonders im Blick auf eine fehlende oder vorhandene Zukunftshoffnung diskutiert wurde[4], heben Smend und seine Schüler vom Grundbestand dtrG bzw. dtrH(istoriker) eine nomistische (dtrN) und eine prophetische (dtrP) Bearbeitung ab.

    Während Smends eigene Veröffentlichung sich primär auf Texte des Buches Josua bezieht, und Dietrich nur die Elija/Elischa-Geschichten streift, betreffen Veijolas Arbeiten, die mir erst nachträglich zugänglich wurden, direkt den Komplex der 'Saul-Jonatan-David-Erzählungen'. Zunächst möchte ich aber noch auf die Arbeit von F.Mildenberger zur vordeuteronomistischen Saul-Davidüberlieferung[5] eingehen[6], die mir nach anderweitigen vergeblichen Versuchen

1)   Smend, Das Gesetz und die Völker, Ein Beitrag zur deuteronomistischen Redaktionsgeschichte, FS vRad (1971), S.494-509.

2)   W.Dietrich, Prophetie und Geschichte, Eine redaktionsgeschichtliche Untersuchung zum Deuteronomistischen Geschichtswerk (1972; vgl. die Widmung).
    T.Veijola, Die ewige Dynastie, David und die Entstehung seiner Dynastie nach der deuteronomistischen Darstellung (1975).
    Ders., Das Königtum in der Berurteilung der deuteronomistischen Historiographie, Eine redaktionsgeschichtliche Untersuchung (1977).

3)   Noth, ÜSt, S.3-110.

4)   Vgl. oben, S.33 A. 3

5)   F.Mildenberger, Die vordeuteronomistische Saul-Davidüberlieferung, Diss.Ev.Theol., Tübingen 1962.

6)   Einen neueren Forschungsbericht, in dem die oben angeführte Literatur mit behandelt wird, gab W.Dietrich, David in Überlieferung und Geschichte, VuF 22 (1977) H.1, S.44-64 (außer zu Veijola, Königtum (1977).
    FLanglamet bietet zwei äußert umfangreiche Rezensionen zu Veijola. Zu Veijola, Dynastie in RB 83 (1976), S.114-137.

vom Verfasser selber zugänglich gemacht wurde. - Ich danke an dieser
Stelle Herrn Prof.Dr.Friedrich Mildenberger herzlich, daß er mir
sein eigenes Exemplar großzügig zur Einsicht und zur Kopie zur Verfügung stellte.

Mildenberger untersucht die "vordtr Saul-Davidüberlieferung".
Damit meint er jenen Teil der Überlieferung, der von Saul u n d
David bzw. dem Übergang des Königtums von Saul an David handelt.
Er vermeidet dabei den Begriff 'Aufstiegsgeschichte', weil er diesen Komplex anders, d.h. weiträumiger abgrenzt. Mildenberger geht
zunächst von der bei und seit Rost geläufigen Unterscheidung von
Austiegs- und Thronnachfolgegeschichte aus. An Hand der von Rost
gegebenen literarkritischen Analyse bestimmt er verschiedene Schichten der Saul-Davidüberlieferung. Daraus ergibt sich eine nebiistische Überarbeitung, die nach Umfang (S.1-29), Herkunft (S.30-35)
und Gedankenwelt (S.36-59) näher bestimmt wird. Die Gedankenwelt
der Überarbeitung verbindet dabei 'die nordisraelitisch-nebiistische
Anschauung vom Königtum' (S.36ff), die stark kritisch ist, mit der
'Jerusalemer Königsideologie' (S.53ff) und 'eigenständigen Gedanken'
(S.55ff). Der nebiistische Bearbeiter "N" ist ein Flüchtling, der
bald nach dem Untergang des Nordreiches nach Jerusalem kam. Er
brachte Überlieferungen von Samuel, Saul und Gilgal mit, und lern-
te in Jerusalem die dort beheimateten Überlieferungen von David
und der Lade kennen (S.34f). "Wir sehen also in unserem Bearbeiter
einen Theologen, welcher den Versuch unternahm, den Untergang Nord-
israels zu deuten und zugleich im Fortbestand des davidischen Königtums Gottes heilschaffende Macht zu erkennen, welche auch weiterhin seinem Volk zugekehrt blieb. Wir werden ihn in diesen Bemühun-
gen, wie auch in seiner Arbeitsweise, als einen Vorläufer des Deuteronomisten bezeichnen können." (S.58; vgl. S.35, A.15 Hinweis auf
die Bemerkung von Rost über "solche Flüchtlinge in deren Kreisen
er den Verfasser des Dt sucht").

Der Hauptteil der Arbeit von Mildenberger ist nun der älteren
"Geschichtsschreibung von Saul und David" gewidmet (S.71-201).
Ähnlich wie im 1. Teil benützt er die vor allem bei Rost gewonnenen
Erkenntnisse über Ansicht und Darstellung in der Thronfolgegeschichte (S.74-100), um die schriftstellerische Absicht und den Umfang
der Saul-Davidüberlieferung zu ermitteln (S.101-144). Den dabei
erzielten Ergebnissen schließt sich eine Behandlung der 'literari-

---

321-379. 481-528, und zu Veijola, Königtum in RB 85 (1978),
S.277-300; beide Bände erschienen verspätet.

schen Gestaltung der Geschichtsschreibung von Saul und David'
(S.145-164) und ihres Quellenwertes (S.165-182) an. Schließlich
folgt ein Anhang über das weitere Schicksal der Überlieferung
(S.183-201).

Methodisch lehnt Mildenberger hier die Methode der Redaktions-
kritik, die sich "bei der Bestimmung der nebiistischen Bearbeitung
...zweifellos bewährt" hat, ab, weil die überlieferungsgeschichtliche
Voraussetzung, daß wir es mit literarischen Schichten "mit entsprechend einheitlichen, in ihrer Tendenz klar erkennbaren Überarbei-
tungen zu tun haben", nicht notwendigerweise gemacht werden kann.
"Diese Voraussetzung läßt sich jedenfalls nicht eindeutig und klar
genug erhärten" (S.71). Mildenberger bemüht sich vielmehr in Analogie zu der in der Thronfolgegeschichte evidenten Gestaltungs-
kraft eines Themas "auch die Thematik der Geschichte von Davids
Aufstieg schärfer zu erfassen und von daher zu einer klareren Bestimmung ihrer Gestalt zu gelangen" (.72). "Unsere Geschichtsschreibung faßt dann auch das Geschehen, wie wir schon hier in Vorwegnahme
späterer Ergebnisse anführen, als eine persönliche Rivalität zwischen Saul und David bzw. als die Auseinandersetzung zweier riva-
lisierender Dynastien auf. Daß sie dabei den siegreichen David
auch religiös legitimieren wird, können wir nach dem Vorgang der
Thronfolgegeschichte von vornherein annehmen. Daß sie sich selbst
dabei des in der Thronfolgegeschichte geübten Kunstgriffes bedient,
diese Legitimation den durch den Gang der Ereignisse in erster Linie
betroffenen Personen in den Mund zu legen, soll uns als erster Anhaltspunkt für die literarische Analyse dienen." (S.102).

Von diesen Fragestellungen her eruiert Mildenberger eine
Saul-Davidüberlieferung, die von 1.Sam 13 bis 2.Sam 7 bzw. 9 reicht
(vgl. die Wiedergabe des fortlaufenden Textes S.126-144). Das Besondere sind dabei zunächst die beiden Endpunkte der Erzählung.
Mit guten Argumenten tritt Mildenberger dafür ein, daß 1.Sam 13f
den Anfang gebildet habe (ohne Zusammenhang mit den Überlieferungen von 1.Sam 9-11; S.121-125)[7], und 2.Sam 7 den Schluß (S.119-
121)[8]. Diese Überlegungen Mildenbergers bestätigen die oben vor-

---

7) Vgl. z.B. S.122 A.67: "Auf einen Zusammenhang mit unserer Geschichtsschreibung deutet auch hin, daß nur 1.Sam 13f neben
24,3; 26,2 die dreitausend Mann der Truppe Sauls kennt."
Zur Trennung von c.9-11 vgl. ebd. A.68.

8) Vgl. das Kompositionsprinzip, den Beteiligten die Deutung der
Ergebnisse in den Mund zu legen: "Da wir nun abschließend

72

getragene Sicht, daß das fragliche Geschichtswerk, die von mir so
bezeichnete Saul-Jonatan-David-Erzählung, in 1.Sam 13 begonnen
habe. Übrigens spricht auch Veijola an einer Stelle im Blick auf
1.Sam 13,2-14.46 von dem "Grundstock der eigentlichen Saulüberlie-
ferung, die zusammen mit der Erzählung von Sauls Berufung und
seinem Ammonitersieg eine 'vor-dtr Komposition' bildeten."[9]

Allerdings bietet Mildenberger eine stark reduzierte Textaus-
wahl. Außer Anfang und Schluß der Erzählung betrachtet Mildenberger
die Themen David und Jonatan, David und Saul, David im Dienst des
Philisterfürsten, Sauls Ende und Sauls Erbe als zum ursprünglichen
Bestand gehörig, weil eben hier jeweils einem der Beteiligten eine
Davids Werdegang legitimierende Rede in den Mund gelegt sei (S.120).
Für unsere Fragen ergibt sich, daß nach Mildenberger genau die
Hälfte der 16 Belege der SF von 1.Sam 13 bis 2.Sam 7 zum alten
Bestand gehören, während der Anteil am gesamten heute vorliegenden
Textbestand noch geringer sein dürfte. - Das erscheint zu wenig!
Auch nach den Kriterien von Mildenberger bleibt zu fragen, warum
etwa 1.Sam 25, wo Wesentliches über die Zukunft Davids gesagt wird,
entfällt, oder ob man aus 1.Sam 13f wirklich Jonatans Heldentat aus-
sparen kann, wo übrigens ebenfalls dem Volk eine gewichtige Deutung
des Ereignisses in den Mund gelegt wird (14,45).

Weiser hat in senem Aufsatz über "die Legitimation des Königs
David" ebenfalls die "sogenannte Geschichte von Davids Aufstieg"
untersucht[10] und kommt zu vielfach ähnlichen Ergebnissen wie Mildenberger, wenn er auch die Aufstiegsgeschichte wie üblich erst bei 1.

---

auch eine entsprechende Äußerung Davids erwarten, werden wir
ganz natürlich auf 2.Sam 7 verwiesen, das ja so etwas wie
ein Knotenpunkt der verschiedensten Traditionen geworden ist."
(S.120) Zu c.9 überlegt M., ob es ursprünglich an anderer
Stelle gestanden habe, oder,wie bereits Caspari vermutet hatte,
ein Nachtrag sei (S.121 und A.63)

9) Veijola, Königtum, S.115. Daß 1.Sam 9-11 und 13f ursprünglich
selbständig gewesen seien, ist auch bei V. nicht ausgeschlossen.
Zudem scheint mir die Tatsache, daß die Abschiedsrede Samuels
nicht unmittelbar an Sauls Königserhebung, sondern an c.11
angeschlossen wurde, ein starker Hinweis für das Aneinander-
stoßen zweier, lange Zeit selbständiger Komplexe zu sein.

10) A.Weiser, Die Legitimation des Königs David, Zur Eigenart und
Entstehung der sogen. Geschichte von Davids Aufstieg,
VT 17 (1966), S.325-354.

Sam 16 anfangen läßt. Auch nach Weiser ist es ein gemeinsames Thema,
das "die verschiedenen Traditionselemente der Geschichte von Davids
Aufstieg zu einer literarischen Komposition von eigenem Gepräge
zusammenbindet" (S.327) - und zwar bildet "die Tendenz einer Legi-
mierung Davids durch Jahwe die(se) innere Klammer" (ebd.). Auch
Weiser spricht von "Aussagen, die er (=der Verf.) d e n b e t e i -
l i g t e n P e r s o n e n i n d e n M u n d l e g t" (S.336;
hervorgehoben von Weiser). Auch nach Weiser hat "der Verfasser der
Aufstiegsgeschichte Davids 2.Sam 7 als Schlußstein seiner Komposition verwendet" (S.348). 2.Sam 7 ist für Weiser von noch größerer
Bedeutung als für Mildenberger, indem Weiser sehr stark auf die
religiöse Legitimation des Königs und des Königtums eingeht, und
das heißt auch auf die Frage nach Lade und Tempelbau (S.349-351).
Weiser sieht die in der Erzählung angesprochene Herrschaft über
(ganz) Israel nicht nur als Personalunion von Nord und Süd, sondern
er betont die Bedeutung der amphiktyonischen Tradition. "Im Gesichtskreis dieser Tradition liegt das Königtum Davids über "Israel" als
dem sakralen Verband, auf welches die Aufstiegsgeschichte Davids
zusteuert" (S.350f).[11]

Es ist Weiser sicherlich zuzustimmen, daß eine so ausgerichtete
Geschichte des Aufstiegs Davids für den in seiner Herrschaft keines-
wegs unangefochten Salomo von großem Interesse war: "War dieses
Königtum schon einmal zu Lebzeiten Davids ernster Belastung ausge-
setzt und, wie aus 2.Sam 20, 1-22 hervorgeht, durch den Abfall
Israels gefährdet gewesen, so begreift sich leicht das Interesse
Salomos an einer Traditionsbildung, die wie die Aufstiegsgeschichte
Davids den Weg Davids zu dieser Art Königtum auf die Erwählung und
Führung durch Jahwe zurückführte und damit den König dem Bevölke-
rungsteil gegenüber legitimiert, der dem Jahwe als höchste Auto-
rität in gemeinsamer Verehrung verpflichtet war." (S.351).

Sobald man aber auf diese weiteren geschichtlichen Gegebenheiten blickt, kann auch die Thronfolgegeschichte nicht mehr ausgeblendet werden. Es ist ja bezeichnend, daß dort, wo man die
Thronfolgegeschichte für sich betrachten und werten will, schwerlich ohne 2.Sam 6 und 7 auszukommen ist.[12] Dann ist aber auch
2.Sam 7 nicht so sehr "die Fermate, in der die Aufstiegsgeschichte

---

11) Auch Dietrich, David, VuF, S.51 A.26 bemerkt, daß Weiser
     (Tübingen!) Mildenbergers Vorarbeit 'merkwürdigerweise'
     nicht erwähnt. - Weiser war 2.Berichterstatter der Dissertation.
12) Rost, Thronfolge, S.104f.

ausklingt" und "der Höhe- und Endpunkt, der wie oft in ähnlichen
Fällen erst das volle Verständnis des Ganzen ermöglicht, zugleich
aber auch der Kernpunkt an dem die Erforschung der Eigenart und
näheren Entstehungsverhältnisse...einzusetzen hat" (S.349). Es
drängt sich dann eher das Bild des pyramidenartigen Aufbaues der
klassischen Dramen mit dem in der Mitte liegenden Höhepunkt auf.
So bestätigt sich die früher auf Grund der Belege der SF gemachte
Annahme eines größeren, übergreifenden Zusammenhanges, in dem es um
die Entstehung und Festigung des Königtums in Israel geht und um
die Legitimität dieser Entwicklung auf dem Hintergrund und im Verhältnis zum bisherigen Wirken Jahwes an Israel. [13]

Das Königtum ist hier sicherlich nicht abgelehnt, aber die
Dynamik und Spannung dieser Beziehung ist auch nicht nach der anderen Seite aufgelöst. So wie die Darstellung kaum als einfach "pro-
davidisch" zu bezeichnen ist (nicht nur ab 2.Sam 11f wird Proble-
matisches von David berichtet, sondern auch in 1.Sam 27 und 29),
so scheint mir auch die bisher ungelöste Alternative "pro- oder
antisalomonisch" [14] als zu simpel. Hier dürfte es sich auswirken,
daß die Darstellung wie eine Ellipse nicht nur den einen Pol des
Königtums, sondern auch den der alten Jahwetraditionen hat (s.o.
S. 65-67), und daß der oder die Verfasser noch um mehr wissen, als
um "Gunst und Haß der Parteien" im Blick auf das Königtum.

Zur literarischen Frage bleibt noch zu erwähnen, daß Weiser
einen wesentlich größeren Teil der Texte als zur ursprünglichen
sogenannten Aufstiegsgeschichte gehörig betrachtet als Mildenberger; z.B. zieht Weiser ohne weiteres 1.Sam 25 aber auch 17(!)
verschiedentlich heran. Andererseits wird aber 2.Sam 7 zu undifferenziert verwendet. Es scheint aufs Ganze durchaus berechtigt die
Belege der SF, auch wo sie bei Mildenberger fehlen, für die frühe
Königszeit in Anspruch zu nehmen; und die sowohl von Mildenberger
wie von Weiser (im Anschluß an frühere Autoren) herausgestellte
Kompositionsweise zeigt, daß wir die SF mit Recht als in enger Verbindung mit den Hauptaussagen (die in den Reden gemacht werden) gesehen haben. Auch Mildenberger erklärt, daß sich mit dem von ihm

---

13) Dieser Spannungsbogen zeigt sich bezeichnenderweise gleich bei
    unserem ersten Beleg der SF, wo in 1.Sam 14,39 und 44f Jahwe
    als Retter Israels bezeichnet wird, und dann gleich darauf
    Jonatan als der durch den Jahwe die Rettungstat vollbrachte.

14) Vgl. dazu Dietrich, David, VuF, S.53f und Smend, EntstAT,
    S.132f.

analysierten Werk (Saul-David-Überlieferung) und jener Bearbeitung
(nebiistische B.) "der Bestand der Überlieferung noch nicht" er-
schöpft (S.183); und im Rahmen des weiteren Schicksals der Überlieferung (S.183ff) nimmt er eine Phase an, in der "die Geschichtsschreibung von Saul und David und die Thronfolgegeschichte in einem
einheitlichen literarischen Zusammenhang vorlagen." (S.190). Und
auch Weisers Angabe der Zielsetzung der Aufstiegsgeschichte "in der
göttlichen Legitimation des Königs David und seiner Dynastie (!)
über Israel als dem sakralen Stämmeverband" (S.354) setzt ebenso
notwendigerweise einen größeren Zusammenhang voraus[15), wie sie
sich mit unserer von den Schwurformeln erhobenen Intention deckt.

Die Arbeiten Veijolas haben ihren Schwerpunkt demgegenüber am
Ende der Überlieferung und führen die redaktionskritische Methode
konsequent durch. Seine "Arbeitsweise, die den Weg der Untersuchung
bestimmt, richtet sich nach der Erkenntnis, daß eine Redaktion, wenn
es sie überhaupt gibt, nicht - jedenfalls nicht vorwiegend - aus
zusammenhanglosen Glossen besteht, sondern eine Bearbeitungsschicht
bildet, die an mehreren Stellen an Hand formaler und inhaltlicher
Kriterien faßbar wird. Ist man einmal auf die Spur einer solchen
Bearbeitungsschicht gekommen, hat man begründete Hoffnung, sie
auch weiter verfolgen zu können."[16) Veijola untersucht in diesem
Sinn die Texte von 1.Sam 1 bis 1.Kön 2, wobei er nicht bei 2.Sam 7
einsetzt, weil dieses Stück nach Rost sehr kontrovers analysiert
wurde, sondern in 1.Kön 1f. Von der dort gefundenen "Spur" werden
dann die weiteren Texte der Bearbeitungsschicht eruiert. Von den
drei dtr Redaktionsschichten ist für uns besonders dtr H interessant, indem Veijola von den 22 (bzw. mit 1.Sam 1,26: 23) Belegen
der SF vier zu dieser ersten Redaktion des deuteronomistischen Geschichtswerkes rechnet,[17) nämlich: 1.Sam 20,12; 25,26.34; 1.Kön
2,24.

1.Kön 2,24 berichtet vom Todesurteil Salomos über Adonija, wobei die SF durch eine umfangreiche Erklärung erweitert ist, in der
Salomos Thronfolge als Jahwes Handeln legitimiert wird (vgl. oben

---

15) Auch diese Überlegungen zeigen nochmals, wie sehr sich Weisers
Ausführungen oft mit Mildenbergers Sicht berühren und diese
unter stärker theologischen Aspekten entfalten.

16) Veijola, Dynastie, S.14f.

17) Veijola, Dynastie, passim; Zusammenstellung bei Dietrich,
David, VuF, S.49.

S. 60f.66).Es ist jedenfalls zuzustimmen, daß dieser Vers eine
sehr deutliche prosalomonische Tendenz vertritt. Es "werden die
fragwürdigen Maßnahmen Salomos dadurch in ein positives Licht gerückt, daß sie als notwendig für die Sicherung der göttlich legitimierten Daviddynastie hingestellt werden."[18] Daß die hier geschilderten Ereignisse für uns sehr bedenklich erscheinen, war auch
oben, S.61 erwähnt. Hierher gehört noch die Frage, ob bzw. wieweit
1.Kön 1,29f redaktionell ist. Nach Veijola ist ein Teil von V.30
so zu bewerten. Der Schwur und die ihn einleitende SF gehören zum
alten Bestand, redaktionell ist nach Veijola nur ein Teil, wo statt
von Salomos Regierung nach David von Salomos Regierung an Stelle
von David (תחתי) gesprochen wird.[19] Damit bleibt immerhin eine
jener Stellen als zum ursprünglichen Text gehörig, die den Weg
Davids übergreifend deuten. Wir hatten oben (S. 65f) gesehen, daß
diese Formulierung "beim Leben Jahwes, der mich aus aller Bedrängnis erlöst hat", jeweils am Ende der sogenannten Aufstiegs- und
der sogenannten Thronfolgegeschichte die übergreifende Deutung gibt.
2.Sam 4,9 bleibt ebenso wie 1.Kön 1,29 von Veijola unbestritten.

 1.Sam 20,12: Wir stehen hier im Rahmen jener Erzählungen, die
von der engen Beziehung zwischen Saul und Jonatan berichten.[20]
Während allerdings bisher David der schwächere und schutzbedürftige
Partner war, so ist hier das Verhältnis plötzlich umgekehrt. Jonatan bittet David um späteren Schutz seiner Nachkommen. Weiters ist
wohl auch auf die literarkritische Beobachtung mehr Gewicht zu legen, als es oben, S. 41-45, im Gefolge von Stoebe geschah: V.18
schließt gut an V.11 an, indem hier Jonatan David auffordert, auf
das Feld mitzukommen, wo er dann den auf Davids Notlage eingehenden
Plan entwickelt, während in V.12-17 die Rollen völlig vertauscht
sind. Es ist Veijola zuzustimmen, daß dieser offensichtlich einge-
schobene Passus die spätere Regentschaft Davids und wohl auch das
Schicksal Mefiboschets voraussetzt.[21]
 In dieser Grundgestalt des Kapitels wird die Abhängigkeit Davids von Jonatan deutlicher als in der späteren Gestalt. Überhaupt
scheint es, daß Jonatan doch eine recht bedeutende Stellung hatte
und die Verteilung der Truppen in 1.Sam 13 läßt fragen, ob nicht

---

18) Veijola, Dynastie, S.25.

19) A.a.O., S.17f.

20) Zu 1.Sam 20,12-17.42b siehe Veijola, Dynastie, S.81-87.

21) A.a.O., S.86f.

Jonatan praktisch Mitregent Sauls war. Darauf weist auch die merkwürdige Erweiterung der SF in V.3 hin, während die Erweiterung
נפשך יחי sonst nur David im Blick hat (1.Sam 25,26; 2.Sam 11,11;
15,21). Wenn das spätere Ergebnis dieser Untersuchung zutrifft,
nämlich daß die SF auf die Herrscherfunktion anspielt, dann ist
hier nicht nur "Zuneigung und Verehrung" (vgl. S. 44 und die dortige
Literatur), sondern Abhängigkeit und Unterwerfung unter die Autorität ausgedrückt. Demgegenüber ist Jonatans Rede (V.12-17) "gewissermaßen eine 'geheime Epiphanie'. Obwohl David im Augenblick
total auf Jonatans Hilfe angewiesen ist, ist er in Wirklichkeit
von den beiden der Überlegene, der einst über das Fortbestehen des
Hauses Jonathan wird entscheiden können (V.14-15); Jonathan sieht
in ihm - das zeigt die Anwendung der zweigliedrigen Beistandsformel
(V.13b) - bereits den kommenden König. Nebenbei wird hier auch
deutlich, daß DtrG keineswegs das einstige Mit-Sein Jahwes mit
Saul bestreitet (vgl. 1.Sam 10,7); freilich macht er daraus sogleich
einen Schluß a minori ad maius: wenn Jahwe schon mit Saul war, wieviel mehr wird er dann mit David sein!"[22]

Dieser Bestimmung von V.12-17 ist schwerlich zu widersprechen.
Sie erscheint zutreffend. Schwierig ist aber ihre weitere geschichtliche Einordnung. Muß, ja vielleicht sogar: kann die erarbeitete
Intention des Textes wirklich dtrG und damit dem Exil zugeordnet
werden? Paßt das alles nicht ebenso und, wie ich meine, sogar besser
in eine frühere Zeit, in der die Frage, warum sich die Herrschaft
von (der Dynastie des) Saul auf David und seine Dynastie, oder allgemeiner, vom einst so bedeutenden Norden auf den Süden verlagert
habe, noch aktuelleren Datums war.[23] Es scheint mir daher wahrscheinlicher, daß die vorliegende Erweiterung zu jener literarischen Schicht gehört, die die alten Erzählungen zu dem größeren
Kreis der Saul-Jonatan-David-Erzählungen, wie er sich uns darstellte,
zusammenfaßte.[24]

---

22) A.a.O., S.87.

23) Natürlich ist mit der Möglichkeit noch nicht die Notwendigkeit
gegeben. Die Frage konnte auch später immer wieder akut geworden sein; die Gegenfrage ist aber doch, ob dann das Problem
nicht auch an anderen, vielleicht sogar an dafür geeigneteren
Stellen seinen redaktionellen Niederschlag gefunden hätte.

24) Die textkritische Frage bei der SF in V.12 bleibt von der
literarischen Einordnung unberührt (s.o.S.44).

1.Sam 25,26.34. In dem umfangreichen Redegang dieses Kapitels bestimmt Veijola[25] V.21-22.23.24b.28-34.39a als sekundär. Die Szenen der Erzählung folgen damit zügig aufeinander, und es "treten mit der Aussonderung der angenommenen Bearbeitungsschicht Aussagen, die in ihrer jetzigen Position verfrüht erscheinen oder einen die Erzählung übergreifenden Horizont haben, zurück."[26] Die ausführliche Erweiterung ist gewissermaßen "eine Nathanweissagung im Kleinen", wie bereits Mildenberger formuliert hatte.[27]

Nach Veijola besteht das Hauptziel der Bearbeitung "zweifellos in der Betonung der Unschuld Davids."[28] Aber es ist doch ein Unterschied gegenüber den redaktionellen Texten von 1.Kön 2 "daß dort die Sache mehr von der subjektiven Seite, d.h. von dem Dynastieträger her beschrieben wird, hier dagegen von der objektiven Seite, d.h. von Jahwe her, der dem kommenden König in vorausschauender Weise beisteht."[29] Veijola sieht den gemeinsamen Nenner in der "starken Hervorhebung des Gesichtspunktes...daß die Gegner des Königshauses ohne das mehr oder minder eigenmächtige Zutun des Königs ihr verdientes Ende erfahren."[30]

An dieser Stelle ist aber ernsthaft zu widersprechen. Sind die Aktionen Salomos in 1.Kön 2 gerade in dieser Hinsicht nicht etwas völlig anderes? Auch in den redaktionellen Beschönigungen von 1.Kön 2 bleiben die Morde Salomos - wenn auch legitimierte - Aufträge, während doch hier Nabal zwar durch Jahwe, aber gewissermaßen von selber stirbt. Nun bestehen die erwähnten literarkritischen Überlegungen Veijolas sicherlich zurecht; wie die sehr verschiedenen Lösungsversuche in der Literatur anzeigen, kann aber auch mit wiederholter Bearbeitung gerechnet werden.[31] Gerade wenn

---

Den ungewöhnlichen Schwur 'bei der Liebe (Jonatans)' erklärt erklärt auch Veijola als Rückbezug auf 18,3.

25) A.a.O., S.47-54.

26) A.a.O., S.49.

27) Mildenberger, Saul-Davidüberlieferung, S.26, aufgenommen bei Veijola, Dynastie, S.49 (A.13).

28) Veijola, Dynastie, S.54.

29) Ebd.

30) Ebd.

31) Beispiele für andere Vorschläge hinsichtlich der literarischen Schichtung bei Veijola. S.48.

Stoebe, KAT, spricht davon, daß "die Absicht der Darstellung dieses Kapitel "eine Natanweissagung im Kleinen" ist, wird hier ebenso wie dort mit einem mehrschichtigen Tatbestand zu rechnen sein. Veijolas Beweisführung für "die Bearbeitung von 1.Sam 25 als Teil der dtr Redaktion"[32] wirkt zwar weithin schlüssig, ist aber doch von unterschiedlichem Gewicht.[33] So ist der redaktionelle Charakter dieser Abschnitte zuzugeben, nicht aber notwendigerweise ihr dtr Charakter; und es bleibt doch ernsthaft die Möglichkeit, daß hier die, die Saul-Jonatan-David-Erzählungen verbindende und deutende Bearbeitung zu Wort kommt.[34][35]

Aufs Ganze gesehen gehört also die Erweiterung in 1.Sam 20, 12-17 mit größtem Recht zu jener älteren literarischen Schicht, die die Entstehung und Legitimität des Königtums Davids nachzeichnen

---

im Lauf der Überlieferung umakzentuiert worden ist und sich daraus Spannungen ergeben" (S.454), aber er lehnt die Isolierung von literarischen Schichten, ja selbst von Gedankenkomplexen ab.

32) Veijola, Dynastie, S.51-53.

33) So ist der Gebrauch verschiedener Worte für 'Magd' nicht so eindeutig als dtr zu betrachten, indem etwa אמה nicht nur in Dtn 5 sondern auch in Ex 20 gebraucht wird und auch bei den übrigen Belegen die soziologische Unterscheidung gegenüber שפחה mindestens so bedeutsam ist, wie die literarische Schicht in der die Worte vorkommen (vgl. Lisowsky, s.v.). Zudem erscheint es mir nicht angängig, die rechtlichen Partien des Deuteronomiums ohne Weiteres als Belege für deuteronomistischen Sprachgebrauch zu verwenden. Dazu sind die Differenzen zwischen Kern und Rahmen des Dtn zu groß.

34) Immerhin überlegt gerade auch Dietrich, David, S.49, ob nicht "Veijola an einigen Stellen zu forsch zugegriffen hätte", und meint dann (A.13) zu 1.Sam 25: "Namentlich zum 3.Kapitel (S.47ff) kann man fragen, ob da nicht mitunter Passagen für dtr erklärt werden, die zwar sicher sekundär und redaktionell sind, möglicherweise jedoch vom Verfasser der Aufstiegsgeschichte stammen."

35) Mit Veijolas Argumenten setzt sich Mettinger, King and Messiah, auseinander. Insbesondere in Blick auf die dtr Zuordnung der erwähnten Abschnitte in 1.Sam 25 aber auch 1.Sam 20 ist er sehr skeptisch und meint, daß die Argumente Veijolas "do not seem to be conclusive" (S.38) vgl. S.35-38 und A.16.24.27.

und aufzeigen will (die von mir so genannte 'Saul-Jonatan-David-Erzählung'). Es paßt gut dazu, daß hier die einseitige Abhängigkeit zu einer wechselseitigen wird. Der Horizont der Erweiterung geht noch nicht über jenen des angenommenen Erzählzusammenhanges hinaus.

Etwas anders verhält es sich mit 1.Sam 25. Die Ankündigung des "beständigen Hauses" überschreitet den angenommenen Horizont und hat wohl denselben Ursprung wie die entsprechenden Partien von 2.Sam 7. Daneben ist aber doch wahrscheinlicher, daß der alte Erzähler hier an einem der heikelsten Punkte der Frühgeschichte Davids einen Vorausblick auf den weiteren, heilvollen Gang der Dinge einfügt. Daß dieser Ausblick in den Mund Abigajils, der späteren Frau eben dieses Königs gelegt wird, paßt gut zu dem von Mildenberger und Weiser (s.o.) erarbeiteten Kompositionsprinzip, die Deutung "den durch den Gang der Ereignisse in erster Linie betroffenen Personen in den Mund zu legen" (Mildenberger, S.102).

1.Kön 2,24. Hier ist Veijola jedenfalls zuzustimmen; ob allerdings in der Identifizierung mit dem dtr G ist mir nicht so sicher. Es handelt sich doch nicht nur um eine Entlastung Salomos, sondern auch um eine Belastung Davids.[36] Hier sind die Erwägungen bezüglich einer prosalomonischen Redaktion angebracht,[37] die man aber m.E. nicht ohne Blick auf die Salomoüberlieferung anstellen sollte, wie

36) Auch Veijolas eigene Deutung dieser Bearbeitung zeigt die Differenz zu anderen, ebenfalls dtrG zugeordneten Bearbeitungen: "Zugleich werden die fragwürdigen Maßnahmen Salomos dadurch in ein positives Licht gerückt, daß sie als notwendig für die Sicherung der göttlich legitimierten Daviddynastie hingestellt werden." (Dynastie,S.25) - Sollte die Dynastie, deren Gründer 'von Jahwe aus aller Bedrängnis errettet worden war' (2.Sam 4,9; 1.Kön 1,29), plötzlich diese Art der Sicherung gebraucht haben? Und vor allem, sollte der David, der jeden Anlaß zu Verdacht hintanzuhalten versucht (2.Sam 4,9!) und der seine tiefe Erleichterung darüber, vor Verschuldung bewahrt worden zu sein, ausdrückt (1.Sam 25, von Veijola ja ebenfalls dtrG zugerechnet, s.o.) derselbe sein, der von seinem Sohn jetzt genau diese 'Selbsthilfe' und diese Morde zur Sicherung der Dynastie haben will?

37) Vgl. oben S.60f.66 und den Bericht bei Dietrich, David, VuF, S.53-55. Neuerdings Würthwein, ATD, S.26f.

es vielfach geschieht.[38] Mit Recht stellte Dietrich fest: "Insbesondere die zeitgeschichtliche (geographische, soziologische, politische, religions- bzw. theologiegeschichtliche) Einordnung der dtr Redaktion ist bisher so gut wie gar nicht geleistet worden."[39] Erst eine Analyse der Königsbücher könnte nachweisen, ob die von Veijola wohl weithin zurecht als redaktionell klassifizierten Passagen als 'dtr' zu bezeichnen sind. Bei den für unser Thema wichtigen Texten (insbesondere bei 1.Sam 20 und 25) spricht Vieles dagegen.[40][41]

Somit ist es auch in Anbetracht der jüngsten Analysen zu den Saul-Jonatan-David-Erzählungen gerechtfertigt, die hier vorhandenen Belege der SF in die frühere Königszeit, um das Ende des 10.Jh., anzusetzen. Einzig der Beleg in 1.Kön 2,24, der auch in einem doch befremdlichen Kontext steht, dürfte einer prosalomonischen Redaktion des ausgehenden 8. oder 7.Jh.[42] zuzuordnen sein.

---

38) Dieses methodische Vorgehen sollte man wohl erwarten dürfen, wird aber, soweit ich sehe, nicht befolgt. Einen Ansatz bieten die wenigen Zeilen bei Würthwein, ATD, S.149 im Nachwort zu 1.Kön 1-11, aber auch nicht im Sinn redaktionsgeschichtlicher Überlegungen. Veijola, Dynastie, S.15 stellt zwar fest, daß ab 1.Kön 3 "der dtr Anteil leichter greifbar" wird, führt aber, soweit ich sehe, nirgendwo zur Kontrolle einen Vergleich mit diesen Texten durch. Durch diesen Mangel und die fehlende Bezugnahme auf weitere 'dtr' Partien der Königsbücher erscheint die Einordnung der Schichten doch recht willkürlich. (Vgl. A.39)

39) Dietrich, David, VuF, S.49, A.14.

40) Würthwein, ATD, S.26, A.53 ist bei 1.Kön 2,24 zurückhaltend gegenüber der Einordnung als dtr.

41) Veijola selbst spricht davon, daß in den Davidüberlieferungen "der exponierteste Vertreter der 'typisch dtr Phraseologie', DtrN, in diesen Partien des Geschichtswerkes relativ selten anzutreffen ist" (Dynastie, S.127). Auch darin ist bereits eine gewisse Anfrage an seine Einordnung der mit dtrG etikettierten Texte beschlossen.

42) Langlamet kommt nach anfänglicher Kritik an Veijolas Arbeit (s.A.6) bei der Weiterführung seiner eigenen Studien zu einem überschwenglichen Lob an Veijola (Langlamet, Pour ou contre Salomon?, RB 83 (1976) S.321-379; 481-528): "Veijola a resolu l'enigme de I Rois I-II" (S.524). Aber auch Langlamet setzt

Nachtrag zu: F. Stolz: Das erste und zweite Buch Samuel, ZBK, 1981.

Stolz geht von der traditionellen Einteilung in "Aufstiegsgeschichte"
(1.Sam 16,14 - 2.Sam 5,12) und "Thronfolgegeschichte" (Mindestabgren-
zung 2.Sam 9-20; 1.Kön 1f) aus, die er beide als Großsagen bezeichnet.
Die gestaltenden "Gesetze des Sagen-Erzählens" sind gleich, das verwendete Material ist dort vorwiegend "populäres Erzählgut", da mehr die
"unmittelbare historische Erinnerung" (S.17f).

"Aufstiegs- und Thronfolgeerzählung haben zwar ihre Eigenheiten,
aber sie können - unter Einschluß von 2.Sam 6 und 7 - auch als Einheit
betrachtet werden. Den Gesamtkomplex könnte man als 'Dynastieerzählung'
bezeichnen." (S.18) "Seine Endgestalt wird diese Dynastieerzählung
vielleicht 2-3 Generationen nach David erhalten haben." (S.19)

Stolz folgt also zunächst der Aufteilung und Abgrenzung von Rost,
in der weiteren Betrachtung gewinnen aber die verbindenden Momente der
Dynastieerzählung eigentlich die größere Bedeutung, und es fragt sich,
ob es die Zwischenstufe der Aufstiegs- und der Thronfolgegeschichte
überhaupt braucht (abgesehen von der Frage, ob nicht eine "Großsage"
anderen formkritischen Gesetzen unterliegt, als die üblicherweise als
Sage bezeichnete wesentlich kleinere Einheit). Da nach Stolz die Dynastieerzählung ohnehin viele Einzelelemente integrierte (z.B. 2.Sam 6; 7;
und "zahlreiche Sagen", S.19), wäre das auch für die Elemente der Auf-
stiegs- und der Thronfolgegeschichte (z.B. 1.Sam 24-26 oder der Ammoni-
terkriegsbericht u.ä.) ohne jene Zwischenstufe denkbar.

Auf einzelexegetische Fragen einzugehen, ist hier nicht der Raum.
Soweit ich sehe, ergibt sich weithin eine gute Vereinbarkeit der von
Stolz und der hier vorgelegten Analysen.

Gegenüber Stolz's Bezeichnung 'Dynastie'erzählung und seiner Datierung "2-3 Generationen nach David" wäre aber doch zu fragen, ob unter diesem Aspekt und aus dieser Distanz die dunklen Punkte in der Geschichte Davids noch hätten erwähnt und aufgearbeitet werden müssen.
Von der oben S.65-69 vorgelegten Darstellung der in der Erzählung angesprochenen Traditionen her wäre zu fragen, ob es wirklich um die
(davidische)"Dynastie" geht, oder nicht eben doch um die zunächst wei-
terreichende Frage nach der Legitimität und den Kriterien für das Königtum überhaupt (womit wiederum auch die Frage nach dem Einsatz der
Erzählung, 1.Sam 13f oder 16, tangiert ist). Wenn Stolz von"weisheit-
lichen Kreisen in der Umgebung des Hofes...(als) Träger der geschichtlichen Überlieferungen" spricht (S.19), dann ist deren "Weisheit"
(was heißt hier eigentlich 'weisheitlich'?) m.E. geprägt von jahwis-
tisch-israelitischen Überlieferungen und die Nähe zum Hof intentional
und vielleich auch lokal sicher nicht ohne kritische Distanz (vgl. etwa
den oben S.62 A.106 erwähnten, von Crüsemann vorgeschlagenen Aspekt).

---

den prosalomonischen Redaktor von dtrG ab und sieht in ihm
einen jerusalemer Priester zwischen Hiskija und Joschija,
"attaché a la dynastie davidique, tout pénétré de conceptions
théologiques où le Trone et le Temple - et Salomon, le
constructeur du Temple - tenaient une place privilégiée."
(S.528).

B. Die Elija - Elischa - Geschichten
====================================

In den "Elija-Elischa-Geschichten" finden wir die SF zwölfmal,
wobei sie in 2.Kön 2 dreimal wiederholt wird, und der Beleg in
1.Kön 22 zur Erzählung von Micha ben Jimla gehört.

Zunächst wenden wir uns der Quellenfrage zu.
Fohrer unterschied in seinen einschlägigen Arbeiten zu Elija 6 Ein-
zelerzählungen, die mit 6 Anekdoten ergänzt wurden.[1] "Die Bildung
und Ausformung der Überlieferung hat bald nach den geschilderten
Ereignissen begonnen und ist wohl noch im Ausgang des 9.Jh. zu
seinem ersten Abschluß gelangt. Nicht lange nach ihrer schriftlichen
Niederlegung ist sie in 2 Gruppen aufgeteilt worden. Die erste Gruppe bildet die in 1.Kön 17-19 vorliegende Novelle..."[2] Die Elija-
überlieferung wurde dann im weiteren "von der Elisa-Überlieferung
beeinflußt und mit ihr abgetrennt".[3] Ähnlich ist Fohrers Sicht zur
Elischaüberlieferung analytisch und synthetisch zugleich. "In ihr
liegt eine selbständige Traditionsbildung vor, die sich formal und
sachlich deutlich unterscheidet, jedoch hat frühzeitig eine gegenseitige Beeinflussung, Übertragung und Abstimmung stattgefunden."[4]
Dann jedoch weiter: "Die Unterschiede zwischen beiden sind jedoch
zu beträchtlich, als daß sie von demselben Erzähler- und Überlie-
ferungskreis stammen könnten. Zudem war Elisa von den Fragen und
Aufgaben Elias nicht oder nur geringfügig berührt."[5] Dieses Bild,
das noch stark von der Literarkritik bestimmt ist, zeigt deutliche Widersprüche: Wie lassen sich gegenseitige Beeinflussung und
Abstimmung bei gleichzeitiger Scheidung der Erzähler- und Überlie-
rungskreise erklären? Auch die schroffe Trennung der beiden Prophe-
tengestalten ist angesichts der mehrfachen Verbindung in der biblischen Erzählung kaum glaubwürdig (siehe 1.Kön.19,16 - 19,19-21 -
2.Kön 2,1-18). Zudem scheint der Verfasser von dtrG die Elija-Elischa-Geschichten in ihrer Verbindung in sein Werk aufgenommen zu

---

1) Fohrer, Elia, AThANT 31 (1957); ders. Elia, RGG II (1958)
   Sp.424-427; ders. EinlAT (1969) S.252f; ders. Prophetenerzählungen (1977) S.43-79.

2) Fohrer, Elia, Sp.424.

3) Ebd.

4) Fohrer, Elisa, RGG II Sp.430, vgl. ders. Prophetenerzählungen,
   S.80.

5) Fohrer, Prophetenerzählungen, S.80.

84

haben,[6) was doch einen gemeinsamen Tradentenkreis annehmen läßt.
Hier führt die Arbeit von O.H.Steck weiter.

Steck[7) fragt nach dem Zusammenhang von Zeitgeschichte und
Überlieferung, d.h. nach Tradentenkreis und prägenden Ereignissen
und Fragestellungen. Er spricht von "Elia-Kreisen" (S.144), die er
vor allem von der Ausprägung der Erzählungen her erschließt, und
in deren Bereich "man Erzähler und Hörer zusammenzunehmen hat."
(S.145). Zwar ist in der biblischen Darstellung Elija ein Einzel-
gänger, doch schließt das nicht unbedingt Kontakte zu prophetischen
Kreisen (Schüler?) aus. Der Unterschied zu Elischa könnte zum Teil
auch auf einen Unterschied der Berichterstattung zurückgehen.[8)
Steck denkt an die Möglichkeit, daß Prophetenkreise sich für Elija
interessierten und (von sich aus) die Verbindung aufnahmen.[9) Diese Vermutung scheint sehr plausibel, wenn man an Elijas Herkunft
aus dem Ostjordanland[10) und seine Wirksamkeit im Westjordanland
denkt. Diese prophetischen Kreise bringt Steck in Verbindung mit
Elischa und seinen Prophetenschülern.[11) Bleibt die Frage nach dem
Grund für die unterschiedliche Darstellung der Elija- und der Elischaerzählungen und innerhalb derselben. Vermutlich ist sie begründet in der Verschiedenheit der an verschiedenen Orten lebenden
Prophetengruppen und in den Unterschieden im theologischen und dar-
stellerischen Niveau und der Leitvorstellung.[12) Darüber hinaus
empfiehlt sich jedoch Zurückhaltung gegen zu weitgehende Vermutungen.[13) Die (Elija-)Überlieferung wäre weitergegeben und geformt
worden unter einem wachen Beobachten der Zeitereignisse und einem
brennenden Fragen nach Jahwe und seinem Verhältnis zu diesen Ereignissen.[14) Vom oben erwähnten Zusammenhang der Trägerkreise her
ist dasselbe für die Elischaerzählungen anzunehmen. Das Werden der

---

6) Bzw. umgekehrt: geschlossene Aufnahme in das dtrG.

7) Steck, Überlieferungs- und Zeitgeschichte in den Eliaerzählungen (1968).

8) Daran denkt vRad, TheolAT^4, II S.33.

9) Steck, Eliaerzählungen, S.145.

10) Zur Lage von Thisbe vgl. Simons, Topographical Texts, S.359f.

11) Steck, Eliaerzählungen, S.145f unter Hinweis auf ältere Autoren.

12) Steck, a.a.O., S.146.

13) Kritisch gegen zu weitgehende Vermutungen, gerade auch von
    Steck, ist Smend, Der biblische und historische Elia, S.172.

14) Steck, Eliaerzählungen, S.146; vgl. 136-139, zur "gestaltenden
    Denkbewegung".

Elija-Überlieferung wird in die zeitliche Nähe zu den Ereignissen gesetzt, das meint eine weitgehende Fixierung des Grundbestandes bis zum Ausgang des 9.Jh.[15] Wieweit die Überlieferung mündlich oder schriftlich erfolgte, ist schwer zu entscheiden.[16] Gerade in Anbetracht der vermuteten Tradentenkreise ist wohl mit einem lebendigen Ineinander von schriftlicher und mündlicher Überlieferung zu rechnen. Die erkennbare gegenseitige Beeinflussung von Elija- und Elischaerzählungen[17] läßt auch hier ein Nebeneinander und allmähliches Miteinander erwarten.

Einen anderen Weg schlägt H.C.Schmitt ein.[18] Seine literarische und traditionsgeschichtliche Analyse führt praktisch zu einer Spätdatierung des Elischa-Komplexes.[19] Nach Schmitt sei zudem ein großer Teil der Überlieferungs- und Traditionsbildung im Südreich vor sich gegangen. Einzig die Erzählung von der Jehurevolution gehöre auch zum ursprünglichen Bestand von dtrG. Die weitere Aufnahme habe sich erst sukzessive vollzogen.[20] Damit ist die Frage nach der Aufnahme der (Elija und) Elischaerzählungen in das dtrG gegenüber Noth neu gestellt.[21] Ob sie im Sinne von Schmitt zu beantworten ist, scheint fraglich. Schmitt folgt zu bereitwillig der Isolationstendenz[22] der literarkritischen und traditionskritischen Methoden. Es wird eine Vielzahl von Schichten und Bearbeitungen analysiert (insgesamt 15!)[23], andererseits werden so stilistisch verschiedene Abschnitte wie 1.Kön 19,19-21 und 2.Kön 2 zu einer "Sukzessorsammlung" vereinigt.[24] Für uns interessant ist die Verbindung

---

15) Fohrer, Elia, S.42; Steck, a.a.O., S.132f.

16) Steck, a.a.O., denkt für den Übergang an die Zeit der Aramäerkriege (S.134); Smend, Elia, will die Frage eher offenlassen.

17) Vgl. A.9

18) Schmitt, Elisa. Traditionsgeschichtliche Untersuchungen... 1972.

19) Ebd., S.137f: "Das Ergebnis".

20) Schmitt, a.a.O., S.138.

21) Noth, ÜSt, S.79f.82-84.

22) "...die Einsicht festzuhalten, daß die traditionsgeschichtliche Nachfrage zunächst einen spürbaren Isolierungseffekt gezeigt hat". Zimmerli, Alttestamentliche Traditionsgeschichte und Theologie, FS vRad, S.633.

23) Schmitt, Elisa, S.191.

24) Kritisch gegen die Methode Schmitts äußert sich auch Sekine, Literatursoziologische Beobachtungen zu den Elisaerzählungen,

von 1.Kön 20 und 22 mit 2.Kön 3 und 6 zur Kriegserzählungssamm-
lung[25], wobei unsere Belege der SF (1.Kön 22,14 und 2.Kön 3,14)
der Prophetenbearbeitung zugewiesen werden,[26] d.h. der Exilszeit.[27]
Die 3-fache Wiederholung der SF in 2.Kön 2 wird der exilszeitlichen
Jahwebearbeitung, das Vorkommen in 2.Kön 5,16.20 wird Nachträgen
zugeordnet.[28]

Die Tatsache, daß die SF deutlich abgegrenzt nur im Bereich
der Elija-Elischa-Geschichten vorkommt, scheint uns den Schluß zu
erlauben, daß es sich hier um eine literarisch einheitliche Schicht
handelt.[29] Dies enthebt nicht von der Frage nach der Vorgeschichte
der einzelnen Einheiten, warnt aber doch vor einer zu starken Auf-
splitterung.[30] So dürfte doch die oben anvisierte, von Steck her-
kommende Sicht eines Neben- und allmählichen Miteinanders der Tradentenkreise am ehesten zutreffen. Der Kriegsbericht 1.Kön 22 dürfte in diesem Stadium der Überlieferung mit eingeschlossen sein, d.h.
das Interesse gilt nicht nur Elija und Elischa sondern - wie die
Einbeziehung Micha ben Jimlas ergibt - der Wirksamkeit der Propheten
als solcher. Dies wird auch bestätigt von den in den Erweiterungen
der SF angesprochenen Themen (s.u.).

Der zeitliche Ansatz muß genug Raum lassen für das Zusammenwachsen der Überlieferungen. Wir kommen somit mindestens in das
8.Jh. Andrerseits dürfte der häufige und anscheinend bewußte Gebrauch
der SF durch die Botschaft von Hosea (4,15) und Amos (8,14) zumindest in prophetischen Kreisen problematisch geworden sein. Wenn
man Hos 4,15 in die Frühzeit Hoseas[31] und die Bildung von Am8,14
vor 733 ansetzt[32], wären diese Worte ein Hinweis auf den starken
Gebrauch der SF und zugleich ein ungefährer Terminus ad quem. Wir

---

S.62 A.1.
25) Schmitt, Elisa, S.42ff.
26) A.a.O., S.191ff (Texte).
27) A.a.O., S.137.
28) A.a.O., S.191ff (Texte).
29) Die Beachtung solcher gemeinsamer Ausdrücke finde ich nur bei
    Hölscher, Das Buch der Könige, seine Quellen und seine Redak-
    tion (Eucharisterion Gunkel, 1922, BdI), S.189, der gerade die
    SF als erstes und häufigstes Beispiel anführt (A.1).
30) Gegen eine solche wendet sich auch Hölscher, a.a.O., S.189-192
    (-194).
31) Wolff, Hos, BK, z.St.
32) Wolff, Am, BK, z.St; zu beiden Texten s.u.S. 97-105.

würden daher diese Schicht der Überlieferung um oder (nicht zu spät) nach 750 ansetzen.

Die Alternative dazu wäre ein Ansatz im Südreich, um die Zeit des Exils. Dafür sprechen Beobachtungen bei Schmitt und bei Hölscher. Zudem steht die jeremianisch-deuteronomistische Tradition der SF nicht negativ gegenüber (s.u.S. 112-125). Doch ergeben sich hier Probleme der Überlieferung, die auch bei Schmitt nur sehr unbefriedigend gelöst sind.[33] Zudem bringen traditionsgeschichtliche Argumente hier oft einen Zirkelschluß und besteht die Tendenz, sich auf den bekannteren Boden des Südreiches und der Exilzeit hinüberzuretten (siehe die derzeitige Tendenz zu einem "Pandeuteronomismus").

Das stärkste Argument für eine Abfassung im Südreich und damit in späterer Zeit wäre im Blick auf unsere Texte die positive Beurteilung des judäischen Königs Joschafat in 3,4-27. Nachdem die übrige Darstellung sehr altertümliche Züge trägt (etwa die durch den Spielmann herbeigeführte Ekstase, V.15), könnte man V.14 als judäische Überarbeitung ansehen.[34] Doch hat 2.Kön 3 mit 1.Kön 22 nicht nur manche geschichtlichen und literarischen Aspekte gemeinsam,[35] sondern in beiden Texten zeigt sich eine gewisse Reserviertheit des Propheten vor einem Auftritt vor dem König, wobei beide Male die SF zur Bekräftigung verwendet wird. Besonders aber ist zu fragen, ob angesichts der prinzipiell königskritischen Botschaft Hoseas ein König des Südreiches ohne nähere Angabe positiv gezeichnet und als Grund für einen prophetischen Auftritt genannt worden wäre, und schließlich, ob man dann in einem Prophetenwort einen so schwerwiegenden Verstoß gegen Jahwes Weisung (vgl. Dtn 20,19f) hätte stehen lassen.[36]

---

33) Schmitt, Elisa, S.71f; z.B. vermißt Schmitt Spuren der zeitgeschichtlichen Ereignisse, "ganz besonders...der Jahre 597 und 587" (S.70).

34) So z.B. Gray, Kings[3], OTL, S.486: "Elisha's respect for the king of Judah certainly suggests a secondary source, the Judean revision of the original North Israelite matter."

35) Vgl. Gray, a.a.O., S.469 mit Zustimmung zu Šanda: "Šanda's view is most feasable that this is a continuation of the story of the house of Omri completed soon after the death of Elisha (c.790), before legend had had time to magnify the prophet."

36) Eine Kenntnis der Elija/Elischatradition ohne Kenntnis anderer Traditionen des Nordreiches, wie sie Hosea und / oder Dtn sind, ist kaum denkbar.

Angesichts der Beziehungen Elischas zu Damaskus ist die positive Einschätzung eines judäischen Königs durch ihn ebenfalls durchaus denkbar. Und die späteren Schüler Elischas gewannen vielleicht aus eigener Erfahrung den Eindruck, daß es im Südreich einfacher sei,[37] als Prophet zu leben, und der dortige König es eher wert sei, ein (den Sieg verheißendes!) Gotteswort gesagt zu bekommen. Somit ist auch 2.Kön 3,14 gut im 8.Jh. und vor Amos/Hosea denkbar.

Ein weiteres Indiz für die Entscheidung werden uns die Erweiterungen der SF sein. Die Frage der Aufnahme in die Königsbücher kann hier offen bleiben.

Wir wenden uns den Textstellen zu:

1.Kön 17,1 bekräftigt Elija gegenüber Ahab mit der erweiterten SF
das Eintreffen der angekündigten Dürre.
SF: חי יהוה אלהי ישראל אשר עמדתי לפניו

17,12 bekräftigt die Witwe von Serepta gegenüber Elija, daß
ihre Lebensmittel zur Neige gehen.
SF: חי יהוה אלהיך

18,10 bekräftigt Obadja gegenüber Elija, daß Ahab diesen überall habe suchen lassen.
SF: חי יהוה אלהיך

18,15 bekräftigt Elija gegenüber den Befürchtungen Obadjas,
daß er sich gewiß dem Ahab zeigen will.
SF: חי יהוה צבאות אשר עמדתי לפניו

22,14 bekräftigt Micha ben Jimla gegenüber dem Boten, der ihn
auffordert, sich den einmütig günstigen Worten der Propheten anzuschließen, daß er (nur) reden werde, was Jahwe
ihm sagt.
SF: חי יהוה

2.Kön 2,2.4.6 Vor der Entrückung Elijas befiehlt er seinem Schüler
Elischa dreimal zurückzubleiben. Doch dieser bekräftigt
seinen Entschluß mitzukommen jeweils mit der
SF: חי יהוה וחי נפשך

---

37) Vgl. etwa das Schicksal des Amos (7,10ff) und des Amosbuches
(siehe Markert, Amos/Amosbuch, TRE II S.472.482f), aber auch
den Hinweis auf die judäische Toleranz gegenüber einem Unheilspropheten im 8.Jh. in Jer 26,18.

3,14 Im Rahmen des Moabiterfeldzuges drohen die vereinigten
Heere zu verdursten. Joschafat fragt nach einem Jahwepro-
pheten. Als solcher wird Elischa herbeigeholt. Dieser weist
zunächst den König von Israel schroff ab. Dann geht er jedoch auf das Ansinnen einer Gottesbefragung ein, unter dem
Hinweis, daß dies einzig um Joschafats, des Königs von Juda, willen geschehe. Diese Begründung wird wieder bekräftigt
mit der

SF: חי יהוה צבאות אשר עמדתי לפניו

4,30 Elischa schickt Gehasi zu dem soeben verstorbenen Sohn
der Schunemiterin. Doch diese will, daß Elischa selber
kommt: "ich lasse dich nicht!"

SF: חי יהוה וחי נפשך

5,16 Der geheilte Naaman will Elischa beschenken. Doch dieser
lehnt ab und bekräftigt die Ablehnung mit der

SF: חי יהוה אשר עמדתי לפניו

5,20 Gehasi, Elischas Diener, hätte gern etwas von den abge-
lehnten Geschenken. So plant er im Selbstgespräch, Naaman
nachzueilen. Diesen Plan bekräftigt er mit der

SF: חי יהוה

    Die Schwurformel dient an diesen Stellen durchweg der Bekräfti-
gung von Aussagen, meist einer geplanten Handlung, eines kommenden
Geschehens (1.Kön 17,1) oder einer Begründung. Wichtig zu bemerken
ist, daß juristische Zusammenhänge - für den zwischenmenschlichen
Bereich! - fehlen. Die Stellen 1.Kön 17,1 und 2.Kön 3,14 jedoch
bekräftigen jeweils ein Gerichtshandeln Jahwes an seinem Volk bzw.
an dem König (Joram). Die in dem Komplex der Saul - Jonatan - David-Erzählungen vorgefundene Verbindung der SF mit dem Rechtsleben
und dessen Verankerung im Verhältnis zwischen Jahwe und Volk findet
hier seine Entsprechung in der Anwendung der SF bei den Aussagen
über das Gerichtshandeln Jahwes am Volk bzw. am König. Daneben dient
die SF wieder der Bekräftigung bestimmter Absichten und der Wahrheit bestimmter Aussagen und in Verbindung damit dann auch gelegentlich dem Ausdruck der persönlichen Verehrung.
    Die Mehrzahl der Belege findet sich im Munde der Propheten.
Bei der Witwe von Sarepta und bei Obadja ist die SF erweitert:
Jahwe, dein Gott; die Schunemiterin verwendet die Ehrfurcht und Anhänglichkeit ausdrückende Erweiterung: beim Leben Jahwes und bei

90

deinem Leben; Gehasi hat die einfache SF. Auffallend ist der unbefangene Gebrauch der SF im Munde der heidnischen Witwe, doch wird ausdrücklich festgestellt: dein Gott; - soll hier, wie in der Naaman-Geschichte, deutlich werden, daß die Bekenntniszugehörigkeit nicht auf die Volkszugehörigkeit beschränkt ist? Auch im Wort Obadjas wird die Zugehörigkeit des Propheten zu Jahwe herausgehoben. Jahwe ist in besonderer Weise der Gott Elijas, den dieser umgekehrt repräsentiert. Dieser Zugehörigkeit zu Jahwe entspricht das Stehen des Propheten vor Jahwe: Elija: I 17,1; 18,15; Elischa: II 3,14; 5,16.[38] Bei Micha ben Jimla ist diese Zugehörigkeit zu Jahwe vorausgesetzt in der unbedingten Verpflichtung auf das Wort Jahwes. Interessanterweise fehlt hier die sich anbietende Erweiterung "vor dem ich stehe". Sind Elija und Elischa besonders hervorgehoben?

Es geht also in diesen Erzählungen um die besondere Beziehung des Propheten zu Jahwe und die entsprechenden Konsequenzen für Auftrag und Dienst des (und damit wohl auch allgemein gedacht: eines) Propheten.

Wer ist nun dieser Jahwe? Er ist in besonderer Weise der Gott des Propheten (17,12; besonders hervorgehoben in 18,10, der treue Jahweverehrer Obadja gegenüber Elija!), zugleich ist er Jahwe, der Gott Israels (I 17,1) und Jahwe Zebaot (I 18,15; II 3,14).

Über Herkunft, Bedeutung und Verwendung des Namens Jahwe Zebaot gibt es eine weitläufige Diskussion und Literatur.[39] Von den vielen vorgeschlagenen Bedeutungen scheint die von Eißfeldt gegebene als intensiver Abstraktplural am zutreffendsten.[40] Dem schließt sich auch vdWoude an,[41] und dafür spricht schließlich auch das Verständnis der LXX ($\kappa \acute{u} \rho \iota o \varsigma$ $\pi \alpha \nu \tau o \kappa \rho \acute{\alpha} \tau \omega \rho$). Diese Gottesbezeichnung fehlt im Pentateuch und bei Jos und Ri. Sie begegnet ab 1.Sam 1 und steht von Anfang an in enger Verbindung mit der Lade und der Bezeichnung "der Kerubenthroner". Wiewiet die Verbindung dieser 3 Elemente ur-

---

38) Somit in jedem Beleg, wo ein Außenstehender von einem der beiden Propheten angesprochen wird, während im Gespräch zwischen zwei Propheten (II 2,2.4.6) dieser Hinweis unnötig ist.

39) Vgl. dazu die Theologien von König (1922) S.160-164; Köhler (1953[3]), S.31-33; Procksch (1950), S.440-442; Eichrodt (1968[8]), Bd.I S.120f; vRad, Bd.I (1969[6]), S.32; Zimmerli (1975[2]), S.14. 63-65; speziell: Eißfeldt, Jahwe Zebaoth, KS III S.103-123; zusammenfassend vdWoude, צבא , THAT II Sp.503-507.

40) Eißfeldt, a.a.O.

41) vdWoude, a.a.O.

sprünglich ist, ist umstritten. Am engsten gehören wohl die Lade
und die Gottesbezeichnung "Jahwe Zebaot" zusammen.[42] Damit ist
eine kanaanäische Herkunft dieser Gottesbezeichnung nicht gut möglich.[43] (Gegenüber "Kerubenthroner", das kanaanäisch sein dürfte).
Klar erscheint jedenfalls die Verbindung mit Schilo. "Ob dieses
Gottesepitheton...ein durch die Übertragung des Titels eines ursprünglich in Silo verehrten ʾel ṣᵉbaʾót auf Jahwe von Israel
den Kanaanäern entlehntes oder vielmehr ein in der eigenen Kultge-
meinde entstandenes Gottesprädikat darstellt, läßt sich nicht mehr
mit Sicherheit entscheiden."[44] Die Prädizierung Jahwe Zebaot "ist
schon in Israels vorstaatlicher Zeit eine besonders stark mit natio-
nal-religiösem Gehalt geladene Gottesbezeichnung gewesen, die den
so benannten Gott als Wahrer von Israels Stärke und Freiheit und
als Verderber seiner Feinde kenntlich machte, und eben darum samt
der Kultstätte dieses Gottes, Silo, den Philistern...so verhaßt
war."[45]

Zu bedenken ist, daß trotz allen Kontaktes und damit verbunde-
ner Beeinflussung, Israeliten und Kanaanäer häufig in Spannung und
Krieg miteinander lebten[46]. Dann erscheint es sehr unwahrscheinlich,
daß die Israeliten diese, so sehr mit Vorstellungen der Jahwekriege[47]
und mit nationalem Pathos verbundene Gottesbezeichnung "Zebaot"
von den oft genug feindlich gesinnten Kanaanäern übernommen hätten.
Zebaot scheint uns eher eine genuin israelitische Gottesbezeichnung
zu sein, die vielleicht, entsprechend ihrem Vorkommen, gegen Ende
der Richterzeit entstand.

Nach der Überführung der Lade nach Jerusalem durch David verband sich die Gottesbezeichnung Zebaot sehr stark mit der Zions-
theologie, wie bei Jes und den Zionsliedern Ps 46. 48 und 84 zu
sehen ist.[48] Dies schließt aber keineswegs die Verwendung dieser

---

42) "Der Titel 'der Kerubenthroner' ist höchstwahrscheinlich erst
im Laufe der Geschichte mit der Lade zusammengewachsen".
Schmidt, At Glaube, S.107.

43) Selbst Schmidt, a.a.O., schreibt hierzu: "Allerdings ist der
fremde Ursprung weniger gewiß."

44) vdWoude, צבא THAT II Sp.506.

45) Eißfeldt, Psalm 80. KS III S.229.

46) Das zeigt Ri 1 und besonders Ri 4f und letztlich auch das
Scheitern des "Königtums" Abimelechs, Ri 9.
Vgl. dazu Herrmann, GI, S.156-159.163f.

47) Vgl. Stolz, Jahwes und Israels Kriege, S.170f.182f.196-202.

92

Gottesbezeichnung in Nordisrael aus. Psalm 80 bietet einen eindrucks-
vollen Beleg für die Bedeutung und Verwendung des Namens Zebaot im
Nordreich kurz vor dessen Ende.[49] Gerade in der Zeit politischer
Bedrängnis und vermutlich gleichzeitiger religiöser Erneuerung wendet man sich an Jahwe Zebaot. "Bei manchen späteren Propheten tritt
der freie Gebrauch des Titels zugunsten seiner formelhaften Verwendung bedeutend zurück. (Jer, Hag, Sach,...). Sie greifen besonders
gern zu dieser häufig noch mit anderen Prädizierungen verbundenen
Gottesbezeichnung, wenn sie mit Nachdruck die ganze Machtfülle Jahwes herausstellen wollen (...). Der eigenartige Umstand, daß diese
Gottesbezeichnung bei Tritojesaja sowie bei Ezechiel im Gegensatz
zu ihrer häufigen Verwendung bei Jeremia überhaupt nicht begegnet,
ist schwer zu erklären".[50]

So ist kaum ernsthaft etwas gegen die Verwendung dieser Gottesbezeichnung bei Elija und Elischa (I 18,15; 19,10.14; II 3,14.)
einzuwenden. Im Gegenteil, die enge Berührung des Sinngehaltes
von Jahwe Zebaot mit den religiösen und politischen Anliegen der
beiden Propheten spricht durchaus dafür.

In I 17,1 wird Jahwe als der <u>Gott Israels</u>, vor dem Elija steht,
bezeichnet. Vom hohen Reflexionsgrad dieser Abschnitte her[51] ist
anzunehmen, daß diese Gottesbezeichnung sehr bewußt und pointiert
gebraucht wird, gerade bei ihrem ersten Vorkommen.[52] Das Geschehen
ist bezogen auf und angekündigt als das Wirken des Gottes Israels.
Aus dem angekündigten Geschehen geht hervor, daß mit Israel hier
konkret das Nordreich gemeint ist. Elija, der Prophet Jahwes, des
eigentlichen Herrn Israels, tritt in Gegensatz zum König, er proklamiert den Herrschaftsanspruch Jahwes.[53] Indem dies geschieht,

---

48) vdWoude, צבא, THAT II Sp.506.

49) Eißfeldt, Psalm 80, KS III S.221-232. Zur Diskussion und zu
den jedenfalls vorhandenen nordisraelitischen Elementen vgl.
Kraus, Ps, BK, 1978[5], Bd.II S.720-722.

50) vdWoude, צבא , THAT II Sp.506.

51) Steck, Elia, 7f.

52) Ob vor I 17,1 etwas ausgefallen ist, kann hier offen bleiben,
scheint aber eher nicht der Fall zu sein. C.17-19 werden meist
als geschlossene Komposition betrachtet; Fohrer, Prophetenerzählungen, S.44; Steck, Elia, S.5-19. Für den bewußt abrupten
Einsatz plädiert Montgomery, Kings, ICC, S.292. Anders Benzinger, Kön, KHC, S.106; Gray, Kings[3], S.377.

53) Kittel, Kön, HK, zum Zweck der Elijageschichte: "...vor allem

wird die Tradition von Jahwe als Gott Israels aktualisiert.

Die Bezeichnung "Gott Israels" war von Haus aus speziell mit Nordisrael verbunden, möglicherweise besonders mit Sichem.[54] Bei dieser Gottesbezeichnung scheint von je her eine gewisse Frontstellung gegenüber anderen Gottheiten oder Gottesvorstellungen mitgeschwungen zu haben,[55] wobei sich natürlich die Richtung der Polemik im Lauf der Zeit ändern konnte.[56] "Das früheste vertrauenswürdige Zeugnis für ihn (sc. diesen Gottesnamen) ist das Deboralied aus der frühen Richterzeit (Ri 5,3-5)."[57] "Von besonderem Interesse ist die Feststellung daß ein ige der wichtigsten Belege in Überlieferungen des heiligen Krieges (Jos..., Ri...) oder im Zusammenhang mit der Bundeslade (1.Sam...) vorkommen. Es gibt auch die Variante אל ישראל Ps 68,36 'Furchtbar ist Gott in seinem Heiligtum; der Gott Israels, er gibt Kraft und Stärke seinem Volke'. Hier treten sowohl die nationale Bindung als auch - durch den Kontext des Psalms - der Zusammenhang mit Krieg und Lade klar hervor."[58] In späterer Zeit verweist diese Gottesbezeichnung auf den genuin israelitischen Jahwe im Unterschied zu dem auf den Höhen verehrten.[59] "Bemerkenswert ist der häufige Gebrauch von אל ישראל in der Kriegs-

---

aber zu zeigen, wie er das lebendige Gewissen seines Volkes in einer Zeit des drohenden Abfalls war und wie seine Prophetie das siegreiche Gegenstück zu der götzendienerischen Leichtfertigkeit des Ahab und seiner Gemahlin darstellte." (S.137) Dieser Gegensatz zeigt sich auch darin, daß hier nicht wie in 1. und 2.Sam der König, sondern der Prophet in der erweiterten SF neben Jahwe genannt wird.

54) So Steuernagel, Jahwe, der Gott Israels, BZAW 27, S.343-346. Die Untersuchung von Danell, Studies in the name of Israel, ist leider für unsere Frage unergiebig.

55) Steuernagel, a.a.O., S.345f: "Danach bedeutet der Name אל י" den Jahwe an dieser Kultstätte erhielt, 'der Gott, den der Stamm Israel zu seinem Gott erkoren hat, im Gegensatz gegen bisher von ihm oder wenigstens einem seiner Teile verehrten aramäischen Gottheiten und im Gegensatz zu den kanaanäischen Landesgottheiten'." - Vgl. die S.33f.370 vorgelegte Hypothese.

56) Dazu Steuernagel, a.a.O., S.347f.

57) Schmidt, אלהים , THAT I Sp.161.

58) Ringgren, אלהים , ThWAT I Sp.298.

59) Steuernagel, Jahwe, der Gott Israels, S.339, zu verschiedenen Stellen der Geschichtsbücher.

rolle von Qumran"[60], dies läßt darauf schließen, daß der polemische
Aspekt dieser Gottesbezeichnung aktuell blieb.

Zusammenfassung:

Die Gottesbezeichnung "Gott Israels" fügt sich durchaus zur
Wirksamkeit Elijas und zu den daraus entstandenen weiteren Überlieferungen (bis hin zu der von uns untersuchten Stufe der Überlieferung des Elija-Elischakomplexes). Die Bezeichnung Jahwe Zebaot hat einen dazu ganz parallelen Aussagegehalt und, soviel wir
sehen können, denselben 'Sitz im Leben' und denselben Herkunftsbe-
reich (Auseinandersetzungen der "Landnahme"- und "Richterzeit" und
die damit verbundenen Jahwekrieg-Traditionen.)
        In der Anrufung יהוה חי werden diese in der Frühzeit Israels
gemachten Erfahrungen des Wirkens Jahwes, eben seiner "Lebendigkeit"
neu zur Geltung und Wirkung gebracht. Dieses aktuelle Wirken Jahwes
kann sich jedoch (nun) auch gegen das Volk richten.
        Durchgehalten ist die besondere Beziehung Jahwes zum Volk.
Die Besonderheit und Verpflichtung dieser Beziehung geht aus dem
polemischen Aspekt der Bezeichnung "Gott Israels" und "Jahwe Zebaot"
und den damit verbundenen geschichtlichen Erinnerungen hervor.
        Diese Wirksamkeit Gottes kann sich nun, in der veränderten
Situation, auch gegen das Volk und gegen den König wenden. Repräsentant dieses Wirkens Jahwes ist der Prophet, der, wie betont gesagt
wird, "vor Jahwe steht". Diese Betonung besagt zugleich - so darf
man wohl folgern -, daß das Volk seinerseits nicht mehr, wie es
sollte, "vor Jahwe steht".
        In diesen Aspekten erweist sich das Leben, wir können auch
sagen, die Wirksamkeit Jahwes und seine Herrschaft über Israel.
Interessant ist dabei der Zusammenhang mit den alten Traditionen
vom Jahwekrieg und die Beziehung zum Bundesrecht, das den Hintergrund für Jahwes Einschreiten bildet. Dieses Einschreiten geschieht
hier weithin gegen das Volk. Am Anfang der Erzählungen um Jonatan
und David (s.o.S.38.65), wo die SF ebenfalls im Zusammenhang mit
den Rettungstaten Jahwes gesehen wurde, geschah es zugunsten des
Volkes: Jahwe, der Retter Israels (1.Sam 14,39.45).[61] Das Leben

---

60) Ringgren, אלהים , ThWAT I Sp.298.
61) Das Verbum ישע bildet zugleich eine Brücke zwischen dem Jahwe-
    krieg und dem Rechtsleben. In beiden Bereichen ist die Hilfe

Jahwes erweist sich jeweils in seinem geschichtlichen Handeln an seinem Volk (und dessen Führung). Er bindet sich an dieses Volk ("Gott Israels") und an den König (wie es in den Erzählungen um David geschah), ist aber auch frei, gegen sein Volk und den König einzuschreiten.

Wo sich die Lebendigkeit Jahwes, wir könnten auch sagen, seine Herrschaft, am Volk und seinen Repräsentanten, besonders dem König, erweist, fällt nun den Propheten eine besondere Rolle zu, die als die eines 'Mittlers' zu bezeichnen ist. Diese Bedeutung erwächst ihm daraus, daß er der ist, der vor Jahwe steht (d.h. ihm dient)[62] und der - im Gegensatz zu anderen - Jahwes Wort wahrheitsgetreu weitergibt. Diese Auszeichnung ist natürlich zugleich Verpflichtung zu eben diesem Verhalten.

---

die Antwort auf das vorgebrachte Rufen um Hilfe ("Zetergeschrei"), s.o.S.65 mit A.110.

62) "Mit der Präposition lifne "vor" beschreibt ᶜmd genauer die Haltung des Dieners, der vor seinem Herrn steht und seine Befehle empfängt...", Amsler, עמד , THAT II Sp.330f.

C. Hos 4,15 und Amos 8,14

Diese beiden Belege für den Gebrauch der SF sind wegen des ähnlichen Hintergrundes und der gemeinsamen literarischen Fragen gemeinsam zu behandeln.

Hos 4,15: Du Israel sollst dich nicht schuldig machen (und Juda)! Kommt nicht nach Gilgal! Geht nicht hinauf nach Beth-Awen! Und schwört nicht: חי יהוה!

Amos 8,13: An jenen Tagen werden verschmachten die schönen Mädchen und die jungen Männer vor Durst.

14: (Jene) die da schwören bei der Schuld Samarias und sprechen: "Beim Leben deines Gottes, Dan" und "Beim Leben deines Lieblings, Beerscheba". Sie werden fallen und nicht mehr aufstehen.

Beide Stellen sind textlich und literarkritisch viel diskutiert. In Hos 4,15 ist die Einordnung von "Juda" relevant für den Umfang und die Überlieferung des Wortes. Bei Am 8,14 geht es vor allem um die Deutung der auf Beerscheba bezogenen Schwurformel. Ernsthaft in Betracht kommt hier nur die Lesart des masoret. Textes חי דֶּרֶךְ בְּאֵר־שֶׁבַע oder die Konjektur zu חֵי דֹּרְךָ בְּ.* Die anderen im Lauf der Zeit gemachten Vorschläge liegen allzufern.[1] Der Text scheint schon lange schwierig oder verderbt gewesen zu sein: ך᷉ ὁ θεός σου in LXX scheint bereits eine Verlegenheitslösung zu sein

---

[1] Angeführt werden vor allem die Deutungen von דרך auf "Stärke, Macht" in Anlehnung an das ugaritische "drkt". Siehe die Diskussion bei Wolff, BK, 14,2, S.372; F.J.Neuberg, An unrecognised meaning of hebrew DOR, JNES, IX, 1950, S.215-221 (vgl. RSP I, S.112) will דֹּרְךָ lesen und deutet "dor" als Kreis, Versammlung, und versteht unsere Stelle daher als Schwur "bei deinem Pantheon, Beerscheba". Doch geben Neubergs Belege auch im herkömmlichen Verständnis einen Sinn und vor allem: Wer wäre denn zu diesem Pantheon zu zählen?

Gegenüber der, besonders durch die Ugaritistik genährten Mode, unter Beibehaltung des Konsonantenbestandes zu weitreichenden Vokalisations- und Sinnänderungen zu greifen - und diese einer inhaltlich oft weniger weitreichenden Konsonantenänderung vorzuziehen - werden von Baumgartner gewichtige Einwände erhoben (HAL I, Einleitung, XVII).

indem anscheinend parallel zu V.14 (אֱלֹהֶיךָ) übersetzt wurde.

Sicher zu sein scheint jedenfalls der Ortsname Beerscheba.
Ein Schwur beim Weg, d.h. bei der Wallfahrt dorthin wäre verständlich etwa im Sinn einer besonderen Verehrung und Beziehung einiger
Gruppen aus dem Nordreich zu Beerscheba.[2] Aber auch in diesem Sinn
ist für den Inhalt des Eides der "Weg" nicht von seinem Ziel und dem
dort verehrten Gott bzw. den speziellen Traditionen zu trennen.

So bleibt es sehr wahrscheinlich, zu דּוֹדְךָ חֵי zu konjizieren.
דּוֹד als Gottesbezeichnung ist in der 12. Zeile der Meša-Inschrift zu
finden.[3] Für eine entsprechende Gottesbezeichnung könnte der Name
Dodajahu in 2. Chr 20,37 angeführt werden, der als "Freund Jahwes"
oder "Freund ist Jahwe" zu verstehen ist.[4] Auch die Überschrift des
Weinbergliedes, Jes 5,1 (שִׁירַת דּוֹדִי) führt in die Nähe dieser Überlegungen.[5] Bedenkt man die familienrechtliche Bedeutung des Vaterbruders (דּוֹד) in seiner fürsorglich-helfenden Funktion,[6] so läßt
sich דּוֹד als Gottesepitheton (nicht als eigenständiger Gottesname!)
durchaus wahrscheinlich machen. Wir kämen in die Nähe der Bedeutung
mit אב gebildeter Personennamen, die eine änliche vertrauensvolle
Gottesbeziehung ausdrücken.[7]

---

2) Vgl. Zimmerli, Beerscheba, TRE V, S.403, Z.24-44.

3) KAI, I, S.33 (Nr.181); II, S.175 (Kommentar), AOT,S.441.

4) HAL I, S.205f unter Angabe beider Möglichkeiten.

5) Vgl. Wildberger, Jes, BK 10,1, S.164-167; Er sagt immerhin: "Leider läßt sich nicht entscheiden, ob auch Jahwe als יְדִיד Israels
bezeichnet worden ist... Beim Parallelbegriff דּוֹד ist das wahrscheinlich." (S.167)

6) Siehe dazu die Ausführungen bei Stamm, Der Name David, VTS 7,
S.165-183. "Die hohe Stellung des Vaterbruders allein erklärt
aber den Bedeutungszuwachs bei dod noch nicht. Er erklärt sich
erst, wenn sich diese Stellung vor allem als eine fürsorglich-
helfende auswirkte." (S.177).

7) Siehe auch A.3). Kutsch, Beerscheba, RGG I, Sp.957 verweist zustimmend auf Albrights Deutung von paḥad jiṣḥaq als "Stammver-
wandter Isaaks" gegenüber der früheren Deutung als "Schreck
Isaaks". (Ebenfalls zustimmend: Fohrer, Geschichte der israelitischen Religion, S.23). Da der Paḥad jiṣḥaq wie die Isaaksippe
zu Beerscheba gehört, ergibt sich eine gute Stütze für die Lesung דּוֹד. Die stärker kultisch interessierten Schüler des Amos
(siehe A.22) hätten dann auf eine alte Tradition angespielt oder
eine, auf diesem alten Hintergrund tatsächlich so verwendete

Die literarische Problematik der beiden Texte zeigen die Positionen von Robinson einerseits und Wolff andererseits. Für Robinson[8] ist Hos 4,15 "Zusatz eines Lesers, der Juda warnen will, sich in Israels Verhängnis hineinziehen zu lassen (...). Dabei ist auf Am 5,5 Bezug genommen, das beinahe wörtlich zitiert wird."[9] Dagegen sieht er Am 8,14 als "wahrscheinlich Fragment einer größeren Drohrede" doch wohl des Amos selbst.[10]

Wolff dagegen sieht Hos 4,15 als ursprüngliches Warnwort des Hosea, in dem dieser das Volk von der verderbten Priesterschaft losreißen will.[11] Am 8,14 sieht er als von der Verkündigung Hoseas mit beeinflußtes Wort der Amosschule.[12]

In Kenntnisnahme der Diskussion[13] ist wohl Folgendes zu sagen: Die Erwähnung der Heiligtümer Gilgal und Bethel, von Samaria und Dan setzt die Bedeutung und den Besuch dieser Örtlichkeiten voraus, gehört also jedenfalls in die Zeit der Existenz des Nordreiches. Die Erwähnung Beerschebas in Am 8,14 ließe sich als judäische Interpretation eines älteren Wortes deuten und könnte daher in die Zeit nach 722 gesetzt werden.[14] Jedoch können an eine judäische Wallfahrt nach Beerscheba praktisch dieselben kritischen Fragen gestellt werden, wie an eine solche aus dem Nordreich[15]. Eher ist jedoch mit einer

---

Schwurformel aufgegriffen.

8) Robinson, HAT I 14, 1964[3].

9) A.a.O., S.21.

10) A.a.O., S.103; ähnlich Kaiser, EinlAT[4], S.200: "Stadium der judäischen Tradition und Bearbeitung des Buches."

11) Wolff, Hos, BK 14,1, 1976[3], S.112f.

12) Wolff, Am, BK 14,2, S.381f und S.383: "Sicher aber ist die Weise, in der die Kultkritik des Propheten in 14 weiterführt wird, von der Anklage der Untreue gegen Jahwe mitbestimmt, die Hosea ins Bewußtsein hob."

13) Siehe noch Rudolph, KAT XIII 1 und 2; van Gelderen, Amos, COT, 1933 und van Gelderen-Gispen, Hosea, COT, 1953; Markert, Amos/Amosbuch, TRE II, S. 471-487.

14) "Juda" in Hosea 4,15 halte ich mit Wolff, BK, S.89, 111f und 91 für einen Zusatz aus der judäischen Überlieferung. Die weitergreifenden Änderungen, vgl. etwa Rudolph, KAT,112f, halte ich nicht für notwendig.

15) Besonders warum man dorthin zog und, nachdem der Tradentenkreis für das Amosbuch wohl nicht zu weit von Jerusalem zu suchen wäre, die Frage der räumlichen Entfernung und später der Kultzentralisation.

gewissen Verbindung (von Teilen) der Bevölkerung des Nordreiches mit
Beerscheba zu rechnen, für die es auch sonst Hinweise im AT gibt
(z.B. 1. Kön 19,3: Elija kommt auf seiner Flucht zunächst nach Beerscheba).[16] Diese Beziehung könnte natürlich nach dem Ende des Nordreiches, das auch die Heiligtümer betreffen mußte, für die verblie-
bene Bevölkerung zu neuer Aktivität gekommen sein.[17]

   Die Kritik an der Schwurpraxis paßt gut zu den sonstigen Anliegen Hoseas. Hosea prangert vor allem die Schuld der führenden Kräfte
Israels an, also der Priester und der politischen Führer. Die Priester sind durch ihr Verhalten die Hauptschuldigen für die religiöse
Blindheit und Verführung des Volkes (Hos 4,11). Hosea will daher
das Volk von diesem letztlich jahwefremden, kultischen Treiben ab-
bringen (Hos 8,11-13). Hosea warnt das Volk, sich schuldig zu
machen und will dieses vom Besuch der baalisierten Kultstätten abhalten (4,15).[18] Dort wird zwar dem Wortlaut nach korrekt geschworen יהוה 'חי, aber der gemeinte Gott ist nicht mehr Jahwe, der sein
Volk aus Ägypten rief (11,1), und die Gottesbezeichnung ist nicht
mehr jene der Jugendzeit des Volkes (2,17). Die Warnung hat das
ganze kultische Geschehen in Gilgal und Bethel im Blick, im dritten
Glied wird dann speziell die SF genannt.

   Amos 8,13f wirkt "geradezu wie eine Auslegung der Leichenklage
in 5,2".[19] Die Ankündigung des Untergangs (V.13.14b) ist unterbrochen von der dreigliedrigen Begründung. Vor dem Besuch der Kultorte
hatte Amos selbst gewarnt (5,5). Möglicherweise wandte er sich dabei
bereits gegen Hoffnungen die mit den Wallfahrtsorten Bethel und Gilgal verbunden waren[20] (vgl. auch 4,4f), wobei er allerdings nicht
kultische, sondern rechtliche und soziale Mißstände anprangert. Die

---

16) Weitere Belege und Überlegungen siehe Zimmerli, Beerseba, TRE
    V, S.403.

17) Wolff, Amos, BK 14,2 sieht die Erwähnung von Beerscheba in Am 5,5
    als Nachtrag "aus der Hand von Amosschülern..., die in Juda mit
    Beerseba-Pilgern aus dem Nordreich ins Gespräch über die Amos-
    worte kamen" (S.281). Ähnliches läßt sich für 8,14 annehmen.
    Bleibt nur die Frage an Wolff, warum die Amosschüler nicht auch
    noch im ehemaligen Nordreich leben können. Die Gesprächsmöglich-
    keit ist dort jedenfalls noch einfacher gegeben. Die Argumente
    S.134 scheinen mir nicht gewichtig genug.

18) Vgl. Wolff, Hosea, BK, XX f.

19) Wolff, Am, BK, S.374.

20) A.a.O., S.280.

Tatsache, daß in 8,14 weder Bethel noch Gilgal genannt werden, widerrät die Annahme einer zu einlinigen Abhängigkeit von 5,5. Andrerseits istdie Verkündigung des Amos zweifellos sehr stark auf die Hauptstadt Samaria und das dort geschehene Unrecht ausgerichtet (vgl. die Einheiten 3,9-11.12.13-15; 4.1-3).

Da die Eidesleistung zunächst mit dem Rechtsbereich zu tun hat, erscheint es immerhin möglich, hinter 8,14 ein Amoswort zu vermuten, in dem er die Meineide, die in der Hauptstadt Samaria und im ganzen Land[21] geschworen werden, verurteilt.

Diese Kritik des Amos ist dann jedenfalls von seinen Schülern stärker auf die kultischen Gegebenheiten der genannten Orte bezogen worden. "Sollte in 14a auf Abgötterei in Samaria, Dan und Beerscheba angespielt sein, so befänden wir uns dichter bei der Thematik Hoseas als bei der des Amos."[22] Dem 2. Teil dieses Satzes ist durchaus zu-

---

21) Die Zusammenstellung "von Dan bis Beerseba" (Ri 20,1; 1. Sam 3,20; 2. Sam 3,10; 17,11; 24,2.15; 1.Kön 5,5) bezieht sich zwar immer auf die Zeit vor der Reichsteilung, die Texte scheinen aber durchweg literarisch jünger zu sein. Es ist hier leider nicht möglich, der literarischen Einordnung dieser Texte nachzugehen. Es erscheint aber unwahrscheinlich, daß diese Redeweise und die mit ihr verbundene Vorstellung plötzlich erloschen wäre, wie andererseits, daß diese Ausdrucksweise nach der Eroberung von Dan durch die Assyrer (733; siehe Wolff, Am, BK, S.374) und dem zeitweiligen Verlust Beerschebas an die Philister (701; siehe Kutsch, Beerseba, RGG I, S.957) noch hätte aufkommen können. (Stoebe, Sam, KAT, S.122f spricht bei 1.Sam 3,20 von "rein konventionell und Zeichen eines jüngeren Textes.").

Möglicherweise steht also diese überkommene Ausdrucksweise hinter der ungewöhnlichen Zusammenstellung Samaria - Dan - Beerscheba. Diese Überlegung würde das Problem lösen, daß neben (oder vor!) Dan nicht Bethel genannt ist (vgl. dazu Wolff, Am, BK, S.381). Dabei paßt es gut zu unserem Text, daß diese Redewendung von Haus aus nicht bloße Ortsangaben, sondern eben 2 bedeutende Heiligtümer im Blick hat; vgl. Zimmerli, Beerseba, TRE V, S.404. Ähnlich auch Markert, Amos/Amosbuch, TRE II, S.482, Z.43-45: "Bemerkenswert erscheint, daß diese Redaktionsschicht die bei Amos fehlende Auseinandersetzung mit anderen Göttern nachgetragen hat und damit ein kultisches Interesse erkennen läßt."

22) Wolff, Am, BK, S.374.

zustimmen. Für den 1. Teil ist einzuschränken, daß es sich hier nicht um bewußte Abgötterei handeln muß, sondern eher im Sinn der hoseanischen Verkündigung die Kritik in die Beschreibung hineingelegt wird: Das Volk verehrt vermutlich Jahwe - doch der Prophet bzw. seine Schüler sehen klarer: An den Ordnungen Jahwes gemessen ist es keine Jahweverehrung mehr, sondern zu verurteilende Abgötterei.[23]

Das läßt die Vermutung zu, daß, so wie der Schwur bei der "Schuld Samarias" eine bewußte Entstellung ist, so auch bei den beiden anderen Formulierungen der Gebrauch der SF bewußt verfremdet ist. M.E. wurde von den Israeliten die sonst überall gebräuchliche SF יהוה חי verwendet (vgl. Jer 4,2; 5,2). Die prophetische Kritik aber erkennt die Berufung auf Jahwe als illegitim und vermeidet daher im Zitat den Jahwenamen.

Die bisherigen Ergebnisse sind nun noch formkritisch zu prüfen. Wenn man Hos 4,15a, wie es auch die masoretische Einteilung will, als Anrede von der eigentlichen Weisung abhebt, so ergibt sich für diese eine Dreigliedrigkeit: Kommt nicht - geht nicht - schwört nicht. Dabei bringt das letzte Glied gegenüber den beiden anderen eine weitere Spezifizierung. Dies entspricht durchaus dem Gedankenfortschritt, wie er sich häufig in Trikola findet[24]. "Es ist für Hosea typisch, daß sich ... verhältnismäßig häufig dreireihige Perioden finden, besonders in Anfangs- und Schlußstellung ... So werden Höhepunkte gestaltet. Die Reihen sind meist aus drei Takten gefügt.[25]- Hosea 4,15 fügt sich hier genau ein.

---

23) Das Mittel, in das Zitat bereits das Urteil hineinzulegen, zeigt unsere Stelle Hos 4,15 mit der Entstellung von Beth-El zu Beth-Awän. Daß das Mittel der Entstellung Amos nicht unbekannt war, zeigt wiederum sein Urteil über Beth-El (Am 5,5), welches zu "awän" (= zu Schaden) werden soll. Vermutlich bildet gerade dieses Wort das Vorbild für Hoseas Beth-Awän (Wolff, Am, BK, S.28) und sicherlich waren die Schüler des Amos mit diesem Stilmittel vertraut.

24) Kaiser, EinlAT[4], S.290. Leider sind die dreigliedrigen Formen im Gegensatz zum beliebten parallelismus membrorum noch recht wenig bearbeitet. Siehe neuerdings Willis, The juxtaposition of synonymous and chiastic parallelism in tricola in Old Testament hebrew psalm poetry, VT 29 (1979) S.465-480, und die materialreiche aber wenig ergiebige Arbeit von de Moor, The Art of Versification in Ugarit and Israel, UF 10, S.187-217.

25) Wolff, Hos. BK, XVI.

Ähnliches gilt für Am 8,14. Der kritisierte Sachverhalt ist
wieder in einem Trikolon ausgedrückt. Der Ortsname im Zusammenhang
mit der SF steht jeweils am Ende. Auffallend ist der Wechsel von
"die Schwörenden" zu "und sie sprechen"[26] zwischen 1. und 2. Glied,
während das 3. Glied vom Verbum des zweiten abhängt.

Wichtiger aber ist die formkritische Betrachtung der einzelnen
Schwurformeln. In Hos 4,15 wird die SF in der uns bereits aus vielen
Texten[27] bekannten Form חי־יהוה zitiert. Diese kurze Formel hat sich
uns als im Rechtsleben beheimatet dargestellt. Daß sie als Schwur gedacht ist bzw. zu einem solchen gehört, ergibt auch das voranstehen-
de Verbum נשבע. Leider erfahren wir nicht, in welchen Rechtsfällen
der Eid gebraucht wird. Er paßt aber aufs Ganze zur Erscheinung, daß
die Rechtspflege mit den Heiligtümern verbunden ist.[28] Die Rechtspflege an den Heiligtümern spiegelt die Verbindung der Gottheit mit
dem Recht wider, sodaß die Anrufung Gottes im Eid entsprechende
religiöse Vorstellungen impliziert. Die Erkenntnis, daß die Eidesleistungen sowohl mit Unrechttaten als auch mit falscher, nur mehr
vermeintlicher Jahweverehrung Hand in Hand geht (beispielhaft zusam-
mengestellt in Hos 4,1-3), verursacht die Ablehnung dieses Tuns durch
Hosea.

Bei Amos 8,14 liegen die Dinge nicht so klar. Das erste Glied
der Reihe, "die da schwören bei der Schuld Samarias", ist kein direk-
tes Zitat, sondern Aussage über den Vorgang. Welche Form der SF da-
hintersteht, bzw. ob Jahwe ausdrücklich genannt wurde, läßt sich
kaum erschließen[29]. Die vom Volk gebrauchte Schwurformulierung ist

---

26) Die Fortführung des Partizipium mit Perfekt consecutiv ist dagegen kein Problem.

27) Siehe besonders die Stellen in 1. und 2.Sam (S.38-83), aber auch
   Rut 3,13 (S.135ff) oder Jer 4,2; 5,2 (S.106-108).

28) Horst, Eid, S.381; unter Hinweis auf Ri 21,1.

29) Hinter אשמת שמרון wurde gelegentlich eine entstellte Gottesbezeichnung vermutet (vgl. Wolff, Am, BK, S.372 und Rudolph, Am,
   KAT, S.268). Die Punktierung אֲשְׁמַת scheidet aus, da die Göttin
   Aschima (vgl. 2.Kön 17,30) erst von den, nach 722 im Gebiet des
   Nordreiches angesiedelten Ausländern mitgebracht wurde. Wahrscheinlicher ist schon die Lesung אשרת, "da ein Bild der אשרת
   für das Nordreich, wahrscheinlich sogar für Samaria, bezeugt
   ist (1.Kön 16,33; 2.Kön 17,16)." (Wolff, ebd.). Dieser Vorschlag
   hat zwar den Konsonantentext gegen sich (Wolff und Rudolph
   lehnen ihn ab), entspräche aber wahrscheinlich den kultischen

von der Polemik gegen diese "Schuld Samarias" für uns überdeckt. Auf
Grund des Parallelismus ist aber immerhin möglich, eine ähnliche
Struktur wie jene der beiden anderen Formulierungen anzunehmen, also
חי und eine Gottesbezeichnung.

Die beiden anderen Schwurformulierungen fallen durch die Hinzufügung des Ortsnamens Dan bzw. Beerscheba auf. Eine solche Formulierung ist für den tatsächlichen Gebrauch zwar nicht auszuschließen,
hat aber dann jedenfalls stärker die Verehrung für den Ort, speziell
das Ortsheiligtum im Blick. Eine Weglassung des Ortsnamens würde auch
den Wegfall des Personalsuffixes bedingen. Die Formulierung חי אלהים
wäre denkbar, verlangt aber sehr stark nach Konkretisierung[30]. Kaum
möglich wäre ein alleinstehendes חי דוד, unmöglich ein חי דרך (sofern man den MT bevorzugt). Wenn diese Formulierungen tatsächlich
gebraucht wurden (und nicht nur polemische Umprägungen darstellen),
so muß das in der vorliegenden Form geschehen sein. Damit ergibt sich,
wie oben gesagt, eine Verschiebung der Blickrichtung und des 'Sitzes
im Leben', nämlich von der Rechtssache hin zur Verehrung des heiligen
Ortes. Die Verschleifung der Form scheint auf eine gewisse Abnutzung
des Eides bzw. einen oberflächlichen Gebrauch hinzuweisen. (Hier
setzte ja die prophetische Kritik an). In diese Richtung weist vielleicht auch noch der Wechsel von נשבע zu אמר. Letzteres bekommt
zwar seine Färbung von dem voranstehenden נשבע, als Einführung der
beiden Schwurformulierungen zeigt es aber doch, daß diese häufig und
über den strengen Rechtsfall hinaus gebraucht wurden.

Wir haben also in Hos 4,15 und Am 8,14 den Reflex darauf, daß
man im Israel der 2. Hälfte des 8.Jh. Eidesformulierungen "beim Leben
Jahwes" bzw. des Gottes des betreffenden Heiligtums gerne und häufig
gebraucht hat. Über den Eid im Rechtsleben hinaus scheint die Bedeutung eines "Bekenntniseides" vorhanden zu sein. Allerdings entzündet
sich hier auch die prophetische Kritik, da die Gottesverehrung keine
legitime Jahweverehrung mehr ist, und das Verhalten nicht mit der Eidesleistung übereinstimmt.

Diese Entwicklung und die prophetische Reflexion darüber passen
sehr schön zu den späteren Forderungen eines Bekenntniseides, wo

Gegebenheiten. (vgl. Maag, Text...des Buches Amos, S.128-130,
der sich dieser Lesung anschließt).

30) Vgl. 2.Sam 2,27 חי האלהים, bezeichnenderweise mit Artikel und
Hi 27,2 חי אל, wo die allgemeine Gottesbezeichnung im Parallelismus durch שדי vervollständigt ist zu אל שדי (s.o.S.52-54
und 139-141.

Forderungen der Kontinuität der Jahweverehrung einerseits und das
Bekenntnis zu ihm im Eid andererseits verbunden werden: "...so hüte
dich, daß du nicht den Herrn vergißt, der dich aus Ägyptenland, aus
der Knechtschaft, geführt hat, sondern du sollst den Herrn, deinen
Gott fürchten und ihm dienen und bei seinem Namen schwören."
(Dtn 6,12f par. 10,20). Die Fortsetzung dieser Linie zeigen Jer 23,7f
und Jer 12,16.

Zur Frage eines kanaanäischen Hintergrundes für die Formulierung
der kritisierten Eidesleistungen ist bei Ps 18,47 (s.u.S.146ff) näher
Stellung zu nehmen. Zunächst ist zu sagen, daß die gelegentlich herangezogene Stelle aus dem Baalmythos (CTA 6 III 8) eben keine SF ist
und einen anderen 'Sitz im Leben' hat. Man wird auch nicht sagen
können, daß die Eide in Am 8,14 (aus der Sicht des Volkes) kanaanäischen Göttern gegolten habe[31]. Dafür ist schon allein die Kontinuität der israelitischen Schwurpraxis ein gewichtiger Hinweis. Die Ablehnung der Schwurpraxis geht Hand in Hand mit der sonstigen Kritik
des kultischen und politischen Leben Israels - wobei allerdings besonders Hosea die verderblichen kanaanäischen Einflüße erkannt hat.[32]

Zum selben Ergebnis kommt Schoors: "Explained thus, Hos 4:15
resembles 8:13-14. But there is no clear allusion to a dying and
rising god. The formula יהוה חי is too current to constitute a
serious argument in this respect. It expresses the idea that the
swearing appeals to a quality of Yahwe: he lives, is active, is the
source of life."[33] Gegen eine kanaanäische Herkunft spricht zudem
die unbefangene Verwendung der SF in der ebenfalls antikanaanäisch
geprägten Überlieferung von Elija und Elischa.

Nachtrag: Zu den Formulierungen, die, wie in Am 8,14, Gott und einen
bestimmten Ort verbinden, bringen neuerdings die Funde von Kuntillet
'Ajrud (ca. 50 km südl. von Kadesch-Barnea) auffallende Belege (z.B.
'Yahweh of Samaria'!), ebenso wie für die oben angenommenen "Wallfahr-
ten"aus dem Nordreich in den Süden (die Funde werden auf ca. 800 datiert!). Die Formulierung 'Yahweh and his Asherah' illustriert weiters
den Anlaß für die prophetische Kritik an den kultischen Gegebenheiten.
Vgl. dazu die vorsichtige und sachliche Diskussion (z.B. auch von '...
and his Asherah' bei J.A. Emerton, New Light on Israelite Religion, 1982.
ZAW 94 (1982), S.2-20.

---

31) Siehe die Diskussion von Hos 4,15 und Am 8,14 und der entsprechenden Äußerungen in der Literatur in RSP I, S.13-15.

32) Diese Sicht wird von Schoors, RSP I, S.15 zu Hos 4,15 geteilt
und trifft wohl auch für Am 8,14 eher zu, als auf Grund der
Konjekturvorschläge zu schließen: "It is thus quite probable
that Amos opposes the cult of Canaanite deities." (ebd.).

33) Schoors, RSP I, S.15.

D. **Jeremiabuch**

Im Jeremiabuch finden wir 9x die SF יהוה יח, einmal den
Schwur Jahwes bei sich selbst, אני יח, und zweimal die Aussage vom
"lebendigen Gott". Das Buch Jeremia bietet also die größte Vielfalt
der uns interessierenden Belege aus allen prophetischen Büchern.
Leider sind auch die mit dem Jeremiabuch verbundenen literarkritischen und traditionsgeschichtlichen Probleme äußerst komplex und bis
in neueste Zeit vielfach auch kontrovers.[1]
    Wir untersuchen zunächst die Vorkommen der SF und zwar in etwa
nach der chronologischen Einordnung.

1) Jer 4,2; 5,2.

    Diese beiden Stellen gehören nach allgemeiner Überzeugung zur
sog. "Urrolle"[2] bzw. zur authentischen Verkündigung[3] Jeremias.
Der Abschnitt 3,1-4,4 bildet einen zusammenhängenden Gedankengang,
allerdings sind 3,6-18 Einschübe, wenn auch überwiegend auf Jeremia-
worte zurückgehend[4]. Besonders 3,1-5 und 3,19-4,4 gehören zusammen
und kreisen um die Frage der Möglichkeit der Rückkehr zu Jahwe.
Nach der Scheltrede an das Volk folgt in 3,21-25 überraschend die
Klage des Volkes. Ausgerechnet von der Höhe her, wo der Abfall von
Jahwe sich am schlimmsten manifestiert, von dort her, hört der Prophet flehentliches Weinen. "Hinter all dem wüsten Treiben und
"Lärmen" (23) spürt der Prophet die Sehnsucht nach etwas Besserem,
nach dem wahren Gott."[5] Die Erkenntnis von Schmach und Schande und
des Abfalls von Jahwe bricht sich Bahn (V.25). Auf diese noch wort-
lose (?) - Klage[6] antwortet Jahwe, indem er den möglichen Weg der

---

1) Siehe dazu die Einleitungen in den Kommentaren von Weiser, ATD,
    1965[5]; Rudolph, HAT, 1968[3]; Bright, AncB, 1965 und die Einlei-
    tungen in das AT von Fohrer, Kaiser und Smend.
2) Rudolph, HAT, XVIII, ähnlich Weiser, ATD, S.14f.
3) In diesem Sinn Fohrer, EinlAT, S.431f.
4) So Rudolph, HAT, S.25-29, ähnlich Fohrer, EinlAT, S.431, mit
    Recht gegenüber Weiser, ATD, S.22.
5) Rudolph, HAT, S.30f.
6) Der Aufbau unseres Abschnittes entspricht dem Aufbau der "Klage-
    lieder des Volkes", wo der Klage des Volkes die Antwort folgt;
    Rudolph, HAT, S.31, unter Hinweis auf Gunkel-Begrich, Einl.

106

Umkehr beschreibt (4, 1-4). Die Umkehr sollte zu Jahwe hin erfolgen, die Götzen sollten abgetan und das ruhelose Umherirren soll aufgegeben werden, demgegenüber soll der Schwur יהוה חי in Treue, Gerechtigkeit und Recht (באמת במשפט ובצדקה) erfolgen.

Dieses Wort und die dahinterstehenden Erfahrungen bzw. Erwartungen lassen die Nähe zu Hosea erkennen.[7] Die Hinkehr zu Jahwe drückt sich aus in dem Schwur als Bekenntnis zu Jahwe, das sich aber nicht nur verbal äußert, sondern sich mit dem Leben deckt (2aβ), ja zutiefst aus dem Herzen entspringt (V.3f). Jeremia verweist also hier auf die im Volk anscheinend weithin gebräuchliche Schwurpraxis. Die Formulierung entspricht dabei durchaus dem legitimen Jahweglauben, ist aber doch von diesem meilenweit entfernt. Die hier beim Volk vorausgesetzte Gottesverehrung ist wohl die auch sonst bei Jeremia angegriffene, nominell wohl noch überwiegend Jahweverehrung, de facto eine Baalisierung des Jahweglaubens. Die religiösen Praktiken haben sich von den Rechtsnormen des Jahweglaubens gelöst. Es ist bezeichnend, daß als wesentliche Kriterien für rechte Jahweverehrung משפט, אמת und צדקה angegeben werden (vgl. Hos 4,1). Treue, Verläßlichkeit und Gerechtigkeit, eben das dem Gemeinschaftverhältnis Jahwes mit seinem Volk angemessene Verhalten. Die Jahweverehrung und der Schwur beim Leben Jahwes ist nicht zu trennen vom Rechtsleben.

Zu ähnlichem Ergebnis führt Jer 5,2. Jeremia übernimmt den Auftrag zu suchen, ob er jemand findet, der Recht (משפט) tut und Wahrhaftigkeit (אמובה) sucht, damit Jahwe Grund hätte, Jerusalem gnädig zu sein (vgl. Gen 18,22-32). Aber das Ergebnis ist durchweg negativ. Recht und Treue gibt es nicht, das Volk, die "Großen" ebenso wie die "Kleinen Leute", haben die Bindung an Jahwe abgeworfen (V.5b), sie sind unbelehrbar (V. 3.13), Ehebruch und Hurerei machen sich breit (V.7f). Selbst wenn beim Leben Jahwes geschworen wird, so ist es ein Meineid (לשקר). Auch hier steht also die Eidesformulierung wieder im Zusammenhang des Rechtslebens, im Kontext des - allerdings mißachteten - "Weges Jahwes und des Gottesrechtes" (V.4b). Neben der meineidigen Anrufung Jahwes (in baalisiertem Mißverständnis) steht hier, über 4,2 und 5,2 hinausgehend, noch der Schwur "bei dem, der Nicht-Gott ist" (V.7), womit anscheinend eine ausdrückliche Anrufung Baals gemeint ist.[8]

Psalmen, HK, wo S.138 auch unsere Stelle aufgezählt wird.

7) Vgl. das Bußlied Hos 5,15 - 6,3 und die Antwort 6,4f; außerdem Hos 10,12.

Es bleibt noch die Frage, wie weit bei der SF das חי, also der
Gedanke an die Lebendigkeit Jahwes mitgedacht wurde. Sicher ist festzuhalten, daß der Hauptton auf Jahwe liegt, das heißt dem Bekenntnis
zu Jahwe und zu seinen, seinem Wesen und seiner Geschichte mit Israel entsprechenden Rechtsordnungen und Wegen (5,5b). In Anbetracht
der Nähe der kanaanäischen Religion mit der ihr eigenen Vorstellung
über das Leben der Götter[9], gewann das חי sicherlich neuen[10] Auf-
merksamkeitswert. Durch die hier, 5,2 und besonders auch 4,2 gemachte
Gegenüberstellung und die Verbindung der Gottesvorstellung mit den
Traditionen des Jahwerechtes und der Geschichte Jahwes mit Israel[11]
rückt auch das חי aus den naturmythologischen Vorstellungen wieder in
die entsprechenden Zusammenhänge des Jahweglaubens. Für eine bewußte
Verwendung des חי spricht auch die Formulierung von den בני אל חי
(Hos 2,1) aus der hoseanischen Verkündigung, der ja Jeremia sehr
nahe steht (zu Hos 2,1 s.u.S. 267-271).

2) <u>Jer 38,16; 44,26.</u>

Diese beiden Stellen gehören, nach dem Gang der Erzählung wie
auch nach verbreiteter Ansicht der Exegeten zur "sogenannten Baruchschrift".[12] In der Diskussion um die Baruchschrift wird die Zusammengehörigkeit von c.37-43(44) allgemein festgehalten.[13][14]

---

8) Die Fortsetzung von V.7 zeigt, wie man dabei in weiterer Folge
   die "natürlichen Güter" (vgl. Eichrodt, TheolAT, II, S.244f)
   jetzt von Baal statt von Jahwe ableitet und sich entsprechend
   zu diesem bekennt. (Zur Textkritik vgl. Rudolph, z.St.)

9) S.u.S. 323-354.

10) Vgl. oben S. 32 , die Überlegung, wieweit חי gelegentlich prak-
    tisch nur noch die Funktion einer Demonstrativpartikel habe.

11) Vgl. die entsprechenden Aussagen im Jeremiabuch und der
    "Theologie Jeremias" (Rudolph, HAT, Xf).

12) Vgl. Fohrer, EinlAT, S.436; Smend, EnstAT, S.160f. Neben der
    auch sonst nicht allgemein angenommenen Verfasserschaft Baruchs
    bestreitet insbesondere Wanke, Untersuchungen zur sogenannten
    Baruchschrift, die Einheitlichkeit der üblicherweise dazu
    gerechneten Texte.

13) Siehe z.B. Smend, EntstAT, S.161, "...daß die Erzählung in
    37-44 enger zusammengehängt als vorher".

14) C.44 wird von Wanke, Untersuchungen, S.127f, als Ergänzung zu
    c.37-43 beurteilt.

Sicher ist, daß diese Kapitel von einem Mann stammen müssen, der das
Ergehen des Propheten aus der Nähe miterleben konnte und der Jeremia und seiner Verkündigung nahe stand. Ob dieser - wie mit guten
Gründen angenommen werden kann - Baruch war, ist für unsere Fragestellung nicht entscheidend.[15]

Jer 38,16.

Wir stehen in der letzten Phase vor der Eroberung Jerusalems.
Der König Zidkija steht zwar unter dem Einfluß der Kriegspartei,
fühlt sich aber doch immer wieder hingezogen zu Jeremia. Nachdem Jeremia erst kurz zuvor dem Tod entgangen ist (38,6-13), sucht nun
Zidkija nochmals Jeremia zu einer Unterredung auf, die dann die letzte
bleiben wird. DerAufforderung des Königs begegnet Jeremia ablehnend.
"Sage ich dir etwas, so tötest du mich doch, gebe ich dir einen Rat,
so gehorchst du mir nicht." (V.15). Da schwor der König Zidkija dem
Jeremia heimlich folgendermaßen: חי יהוה אשר עשה לנו את הנפש הזאת
אם "Beim Leben Jahwes, der uns dies Leben gegeben hat, ich will
dich nicht töten, noch den Männern in die Hände geben, die dir nach
dem Leben trachten". (V.16). Dieser Schwur des Königs erinnert an
die entsprechenden Formulierungen in 1.Sam 28,10[16] und 2.Sam
14,11[17]. Auch dort wird jeweils die Freiheit von Todesstrafe zugesagt. Dabei wird in 2.Sam 14,11 die bereits entschiedene Aussetzung
der - an sich zu Recht bestehenden - Todesstrafe zugesagt, während
in 1.Sam 28,10 die todeswürdige Tat noch aussteht und die Aussetzung
der Strafe im vorhinein zugesagt wird.

Jeremia erhält also von dem anscheinend doch an der Wahrheit
interessierten König die Zusage der Straffreiheit (abgesehen von
der Fraglichkeit einer Rechtsgrundlage einer solchen Strafe; ganz
anders als in 1.Sam 28!). Wir befinden uns wieder im Rechtsbereich.
Der König ist - auch hier in dieser intimen Situation - durchaus die
zuständige Autorität für den entsprechenden Urteils- bzw. Freispruch.[18]

---

15) Rudolph, HAT, XVf, hält gegenüber anderen Meinungen an Baruch
fest; anscheinend auch Fohrer, EinlAT, S.436f. Wanke, Untersuchungen, sieht "diese Identifikation mit einer Reihe von
Schwierigkeiten verbunden" (S.146), höchstens für c.26-28.36
könnte man Baruch als Verfasser erwägen (S.147), während der
Verfasser von c.37-43 am ehesten unter den Angehörigen der
Kolonie um Gedalja zu suchen" sei (S.146).

16) S.o.S. 50f.

17) S.o.S. 58f.

Im formkritischen Vergleich fällt der Relativsatz "der uns dieses Leben gegeben hat" auf. Eine Erweiterung der SF fehlt sowohl in Jer 4,2; 5,2 als auch in jenen alten Belegen, die streng den Rechtsvorgang im Auge hatten (z.B. 1.Sam 14,39; 28,10; 2.Sam 4,9; 14,11). Dagegen fanden wir solche Erweiterungen dort, wo - im Vorgang der Überlieferung (?) - theolog. Nachdenken über das (Geschichts-)handeln Jahwes deutlich geworden war (z.B. 1.Sam 25,26.34;[19] 1.Kg 1,29[20] und die Texte aus dem Elija-Elischa-Komplex[21] und auch Ijob 27,2[22]).

Ob diese Erweiterung der SF dem König zuzuschreiben ist, ist eine müßige Frage. Das Wissen um die Gefahren, in der König und Prophet je auf ihre Weise schweben, läßt den Satz der Situation angemessen erscheinen. Obige formkritische Überlegung spricht aber für eine Zuordnung dieses Satzes zu (einem?) Tradenten, der die Gottesbezeichnung reflektiert gebrauchte. Das erlaubt zugleich einen Blick auf die Antwort Jeremias: כה אמר יהוה אלהי צבאות אלהי ישראל Jahwe ist der Gott Israels, der, gerade auch in dieser kritischen Stunde - und für die Tradenten auch in der Katastrophe - das Geschick Israels bestimmt. Dabei wird Jahwe bezeichnet als der אלהי צבאות Beides erinnert an unsere Texte aus dem Elija-Elischa-Komplex.[23] Die feierliche Gottesbezeichnung soll wohl "mit Nachdruck die ganze Machtfülle Jahwes herausstellen"[24]

Die SF in Jer 38,16 repräsentiert eine Tradition, die Jeremia jedenfalls nahe steht, mit der aber auch weitere Traditionselemente verbunden sind. Ob und welche dieser Traditionslinien über Jeremia selbst laufen, oder über die ihm befreundeten Kreise oder an Jeremia vorbei, bzw. Modifikationen oder Neuprägungen späterer Jahrzehnte die Überlieferungen von Jeremia geprägt haben, ist schwer zu bestimmen[25]. Durch die Überlieferung rückte die SF von ihrem primären

---

18) Vgl. die Beispiele bei Liedke, Rechtsätze, S.120-125, zur "tragenden Autorität".

19) S.o.s. 45-48.

20) S.o.s. 60f.77.

21) S.o.s. 84-96.

22) S.u.S. 139-141.

23) S.o.S. 91-95.

24) V.d.Woude, צבא , THAT II, Sp.506.

25) Hier liegt der Hauptgrund für die Vielfalt der Meinungen in der Forschung zu Jeremia. Die Widersprüchlichkeit neuerer Monographien legt es nahe, keine zu großen Gegensätze der Traditions-

'Sitz im Leben', nämlich dem Rechtsleben, in den Rahmen theologischer Geschichtsbetrachtung. Es ist anzunehmen, daß damit auch das חי reflektiert wurde, also die Lebendigkeit Jahwes gesehen ist darin, daß er dem Menschen das Leben gemacht hat (V.16), und daß er der mächtige Gott Israels ist (V.17).

Jer 44,26.

Jeremia ist von einer Gruppe Judäer, die den Untergang überlebten, nach Ägypten verschleppt (43,1-7). Doch auch dort geht Jeremias prophetische Aufgabe weiter, insbesondere seine Warnung vor Götzendienst, speziell für die sogenannte Himmelskönigin (44,17.18. 19). Jeremia warnt das Volk, insbesondere die diesem Kult ergebenen Frauen, vor neuerlichem Unheil, das diese jetzt in Ägypten lebenden Judäer treffen wird. Es entspinnt sich eine Diskussion, in der von den Judäerinnen das bereits eingetroffene Unheil - in schroffem Gegensatz zu Jeremia - auf die Vernachlässigung des Kultes der Himmelskönigin zurückgeführt wird (V.15-19). Gegen diese halsstarrige Antwort erklärt Jeremia neuerlich das eingetroffene Unheil als Folge des Abfalls von Jahwe und der Mißachtung seiner Stimme, Gesetze und Mahnungen (V.23). Es folgt die feierliche Ankündigung eines neuen Gerichts. Dieses wird das Ende aller Judäer in Ägypten bringen: Es soll keiner mehr da sein, der da sagt: חי אדני יהוה. Diese Unheilverkündigung wird feierlich eingeleitet: הנני נשבעתי בשמי הגדול

Der Schwur bei Jahwe ist hier als Bekenntnis der Zugehörigkeit zu ihm gesehen. Wieweit hier das Aussprechen der SF sehr überlegt geschieht oder ein mehr oder weniger gedankenlos gesprochenes Minimum der Jahweverehrung darstellt[26] ist wiederum schwer zu entscheiden. Jedenfalls scheint für die Bevölkerung die Verehrung der Himmelskönigin und die Berufung auf Jahwe im Eid problemlos nebeneinander zu stehen. Eine Analogie zu solchen Verhältnis finden wir bezeichnenderweise in den Elephantine-Papyri. Auch dort werden neben Jahwe 2 andere Gottheiten verehrt, Ascham-Bet-El und Anat-Bet-El, von denen jedenfalls letztere weiblich war.[27] Es ist verständlich,

---

schichten und Traditionskreise zu konstruieren.

26) In dieser Richtung scheint Weiser, ATD, S.373, den Satz zu verstehen.

27) Metzger, Geschichte Israels, S.160. Eduard Meyer, Papyrusfund, erklärt beide als weibliche Gottheiten und identifiziert Anat-Bet-El, vielleicht etwas zu direkt, mit der Himmelskönigin von

daß gerade das Nebeneinander dieser Gottheiten Ablehnung finden
mußte, sei es des historischen Jeremia, sei es späterer, Jeremia
nahestehender Tradenten.

Die Unheilsankündigung rekurriert auf die gebräuchliche
Schwurformulierung. Auffallend ist die Erweiterung mit חי אדני
יהוה. Es gibt im Jeremiabuch nur wenige Stellen mit der Zusammenstellung אדני יהוה, die ihrerseits bei Ezechiel äußerst häufig
vorliegt.[28] Für die SF ist es der einzige Beleg dieser Art. "Die
Ursprünglichkeit des אד׳ in 44,26 ist doch recht fraglich."[29]

Die Seltenheit dieser Form der SF mahnt zu Zurückhaltung bei
weiteren Überlegungen. Unser Text scheint aber doch nachjeremianisch
zu sein. Ein Wort, das auf Grund der vorexilischen prophetischen
Verkündigung für die Fortsetzung der Verehrung anderer Götter neben
Jahwe nur das Gericht ankündigen kann. Für die Einordnung als die
prophetische Botschaft weiterführende Reflexion spricht auch die
Aufnahme der Vision und ihre Deutung aus 1,11f in 44,27 (שקד).

Neben den Beobachtungen zur SF ist noch festzuhalten, daß auch
hier der Schwur Jahwes bei sich selbst ("bei meinem großen Namen")
belegt ist. Diese Beobachtung führt ebenfalls in die Nähe ezechiel-
ischer Ausdrucksweise (חי אני) und stützt die Annahme einer gola-
orientierten Redaktion[30] an dieser Stelle. Zugleich ist die Stelle
ein Beleg für eine Formmischung. In der nachexilischen Zeit wird
die SF aus ihrem 'Sitz im Leben' gelöst und (auch) als literarisches
Stilmittel verwendet.

3) **Jer 12,16.**

Die V.14-17 bilden eine Einheit. Den bösen Nachbarvölkern, die
das Erbteil des Volkes Israel antasten, wird die Exilierung angekündigt – und das Haus Juda soll aus ihrer Mitte gerissen werden
(V.14).[31] Diesem Unheil folgt die Ankündigung möglichen Heils:

Jer 44 (S.53f; S.57-61). Ganz anders: Cassuto, Elephantine·S.249.
28) Baumgärtel, Gottesnamen, Tabelle, S.2.
29) Ebd., S.11.
30) Eine solche hat besonders Pohlmann, Studien, herausgearbeitet.
    Seine Ansetzung in "frühestens das 4. Jahrhundert" (S.191) er-
    scheint mir jedoch zu spät.
31) Es bleibt unklar, ob Juda also in die Exilierung einbezogen ist
    (so z.B. Rudolph, KAT, S.89f, der an die ähnliche Zusammenstel-
    lung in Am 1f erinnert) oder ein Herausreißen Judas aus dem
    Exil, also eine Heimkehr Judas, gemeint ist (so z.B. Volz;

Wenn diese Völker vom Volk Jahwes lernen, bei seinem Namen zu schwören יהוה חי – so wie sie das Volk gelehrt haben, beim Baal zu schwören –, so sollen sie inmitten des Volkes Jahwes wohnen (V.15f). Andernfalls sollen diese Völker vernichtet werden (V.17).

Die Verwendung der SF, identisch mit dem Schwören beim Namen
Jahwes (בשמי), ist hier Bekenntnis zu Jahwe. Die Entscheidung über
Erbarmen oder Vernichtung fällt am Schwören der Völker: Entweder bei
"meinem Namen", יהוה חי , oder beim Baal. Die SF steht in ihrer
normalen, nicht erweiterten Form. Allerdings ist der rechtliche Kontext völlig aus dem Blick geschwunden und die SF hat voll und ganz
die Funktion des Bekenntnisses zum in der SF angerufenen Gott.[32]

Der Abschnitt malt eine doppelte Bewegung. Vorher lehrten die
fremden Völker das Jahwevolk, bei Baal zu schwören, in Hinkunft aber
sollen diese Völker vom Jahwevolk den Schwur "beim Leben Jahwes"
lernen. Die beiden Bewegungen sind natürlich nicht gleichwertig,
die letztere ist die angestrebte. Es fällt auf, daß der Schwur bei
Baal nicht so wie jener bei Jahwe durch eine SF konkretisiert wird.
Der Grund dafür liegt wohl hauptsächlich in der Ablehnung eines solchen Eides bzw. Bekenntnisses. Die Kritik am falschen Schwur erinnert
an Jer 5,7 und knüpft wohl auch an jene Aussagen an.

Wie ist dieser Abschnitt zeit- und traditionsgeschichtlich ein-
zuordnen? Weiser schreibt 12,14-17 Jeremia zu.[33] Ansonsten ist dieser
Text allgemein als später gesehen. Rudolph rechnet mit einem jerem.
Kern (V.14) und einer – für ihn anscheinend ziemlich späten – Erwei-
terung (V.15.17).[34] Fohrer rechnet 12,14-17 zu den Zusätzen "anderer
Verfasser", als Spruch verheißenden Charakters.[35]
Smend sieht in 12,14-17 die Tätigkeit der Redaktion, die er in An-
lehnung an Thiel in die Exilzeit datiert.[36] Ein gewichtiges Argu-

---

von Thiel, Redaktion, S.164 A.78, erwähnt aber abgelehnt).

32) Zur Frage, wieweit überhaupt entsprechende Formulierungen im
kanaanäischen Raum gebräuchlich waren, s.u.S.146ffzu Ps 18,47.

33) Weiser, ATD, S.108: "Es ist also keineswegs nötig, hierbei an
die Proselyten des Spätjudentums zu denken und diesen Gedanken
dem Jeremia abzusprechen."

34) Rudolph, HAT, S.89f.

35) Fohrer, EinlAT, S.438.

36) Smend, EntstAT, S.158-160. Smend sieht eine besondere Nähe zu
den "jüngeren Schichten" der "redaktionellen Partien des dtr.
Geschichtswerkes" und zur Aussage über "die Möglichkeit erneu-
ter Heimkehr zu Jahwe" wie sie bei DtrN gemacht wird (S.159).

ment; jedenfalls die V.15-17 nach Jeremia anzusetzen, ist der Gebrauch von דרכי עמי [37]. Die Wege des Volkes werden bei Jeremia als negativ bewertet (4,18; 6,16; 15,7; 16,17)[38]. Demgegenüber sind die Wege des Volkes in 12,16 als vorbildlich angesehen, es ist, wie sogleich expliziert wird, der Schwur also das Bekenntnis zu Jahwe. Andererseits sind "die Wege" im Dtn die Wege Jahwes, die das Volk gehen soll, und nicht unmittelbar die Wege des Volkes. Jedoch verbindet das Dtn die Wege Jahwes an den genannten Stellen mit הלך während למד mit Begriffen wie Satzungen, Gebot, Jahwefurcht verbunden ist. Die "Wege des Volkes" in Jer 12,14-17 haben gegenüber Dtn noch stärker übertragene Bedeutung, sodaß sie mit למד verbunden werden können. Jedoch ist zu sehen, daß auch in unbezweifelt jeremianischen Worten למד für das Verhalten des Volkes verwendet wird (z.B. Jer 2,33; 9,4.19). Wir finden also in Jer 12,14-17 einen Text, der theologisch und sprachlich in der Nähe Jeremias und andererseits auch des Dtn steht, der aber auch bezeichnende Unterschiede zeigt.[39]

Zur Zeitgeschichte ist zu sagen:"Die Ankündigung einer Exilierung und Rückführung der Nachbarvölker durch Jahwe spielt in der nachexilischen Literatur kaum eine Rolle (vgl. hingegen die Aussagen

---

37) Rudolph schlägt sowohl im Kommentar als auch in BHK und BHS den Singular vor, wie er von LXX geboten wird. Doch der Hinweis auf 10,2 hat kaum Bedeutung und der typische Gebrauch von דרך in übertragener Bedeutung erfolgt im Dtn im Plural (z.B. 8,6; 17,9; 26,17; 28,9; Der Singular הדרך in übertragener Bedeutung steht im Dtn nie als nomen regens; siehe Lisowsky, Konkordanz, s.v.).

38) "Häufig tritt dazu das Adjektiv רעה; doch auch dort, wo diese negative Charakterisierung von דרך fehlt, hat der Ausdruck deutlich eine pejorative Nuance." Weippert, Prosareden, S.137.

39) Zu einem ähnlichen Ergebnis kommt Thiel, Redaktion, wenn er z.B. zum Stichwort נחלה sagt: "Die Wendung...ist freilich singulär" und weiter: "Es liegt hier also ein Bedeutungsumschlag in den spezifisch dtn. (und dtr.) Sinn von נחלה vor, den allerdings auch Jeremia gebraucht (2,7; 17,4)." (S.163). Thiel vermerkt auch den "hier singulär gebrauchte(n) Ausdruck 'die Wege meines Volkes lernen'", wie er die allzu sichere Einordnung des vorliegenden "Sprachgewandes" als dtr. bei Herrmann, Heilerwartungen, S.162-165, als "freilich nicht ganz so evident" bezeichnet.

in den Völkersprüchen Jer 46,19-26; 48,7; 49,3). Sie wäre aber in
einer Zeit zu erwarten, in der derartige Geschehnisse noch als möglich erschienen. So ist eine Herleitung des Abschnittes aus der
Exilszeit wahrscheinlicher."[40]

Von dieser Beobachtung her möchte ich Jer 12,14-17 ziemlich
nahe bei Jeremia einordnen.[41] In dieser Zeit der Krise wird also
in der prophetisch-lehrhaften (למד ! 12,16) Geschichtsbetrachtung
Heil oder Unheil des eigenen und der Nachbarvölker als vom Bekenntnis zu Jahwe und dem Lernen der entsprechenden Wege abhängig gesehen.
Diese Alternative wird konkret im Schwur bei חי יהוה gegenüber dem
Schwur "beim Baal".[42]

Hier bekommt nun der kämpferische Aspekt der SF, der z.B. in
den Elija-Elischa-Erzählungen in dem Gottesnamen צבאות[43] hervor-
trat, neue Relevanz. Der große und mehrere Jahrhunderte dauernde
Konflikt zwischen Jahwe und Baal ist hier im Rückblick auf die Ver-
gengenheit (כאשר למדו את עמי) und konditional für Heil in der
Zukunft auf den Begriff gebracht: Schwören bei der Lebendigkeit
Jahwes oder beim Baal.

4)   Jer 16,14.15 und 23,7.8.

Die beiden Verse stehen in 23,7f in ihrem ursprünglichen Zusammenhang,[44] sodaß wir hier einsetzen.

Das Wort bildet in 23,7f den Abschluß der Worte über die Könige
(21,1 - 23,8), insbesondere des Wortes gegen die bösen Hirten und
von der Verheißung der Sammlung der Herde und der Einsetzung von
Hirten, die ihre Aufgabe wahrnehmen (23,1-4).[45] Wenn diese neue

---

40) Thiel, Redaktion, S.163.

41) Die Untersuchungen von H.Weippert, Prosareden, zeigen, wie
    fraglich sowohl bestimmte, gerne gebrauchte sprachliche, als
    auch inhaltliche Kriterien sind (für unseren Text z.B. wichtig:
    daß der Alternativspruch nicht zur klaren prophetischen Ent-
    scheidung passe; vgl. S.60-63).

42) Diese Alternative wird auch in Jer 5,2 und 7 drastisch darge-
    stellt.

43) Es fällt immerhin auf, daß ausgerechnet bei Jeremia diese Got-
    tesbezeichnung äußerst häufig ist. Vgl. Baumgärtel, Gottesnamen.

44) So allgemein in der Literatur, z.B. Weiser, ATD, S.140 zu
    16,14f: "Es findet sich nocheinmal in 23,7f, wo es...ursprüng-
    lich sein dürfte."

45) V.7f knüpft insbesondere an V.3 an. Ob V.1f.4-6 von Jeremia

Zeit kommt, dann wird es auch die Zeit sein, "daß sie nicht mehr
sagen werden,'יהוה חי ,der die Israeliten aus Ägypten geführt hat',
sondern: 'יהוה חי , der heraufgeführt hat und der gebracht hat die
Nachkommenschaft des Hauses Israel aus dem Lande des Nordens und aus
allen Ländern, wohin ich sie verstoßen habe'; und sie werden wohnen
in ihrem Lande."

Wir finden hier die SF einerseits erstmals mit einer ausdrücklichen Bezugnahme auf Exodus (und Landnahme), andererseits mit der
ausführlichsten Erweiterung im ganzen AT.

Der Spruch bildet einen breit ausgebauten antithetischen Parallelismus membrorum mit einer überlangen zweiten Hälfte. Die Einheit V.7f mit ihrer Entgegensetzung der vergangenen und der zukünftigen Heilstaten Gottes hat ihren 'Sitz im Leben' nicht mehr im
Rechtsleben, auch nicht in der Bekräftigung von Entscheidungen und
Handlungsabsichten wie die Mehrzahl der bisher untersuchten Belege
der SF. Sie dient vielmehr der gläubigen Betrachtung des Handelns
Jahwes und will dazu und insbesondere zur Erwartung neuer, über-
wältigender Taten anleiten. Das Bekenntnis zu diesem Gott und seinen
Taten soll dann in der Eidesformulierung laut werden.[46] Diese geradezu pädagogische Absicht bewirkt die weit ausgreifende Formulierung in V.8.

Es ist jedoch durchaus vorstellbar, daß V.7 eine gebräuchliche
SF war. Wir sahen verschiedentlich, wie die SF mit Erweiterungen,
die das jeweilige Anliegen oder Bekenntnis ausdrückten, gebraucht
wurde. Es ist daher anzunehmen, daß auch und gerade auf das grundlegende Bekenntnis Israels von der Herausführung aus Ägypten Bezug
genommen wurde, um einem Eid Feierlichkeit und Gewicht zu verleihen.

Die entsprechenden Formulierungen finden sich in verschiedenen
Texten des AT[47], prägnant in der Präambel des Dekalogs, und immer
wieder erwähnt im Dtn (wie gerade auch im Dtn das Sabbatgebot durch
den Hinweis auf die Herausführung erläutert und eingeschärft wird).

---

stammen und V.3 zusammen mit V.7f ergänzt wurde (so Rudolph,
HAT, S.148: 7f "setzen wie 3 die jüdische Diaspora voraus...
als nachexilischer Zusatz zu beurteilen") oder 1-4 und 7f als
"von D formulierter Abschluß der Königstexte" gesehen wird
(so Thiel, Redaktion, S.248) macht dafür keinen Unterschied.

46) Hier ist zu erinnern an Dtn 6,13 und 10,20: Beim Namen Jahwes
zu schwören steht in Ergänzung und Parallele zu ihn fürchten,
ihm dienen, ihm anhangen.

47) Vgl. dazu vRad, Das formgeschichtliche Problem des Hexateuch.

Auffallend ist, daß hier im Gegensatz zum sonstigen Sprachgebrauch
des Dtn und auch dtr Texte[48] in Jer nicht הוציא sondern העלה
verwendet wird. Der Text scheint, so wie die Verwendung von עלה
Hi. in Jer 2,6 von älterer Tradition[49] abhängig zu sein, insbesondere Hosea (12,14), Amos (2,10 u.a.) und Micha (6,4). Der Verwendung
von העלה mag mit begünstigt sein durch das, besonders in V.8b in
Blick kommende Ziel der Rückführung.[50]

Dem העלה אשר יהוה חי folgt nun unmittelbar אשר הביא.
Dieses Hintereinander überrascht. Zwar wird הביא mit Jahwe als Subjekt im paränetischen Rahmen von Dtn gerne gebraucht, um auszudrücken,
daß Jahwe das Volk ins Land gebracht hat (z.B. 4,18; 6,10; 11,29;
30,2)[51], jedoch fehlt diese Verwendung völlig im Korpus von Dtn
(c.12-26)[52]. Andererseits wird העלה im Rahmen des Dtn gar nicht verwendet und auch im Korpus nicht in Bezug auf Exodus und Landnahme[53].

---

48) Nach der Klassifizierung bei Thiel, Redaktion. Die Ausnahmen,
     nämlich unseren Text und Jer 11,7, diskutiert Thiel, Redaktion,
     auf S.150.

49) Vgl. Wehmeier, עלה, THAT II Sp.288: "Die Formen mit ʿlh sind
     offenbar älter als die mit jṣʾhi. Sie begegnen bereits in den
     älteren Erzählungen (...), bei den frühen Schriftpropheten
     (...) und in vordeuteronomistischen Stücken des dtr. Geschichts-
     werkes (...)." "Aus der Verbreitung läßt sich schließen, daß
     die Formel mit ʿlh Hi. im Nordreich beheimatet war und an den
     dortigen Heiligtümern gepflegt wurde."

50) "Die 'Heraufführungsformel' eignet sich vor allem dazu, die
     Traditionskomplexe 'Herausführung aus Ägypten' und 'Landnahme'
     miteinander zu verbinden." Wehmeier, עלה THAT II, Sp.281.
     Elliger, BK, S.355f verweist zu Jer 43,20a darauf, daß in
     der späteren Exilszeit das Problem des Weges bedrängend war
     gegenüber dem Problem der Verfolger beim Auszug aus Ägypten.

51) Vgl. Lisowsky, Konkordanz, S.199.

52) Dtn 26,9 bildet eine eigene Tradition, die in das Korpus von
     Dtn aufgenommen ist. So besonders vRad, das formgeschichtliche
     Problem, und ders., ATD, S.113 z.St. Rost, Das kleine geschicht-
     liche Credo, S.11-25, hat hier näher differenziert: V.5 und 10
     sind alt, während V.6-9 sprachlich den "Rahmenreden des Dt
     und (der) Baruchbiographie" nahe stehen (S.16) und unter Josia
     anzusetzen sind (S.19.22).

53) Die einzige Stelle 20,1 gehört zu einem "mehrschichtigen Tra-
     ditionskörper" (vRad, ATD, zu 20,1-9). Sie gehört zu den parä-

Die "Herausführungsformel" ist außerhalb dieser Texte beheimatet
(vgl. A.49). Damit kommt aber auch die Verbindung von העלה und הביא
in diesen Texten nicht vor. Nun finden wir aber gerade diese beiden
Verben als Beschreibung für das Exodus- und Landnahmegeschehen in
Jer 2,6.7, einem Text, der Jeremia nicht ernsthaft abgesprochen werden kann. Jer 23,8 ist also in einer Tradition formuliert[54], die
auch Jeremia kennt und verwendet. Demgegenüber ist diese Formulierung im Dtn und in dtr. Texten fremd. Zudem ist es jeremianischer
Sprachgebrauch, Jahwes Herbeibringen der Völker mit הביא zu bezeichnen (5,15 das Volk aus der Ferne; 4,6 das Unglück aus dem Norden),
allerdings handelt es sich hier um die Feinde.

Wir kommen auch hier zu einem ähnlichen Ergebnis wie zu
12,14-17. Wir finden eine starke Nähe zur Sprache Jeremias und bei
Anklängen doch auch bezeichnende Unterschiede gegenüber Dtn und dtr.
Texten[55]. Von der zeitgeschichtlichen Voraussetzung und der konkret

---

netischen "Kriegsansprachen" (Dtn 7,16-26; 9,1-6; 31,3-8; vgl.
Smend, EntstAT, S.75). Es scheint sich um eine feste Formulie-
rung mit pf.Hi. עלה zu handeln, wie wir sie auch in Jos 24,17;
Jer 2,6 und Ps 81,11 finden (vgl. Lisowsky, Konkordanz,
S.1066-1068). Vermutlich handelt es sich um eine hymnische
Formulierung, "wie der Partizipialstil nahelegt" (Thiel, Redak-
tion, S.80) - und auch sein Vorkommen in Ps 81,11.

54) Das Nebeneinander von העלה und הביא begegnet uns außer Jer 2,6f
auch in Num 16,13f und Ri 2,1 (Wehmeier, עלה, Sp.289).
Num 16,12-15 "wird allgemein...für die älteste Erzählungsschicht
des Kapitels gehalten; es dürfte vom 'Jahwisten' (J) stammen."
(Noth, ATD, S.108). Der Kern von Ri 2,1-5 wird J bzw. N (siehe
Fohrer, EinlAT, S.215) zugewiesen. Der Abschnitt ist aber
'deuteronomistisch' ausgestaltet (Noth, ÜSt, S.9; Hertzberg
ATD, S.154f). Aber davon, wie Budde, KHC, S.16f, nur V.1a.5b
als ursprünglich und den Rest als "minderwertig" anzusehen,
ist man mittlerweile abgekommen. Die Überlegungen von Hertzberg, ATD, S.154f, machen die Beziehung auf Bethel wahrscheinlich (außerdem LXX !). So erscheint es möglich, ja sogar
wahrscheinlich, daß V.1b mit den in Bethel gebräuchlichen Formulierungen des Exodus- und Landnahmegeschehens in Verbindung
steht. (Vgl. den Hinweis auf Bethel bei Wehmeier, עלה ,
THAT II, S.288f).

55) Vgl. das bei Rudolph, HAT, S.17 zitierte Wort von Cazelles:
"autant de contacts que de différences".

ausgesprochenen Heilserwartung ergibt sich aber auch Distanz zu
Jeremia. Die hier ausgesprochene Sicht der Zukunft scheint in die
Exilszeit zu gehören und besonders von der Heilserwartung Hoseas
mitgeprägt zu sein (Vertreibung aus dem Land und neue Heilszeit,
Hos 2,4-25; 2,1-3)[56].

Sind die beiden Sätze in V.7 und 8 nun als Eidesformulierungen
anzusprechen? Wir haben gesehen, daß die Kombination mit der Gegenüberstellung eher einen pädagogischen Charakter trägt. Auffällig
ist die Einleitung mit ולא יאמרו, sie werden nicht mehr sagen,
statt, wie für die SF zu erwarten und bisher auch meist vorgefunden,
eine Form von נשבע, schwören. (Jer 4,2; 5,2; 38,16; ja sogar in
12,16). Diese Einleitung und die feierliche Formulierung legen nahe,
daß wir hier eine hymnische Formulierung mit einem entsprechenden
'Sitz im Leben' vor uns haben.

Das emphatische כי אם zeigt die Bedeutung und Feierlichkeit
der neuen Aussage[57]. Die Einleitung des Textes, V.7, "Siehe es werden Tage kommen, da werden (sollen[58]) sie nicht mehr sagen...son-
dern..." ist de facto die Aufforderung zu eben dieser neuen Aussage.

Wir kommen hier in eine erstaunliche Nähe zu dem, was Crüsemann
als die Form des "imperativischen Hymnus" erarbeitet hat.[59] Einige
Sätze aus seinen "Ergebnissen":

"1. Die Form des ältesten erhaltenen israelitischen Hymnus, des
Mirjamliedes, hat eine erstaunlich lange, aufweisbare Geschichte in
Israel gehabt und ist zur entscheidenden Grundform des Hymnus gewor-
den. Ihrem wichtigsten Kennzeichen nach - der imperativischen Mah-

---

56) Die hier zu Jer 12,14-17 und 23,7-8 gemachten Untersuchungen
   berechtigen, die Rede von der "dtr Redaktion" (besonders Thiel)
   in Frage zu stellen. Smend, EntstAT, S.159f weist auf die Vielschichtigkeit der dtr. Schule hin. Smend selbst scheint ein
   gewisses Unbehagen zu spüren: "...solange es keinen besseren
   Ausdruck gibt, auch hier (die Arbeit dieser Schule) in einem
   weiteren Sinne dtr. zu nennen". Vielleicht findet sich bald ein
   solcher besserer, d.h. zutreffenderer und damit brauchbarer
   Begriff.
57) Zum emphatischen Charakter der Partikel vgl. Muilenberg,
   Particle כי, S.140-142.
58) MT liest, wie die Setzung des Akzentes zeigt, Jussiv.
59) Crüsemann, Hymnus und Danklied ; besonders 1. Kapitel, "Der
   imperativische Hymnus", S.19-82.

nung zum Lob - kann sie als "imperativischer Hymnus" bezeichnet werden.

2. In diesem Typ des Hymnus werden die Kultteilnehmer oder einzelne Gruppen von ihnen mit pluralischen Imperativen zum Lobe Jahwes aufgerufen. Dieser Mahnung wird entsprochen, indem das eigentliche Gotteslob erklingt. Als dieses ist der durch ein deiktisches - nicht begründendes!- כי eingeleitete Satz zu betrachten, in dem in der Grundform mit einem perfektischen Verb, dessen Subjekt Jahwe ist und das an der Spitze des Satzes steht, Jahwes Heilstat besungen wird. Dieser ursprünglich ganz kurze כי-Satz ist seiner Funktion nach als "Durchführung" des im Aufruf Geforderten anzusehen.

4. Diese kurze und prägnante Form des Hymnus ist in verschiedenen literarischen Schichten und zu verschiedenen Zeiten in einer erstaunlichen Konstanz der Form nachweisbar. Dabei können Aufruf und Durchführung ihre ursprüngliche Funktion teilweise verlieren und zu rhetorischen Formeln erstarren.

5. Eine ganze Reihe der großen Hymnen des Psalters erklären sich einzig und allein aus einer Entfaltung dieser Grundform. Dabei kann jedes einzelne ihrer Formenelemente einen weiten Ausbau erfahren, wobei teilweise nicht hymnische Wendungen aufgenommen werden. Es ist erstaunlich, welche großen dichterischen Möglichkeiten dabei aus dieser so einfachen Grundform erwachsen und welch ungeheuren Reichtum sie allein aus sich entfalten kann.

9. Nicht eindeutig zu beantworten ist die Frage nach dem Sitz im Leben des imperativischen Hymnus. Daß es, pauschal gesagt, der Kult und zwar der Gottesdienst der Gemeinde war, ist schon von Ex 15,21 und den anderen Vorkommen der Grundform her nicht zu bezweifeln; auch liegen keinerlei Anzeichen dafür vor, daß die Form in spontanen, einmaligen Dankfeiern gelebt habe. Sie gehört in den regelmäßigen Kult und zwar ursprünglich an den Ort, an dem die grundlegenden, geschichtlichen Heilstaten Jahwes gefeiert werden. Ps 105 und 136 zeigen, daß dies sich bis in späte Zeit erhalten hat. Doch ist die Form in weitere Bereiche des Kultus eingedrungen. So hat sie einen Ort in der Klage des Einzelnen, wie Ps 107 zeigt, auch in Massendankfeiern, und lobt hier das Tun Jahwes an den Elenden; abgewandelt erscheint sie auch in Dankliedern Einzelner.

10. Es steht also fest, daß die Form nicht nur einem einzigen, eindeutig lokalisierbaren Ort im Tempelgottesdienst zukommt. Auch darin spiegelt sich ihre für den israelitischen Hymnus so grundlegende Bedeutung. Es verdient noch festgehalten zu werden, daß an

keiner einzigen Stelle ein direkter und unmittelbarer Zusammenhang von imperativischem Hymnus und Opferdarbringung bezeugt ist. Offenbar gehört diese für Israel und seinen Lobpreis so typische Form nicht zu den weitgehend durch die Umwelt geprägten Opfern."[60]

Zwar haben wir in unserem Text nicht die imperativische Aufforderung zum Lob (z.B. Singet Jahwe! Ex 15,21), aber es geht ja hier um die Beschreibung des entsprechenden Geschehens. Zudem findet sich in Jes 48,20 und Jer 31,7, zwei Texten, die zu dieser Grundform gehören, ebenfalls der Wechsel zu אמר, in Jer 31,7 zudem wie in 23,7 mit הנה und Partizip[61]. Die Zugehörigkeit zu dieser Gattung erklärt bestens das Fehlen von נשבע, es geht eben hier nicht um die Eidesleistung.

Zwar steht in Jer 23,7 das die Durchführung des geforderten Gotteslobes einleitende כי nicht, doch "auch wenn an diesen Stellen das כי fehlt, liegt ebenfalls die Form des imperativischen Hymnus vor"[62]. In V.8 ist dafür die deiktische Einleitung vorhanden.[63] Dieser Einleitung folgt nun das Verbum im Perfekt mit Jahwe als Subjekt.[64] Hier werden das alte und das neue Handeln Jahwes gegenübergestellt. Wenn Crüsemann zusammenfassend sagen kann: "Die wichtigste hymnische Form im Alten Testament ist der imperativische Hymnus, der zuerst im Miriamlied erscheint. Sein Sitz ist der regelmäßige Kult, sein ursprünglicher Inhalt die Erfahrungen von Jahwes geschichtlichem Handeln an Israel...Diese Durchführung (sc. des im Aufruf geforderten und mit כי eingeleiteten Lobes) besteht ursprünglich aus einem kurzen Satz, dabei ist Jahwe Subjekt des an der Spitze stehenden perfektischen Verbs. Diese Kurzform blieb lange lebendig, andere Elemente haben sich erst spät damit verbunden. Eine ganze Reihe von Psalmen erklärt sich allein aus einer Entfaltung dieser Form und ihrer einzelnen Elemente."[65] - dann läßt sich unser

60) A.a.O., S.80-82.
61) Siehe dazu a.a.O., S.50-52. In beiden Texten geht es zudem um die Rettung aus dem Exil. Jer 31,7-9 kündigt ebenfalls die Rückführung aus dem Norden an.
62) Crüsemann, a.a.O., S.34.
63) Möglicherweise verbietet die Negation in V.7 ein deiktisches כי.
64) Vgl. Crüsemann, a.a.O., S.24. Aus dem Vorliegen dieser Gattung erklärt sich vielleicht, daß die "Heraufführungsformel" nicht wie in Jer 2,6 und Ps 81,11 im Partizip steht.
65) Crüsemann, a.a.O., S.307.

Text sehr gut in diesen Zusammenhang einordnen. Wir hätten hier also einen Hinweis auf gottesdienstliche Feiern in denen in hymnischen Formulierungen Jahwes Lebendigkeit in Zusammenhang und Erinnerung mit dem Exodusgeschehen gepriesen wurde.[66] Dabei wird der Hinweis auf die Vergangenheit in Bezug gesetzt zu, und überboten von, Jahwes zukünftigem Handeln.

Von diesen Beobachtungen her ist nun die Wendung חי יהוה nochmals zu betrachten. Im imperativischen Hymnus erfolgen die Aussagen über Jahwes Handeln im Perfekt. Die Wendung חי יהוה steht dieser Interpretation offen. חי kann 3.m.sg.perfekt Qal darstellen, dann gebildet nach חיי.[67] Wir hätten eine Analogie zu Ps 18,47 vor uns, wo חי יהוה ebenfalls in diesem Sinn als Aussagesatz aufzufassen ist.[68] Die Aussage des Lebendigseins steht hier betont an der Spitze[69] - unabhängig von der Alternative Verbalsatz-Nominalsatz. In Jer 23,7f wird also in prädikativer Form festgestellt, daß Jahwe lebt/lebendig ist. Diese Aussage war anscheinend gebräuchlicherweise präzisiert durch die hymnische Aussage über sein Wirken beim Exodus aus Ägypten und wird jetzt neu verkündigt und präzisiert im Blick auf einen neuen Exodus aus der "Zerstreuung" und ein neues "Gebrachtwerden" (und "Wohnen" im Land)[69a].

Die Wiederholung von 23,7f in 16,14f erfolgt bis auf geringe Abweichungen wörtlich. Die Differenzen beziehen sich auf die Punktation von אמר (sg. passiv) und von נדח (3.pers. statt 1.pers. der Jahwerede) und eine Erweiterung der Aussagen über das Wohnen im

---

66) Hier liegt in gewisser Weise das Recht für Weisers häufige Bezugnahme auf Bundeskult und Kulttraditionen; Weiser, ATD, z.B. S.140, Jer 16,14f und S.87-90 zu 10,1-16. Jedoch sind seine entsprechenden Hinweise ziemlich undifferenziert und der vorausgesetzte Bundeskult ist ein beinahe zeitloses Geschehen.

67) Bauer-Leander, S.423.

68) Zumindest muß die Verbindung als prädikativer Nominalsatz aufgefaßt werden, mit חי als Adjektiv. Noch einfacher wäre das Verständnis als Verbalsatz. Zur näheren Diskussion dieser Alternative s.u.S.146ff zu Ps 18,47. Bedenkt man den Vorrang der gesprochenen Sprache vor den Kategorien der Grammatik, so ist zu vermuten, daß dem Israeliten sich kaum unsere grammatikalische Alternative stellte.

69) Für den Nominalsatz vgl.Brockelmann, Syntax, S.24f; § 27d.f.

69a) V.8b wirkt wie ein Zusatz, dessen Aussage in 16,15 noch weiter ausgeführt ist.

Lande (V.8b). Am auffallendsten ist das Fehlen der Parallele von
אשר העלה und ואשר הביא. Statt des הביא von 23,8a finden wir
השבותים (שוב hi) im erweiterten Satz 16,15b (23,7 steht auch von
daher jeremianischer Redeweise näher). Dieser Text scheint jünger
zu sein (tröstende Einfügung zwischen die Unheilsworte V.10-13.16ff
zur Verlesung in der Synagoge).[70]

Für die Frage der Datierung von Jer 23,7f haben wir gesehen,
daß die beliebt gewordene Klassifizierung als deuteronomistisch mit
Vorsicht zu behandeln ist. Der Sprachgebrauch schließt gut an Jeremia an (s.o.)[71], manches findet sich gegenüber Dtn und dtr. Texte
nur bei ihm. So gehört unser Text in die von Jeremia kommende Tradition. Zwar wird in unserem Text 23,7f eine Exilierung, ja auch
eine gewisse Form der Diaspora vorausgesetzt, doch ist diese Situation bereits zur Zeit Jeremias gegeben: Er kennt die Deportation des
Nordreiches (Jer 7,10.15; 30,14f; 31,15), er erlebt die 1. Wegführung
von 587 und auch darüber hinaus gibt es Israeliten, die im Ausland
leben, sei es freiwillig, sei es gezwungen, und wohl nicht ausschließlich in Ägypten.[72]

Noch mehr in Frage gestellt wird die Möglichkeit von Heilaus-

---

70) So etwa Rudolph, HAT, S.112.

71) Dazu paßt weiters die Beobachtung, daß נדח Hi. zwar häufig
im Buch Jeremia (z.B. 8,3; 27,10.15), und zwar immer im Sinn
der Exilierung, dagegen in dieser Bedeutung im Dtn nur in
Dtn 30,1 und 14 (dort Ni.), einem Text der Exilszeit (vgl. Noth, ATD, S.131), vorkommt. Das dtrG verwendet im
Tempelweihgebet für die Exilierung den "terminus technicus"
(Noth, BK, S.189 zu 1.Kön 8,46-51) שבה Q. In der theologischen
Begründung der Exilierung des Nordreiches (2.Kön 17) werden
verschiedenste Begriffe verwendet (Jahwe tat Israel von sein
Angesicht weg, סור Hi., V.18.23; er verwarf, מאס, V.20; er
gab sie in die Hände der Räuber, נתן, V.20; er stieß sie weg,
שלך Hi., V.20; er führte sie weg, גלה Hi., V.23) - aber נדח wird nie
in der erwähnten Bedeutung verwendet. Der einzige dtr. Beleg
2.Kön 17,21 bezieht sich, im Sinn von Dtn 13,6.11.14 und
Dtn 4,19; 30,17 (dort נדח Ni.) auf die Verführung weg von
Jahwe, hin zu anderen Göttern.

72) "Man denkt daran, daß frühestens seit dem 7., aber doch sicher
seit dem 6.Jahrhundert, als Folge der assyrischen und babylonischen Eingriffe in Palästina Israeliten und Judäer teils freiwillig, teils gezwungen ins Ausland gingen." Herrmann, GI, S.395.

sagen Jeremias für Juda. Zwar wird auch von einem entschiedenen
Bestreiter solcher Heilsaussagen die Heilserwartung Jeremias für
sich selbst und für das exilierte Nordreich betont festgehalten,
aber sein Kriterium für Aussagen über Juda bzw. gesamtisraelitische
Erwartungen ist doch: "Aber wie es in solchem Falle nicht anders
sein kann: was Juda verheißen wird, verrät nicht die Autorität des
Meisters aus Anathot!"[73] Merkwürdigerweise kann Herrmann dann von
den Wirkungen "von Jeremias sehr begrenzter aber darum umso wirk-
samerer Heilsbotschaft"[74] reden. Wie die Vielschichtigkeit der exegetischen Diskussion zeigt, ist "der Quellenbefund des Jeremia-
Buches" nicht so eindeutig, um - voraussetzungslos, wie Herrmann
doch wohl damit sagen will (S.231) - behaupten zu können, daß vom
Quellenbefund her "alle für Judas Zukunft positiven Sprüche einer
späteren Zeit angehören m ü s s e n."[75][76] Eher ist Rudolph zuzustimmen, der in Erwiderung auf Herrmann sagt: "Aber es ist nicht
einzusehen, warum der Prophet, der seine persönliche Heilsgewißheit
'zu einer Hoffnung des ehemaligen Nordreiches zu erweitern wagte',
dieses 'Wagnis' plötzlich nicht mehr riskiert haben sollte, wenn es
um sein eigenes Volk und Land ging."[77] Allerdings ist für Jeremia
im Gegensatz zu den Nabis, die jetzt schon fortwährend 'Heil' rufen,
"Heil erst nach der Katastrophe möglich. Deshalb erklingt bei ihm
das Heilswort nur für die, an denen das göttliche Strafgericht sich
erfüllt hat, zuerst für das Nordreich, dessen Stämme seit 100 Jahren
im Exil schmachten, dann für die mit Jojachin nach Babel Weggeführten
und erst zuletzt mitten im staatlichen Zusammenbruch für das Rest-
volk auf dem Boden Palästinas."[78][79] Zu dieser Rettung durch das

73) Herrmann, Heilserwartungen, S.231.
74) Ebd., S.238.
75) Ebd., S.231. Es scheint auch sehr fraglich, wieweit eine aus-
    gedehnte pseudepigraphische Tätigkeit einer dtr. Schule zu
    dem eben dort tradierten (und von Herrmann, S.237 mitten unter
    diesen Überlegungen zitierten) Gebot paßt: "Nichts sollst du
    hinzufügen und nichts davon wegnehmen." (Dtn 13,1).
76) Neuerdings greift H.Weippert, Das Wort vom Neuen Bund, VT 1979,
    S.336-351, das Problem von Gerichtsverkündigung, Ruf zur Um-
    kehr und Heilserwartung auf. Sie diskutiert die sich dabei
    ergebenden Spannungen in der Anthropologie und die zu erwar-
    tenden Möglichkeiten des formkritischen Vergleiches mit
    Texten aus Tell Der 'Alla.
77) Rudolph, HAT, XIIIf.

Gericht hindurch, die bereits Hosea erhofft, paßt die ausdrückliche
Erwähnung der Verstoßung durch Jahwe (23,7).

So wagen wir, Jer 23,7f - wenigstens in seinem Sinn _ als
Wort Jeremias aufzufassen.[80] Jedenfalls aber haben wir - auch diese
Einordnung genügt für unsere Fragestellung - ein Wort des 6.Jh. vor
uns, in dem die Lebendigkeit Jahwes als sich in Herausführung aus
Ägypten, und besonders jetzt in der neuerlichen Herausführung und
Rückführung aus der Exilierung (nach der ebenfalls durch Jahwe geschehenen Verstoßung), erweisend gesehen wird. Ausdrücklich wird
dabei festgestellt, daß die Verbindung mit der Aussage von der Herausführung aus Ägypten schon länger bekannt und gebräuchlich ist.
Diese ältere Aussage scheint, wie die Formulierung und allgemeine
Überlegungen zur Exodustradition vermuten lassen, besonders im Nordreich beheimatet gewesen zu sein. Zudem ergab sich, daß die Aussage
über Jahwes Lebendig-Sein hier ganz bewußt gemacht wird   (prädikativer Nominalsatz). Dieses Lebendig-Sein erweist er dabei im ge-
schichtsmächtigen, immer wieder neuen Handeln an seinem Volk.

Nachtrag: R.Albertz, Jer 2-6 und die Frühzeitverkündigung Jeremias, ZAW
94 (1982), S.20-47, unterscheidet eine Sammlung A (2,4-4,2, ohne 3,6-18),
in der Jer am Anfang seiner Wirksamkeit eine grundlegende relig. und
polit. Neuorientierung der, von der assyrischen Macht freiwerdenden Bevölkerung des ehemaligen Nordreiches erwartet und 'Israel' (=Nordreich!)
Heil ankündigt, von einer Sammlung B (4,3 - 6,30), die sich nach 609 bis
gegen 605 an Juda richtet, und wo die Gerichtsankündigung mit der "Bewegung...vom noch möglichen Heilsangebot (5,1) zur verpaßten Heilschance
(5,7)"(S.36) vorherrscht. - Dies beleuchtet die Ähnlichkeit und die Unterschiede von Jer 4,2 und 5,2, ebenso wie A. seinerseits die Nähe zu Hosea
betont (z.B. S.44). Die von A. angenommene Heilserwartung für das ehem.
Nordreich und die Beobachtung, daß mit 'Israel' immer dieses gemeint ist,
weiters Jeremias bevorzugter Rückgriff auf die "besonders im Nordreich
beheimatete Exodus- und Landnahmetradition" (S.44), machen es von daher
wahrscheinlich, Jer 23,7f mit dieser Phase der Verkündigung Jeremias zu
verbinden. Damit wäre das oben zu sagen Gewagte bestätigt bzw. noch über-
troffen (noch 7.Jh., allerdings nicht Juda). Der konkrete Ort und die
Wiederholung in 16,14f könnte in der "Komposition von Jeremiaworten ...
für den exilischen Klagegottesdienst" (A., S.45, A.74) begründet sein.

---

78) Rudolph, HAT, XIII.

79) Vgl. dazu auch den detaillierten und schönen Abschnitt "The
    Shape of Jeremias Hope" bei Blank, Jeremia, S.208-226; und
    Smend, EntstAT, S.163.

80) Jedenfalls müßte man doch eher von einer "Jeremiaschule" reden,
    als allgemein von "Deuteronomisten", die, wie Smend, EntstAT,
    S.160, immerhin sagt, "in vieler Hinsicht von dem Propheten
    gelernt" haben.

E. **Einzelbelege**: Ri 8,19; 1.Sam 1,26; Gen 42,15f; Rut 3,13;

                2.Chr 18,13; Ijob 27,2; Dan 12,7.

                Lachisch-Ostraka 3,9; 6,12; (12,3).

1. **Ri 8,19**

     Ri 8,19 gehört zu dem Komplex der Gideongeschichten von Ri 6-8.
Diese Kapitel scheinen aus verschiedenen Einzelstücken zusammengewachsen zu sein.[1] Hinweise dafür sind die zwei Namen Gideon und
Jerubbaal, weiters der Wechsel des Kampfplatzes und der Namen der
feindlichen Herrscher und schließlich, daß die Auseinandersetzung
einerseits den ganzen Stamm betrifft, andererseits - eben in unserem
Zusammenhang - es um Ausübung der Blutrache geht.[2] Diese Kapitel
von Ri tragen zudem Kennzeichen mündlicher Erzählformen und -strukturen, wie gerade auch ein Vergleich mit Texten aus 1. und 2.Sam
zeigt.[3]

     In Ri 8 finden wir Gideon im Ostjordanland auf der Rückkehr von
der Verfolgung der besiegten und vertriebenen Midianiter Nachdem er
die Anführer von Sukkot für die Verweigerung ihrer Hilfe gestraft
hatte, wendet er sich den Königen der Midianiter, Sebach und Zalmunna
zu. Im Verhör wird klar, daß die von den Midianitern Getöteten leibliche Brüder Gideons ("Söhne meiner Mutter") waren. Das bedeutet
den Tod der Midianiterkönige: "Beim Leben Jahwes, wenn ihr sie am
Leben gelassen hättet, würde ich euch nicht töten." Durch die unerfüllte Bedingung dieses Satzes[4] entspricht dies dem sonst geläufigen
Todesurteils מות יומת.

     Die SF wird hier also wieder zur Bekräftigung eines Urteils,
konkret eines Todesurteils verwendet. Interessant ist die Parallele
zu 2.Sam 4,9-11, wo ebenfalls der Bluträcher (dort David) das
Urteil indirekt (dort als rhetorische Frage gegenüber der rhetori-

---

1) Vgl. dazu die älteren literarkritischen Überlegungen z.B. bei
     Budde, Ri, KHC (1897), S.49-77 zu Ri 8; Noth, ÜSt, S.51: "schon
     in der alten Überlieferung aus allerlei verschiedenen Elementen
     zusammengesetzte(n) umfänglichen Gideon-Geschichte (Ri 6,1-8,32)";
     neuerdings besonders Richter, Untersuchungen, S.112-246.

2) Hertzberg, Ri, ATD, S.189.

3) Dazu: Gunn, Narrative Patterns, bes. S.308f.316f.

4) Vgl. auch die Syntax: לו mit Perfekt für die unerfüllbare Be-
     dingung. Ges.-Kautzsch, §159 l.

schen Bedingung bei Gideon) formuliert, mit der SF bekräftigt und
schließlich die Ausführung des Todesurteils an Dritte, bzw. einen
Dritten (hier der Sohn Gideons) übertragen wird. Die SF steht hier
also wieder im Bereich des Rechtslebens, und die Parallele, zu der
sich wohl unschwer weitere finden ließen,[5] spricht für eine gewisse
Verbreitung und Gebräuchlichkeit solcher Formulierungen als "Redeformen des Rechtslebens".[6]

Ri 6-8 bzw. 6-9 bilden eine größere Einheit und scheinen zur
"Geistesbeschäftigung" (A.Jolles) mit dem Thema der Entstehung und
Legitimität des Königtums zu gehören. Gideon ist der erste, dem
dieses Amt angeboten wird, und dessen (spätere?) Haushaltung
einer Hofhaltung nicht unähnlich scheint. Zugleich ist hier (8,22f)
die Ablehnung des Königstums mit einer klaren theologischen Alternative begründet: Jahwe oder König.[7] Diese Verse lassen Gideon in der
Alternative Charisma (und damit direkte Jahweherrschaft) oder Institution noch jenseits der Grenzlinie stehen. Demgegenüber rücken ihn
die folgenden Aussagen über seine persönlichen Verhältnisse, der
Name seines Sohnes (mein Vater ist König) und erst recht dessen
Herrschaftsbestrebungen geradezu mitten auf diese Grenzlinie und
sehr in die Nähe des Königs Saul. Es zeigt sich also eine sachliche
und literarische Nähe zu den Texten über die Anfänge des Königstums,
bis hin zu einer ähnlichen literar- und überlieferungsgeschichtlichen
Vielfalt. Für die SF ist nun interessant, daß nicht etwa die emphatische Ablehnung des Königtums mit ihr bekräftigt wird, sondern der
Tötungsbeschluß in Zusammenhang mit der Blutrache. Dieser Abschnitt
scheint zu den ältesten der Gideongeschichten zu gehören[8], wie auch

---

5) Siehe Gunn, Narrative Patterns.

6) Leider geht Boecker, Redeformen, nicht darauf ein; etwa unter
Anklage- und Urteilsformulierungen.

7) Budde, Ri, KHC, S.66: "Der Grund mit dem Gideon die Herrschaft
ablehnt, daß Jahwe (allein) über sie herrschen solle, entspricht
der Höhenlage von 1.Sam 8; 10,17ff; 12, die ihrerseits auf Hosea
fussen." - Dieser Hinweis auf die traditionsgeschichtlichen Zusammenhänge lassen 8,22f als relativ spät erscheinen. Vgl. Richter, Untersuchungen, S.235: "Die Verse lassen zunächst jeden
Bezug vermissen." Leider wird bei Richter nicht so recht deutlich,
wo er den für 8,22f verantwortlichen "Kompositeur" (S.236) einordnet. Anscheinend als identisch mit dem Verfasser des Retter-
buches im Nordreich etwa der Zeit Jehus (S.337-341).

8) Richter, Untersuchungen, S.227-230.242.

die Blutrache auf ältere Zeit weist.[9]

Dieser Bericht von der Blutrache wird nun vom Bearbeiter als Jahwekrieg dargestellt. Dieser scheint große Bedeutung für den Verfasser zu haben.[10] Dem Bearbeiter, der zugleich der Verfasser von Ri 6-8 ist, scheint wichtig gewesen zu sein, Gideon als königliche Gestalt darzustellen.[11] [12] Ist das Urteil - auch in seiner Form - ebenfalls ein königliches? Das ergäbe eine Verbindung zur Urteilsformulierung, die wir bei David fanden. Es scheint aber fraglich, ob man Gideon diese Formulierung in den Mund gelegt hätte, wenn sie erst mit dem Königtum entstanden wäre.

Unser Beleg für die SF steht also im Rahmen eines Textes der frühen Königszeit und im Zusammenhang des Rechtslebens, genauer gesagt der Institution der Blutrache. Die Struktur weist auf eine geprägte (mündliche) Form (vgl. 2.Sam 4,9-11). Weiteres s.u.S.266.

2. 1.Sam 1,26

1.Sam 1-3 bilden die Kindheitsgeschichte Samuels, die ein Vorbau zu den Erzählungen von der Entstehung des Königtums ist.[13] Kap. 1 berichtet vom alljährlichen Zug des Elkana und seiner beiden Frauen Hanna und Peninna nach Schilo. Hanna kränkt sich wegen ihrer Kinderlosigkeit. So betet sie zu Jahwe Zebaot um einen männlichen Nachkommen und tut ein Gelübde, diesen dann Jahwe zu überlassen (V.11). Eli, der Priester beobachtet sie bei ihrem leisen Gebet und entläßt sie mit der Zusage der Erfüllung ihrer (Eli unbekannten?) Bitte durch Jahwe. Der erbetene Sohn stellt sich ein und erhält den Namen Samuel

---

9) "Die Blutrache erfüllte in einer Welt, in der der Staat sich noch nicht zum Bürgen von Leben und Ehre des Einzelnen erhoben hatte, eine wichtige soziale Funktion..." Wildberger, Blutrache, BHH I, Sp.261.

10) Richter, Untersuchungen, S.241.

11) Richter, a.a.O., S.228: "Der Inhalt des Gesprächs ist Ziel des Abschnittes; es besteht in der Aussage, daß Gideon nach Gestalt und Charakter wie ein König sei, wobei ein Spruch diese Aussage unterstreicht."

12) Auch nach Richter gehört Ri 6-8 und unsere Stelle 8,19 in die Zeit von David und Salomo; a.a.O., S.229f.

13) Stoebe, Sam, KAT, S.84: "Vorbau zur eigentlichen Königsgeschichte."

14) Köhler, Archäologisches, ZAW 36 (1916), S.26f. Vgl. auch HAL I S.117.

(V.20). V21-28 berichtet die Einlösung des Gelübdes. Nach seiner Ent-
wöhnung wird der Knabe Samuel bei Gelegenheit des Jahweopfers nach
Schilo mitgenommen, und dort von Hanna an Eli übergeben. Dabei stellt
sie sich folgendermaßen vor: בי אדני חי נפשך אדני אני האשה
"Mit Verlaub mein Herr, bei deinem Leben mein Herr, ich bin die
Frau...."

Sowohl בי אדני als auch חי נפשך אדני sind dabei Formeln der
unterwürfigen, ehrfurchtsvollen Anrede. Erstere wurde als solche von
L.Köhler geklärt.[14] Die SF mit חי נפשך als ehrfürchtige Anrede
fanden wir auch bereits gegenüber Saul (von Abner) und David (von
der Frau aus Tekoa) gebraucht. Diese Form der unterwürfigen, höf-lichen Anrede scheint am Hof beheimatet gewesen zu sein. Nahe liegt
der Vergleich mit der erweiterten SF, die uns in 1.Sam 20,3; 25,26;
2.Sam 11,11 und 15,21 begegnete und mit der in 2. Kön 2,2.4.6 und
4,30 Elija bzw. Elischa angeredet werden. Wir fanden dort, daß die
Erweiterung Verehrung und Anhänglichkeit ausdrückt (s.o.S.44). Ob
diese Form der Anrede (חי נפשך) an andere Personen als den König
von jeher möglich war, oder es sich um spätere Ausweitung des Gebrauchs handelt, ist schwer eindeutig zu sagen, eher scheint Letzteres der Fall zu sein.[15] Jedenfalls ist zu sagen, daß nur "persons
of exceptional importance"[16] so angesprochen wurden - sofern und
soweit die Belege des AT repräsentativ sind.

Der Beleg 1.Sam 1,26 scheint ebenso wie 1.Sam 1-3 insgesamt in
eine spätere Zeit zu gehören, nicht allzulange vor der Entstehung des
dtrG[17], wofür auch die etwas verblaßte Form des Nasireats spricht[18].

3. Gen 42,15.16

Die beiden Vorkommen der SF in Bezug auf den Pharao finden sich
in Gen 42,15.16, also etwa in der Mitte der Josefsgeschichte, an einem Höhepunkt der Erzählung, nämlich der Begegnung der Brüder mit
dem noch unerkannten Josef als dem ägyptischen Regenten.

Josef hatte seinen Brüdern, die gekommen waren, um Getreide zu
kaufen, soeben vorgeworfen, Spione zu sein (V.9). Dieser Vorwurf
wird entschieden abgelehnt (V.10). Josef wiederholt die Anschuldigung
(V.12), die Brüder wiederholen ihre Verteidigung unter dem Hinweis

---

15) So auch Caspari, Sam, KAT, S.31.
16) Mettinger, King and Messiah, S.133.
17) Stoebe, Sam, KAT, S.88.
18) Stoebe, a.a.O., S.97.

auf ihre Familienzugehörigkeit (V.13). Josef erneuert seine Beschuldigung nochmals und gibt dann an, wie er die Sache klären will: "Dadurch sollt ihr geprüft werden: Beim Leben des Pharao, ihr sollt nicht von hier wegkommen, außer wenn euer jüngster Bruder hierherkommt. Schickt einen von euch, der soll euren Bruder herbeiholen. Ihr aber sollt gefangen sein. (So) sollen eure Worte geprüft werden, ob Wahrheit bei Euch ist. Andernfalls: Beim Leben des Pharao – dann seid ihr Spione! Und er legte sie zusammen ins Gefängnis für 3 Tage." (V.15f) Die Brüder stehen also unter Anklage. Diese Anklage kann entkräftet werden durch Herbeiholen des Bruders, wodurch bewiesen wäre, daß sie wirklich Söhne ihres Vaters sind. Andernfalls verwandelt sich die Anklage zum Urteil: "ihr seid Spione!", was wohl kaum eine andere Konsequenz als die Todesstrafe mit sich brächte.[19] Dieses Anklage-Urteil und die Möglichkeit der Abwendung werden mit der SF bekräftigt. Der 'Sitz im Leben' ist wieder die Gerichtssituation, wobei es, wenn auch unausgesprochen, um Tod und Leben geht. Bezeichnend ist, daß auch hier wieder Bedingungen für das Urteil gestellt werden (vgl. oben zu Ri 8,19 und 2.Sam 4,9), hier jedoch erfüllbare. Dies weist auf geprägte Strukturen und einen entsprechenden Rechtsbrauch hin.

Diesen 'Sitz im Leben' der SF hatten wir bereits verschiedentlich beobachtet. Hier haben wir jedoch die Besonderheit, daß sie von einem Israeliten in Ägypten gesprochen wird, unter Verweis auf den Pharao (und nicht Jahwe!). Dazu kommt das Problem der Entstehungszeit der Josefsgeschichte und ihrer literarischen Eigenart, das gerade derzeit weit divergierende Antworten findet.

Exkurs: Zur Datierung der Josefsgeschichte

Für die ältere literarkritische Lösung mit Verteilung des Stoffes auf J und E siehe Gunkel, Gen, HK, S.395-401, wobei bereits in der Übersicht auffällt, daß beide Quellen als in allen Abschnitten der eigentlichen Josefsgeschichte beteiligt dargestellt werden (S.395). Zu einer ähnlichen Aufteilung (Ruben-Version, Juda-Erweiterung), wenn auch ganz unabhängig von J und E und mit Datierung in die Zeit 7./5.Jh kommt Redford (Study of the biblical story of Joseph, 1970, S.182-186.242).

Als Ägyptologe untersuchte Vergote (Joseph en Egypte, 1959) die ägyptischen Elemente der Erzählung und kam zu dem Ergebnis, daß die

---

19) Redford, Story of Joseph, S.232.

Josefserzählung, bzw. die Grunderzählung für Gen 37-50, ins 13.Jh
gehört (S.207). Dagegen sieht Redford diesen "Egyptian background of
the Josephstory" als mehr oder weniger fiktiv. Er kommt zu seiner
späten Datierung (7./5.Jh) jedoch gerade auch von den ägyptischen
Elementen der Erzählung her (S.187-243).

G.v.Rad trennte die Josephserzählung als Größe sui generis von
den Erzvätererzählungen (Gen, ATD, S.303f. 379-384), zog aber nicht
die Konsequenz, sie auch von J und E zu trennen, und, trotz seiner
Betonung der Geschlossenheit der Erzählung, ohne die Quellenscheidung
aufzugeben. Möglicherweise, weil die Trennung von J auch die Trennung
von der Zeit der von vRad gerne so genannten "salomonischen Aufklärung" hätte bedeuten können. (Diese Lieblingsidee erstmals in vRad,
Geschichtsschreibung, S.187f; von Haus aus ungeklärt bleibt dabei
die Verbindung mit E). Wie vRad die Quellenscheidung selbst durch-
bricht, zeigt sich etwa Gen, ATD, S.338, wo er die Wiederholung im
Eigensinn des Alten (Jakob) begründet sieht, oder im Zusammenhang
unseres c.42, das zu E gerechnet wird, wo ihm die "eigentümlich welt-
liche, moderne Form" auffällt, in der sich die Gewissensqualen Josefs
aussprechen (a.a.O.,A.336). - Eine Eigenart, die er sonst der salomonischen Aufklärung zuschreibt, und damit eigentlich zu J gehören
müßte.

Bei diesen Inkonsequenzen setzt H.Donner (Die literarische Gestalt der alttestamentlichen Josefsgeschichte, 1976) ein. "Alles was
über den Charakter und die Darstellungsweise der alten Pentateuchquellen bekannt ist, fordert dazu heraus, aus G.vRads formgeschichtlicher Bestimmung und Neuinterpretation eine Konsequenz zu ziehen,
die er selber nicht gezogen hat. Man kann nicht beides haben: die
Josefsgeschichte als Novelle u n d als Bestandteil der Pentateuchquellen J und E. Entweder ist sie doch ein Sagenkranz,...dann ist
sie in einer jahwistischen und in einer elohistischen Fassung denkbar und zu erwarten. Oder sie ist in der Tat eine Novelle im Sinn
G.v.Rads, dann gehört sie weder zu J noch zu E, sondern ist als eine
literarische Größe für sich anzusehen." (S.14). Nach einer Prüfung
der Quellenscheidungskriterien kommt Donner zu dem Ergebnis, daß
die Josefserzählung eine Novelle sei. Donner schließt sich hier also
vRad an und führt ihn weiter. Besonders weist er auf das Kompositionsprinzip der Doppelung, das Quellenscheidung ersetzt (S.36ff). Donner
sieht auch eine Nähe zu Ri 9, zur Thronfolgegeschichte Davids und
zu 1.Kön 12 (S.13) und schließt sich schließlich der Datierung vRads
an, nämlich in die Nähe der Zeit Salomons (vRad, Gen, ATD, S.380;

Donner, S.24). Die Josefsnovelle wäre dann später vom Jehovisten (an Stelle einer entsprechenden kürzeren Notiz) in sein Werk eingefügt worden (S.25f). Donner geht damit zugleich zeitlich etwa einen Mittelweg zwischen Vergote und Redford, denen er beiden "ägyptologische Überinterpretation" vorhält: "Das ägyptische Lokalkolorit der Josefsnovelle beruht viel stärker auf der Erzählkunst ihres Verfassers als auf belegbaren ägyptischen Details." (S.13 A.16)

Angewandt auf unsere Stelle empfehlen diese Erkenntnisse zunächst Zurückhaltung gegenüber dem ägyptologischen Vergleich. Sicherlich, der Eid beim König findet sich häufig in den ägyptischen Quellen,[20] gerade auch in rechtlichem Kontext.[21] Daraus ist aber nur zu schließen, daß dem Verfasser - und eventuell den Zeitgenossen - diese Formulierung bekannt war. Die Besonderheit, daß in rechtlichen Situationen vor allem der Pharao als Herr, in anderen Situationen der Name eines Gottes, einschließlich Pharaos, angerufen wurde[22] deckt sich mit Gen 42. - Diese Eigenheit erlaubt vielleicht dem Verfasser die auffallende Bezugnahme auf den Pharao. Der Eid bei einem Gott war ja zugleich Bekenntnis zu diesem (s.o.S.104).Für den Erzähler handelte es sich wohl um einen Eid beim Pharao als Herrn des Rechts, nicht als Gott.[23] - Sofern man dem Verfasser diese Kenntnis fremder Verhältnisse und dem Ägypter ein Bewußtsein dieser Differenzierung zutrauen darf. Spätestens hier zeigt sich aber, wie der ägyptologische Vergleich durch die Besonderheit des israelitischen Gottesglaubens an eine Grenze kommt.

Die Alternative assertorischer oder promissorischer Eid ist etwas schwierig zu entscheiden. Fest steht nur die Anklage. Beweisverfahren und Urteil stehen noch aus. Das Urteil ist eher assertorisch (deklaratorisch), der beabsichtigte Beweisgang eher promissorisch zu verstehen.

---

20) Wilson, Oath in Ancient Egypt (1948), S.129-156. S.u.S. 3C5ff.
21) Vgl. die Diskussion bei Redford, Story of Joseph, S.233 A.2.
22) Wilson, Oath in ancient Egypt, S.154.
23) Vgl. vRad, Gen, ATD, S.382: "So wird z.B. dem Leser die Frage, ob Joseph trotz des in Kap.41; 44,5 Erzählten noch jahwegläubig war, nicht beantwortet." Hier könnte man auch unsere Stelle anführen. Daß das Problem noch keine (explizite) Rolle spielt, spricht nebenbei gegen eine zu späte Abfassung der Erzählung (gegen Redford). - Vgl. "Bekenntniseid", s.o.S. 104f.112-115.

Die SF in Gen 42,15.16 verweist somit wiederum auf einen 'Sitz im Rechtsleben'. Es geht um Leben oder Tod. Allerdings ist das Urteil hier noch offen und vom beizubringenden Beweis abhängig. Die Nähe der Josefsgeschichte zur Zeit Salomos und zu Kreisen der Weisheit erlaubt, die Kenntnis ägyptischer rechtlicher Vorgänge anzunehmen, worauf auch die "theologisch richtige" Anrufung Pharaos verweist.[24] Daneben ist aber spezifisch israelitische Ausprägung anzunehmen, auf Grund des Vergleichs mit Ri 8 und 2.Sam 4.

4. **2.Chr. 18,13**

Diese Stelle ist die Parallele zu 1.Kön 22,14, der Erzählung von Micha ben Jimla und der gemeinsamen Kriegsunternehmung des judäischen und israelitischen Königs (s.o.S. 87-96). Kontext und Formulierung sind praktisch identisch. Nur findet sich in Chr. statt Jahwe: mein Gott (אלהי) und es fehlt das "mir" (אלי) "Beim Leben Jahwes, was mein Gott sagen wird, das will ich reden" statt "... was Jahwe mir sagen wird...". Der Hauptteil des Kapitels ist annähernd wörtlich aus 1.Kön übernommen.[25] Der Wechsel אלהים - יהוה ist kaum von Bedeutung.[26] Das Personalsuffix ("meinGott") statt אלי bedeutet vielleicht die engere Verbindung des Propheten mit seinem Gott in der für den Chronisten jedenfalls problematischen[27]

---

24) In diese Richtung verweisen auch die, den Fortgang der Handlung nur verzögernden 3 Tage im Gefängnis. Gunkel, Gen, HK, S.444, sagt dazu etwas ratlos: "Und so handeln orientalische Beamte". Bei den von Wilson, Oath in Egypt, zitierten Eiden findet sich wiederholt: "He was examined with the stick and placed under arrest" (S.136, Nr.34 und S.137 Nr.44). Das Gefängnis scheint hier noch, wie die Folter, ein Mittel der Wahrheitsfindung, nicht das Urteil darzustellen.

25) Rudolph, Chronik, HAT, S.253.

26) Willi, Chronik als Auslegung, S.125: "Auf das Ganze gesehen wird man also in der Chronik von einer Gleichwertigkeit des Eigennamens und des Appellatives bei der Gottesbezeichnung reden dürfen; eine theologische Tendenz läßt sich in keiner Weise feststellen." Ebenso bereits Rudolph, Chronik, HAT, S.215 zu 2.Chr 17-20.

27) Noth, ÜSt, sieht das zentrale Anliegen im "Nachweis der Legitimität des davidischen Königtums und des Jerusalemer Tempels als der echten Jahwekultstätte" (S.174). Das Gegenüber ist da-

Umgebung des Nordreiches. Doch auch in 1.Kön 22 war die Verbundenheit des Propheten zu Jahwe betont. Aus all dem ergeben sich keine
für unsere Frage relevanten Schlüsse.

Es fällt auf, daß die SF in der ganzen Chronik nur hier begegnet. Dies liegt daran, daß der Chronist gerade die Abschnitte im
dtrG übergeht, in denen wir die SF fanden: Die ausführliche Darstellung setzt erst mit Davids Königtum über Gesamtisrael und der
Eroberung Jerusalems ein (1.Chr 10,1; 11,9).[28] Dadurch entfällt
die sog. Aufstiegsgeschichte, und die Texte aus dem Bereich der sog.
Thronnachfolgeerzählung passen nicht zum rein positiven Davidsbild
des Chronisten.[29][30] Bei der hohen Wertschätzung des Prophetentums
durch den Chronisten[31] fällt es besonders auf, daß die Elija-Elischa-Erzählungen in dtrG völlig übergangen werden. Lediglich einen
Brief Elijas an Joram finden wir im Sondergut des Chronisten (II
21,12-15). Dieser Brief gilt dem judäischen König. Es fehlt jede
Bezugnahme auf ein sich nur im Nordreich abspielendes Geschehen.
Selbst ein Elija ist nur von Bedeutung in seiner Beziehung zu Juda

bei die samaritanische Gemeinde (vgl. auch S.177f). Willi,
Chronik als Auslegung, wendet sich "gegen diese behauptete
Frontstellung der Chronik gegen die Samaritaner alias Nordis-
raeliten." (S.222). Aber auch bei der Konzentration darauf,
"die Verwirklichung der Theokratie auf dem Boden Israels (zu)
schildern" (Rudolph, Chronik, HAT, S.VIII, dem sich Kaiser,
EinlAT, S.170, anschließt) ergibt sich ein kritisches Verhältnis zur Nachbarschaft, durch die kultische Komponente speziell
zu den Nachbarn im Norden, eben den "Samaritanern". Vgl. Welten, Chronikbücher, S.172f und 204f.

28) "...eine wohlüberlegte Auswahl. Er kennt nur drei Themen: das
Königtum Davids über Gesamtisrael, die Überführung der Lade
und die Vorsorge für den Tempel." Rudolph, Chronik, HAT, S.195.

29) "Die Züge aus seinem Leben, die dieses Bild beeinträchtigen
könnten, werden übergangen". Ebd.

30) Ähnliches gilt bezüglich 1.Kön 1f für Salomo: "In dieses
Bild des gottgesegneten, machtvoll regierenden Herrschers...
..paßt weder die peinliche Art seiner Thronbesteigung (1 Rg 1)
noch sein blutiger Regierungsbeginnn(1 Rg 2)..."
Rudolph, Chr. HAT, S.226.

31) Vgl. Willi, Chronik als Auslegung, S.216-229 und allein schon
die Nennung der vielen prophetischen Quellen; vgl. dazu Kaiser, EinlAT, S.164f.

und Jerusalem. - Ob dies allein in der Konzentration auf das Davidische Königtum und den Jerusalemer Tempel begründet ist, oder auch
eine antisamarische Polemik beinhaltet, ist schwer zu entscheiden.[32]

Für die Aufnahme unseres Abschnittes 1.Kön 22 in 2.Chr 18 gibt
es bedeutsame Argumente: "...there must have been compelling reasons
for its inclusion by the writer; these are not difficult to discover
in the light of his over-all views of religion. The most obvious
reason for the Cronicler's copying of the story is that it concerns
itself with a prophet...Perhaps the outstanding significance of the
whole episode to him was the fact that Micaiah unlike the official
prophets of Ahab was a true prophet of Yahweh. That the king of the
Davidic line insisted upon calling in this prophet of Yahweh must
have made a deep impression on the writer - Micaiah the prophet of
Yahweh versus "your prophets" (vs.22)."[33]

5. Rut 3,13

Die SF in Ru 3,13 steht im Zusammenhang der bekannten nächt-
lichen Szene auf der Tenne des Boas. Rut war von Noomi zu Boas ge-
schickt worden, um von ihm des Nachts die Ehe zu erbitten. Boas ist
sichtlich erfreut und lobt Rut's bisheriges Verhalten in überschwenglichen Worten, weist aber dann darauf hin, daß ein anderer an erster
Stelle als Löser in Frage kommt: "Ja, es ist wahr, daß ich ein Löser
bin. Aber es ist noch ein Löser da, näher verwandt als ich. Bleib
über Nacht hier. Will er dich dann am Morgen lösen, gut, so mag er
lösen; will er dich aber nicht lösen, dann will ich dich lösen,
חי יהוה." (3,12-13)[34] Am nächsten Morgen findet die Verhandlung

---

32) Die antisamarische Polemik betont besonders Noth, ÜSt, S.176f
   u.a. Jedoch könnte man fragen, warum dann nicht die Konflikte
   Elijas mit dem Israel seiner Zeit in die Polemik integriert
   wurden. So scheint doch die Konzentration auf Jerusalem im
   Vordergrund zu stehen.
33) Myers, II Chronicles, AncB, S.104f.
34) Zur Textkritik: Die Syrische Version läßt die SF aus,
   LXX-Vaticanus hat zusätzlich zur SF "σν ϵι κνριος". Die
   Syr. Version erklärt sich daraus, daß die syr. Übersetzung
   allgemein freier ist, vielleicht auch "aus mangelnder Kenntnis
   des Hebräischen" (Gerleman, Ruth, BK, S.3f). Die Abweichung
   von LXX-Vaticanus geht vermutlich auf Dittographie zurück
   (Gerleman, Ruth, BK, S.30).

vor den Ältesten des Ortes statt und führt zu dem erhofften Ergebnis.

Die SF hat hier die Funktion eines promissorischen Eides. Boas verspricht , sich für die Sache der Rut einzusetzen und diese weiterzuverfolgen. Zwar steht die SF noch nicht direkt im Kontext der Verhandlung, aber Boas stellt alles Weitere als Rechtssache dar und will sie als solche behandeln.[35] Ja, bereits Rut begründet ihre Bitte mit כי גאל אתה, denn du bist der Löser, und stellt "das rechtliche Moment in den Vordergrund."[36] Zwar sind die rechtlichen Vorstellungen   in c.4 (Levirat und ge'ulla) für uns nicht in allen Einzelheiten klar,[37] eindeutig aber ist, daß wir uns hier im Bereich des Rechtslebens befinden und der Fall dort verhandelt wird, wo er als Rechtsfall seinen Platz hat: im Tor (4,1). Die SF bezieht sich hier nicht, wie etwa 1.Sam 28,10 oder 2.Sam 14,11.19 bzw. auch 1.Sam 14,39.45 direkt auf das Urteil, sondern, ähnlich wie in Gen 42,15f, auf die Aktion, die den Sachverhalt klarstellen und damit die Entscheidung herbeiführen soll. Von Seiten des Boas allerdings ist das mit der SF bekräftigte Wort bereits die Entscheidung soweit sie von ihm abhängt. Er wird - sofern die Reihe an ihn kommt - die Aufgabe des Lösers übernehmen.

In welche Zeit gehört unser Beleg? Die Versuche einer zeitlichen Einordnung divergieren beträchtlich, von einer Einordnung in der frühen Königszeit[38] bis hin zur persischen Zeit als Protest gegen die Mischehenregelung Esras[39]. Letzteres ist heute durchweg

---

35) "Boas faßt die Angelegenheit als eine Rechtssache auf, die er ohne Aufschub fertigbringen will." Gerleman, Ruth, BK, S.32.

36) Rudolph, Ruth, KAT, S.56.

37) Vgl. dazu den Exkurs bei Rudolph, Ruth, KAT, S.60-65. Zu spekulativ ist R.Gordis, Love, Marriage and Business in the Book of Ruth, der selbst zugibt, daß das von ihm postulierte Verständnis von מכר und קנה sonst nirgendwo belegbar ist (S.258). Die Einordnung von Rut als eine nachexilische Erzählung "that tells a moving story of a distant and idealized past" (S.259) ist zudem eine zu oberflächliche Beantwortung der Fragen nach Aussage, Zweck und Sitz im Leben dieser Schrift.

38) So neuerdings wieder Campbell, Hebrew Short Story, S.92: "For Ruth itself, I see little difficulty in positing a tenth-century date for its present form in all essential aspects minus only the last five verses."

aufgegeben,[40] für nachexilische Abfassung verweist man auf ausgeführten Stil, Weichheit und Zartheit der Empfindung und altertümeln-
de Darstellung von Sitten der Urzeit[41]. Das Argument, daß die
Richterzeit nur roh und wild gewesen sein könne[42] ist unhaltbar.[43]
Schwer zu bestimmen ist das Verhältnis von Rut zu den Leviratsbe-
stimmungen von Dtn 25,5ff, und auch die übrigen Rechtsbräuche sind
chronologisch schwer einzuordnen.[44] Andererseits setzt die Bemerkung über die Richterzeit (1,1) eine gewisse Distanz zu dieser voraus, jedoch nicht notwendigerweise die dtr. Konzeption dieser Epoche.[45] Distanz zur älteren Zeit setzt auch die Erklärung des
Brauchs des Schuhausziehens voraus. Vermutlich darf man an den Ersatz von symbolischen Handlungen durch schriftliche Verträge denken.[46] Von diesen und weiteren, in den Kommentaren und Einleitungen[47] diskutierten Erwägungen her, scheint uns eine Einordnung von
Rut in die späte Königszeit[48] oder in die Zeit bald[49] nach dem
Exil am ehesten zuzutreffen. Jedenfalls ist das Vorhandensein alter
Tradition des Rechtslebens und Brauchtums zu beobachten, die uns
damit auf Verhältnisse der früheren Königszeit verweisen.

---

39) Bertholet, Ruth, KHC, S.52: "Dagegen meine ich, daß sich unsere
    Geschichte am Besten verstehen lasse aus der Zeit Esras und
    Nehemias selber heraus, und zwar als Äußerung aus dem Kreise
    der gegnerischen Partei..." - Immerhin von Bertholet gegen
    eine noch spätere Datierung gesagt!

40) So bereits auch Gunkel, Ruthbuch, RGG^2 IV, Sp.2182.

41) Ebd.

42) Ebd.

43) Trotz der kriegerischen Ereignisse setzt die Existenz eines
    Volkes die Möglichkeiten des Alltagslebens und den Gang von
    'Saat und Ernte' voraus. Die Ereignisse des Richterbuches
    lassen dies durchaus zu, und auch der, wenn auch schematisierte
    (Ri 2,6 - 3,6), Wechsel von Frieden und Bedrückung dürfte in
    gewisser Weise zutreffen.

44) Vgl. Kaiser, EinlAT, S.177.

45) Mit Rudolph, Ruth, KAT, S.27 gegen Kaiser EinlAT, S.177.

46) Vgl. dazu Rudolph, Ruth, KAT, S.27f, der diesen Übergang als
    bereits vor 700 beginnend sieht.

47) Siehe die in diesem Abschnitt bisher zitierten Werke.

48) So neuerdings Rudolph, Ruth, KAT und Gerleman, Ruth, BK.

49) Dies scheint am ehesten die Position von Würthwein, Ruth,
    HAT zu sein.

Interessant ist die von Campbell auf Grund gattungskritischer
und gattungsgeschichtlicher Überlegungen vorgetragene Meinung. Demnach gehe Rut zurück auf "storytellers operating probably outside
the main city centers and engaged in both entertainment and edification on the popular level."[50] Die Aufgabe eines solchen storytellers sei es gewesen, "to entertain and to edify at the village
gate...to portray in popular terms the critical issues of the day -
for example international affairs. His it was to bring the court
to the people, even perhaps to tell them of their kings humble
origins."[51] Von hier aus sieht Campbell sogar eine gewisse Verwandtschaft zur Thronfolgeerzählung, wenn auch auf unterschiedlichem Niveau.[52] Etwa auch in einer "theology of the working of God
from the shadows, such as characterises the Joseph narrative, Ruth,
and, in its rather special way, the prose narrative of Job.[53] Von
daher ergibt sich eine interessante Perspektive für die oft beobach-
tete Nähe zu Pentateuchstoffen[54], die ja in dieser Zeit des früheren Königtums "verschriftet" wurden. Das Problem der Datierung des
Buches Rut ist also sehr stark ein Problem der Gattungs- und Überlieferungsgeschichte.[55][56] So interessant Campbells Überlegungen
sind, so sind sie doch eher geeignet, Konturen zu verwischen als
zu präzisieren. Die von ihm postulierten storytellers mit ihrer
Aufgabe von "both entertainment and edification on the popular le-

---

50) Campbell, Hebrew Short Story, S.99.

51) Campbell, ebd. S.92.

52) Ebd. und S.93: "I suggest that the major difference is not so
    much a matter of form or style but of audience."

53) Ebd.

54) Kaiser, EinlAT, S.177: "die deutliche Rückbeziehung der Er-
    zählung auf Motive aus dem Pentateuch". S.173: "Mit den alten
    Formulierungen verwandt". Zu einzelnen Stellen und Wendungen
    vgl., Gerleman, Ruth, BK, z.B. S.13 (1,1 - Gen 12,10; 26,1);
    S.26 (2,10f - Gen 12,1ff); S.37f (4,11-17 - Verbindung zu Ra-
    hel, Lea, Perez; Gen 30,3-13) u.a.

55) Dies gilt bis hin zu Würthwein, Ruth, HAT, (Einleitung) und
    Smend, EntstAT, S.216, die die relativ jüngeren weisheitlich-
    lehrhaften Aspekte betonen.

56) Diese Sicht kommt in die Nähe von Gunkel, Ruthbuch, RGG^2 IV,
    Sp.2182. Die ältere Gestalt des Stoffes scheint mir aber wesent-
    lich näher zur Endgestalt zu stehen, als es sich Gunkel vor-
    stellt.

vel" (vgl. A.50) passen praktisch in jedes Jahrhundert der israelitischen Geschichte.

Auch wenn man die Entstehung des Buches in etwas spätere Zeit
setzt, so hat die Erzählung doch alte und wahrscheinlich über Jahrhunderte hinweg konstante Elemente erhalten. Dies wird insbesondere
von der in c.4 in Erscheinung tretenden "hebräischen Rechtsgemeinde"[57] gelten. Die diesbezüglichen Beschreibungen im Buche Rut werden sowohl für die Zeit, von der es erzählen will, gelten, als auch
durch praktisch die ganze Königszeit hindurch.[58] So wie die Vorgänge des Rechtslebens, wird auch die uns hier begegnende Verwendung der SF ihren entsprechenden lang andauernden Gebrauch gehabt
haben. Die Verwendung der SF bei der Formulierung der Entscheidungen und der Urteile verweist auf die allgemein orientalische Sicht
der Gottheit als Urheber des Rechts;[59] diese Sicht wird auch in
der 'hebräischen Rechtsgemeinde' in Bezug auf Jahwe lebendig
gewesen sein. Erst recht wird der "Verfasser der Novelle", der sie
"religiös vertieft" hat,[60] den Jahwenamen und den Schwur "(beim)
Leben Jahwes" an diesem Höhepunkt der Erzählung sehr bewußt gebraucht haben (wohl schon mit dem Klang des "Bekenntniseides").

6. **Ijob 27,2**

Unsere Stelle leitet die letzte der Wechselreden Ijobs ein
und führt zugleich hin auf den großen Reinigungseid von c.31.[61]

---

57) Köhler, Die hebräische Rechtsgemeinde, in: Der hebräische Mensch,
    Tübingen 1953, S.143-171, bes. S.145-158.

58) "So tagt dann Jahrhunderte hindurch in den Ortschaften und
    Landschaften Palästinas die Rechtsgemeinde der Freien und wal-
    tet des Rechts." A.a.O., S.160. Zur allmählichen Veränderung
    der Rechtsgemeinde durch die sozialen Verschiebungen und die
    Bemühungen des Deuteronomiums, "örtliche Befangenheit und Ver-
    schiedenheit der Rechtssprechung von Ort zu Ort" auszugleichen,
    s.S.161f,167f.

59) Vgl. etwa die Darstellung der Gesetzesübergabe durch den Sonnen-
    gott als "Überschrift" des Codex Hammurapi (BHH I S.192, Ta-
    fel 5). Für Israel zeigt sich diese Zusammengehörigkeit eben-
    falls in den Gesetzeskorpora, aber auch in der Kritik der Pro-
    pheten, etwa Amos und Jeremia , die daraus erwächst, daß diese
    Zusammengehörigkeit zerstört oder nur mehr eine scheinbare ist.

60) Fohrer, EinlAT, S.271.

Zur Bekräftigung seiner Aussagen wendet sich Ijob an Gott, paradoxerweise an den Gott, der ihm das Recht entzogen hat und der ihn
verbittert,[62] aber einen anderen Gott gibt es ja für Ijob weder
in Theorie noch in Praxis (vgl.31,24-28). Ijob beschwört seine Unschuld חי־אל הסיר משפטי ושדי המר נפשי. "(Beim) Leben Gottes,
der mir mein Recht verweigert und (beim) Leben des Allmächtigen,
der mich bitter macht". Der Parallelismus der beiden Vershälften
macht deutlich, daß das חי auch vor שדי mitzudenken ist.[63] Der
Eid bildet den Höhepunkt der Antwort Ijobs und zugleich den Abschluß: "After the oaths, there is no more, the friends can say."[64]
An diesem Höhepunkt fällt die erste Eidesformulierung des Buches.[65]
Es nimmt nicht Wunder, wenn hier, gegenüber der im AT fast aus-
nahmslos gebräuchlichen Formulierung חי יהוה, die auch sonst in
den Reden des Buches gebräuchliche Gottesbezeichnung im Eid verwendet wird. LXX verwendet bezeichnenderweise, wie auch 2.Sam 2,27,
wieder ᾗ κύριος. Die Formulierung des Eides paßt also genau mit dem
Gebrauch der Gottesnamen in den Reden zusammen.[66]

Der Schwur steht im Kontext rechtlicher Formulierungen und
Vorstellungen. Dies zeigt schon die Ergänzung zu חי אל, "der mir
משפט , mein Recht, die mich betreffende Rechtsentscheidung, vor-
enthält", darüberhinaus aber die Tatsache, daß für das ganze Ijobbuch die Kategorien des Rechtslebens wesentlich sind.[67] Der Eid
ist hier mehr promissorisch als assertorisch ausgerichtet, wobei

---

61) Darin, und in der Zuordnung dieses Textes (mindestens von V2-6)
zu den Worten Ijobs sind sich die Kommentatoren heute praktisch
alle einig: Hölscher, HAT, S.62 (der jedoch V 3 als Zusatz betrachtet); Weiser, ATD, S.194f; Fohrer, KAT, S.376-380; Kroeze,
COT, S.294-296; Pope, AncB, S.168-172. Die Ansicht von Baumgärtel, Der Hiobdialog, 1933, unsere Stelle sei spätere (und
natürlich eigentlich unpassende) Hinzufügung (S.138-140) ba-
siert auf sehr vagen Argumenten und hat sich nicht durchgesetzt.

62) Darauf verweisen z.B. Weiser, ATD, S.194; Fohrer, KAT, S.379;
und Pope, AncB, S.171.

63) "Ook ושדי (vs.b) moet met חי verbonden genomen worden",
Kroeze, COT, S.295.

64) Pope, AncB, LXXII.

65) Hölscher, HAT, S.63.

66) "An der im wesentlichen korrekten Form der Gottesnamen in M
läßt sich nicht zweifeln..." Baudissin, Kyrios, I S.254.

67) Vgl. Kaiser, EinlAT[3], S.353, bes. A.23.

allerdings auch an Ijobs bisheriger Lauterkeit angeknüpft wird.[68]
Zu beachten ist, daß der durch den Eid eingeleitete Abschnitt auf
Weiter- und Zuendeführung des (Rechts)streites drängt, was dann
endgültig durch den Reinigungseid c.31 geschieht.[69] Wir finden
also in dem allgemein eher spät datierten Ijobbuch eine Verwendung
der SF die gut zum bisherigen Befund, u.a. der Samuelbücher paßt,
nämlich ihre Verwendung im rechtlichen Kontext, zur Bekräftigung
einer Handlungsabsicht (mit dem assertorischen Aspekt "so wie es
bisher auch geschah") und insbesondere in der Nähe des erwarteten
Rechtsentscheides bzw. der Rechtshilfe.[70] Die Erweiterung der SF
zeigt dazu die theologische Durchdringung der Gottesvorstellung:
Der Verweis auf die Lebendigkeit Gottes steht hier im Zusammenhang der Spannung, von der das Gottesbild des Ijobbuches bewegt
ist. Das Vertrauen Ijobs zu seinem Gott, der hier in 27,2 als der
Lebendige angerufen wird, ist am stärksten in 19,25 ausgesprochen:
"Ich weiß, daß mein Löser lebt..." וַאֲנִי יָדַעְתִּי גֹּאֲלִי חָי . Nach
Zimmerli ist hier "der Gott zu erkennen, der sich Israel in der
Exodusbefreiung offenbar gemacht hat".[71]

7. Daniel 12,7

In der letzten Vision des Danielbuches wird die Gewißheit
des Eintretens der Ereignisse, d.h. vor allem der Rettung der Verfolgten, angekündigt: "Und ich hörte den Mann, der in Linnen ge-
kleidet war und sich über den Wassern des Flusses befand, und er
erhob seine Rechte und seine Linke zum Himmel und schwor beim
Leben des Ewigen (בְּחֵי הָעוֹלָם): eine Zeit, (zwei) Zeiten und eine
halbe..." (Dan 12,7).

Es handelt sich um einen äußerst feierlich gehaltenen Schwur:
Es werden beide Hände gehoben, ausdrücklich "seine Rechte und
seine Linke", und der Eid wird von den "zwei anderen" Engeln (V.5)
als himmlische Zeugen mitgehört.[72] Der Eid ist promissorisch für

---

68) "in bewußter Bezugnahme auf 2,3.9", Fohrer, KAT, S.380.

69) Daß diese Intention vorhanden ist, obwohl die literarkritischen
Probleme von c.26-28 und der Elihureden hier Unklarheiten bringen, zeigte besonders H.Richter, Studien zu Hiob, S.101-104.

70) Vgl. insoferne auch Ru 3,13.

71) Zimmerli, TheolAT, S.154; zur hohen Bewertung von 19,25 für
die Erklärung des Ijobbuches ebd., S.144.

72) Bentzen, Dan, HAT: "Der von einem Engel geleistete und von

141

die Handlungsabsicht Gottes. Fraglich ist die Übersetzung von
בחי העלם. Die Kommentare übersetzen: "bei dem Ewiglebenden",[73]
oder auch "bei dem, der ewig lebt".[74] Diese Übersetzung scheint
bestärkt zu sein durch die Entsprechung im aramäischen Text von
4,31. Dort handelt es sich jedoch um keine SF. Merkwürdig ist die
Substantivierung "der Lebende der Ewigkeit". Im Sinn dieser Übersetzung wäre eher לעולם zu erwarten.[75] Von der geläufigen Form
der SF her[76] erscheint es richtiger, העולם als Ersatzlesung für
יהוה zu verstehen, ähnlich wie in 2.Sam 2,27 (s.o.S.45f) und Ijob
27,2. Dies würde auch zur sonst in Daniel geübten Vermeidung[77] -
oder wäre es im Sinn des Apokalyptikers besser zu sagen: Verhül-
lung - des Jahwenamens passen, und auch zur Begriffsentwicklung
von עולם in späterer Zeit "zu einem gern gebrauchten...Beiwort
für Gott und die höchsten religiösen Güter..."[78]

Der Ewiglebende hat, bzw. das Leben des Ewigen ist die Macht,
das kommende Heil zu wirken. חי umschreibt hier in Dan 12,7 die
umfassende Wirksamkeit Gottes in der dem Danielbuch entsprechenden,
weltumfassenden und eschatologischen Gottesvorstellung. חי ist hier
sicherlich sehr bewußt gebraucht, wie auch in 6,21 und 27 jeweils
ausdrücklich vom "lebendigen Gott" gesprochen wird, der seinen
Knecht errettet. Der Verweis auf die Lebendigkeit des Ewigen (12,7)
und die hymnische Aussage über den lebendigen Gott (6,21.27) greifen hier wie dort zurück auf das Rettungshandeln Jahwes, auf sein
rettendes Eingreifen in der Bedrängnis. Die beiden Hauptteile des
Buches, c.1-6 und c.7-12 gipfeln in der Anerkennung der Rettung
(6,27f) bzw. in der Verheißung der Rettung (c.12). Dabei ist das
treue Bekenntnis des Daniel das Vorbild dessen, wozu das ganze
Buch aufruft. Das Ziel des eschatologischen Eingreifens Jahwes
ist ausgedrückt in den Worten an Daniel: "Doch in jener Zeit

---

zwei himmlischen Zeugen und von Daniel als drittem (cf.Dt 19,15)
gehörte Schwur ist felsenfest." (S.85)

73) A.a.O., S.86, und Baudissin, Kyrios III S.685.

74) Porteous, Danielbuch, ATD, S.124; ebenso Plöger, Daniel, KAT,
S.169.

75) Vgl. Jenni, עולם, THAT II Sp. 233-235.

76) Den Hinweis auf andere Formen der SF, besonders die Form in
Dtn 32,40, bringt sonst, soweit ich sehe, nur Aalders, Daniel,
COT, S.317.

77) Smend, EntstAT, S.233.

78) Jenni, a.a.O., Sp.239.

wird dein Volk gerettet werden, jeder der sich aufgezeichnet findet in dem Buch (passivum divinum!). Und viele, die im Land, das
aus Staub besteht (= im Totenreich), schlafen, werden erwachen,
die einen zum ewigen Leben, die anderen zur ewigen Schmach." (12,1f)
Hier wird nochmals die traditionsgeschichtliche Verbindung der
Aussagen von der Rettung (hier מלט) mit dem Handeln Jahwes am
Volk deutlich. Trotz der Relativierung des Gottesvolkgedankens
durch das individuelle Gericht steht die Rettung des Volkes voran
und geht es letztlich um diese. In dogmatischen Termini ausgedrückt
hieße das: Die Eschatologie ist nicht das Ende der Ekklesiologie.

Neben die explizite Rede vom lebendigen Gott tritt hier noch
jene Aussage, die wir schon in Dtn 32,39 in Verbindung mit der SF
vorgefunden hatten, und die z.B. in 1.Sam 2,6 selbständig auftritt:
"Jahwe macht tot und er macht lebendig, führt ins Totenreich und
leitet herauf." Diese Vorstellung ist hier unbestreitbar auch über
die physische Todesgrenze hinaus ausgeweitet. Zugleich ist hier
deutlich, daß die Vorstellung vom jenseitigen und ewigen Leben
nicht eine Überhöhung naturhafter Vorgänge (wie in Kanaan oder
Ägypten, z.B. im Osirismythos) oder individuell-psychologischer
Vorstellungen (etwa von einer unvergänglichen Seele) ist. Die
Frage des Todes, ja sogar des Martyriums, erfährt ihre Antwort
vielmehr von der Mitte des Jahweglaubens her, nämlich dem rettenden Handeln an seinem Volk in der Geschichte – und hier sogar über
diese hinaus. Die Gabe des ewigen Lebens (12,3), oder anders gesagt,
der unzerstörbaren Gottesgemeinschaft,[79] hat ihren Grund in dem lebendigen Gott, dessen Herrschaft ohne Ende ist (6,27) und in der,
bei diesem seinem ewigen Leben (und das heißt Herrschaft und Wirksamkeit) gemachten Zusage (12,7). Weiteres s.u.S.294-298 zu 6,21.27.

---

79) Vgl. dazu den m.E. noch immer unübertroffenen Abschnitt über
"die Unzerstörbarkeit der individuellen Gottesgemeinschaft"
bei Eichrodt, TheolAT, Teil 2/3, S.346-370, zu Daniel S.358-
360.

8. Lachisch-Ostraka

Ergänzend zu den Belegen des AT ist auf die zwei bzw. drei Belege der SF in den Lachisch-Ostraka hinzuweisen. Die SF חי יהוה findet sich in 6,12 und 3,9 (hier kontrahiert zu חיהוה). Ob sie auch in 12,3 vorkommt, ist angesichts des schlechten Erhaltungszustandes dieses Briefes fraglich; da der Kontext fehlt, lassen sich weder so noch so weitere Schlüsse ziehen.[80]

Die Lachisch-Briefe stammen aus der Zeit unmittelbar vor der Einnahme Jerusalems (und der zugehörigen Festung Lachisch) durch Nebukadnezar, also 586 v.Chr. bzw. der Zeit Jeremias. "Über den Inhalt (herrscht) insofern Klarheit, als es sich bei fast allen Stücken um Briefe eines Hošaʿjahu, Kommandanten eines Ortes in der Umgebung von Lachisch, an Jaʾoš, einen höheren Beamten in Lachisch, handelt."[81]

In 3,9 bekräftigt Hošaʿjahu, daß er keine, nicht für ihn bestimmte Schreiben gelesen habe: "Und wenn mein Herr spricht: 'Wußtest du es nicht? Lies ein Schreiben!' So wahr Jahwe lebt, keiner hat jemals versucht, mir ein Schreiben vorzulesen! Und auch jedes Schreiben, das zu mir kam, habe ich nicht gelesen..." (Z.8-12)[82]. In 6,12 wird (von Hošaʿjahu) Beunruhigung über die Nachrichten aus der Hauptstadt ausgedrückt und Jaoš vorgeschlagen, doch einen entsprechenden Brief zu schreiben: "Und jetzt, willst du nicht, mein Herr an sie schreiben folgendermaßen: Warum tut ihr so in Jerusalem? Siehe, dem Könige und seinem Haus tut ihr dies. So wahr Jahwe dein Gott lebt (חי יהוה אלהיך), seit dein Knecht las diese Briefe, gab es nicht für deinen Knecht Frieden..." (Z.8-15).[83]

---

80) Nr.3 und 6 sind bei Donner-Röllig, KAI Bd.I, S.35f; Bd.III, S.191-193; 196f, bequem zugänglich. DeBoer, Vive le Roi, VT5 (1955) S.229, A.2 nennt gegenüber HAL I, S.295a auch noch 12,3 als Beleg für die SF. Die Überprüfung an der Erstedition (Torczyner, Lachish I (1938), S.152f) zeigt, daß zwar die SF mit einiger Wahrscheinlichkeit zu identifizieren ist: (ח)י יהוה, alles Weitere aber sehr unsicher ist. Die wenigen erkennbaren Worte und der Schrifttyp lassen eine inhaltliche Nähe zu Nr.2.3 und 6 und denselben Schreiber vermuten (S.153).

81) KAI II, S.190.

82) KAI II, S.191f.

83) KAI II, S.197. Der Text ist teilweise sehr fragmentarisch

Beide Male ist die SF assertorisch, also zur Bekräftigung einer
Aussage verwendet. Im Unterschied dazu fanden wir im AT die SF
meist zur Bekräftigung der Handlungsabsicht, dem hier 6,8 entsprechen würde. Die hier belegte Verwendung ließe sich am ehesten
mit 1.Sam 17,55 vergleichen. Bei aller Vorsicht, die durch die
Spärlichkeit des Materials geboten ist, zeigt sich in dieser
assertorischen Verwendung ein typischer Unterschied. Die religiöse
"Akzentuierung" betrifft eben die Wahrheit der Aussage und nicht
die Richtigkeit oder Legitimität einer beabsichtigten oder angekündigten Handlung. Die zwei (bzw. drei) Belege der SF sind aber
doch auch ein Beweis für die Bekanntheit, teils wohl auch für die
Beliebtheit der SF, wie sie etwa in Jer 4,2 und 5,2 vorausgesetzt
war (ohne daß damit über die Legitimität für die Verwendung an dieser Stelle geurteilt ist). Im weiteren Zusammenhang ist noch darauf hingewiesen, daß es bei beiden Belegen um den Bereich des Rechtslebens geht. Jedenfalls kann 3,9 geradezu als Reinigungseid bezeichnet werden, und 6,12 bekräftigt die Motivation für den soeben gemachten Vorschlag an den Festungskommandanten. Zumindest würde das
der oben, S. 106-108, vorgetragenen Erklärung entsprechen, daß es
sich bei Jer 4,2; 5,2 um Polemik gegenüber mißbräuchlicher Verwendung der SF im rechtlichen und sozialen Miteinander handelt
(und nicht um primär und speziell antikanaanäische Polemik).
Schließlich fällt in 6,12 die "typisch deuteronomistische" Bezeichnung "Jahwe, dein Gott" auf. Sie zeigt, daß bei der Verteilung
des Etiketts "dtr", etwa auch bei der Analyse des Jeremiabuches,
doch besser Vorsicht zu walten hat - wie man ja z.B. schwerlich den
Kommandanten Hošaʿjahu der dtr Bewegung wird zurechnen können.

(vgl. Torczyner, a.a.O., S.105.117). Die Ergänzungen sind hier
- gegenüber KAI II - nicht gekennzeichnet. Die Angabe "6,19"
für die SF in HAL I, S.295a ist ein Versehen.

IV. **Psalm 18,47 par. 2.Sam 22,47 (Die hymnische Tradition)**
==

Diese Stelle nimmt in der Diskussion zu unserem Thema einen besonderen Platz ein. Die Aussage über die Lebendigkeit Jahwes erfolgt hier
trotz äußerer Identität mit der SF auf andere Weise. Andererseits ist
es (noch) nicht die eindeutige Formulierung, wie sie bei אֵל חַי vorliegt. Zugleich wurde dieser Vers seit Bekanntwerden der Texte aus
Ugarit geradezu als eines der Bindeglieder zwischen AT und Ugarit bzw.
kanaanäischer Religion gesehen[1]. Allerdings ist man neuerdings in
dieser Hinsicht etwas zurückhaltender: "Es ist zweifelhaft, ob Ps 18,47
ḥaj JHWH einen Weg zur Lösung zeigt."[2]

Textlich ist die erste Vershälfte in Ps 18,47 und 2.Sam 22,47
identisch: חַי יהוה וּבָרוּךְ צוּרִי. Die zweite Vershälfte lautet in
Ps 18 וְיָרוּם אֱלֹהֵי יִשְׁעִי, während 2.Sam 22 nach אלהי noch צור
einfügt (mit Ausnahme weniger Textzeugen). Diese Wiederholung
aus 47a wirkt störend und scheint sekundär zu sein, wie überhaupt
"ein Vergleich zwischen den beiden Versionen ergibt, daß Ps 18 dem
textkritisch zu erarbeitenden Urbild näher steht als 2.Sam 22."[3]

Die Frage, ob Ps.18 einheitlich sei oder aus zwei Teilen (Teil
A, V.2-31, Dankgebet eines Einzelnen, Teil B, V.32-51 Dankgebet eines Königs)[4] wird neuerdings zunehmend zugunsten der Einheitlichkeit
entschieden.[5] Wir schließen uns der Einordnung von Kraus als "Danklied des Königs nach siegreichem Kampf" an; V.47 würde aber auf jeden
Fall zu dem Psalmteil gehören, der sich auf den König bezieht.[6]

---

1) Siehe besonders Widengren, Sakrales Königtum, S.69; Bezugnahme
   auf I AB III (= UT 49 III; jetzt CTA 6 III); vgl. o.S.10ff.

2) Ringgren, חיה, ThWAT II 891. Von Anfang an etwas vorsichtig
   auch Kraus, BK[1], S.149 und BK[5], S.294f.

3) Kraus, BK[5], S.284.

4) Vertreten von H.Schmidt, HAT, S.26-30.

5) So Kraus, BK[5], S.284 und Schmuttermayr, Ps 18, in einem eigenen
   Exkurs, S.116-119. Auch Kittel, KAT[3+4], sieht den Psalm in
   obiger Hinsicht als Einheit, nämlich als Dankpsalm eines Königs
   (Joschija?), allerdings mit Einschiebung von V.8-16, die "ganz
   anderer Art und viel älter sind" (S.62).

6) Die verschiedenen Argumente pro und contra Trennung weisen zugleich auf einen langen Prozeß der Überlieferung. Crüsemann,
   Hymnus und Danklied, vertritt zunächst eine Aufteilung (S.254-
   257) kommt dann aber doch zur Überlegung, daß "einer der späten

Der Psalm wird sehr verschieden datiert, vom 10.Jh. (ursprünglich auf Grund der Zuschreibung an David, bei Eißfeldt, EinlAT, S.610
als nicht ganz ausgeschlossen bezeichnet, vgl. S.372f, neuerdings auf
Grund der Kanaanismen und "its many archaic features", Dahood, AnoB,
S.104) bis hin zum 2.Jh. (Duhm, KHC, S.59). Ernsthaft zu erwägen -
jedenfalls für das Königslied, V.32-51 - ist nur die Königszeit, also
die Zeit vom 10. - 6.Jh. Cross und Freedman plädieren auf Grund lin-
guistischer Beobachtungen für eine Abfassung des Gedichtes (im Wesentlichen in seiner gegenwärtigen Form) "not later than the 9th - 8th
centuries B.C.... A tenth century Date for the poem is not at all
improbable."[7]

Man wird Kraus zustimmen können: "Die Skala der oft geäußerten
Auffassungen spiegelt im Grunde das Bild einer bewegten Überlieferungsgeschichte... Alle diese Erklärungen erfassen Phasen der Tradition des Ps 18."[8] Jedenfalls für Teil B wird man ziemlich alte
Traditionen annehmen dürfen, ebenso auch für die Theophanieschilderung in Teil A (V.8-16)[9]. Die Erkenntnis, daß "die Theophanietexte
... ihren ursprünglichen 'Sitz im Leben' in den Siegesfeiern des israelitischen Heerbannes gehabt" haben, legt aber doch eine frühe Beziehung von V.8-16 und damit überhaupt von Teil A (in seinen Grundzügen) mit Teil B, dem Siegesdanklied des Königs, nahe; zugleich
ergibt sich ein interessanter Aspekt für das Thema "der lebendige
Gott". Crüsemann, der außer Gunkels Sicht der (ursprünglichen) Einheitlichkeit des Psalmes, diesem durchweg zustimmen will, erwägt,
"ob einer der späten judäischen Könige sich beider Formen gemeinsam
bedient hat: Er ist Israelit wie jeder andere und dankt Jahwe in den
üblichen Formen (Ps 18A), zugleich ist er aber König in den Traditionen altorientalischer Herrscher (Ps 18B); dies würde auch die un-
gewöhnliche Einführung der, wahrscheinlich aus alten Siegesliedern
stammenden, Theophanie in ein Danklied gut verständlich machen."[10]
Dieser Sicht der Verbindung der Elemente ist wohl zuzustimmen, es
bleibt nur zu fragen, warum sie nicht der früheren Königszeit zuzu-
trauen ist, wo die beiden erwähnten älteren Elemente noch lebendiger

---

Könige sich beider Formen gemeinsam bedient hat." (S.258).

7) Cross - Freedman, A royal song of thanksgiving, S.20.

8) Kraus, BK[5], S.286.

9) Vgl. Jeremias, Theophanie, S.144-146 und Gunkel, Ps, HKAT,
S.67, der feststellt,daß diese Theophanieschilderung "eine Vorgeschichte für sich hat".

10) Crüsemann, Hymnus und Danklied, S.257f.

waren und auch ihrem 'Sitz im Leben' (Siegesfeiern des israel. Heerbannes) näher standen.

Die Wendung יהוה חי unserer Stelle ist seit frühester Zeit,
d.h. bereits in LXX so übersetzt worden wie auch in den heute geläufigen deutschsprachigen Übersetzungen, nämlich im Sinn der Aussage bzw. des Ausrufes: Jahwe lebt![11] Doch bereits Hengstenberg erwähnt 1849 die Möglichkeit יהוה חי entweder als "lebendig ist, oder:
lebendig sey Jehovah" zu erklären. "Die neueren Ausleger folgen meist
der letzteren Erklärung: sie meinen die übliche Akklamation an die
Könige werde hier auf Gott übertragen." Hengstenberg weist dies mit
interessanten Argumenten zurück:"Allein da das: er lebe, die Möglichkeit des Sterbens voraussetzt und immer nur in Bezug auf Sterb-
liche gebraucht wird, so ist eine solche Übertragung kaum denkbar,
die Formel für Könige ist eine andere, המלך יחי , 1.Sam 10,24;
2.Sam 16,16; 1.Kön 1,25; 2.Kön 11,12 und endlich, was schon allein
hinreichend zur Entscheidung ist, das יהוה חי ist stehend als SF,
und in diesem Gebrauch heißt es immer: lebendig _ist_ der Herr."[12]
Zu diesen "neueren Auslegern" scheint Heinrich Ewald[13] (1840) gehört zu haben, der übersetzt: "Lebe Jahwe, sei mein Fels gesegnet
und erhaben meines Heils Gott!" (S.48) und in der Auslegung vermerkt: "Das חי lebe! in solchem Zusammenhange ist altertümlich einfach." (S.55). Trotz der sonst vielfach anderen Positionen übersetzt auch August Tholuck (1843)[14]: "Der Herr lebe und gelobet sei
mein Hort! Erhoben müsse werden der Gott meines Heils". - Unter
Verweis auf 1.Sam 10,24, "wie sonst mit diesem Zurufe Könige gefeiert werden." (S.96). In - für uns - neuerer Zeit vertritt diese
Übersetzung M. Dahood (1965)[15]: "May Yahweh live! Praised my
Mountain! And exalted the God of my triumph! (I 103). Er beruft sich

---

11) Septuaginta, edidit A.Rahlfs, 1935, und Septuaginta Societatis
Scientiarum Gottingensis auctoritate (ebenfalls A.Rahlfs), 1931,
liest ζῇ κύριος, καὶ εὐλογητὸς ὁ θεός μου Der Luthertext
(1964) lautet: "Der Herr lebt! Gelobt sei mein Fels!"; die Zür-
cherbibel (1942) hat: "Der Herr lebt, und gepriesen ist mein
Fels".

12) Hengstenberg, Commentar über die Psalmen, Berlin 1849, S.433.

13) Die poetischen Bücher des Alten Bundes, erklärt von Heinrich
Ewald, Zweiter Theil. Die Psalmen, Göttingen 1840².

14) August Tholuck, Übersetzung und Auslegung der Psalmen, Halle
1843.

15) Mitchell Dahood, Psalms 1-50, AncB.

148

dazu auf Ewald und auf einen Text aus Ugarit: "His (= Ewald) analysis
is supported by the ancient formula recorded in UT, 76 II 20, ḥwt
aḥt, May you live, o my sister." In this salutation the precative
perfekt ḥwt is addressed by Baal to the goddess Anath." (I 118).

Es ist richtig, daß das Perfekt ḥwt der Form חי יהוה nahe
steht, wenn חי ebenfalls als Perfektform zu erklären ist. Die precative Bedeutung ergibt sich aber auch für den ugaritischen Text
(UT 76 II 20 = CTA 10 II 20) erst aus dem Kontext.[16] Die Argumente
von Hengstenberg sind noch immer zu bedenken, jedoch ist die SF nicht
mehr ohne weiteres als Aussagesatz aufzufassen (S.o.S.30f) und auch
der Gedanke des Sterbens ist in einer Akklamation nicht so intensiv
(sofern überhaupt!) mitgedacht, wie Hengstenberg voraussetzt. Dahoods
Hinweis ist bedeutsam, weil dadurch die Diskussion Jahwe - Baal erweitert wird: Auch zu Anat wird ähnliches gesagt wie bei Baal (vgl.
A1, Widengren) und insbesondere ist Anat keine "sterbende und wie-
derauferstehende" Gottheit, sodaß auch das "Lebendigsein" der Anat
nicht aus diesem Gegensatz gedacht werden kann. (Weiteres s.S. 341-
347, zu den kanaanäischen Texten).

Der andere, in der Auslegung von Ps 18,47 eingeschlagene Weg
ist das Verständnis von חי יהוה als SF; so Cross-Freedmann: "By
the life of Yahweh', blessed is my Rock! Exalted be the God of my
salvation." Leider wird keine nähere Begründung gegeben. Diese
Übersetzung macht ernst mit der Tatsache, daß חי יהוה im AT eben
die SF darstellt (zu Jer 16,14f par. 23,7f s.o.S. 115ff). Jedoch
ist hier die Form der übrigen Aussagen im Parallelismus membrorum
unbeachtet gelassen und die Kopula ohne Angabe konkreter Gründe ge-
strichen.

Die Erwägung der referierten Ansichten, Belege und Argumente
legt es nahe, Franz Delitzsch zuzustimmen: "Wie das überall doxo-
logische (בָּרוּךְ צוּרִי) ist auch חי ה' (sic!) (vivus J) als Aussagesatz gedacht, aber ähnlich wie in der gleichlautenden SF mit dem
Accent des Ausrufes gesprochen und hier doxologischen Sinnes. Demgemäß bedeutet auch וְיָרוּם erhoben sei oder werde in welchem Sinn
der andere Text וירם (וְיָרֵם - וְיָרָם) schreibt."[18]

---

16) Die Zeilen 22 und 23 drücken den Wunsch in einer yqtl - Form
    aus, die ohne weiteres als subjunctive oder jussiv gelesen wer-
    den kann. (Gordon, UT, S.71f). Zum von Dahood zitierten Text
    sagt Gordon, UT, S.90 A.2: "Used as a greeting. When it heads
    the sentence, qtl frequently has optative force in Arabic."
17) Cross - Freedman, A royal song, S.34.

Bevor wir uns der Frage nach ugaritischen Parallelen nochmals
zuwenden, folgen wir weiter dem Ganzen von V.47(-49). Nach der großen Beschreibung des machtvollen, rettenden Eingreifen Jahwes wendet sich der Psalm hier zum hymnischen Abschluß, in dem die von Jahwe berichteten Taten doxologisch zusammengefaßt werden. Das Stück
V.47-49 "trägt hymnische Form mit 'Einführung' 47 und einem aus Partizipien bestehenden 'Hauptstück'".[19] Neben dem Gottesnamen Jahwe
stehen in V.47 צורי und ישעי אלהי. Es folgt in V.48f eine Näherbestimmung Jahwes als des Gottes (האל) der (dem König) Vergeltung
schafft und die Völker niederzwingt, der vor zornigen Feinden rettet
und der (den Beter) erhöht über die, die sich erheben.[20]

Exkurs: צור

צור kommt im AT 30x in Bezug auf den Gott Israels vor, davon
nur 9x ohne Genetivverbindung oder Personalsuffix.[21] Als Bild für
die Hilfe Gottes und für seine Zuverlässigkeit erscheint צור oft
zusammen mit anderen, ähnlichen Ausdrücken.[22] So auch in unserem
Psalm, V.47 besonders aber V.2f, wo sich 7 offensichtlich synonym
gemeinte Ausdrücke finden (u.a. מפלטי סלעי מצודתי).
Schon die Vielfalt dieser Beziehungen widerrät, sie alle einlinig
auf (vorisraelitische) Zionstradition zurückzuführen.[23] Wenn man
schon, wie Schmidt, topographische Gegebenheiten des Tempelplatzes
bzw. der Tenne des Arauna zu religionsgeschichtlichen Gegebenheiten
weiterführt, so darf man nicht, wie Eichhorn[24], dann analog auch

18) Delitzsch, Die Psalmen, BC, 1867, S.172f.

19) Gunkel, HKAT, S.66.

20) V49f ist vermutlich Ergänzung, formuliert "im Sinne der Vor-
    stellungen vom "Feinde des Individuums""; Kraus, BK[5], S.295.

21) Vgl. KBL, s.v.

22) Vgl. Begrich, Vertrauensäußerungen, ZAW 46 (1928) S.254.

23) So besonders seit H.Schmidt, Der Heilige Fels in Jerusalem,
    1933, S.87-102, der allerdings zunächst nur von einem "letzten,
    verklingenden Nachhall" (S.87) des Wissens spricht, "daß näm-
    lich der heilige Fels eine Stätte uralter bereits vorisraeli-
    tischer Verehrung der Gottheit gewesen ist." (S.85).

24) D.Eichhorn, Gott als Fels, Burg und Zuflucht, 1972, kommt zu
    folgender Zusammenfassung: "Die Anrede (Epiklese), die Bezeich-
    nung und die Aussage der Selbstaktualisierung Jahwes als צור,
    מעון סלע ,מצודה, משגב, מחסה , מעוז im Munde eines Indivi-

noch gewissermaßen eine "Heilige Burg - Tradition" einführen, denn
dafür gibt es weder archäologische noch literarische Zeugnisse. Zudem sind ein vorhandener Fels und eine von Menschen eingerichtete
Burg doch zwei verschiedene Dinge.

Gegenüber diesem Verständnis dieser Ausdrücke gilt noch immer
der Einwand Begrichs, "daß die Ausdrücke צור und סלע für Jahwe fast
nie absolut vorkommen, wie öfter bei Assyrern und Hethitern, sondern
fast stets vom Suffix oder Genetiv dessen begleitet sind, für den
Jahwe Fels ist. Ferner können beide Bezeichnungen nicht von den verwandten Worten משגב und מצודה getrennt werden. Alle vier werden auf
Jahwe nur angewandt als Sinnbilder des Schutzes. Auch an den Stellen,
wo צור ohne nähere Bestimmung steht (I Sam 2,2; II Sam 22,32 = Ps 18,32
Jes 26,4; 44,8; Dtn 32,4) ist der Ausdruck nicht anders zu verstehen."[25] Diese Sicht Begrichs scheint nach wie vor die sachgemäßes-
te. Jahwe wird eben verglichen "mit dem, was auf Erden Schutz und
Hilfe zu bieten vermag. Da wird er bezeichnet als 'Hilfe', als
'Schutz meines Lebens',.... Ja, die Vergleiche sind noch kühner: er
ist Zufluchtsort, schützender Hort, ein steiler Berg, ein Fels, eine
Burg, eine Feste, ein Bollwerk, ein Bergfried, ja ein ringsum dek-
kender Schild."[26]

Begrich macht weiters auf Folgendes aufmerksam: "Zum anderen
ist darauf hinzuweisen, wie mehrere der Vergleichsworte die Farbe
des israelitischen Landes tragen, nämlich צור, סלע, משגב und
מצודה. Der Fels, die Bergeshöhe, die Felsenfestung sind in dem ge-
birgigen und zum Teil stark zerklüfteten Lande der gegebene und ein-
fachste Zufluchtsort bei Feindbedrängnis. Man denke an Jdc 20,47,
wo sich die Benjaminiten in die Wüste flüchteten nach dem סלע
הרמון, an I Sam 13,6 wo die Israeliten vor dem anrückenden Philis-
terheere unter anderem auf den Felsen Schutz suchen, an I Sam 22,1

---

duums erscheinen im Horizont der Offenbarung Jahwes an der unter David übernommenen, in den salomonischen Tempel integrier-
ten, ehemals kanaanäischen Kultstätte Jerusalems, dem Heiligen
Felsen." (S.123).- Abgesehen vom Fehlen jeglicher Differenzierung (ein Fels und eine Burg sind verschiedene Dinge und haben
verschiedene 'Funktion'; wo lesen wir, daß auf der Tenne des
Arauna, (dem 'Heiligen Felsen' eine (Heilige!) Burg gestanden
hätte?). Wie paßt die 'Offenbarung Jahwes' zur kanaanäischen
Kultstätte? Werden hier nicht die Probleme verharmlost?

25) Begrich, a.a.O., S.255, A3.
26) Begrich, ebd., S.254.

wo David vor Saul in die מְצוּדָה Adullam entrinnt."[27] "Schließlich ist auch bemerkenswert, daß der Israelit, der sich nach den
angeführten Beispielen doch enge an seinen Gott anlehnt, es vermeidet, sein Verhältnis zu ihm in Verwandtschaftsbezeichnungen auszu-
sprechen... Wir vermuten, daß diese Vermeidung ihren Grund in einem
Gegensatze gegen die kanaanäische Frömmigkeit hat. Das Klagelied des
Einzelnen weist die Anrede 'Vater' ab, weil es die physische Abstam-
mung von derGottheit ablehnt, wie sie Israel im eigenen Lande begegnete. Vgl. Jeremias Drohung gegen die, die zum Holze sagen: "mein
Vater bist du!" und zum Stein: "du hast mich geboren!" (Jer 2,27;
vgl. auch Dtn 32,18)."[28]

   Daraus ergibt sich: 1.) Die Herleitung des Vergleichs Jahwes
mit einem Fels von einer vorisraelitischen jerusalemer Kulttradition
über einen 'Heiligen Fels' oder gar einer entsprechenden Jerusalemer
Gottesbezeichnung erübrigt sich. 2.) Selbst wenn man annimmt, daß
die Zionsfrömmigkeit (später) eine geeigneten Haftpunkt für die Vergleiche Jahwes mit Fels, Burg, Zuflucht u.ä. bildet, so blieb doch
wohl eine Identifikation Jahwes mit dem Zion dem AT fremd.[29] Bei
solcher Interpretation wird zugleich der sprachliche Charakter der
Metapher verkannt. 3.) Die Bilder von Jahwe als Fels, Burg und Zuflucht des Beters sind verständlich von geographischen Gegebenheiten
des Landes (ja sogar der östlich und südlich angrenzenden Gebiete)
und auch, (wenn nicht sogar überwiegend, siehe die von Begrich zitierten Stellen) von Erfahrungen der vorstaatlichen Zeit her.[30]
4.) In den erwähnten Metaphern wird die Gottesbeziehung ausgedrückt
als von Jahwe erfahrene Rettung (eines - für die Gemeinschaft bedeutenden[31] - Einzelnen (Ps 18) oder des Volkes (Dtn 32)). (Dem-

27) Begrich, ebd., S.255.

28) Begrich, ebd., S.256.

29) Vgl. Kraus, BK[5], S.77-82.

30) Bezeichnenderweise wird bei D.Eichhorn, a.a.O., S.88f die Be-
    schäftigung mit den als sehr alt angesehenen Namen mit dem
    Element צוּר in Num. kurzerhand ausgeklammert. Zum hohen Alter
    dieser Namen siehe Noth, Mari und Israel, FS Alt, 1953, S.147-149.

31) Das ist von Eichhorn, a.a.O., bei seinem problematischen Begriff
    des "Mittlers" gemeint; vgl. bereits den Untertitel "Eine Unter-
    suchung zum Gebet des Mittlers in den Psalmen". In der Tat wer-
    den diese Psalmen jeweils von für die Volksgemeinschaft bedeu-
    tenden Einzelnen, besser gesagt 'Amtsträgern', gesprochen, wie
    z.B. Ps 18 vom König.

gegenüber fehlen nicht nur in den entsprechenden Psalmen Vergleiche
der Gottesbeziehung mit Verwandtschaftsbeziehungen sondern herrscht
im ganzen AT Zurückhaltung in dieser Richtung.[32]).

Exkurs: ישע

ישַׁע findet sich 36x im AT (davon 20x in den Psalmen;[33] und zwar
stets in Bezug auf die von Jahwe/Gott erfahrene Hilfe und Befreiung.[34] Häufig wird das Wort mit Personalsuffix verbunden und auf
Gott bezogen: "Gott meiner Hilfe" (אלהי ישעי neben unserer Stelle
auch Mi 7,7; Hab 3,18; Ps 25,5; 27,9) oder "Gott seiner Hilfe"
(אלהי ישעו ; Ps 24,5); häufig auch auf die Gemeinschaft bezogen:
"Gott unserer Hilfe/Befreiung" (אלהי ישעינו ; Ps 65,6; 79,7;
85,5; 1.Chr 16,35).[35] Diese Aussagen scheinen ihren Ort im "Bekenntnis des Vertrauens" zu Gott zu haben, wobei, wie ihre häufige Nähe
zu Ausdrücken der Freude zeigt, zugleich auf "die bereits geschehene
und erlebte Hilfe Gottes" (zurück)geblickt wird.[36]

Das Verbum ישע hat seine besondere Bedeutung im Rahmen des Rechtslebens. Der Ruf um Hilfe kann konkret mit ישע Hi. formuliert werden,
z.B. הושע המלך ; 2.Sam 14,4; 2.Kön 6,27.[37] Der, der Hilfe bringt
ist der מושיע. Dieser Begriff wird zum "terminus technicus für
den, der auf einen Zeterruf hin eingreift."[38] Die Hilfe geschieht
aber nicht nur im Rahmen des Rechtslebens, sondern in verschiedenen
Lebensbereichen, auch bei der Arbeit und häufig im Krieg, wobei es
hier immer wieder um ein entscheidendes, vor dem Untergang rettendes, Eingreifen geht (z.B. 1.Sam 11,3; 23,25). Dazu paßt, daß anscheinend der ursprüngliche, d.h. vordeuteronomistische, Titel der
Rettergestalten des Richterbuches" מושיע " war.[39] Bezeichnend

---

32) Vgl. A.28.

33) F.Stolz, ישע, THAT I Sp.786.

34) Vgl. die Stellenangabe HAL, S.428. Fraglich ist einzig Hi 5,4,
    doch geht es in diesem Zusammenhang um das Verhalten gegenüber
    Gott, und die im Tor nicht vorhandene Hilfe für die Söhne des
    Frevlers konkretisiert letzlich die fehlende Hilfe Gottes. Die
    Stelle zeigt andererseits wieder die Beheimatung des Wortfel-
    des von ישע im Rechtsleben.

35) Vgl. HAL, S.428.

36) F.Stolz, ישע, THAT I Sp.788.

37) H.J.Boecker, Redeformen, S.63f; vgl. insgesamt S.61-66.

38) A.a.O., S.64.

ist, daß gerade auch in dem Königtum kritisch gesinnten Kreisen
"die Funktion des Königs darin gesehen wird, daß er seinem Volk
'hilft' (1.Sam 10,27; Hos 13,10...). Es wird an Hilfe sowohl im
militärischen als auch im juristischen Sinn zu denken sein."[40]

Dieselben Begriffe werden für den Hilferuf des Beters verwendet. "Die Klage der Psalmen ist im Grunde gleich strukturiert wie
die profane Rechtsstreitigkeit. Der zur Bitte gehörige Hilferuf lautet häufig הושׁיע 'rette!'".[41] Jahwe hört den Notschrei und greift
rettend ein. Die erlebte Rettung wird vom Beter gepriesen.

Auch im Krieg wird Jahwes rettendes Eingreifen erwartet und erlebt. In der Stunde der höchsten Not wird die Lade an die Front gebracht. "Von der Lade und Jahwe erwartete man die Rettung im Philis-
terkrieg (1.Sam 4,3); spätere Kriege und Siege verdankt man ebenfalls dem Eingreifen Jahwes (1.Sam 14,6.23.39; 17,47)."[42] Jahwes
rettendes Eingreifen wird - wenn auch in verschiedenen Formen -[43]
in diesem Bereich besonders intensiv erfahren und dann auch bedacht.
R.Smend kann sogar sagen: "Der Krieg Jahwes wäre danach tatsächlich
das Urelement dessen gewesen, was einmal Religion Israels werden
sollte."[44] Der wesentliche, diese Erfahrung ausdrückende Begriff
scheint ישׁע Hi. geworden zu sein. Wir finden ihn häufig in den Berichten von den Kämpfen der ausgehenden Richter- und früheren Königszeit. "Allgemein formuliert Dtn 20,4, daß Jahwe im heiligen Krieg
mit auszieht, 'euch Hilfe zu verschaffen'."[45]

Möglicherweise zeigt sich hier ein eigener Traditionsstrom in
dem ישׁע Hi ursprünglich beheimatet war.[46] In diese Richtung weist
auch die erstaunliche und, soweit ich sehe, bisher unbeachtete Tatsache hin, daß ישׁע (sowohl Hi. als auch Ni.) außer in Ex 14,30 nur
an 4 jüngeren Stellen des Pentateuch vorkommt.[47] Und auch Ex 14,30

---

39) O.Grether, Die Bezeichnung... für die charismatischen Helden,
ZAW 57(1939), S.120f. Mit Zustimmung aufgegriffen und weitergeführt bei Boecker, Redeformen, S.76.
40) F.Stolz, a.a.O., Sp.787.
41) Ebd.; im Original Umschrift.
42) Ebd.; Sp.789.
43) Die Differenzierungen, die für "Jahwes und Israels Kriege" zu
beachten sind, hat besonders F.Stolz, Jahwes und Israels Kriege
1972, herausgearbeitet.
44) R.Smend, Jahwekrieg, S.97.
45) F.Stolz, ישׁע , THAT I S.789.
46) Ebd.

154

scheint die Exoduserfahrung mit dem für die Jahwekriege zentral gewordenen Begriff zu deuten. Weiters paßt dazu, daß die Parallelen
zur Wurzel ישע alle in den "nomadischen" und arabischen Bereich verweisen,[48] und auch die Etymologie würde in eine nicht seßhafte
Kultur verweisen.[49]

Die Erfahrung der Hilfe durch Jahwe stellt die Frage nach dem
menschlichen und göttlichen Anteil an der Rettung.[50] Jahwe greift

---

47) Vgl. Lisowsky, Konkordanz, s.v.

48) Vgl. F.Stolz, ישע , THAT I, S.785f. Stolz verweist auf ugarit.
    und amoritische Personennamen. Die bei Gröndahl, Die Personen-
    namen aus Ugarit, 1967, S.147, angeführten Namen sind proble-
    matisch. Bei einem der Namen ist die Verbindung zu ytʿ fraglich;
    beim zweiten ist das theophore Element entweder von ad (Vater)
    oder addu herzuleiten. Der erste der angeführten Namen, der
    vielleicht dem zweiten entspricht (S.377) ist akkadisch und
    gehört zu einem juristischen Text (PRU III, Text 16.254C; S.157).
    Bezeichnenderweise wird der Gottesname addu/Hadad mit arabisch
    hadda erklärt, Gröndahl, S.131 und Gese, Religionen Altsyriens,
    S.121. Gegenüber diesen, für Ugarit anscheinend fremden Namen,
    steht die Tatsache, daß ישע im Ugaritischen nicht vorkommt,
    sondern helfen oder retten durch ʿdr (hebr. עזר) und plṭ
    (hebr. פלט) ausgedrückt wird (siehe Gordon UT, Indices and
    Glossary). Das Vorkommen amoritischer Personennamen, die mit
    der Wurzel ישע entsprechenden Formen gebildet werden (Huff-
    mon, Amorite Personal Names in the Mari Texts, 1965, S.215f)
    stellt vor die Frage nach der Herkunft der "Amoriter", (vgl.
    Huffmon, S.1-12). Sie sind doch wohl am ehesten im Gebiet
    zwischen der arabischen Wüste und dem Kulturland Syriens und
    Palästinas "anzusiedeln". Vgl Henninger, Frühsemiten, bes.
    S.46-48. (Zum Problem des Begriffs "nomadisch" siehe ebd.).

49) Fohrer, σώζω, ThWNT 7, S.973f, ist, anders als Stolz (siehe
    A.48), zuversichtlich auch bei der etymologischen Deutung von
    ישע. Im Gegenteil zu צר, Enge, Bedrängnis, wird "die Rettung
    daraus als eine Art räumliche Bewegung in die Weite (vorge-
    stellt). Demgemäß besagt ישע Hi, daß man es einem derart Be-
    engten geräumig und weit macht, oder ישע Ni, daß es ihm ge-
    räumig und weit gemacht wird." (S.974, Z.3-6). Mit dieser
    Erklärung paßt ישע sehr gut in eine nicht-seßhafte Kultur.

50) Zum Folgenden vgl. Zimmerli, TheolAT, S.51f. Zitate ebd.,
    passim.

durch den Geist ein, "der den Menschen erfaßt und zu siegreicher Führung des Kampfes ermächtigt" (vgl. 1.Sam 11), oder er lenkt "durch den Mund des Priesters oder Propheten die Dinge" oder er läßt den Gottesschrecken über die Feinde fallen (Ex 23,27f; Jos 24,12), "so daß ihr Herz verzagt wird" (Jos 2,11) und "sie in Verwirrung geraten" (Ri 4,15) und schließlich verfügt Jahwe über die Naturmächte und bedient sich ihrer (Ri 5,30f; Jos 10,11; 1.Sam 7,10).

In 1.Sam 14,6 sagt Jonatan sehr schön: "Es ist Jahwe ein Leichtes, zu helfen, (להושיע) sei es durch viel oder wenig". So ist es zunehmend das Bestreben der Darstellung und der theologischen Reflexion, den menschlichen Anteil an der Rettung zurückzustellen: Von den ursprünglich 32 000 Mann dürfen nur 300 mit Gideon in den Kampf ziehen, denn: Israel könnte sich sonst rühmen und sagen: Wir haben uns selbst geholfen. (Ri 7,2). Dabei ist Gideon, so wie später David (1.Sam 16), der kleinste und also unbedeutendste unter seinen Brüdern.

In der theologisch reflektierten Darstellung der Goliatgeschichte (Vgl. dazu u.S. 279-283) tritt der nur mit einer Schleuder bewaffnete David dem schwergerüsteten Riesen Goliat gegenüber mit den Worten: "Du kommst zu mir mit Schwert, Speer und Wurfspieß. Ich aber komme zu dir im Namen Jahwes der Heerscharen, des Gottes der Schlachtreihen Israels" (1.Sam 17,45). - und diese Schlachtreihen werden in diesem Text dann als die Schlachtreihen des אל חי, des lebendigen Gottes, bezeichnet (1.Sam 17,26.36).

Am Schilfmeer sagt Mose angesichts der verfolgenden Ägypter noch: "Jahwe kämpft für euch, ihr aber bleibt nur ruhig" (Ex 14,14) und die Kriegsansprache Dtn 20,1ff fordert ebenso wie Jesaja im syrisch-ephraimitischen Krieg zu dieser Zuversicht auf. Jesaja kann schließlich im Auftrag Jahwes, des Heiligen Israels sagen: "Durch Sitzenbleiben[51] und Stille werdet ihr gerettet (ישע , Ni.) in Stillesein und Vertrauen liegt eure Stärke." (30,15).

Die Vorkommen von ישע (V.4 Ni ; V.28 Hi) und יֵשַׁע (V.3, 36, 47) in Ps 18 verweisen, ebenso wie die urtümlichen Vorstellungen von dem

---

51) Nach Mitteilung von Prof. Dr. Georg Sauer ist שׁוּבה nicht von שׁוּב abzuleiten, sondern von ישׁב. Dafür spricht 1. der parallelismus membrorum, 2. daß שׁוּבה hapax legomenon ist und schließlich 3. daß die Umkehrforderung in der Botschaft Jesajas sonst nicht vorkommt. Vgl. G.Sauer, Die Umkehrforderung Jesajas, FS Eichrodt, S.286-288.

durch Jahwes Kraft kämpfenden König (V.30. 33-35. 36-38), in die
Traditionen vom Jahwekrieg. Das gilt auch unabhängig von der genauen
zeitlichen Ansetzung des Psalmes.

Exkurs: Zum "prekativen Perfekt"

Dahood interpretiert חי יהוה an unserer Stelle analog zu UT
76 II 20 (= CTA 10 II 20) als "precative perfect" (unter Berufung
auf H. Ewald, ausführliches Lehrbuch der hebräischen Sprache, Leipzig 1855, § 223, S.501; mir leider nicht zugänglich). Dahinter steht
wohl auch Gordon, der in UT, S.90 A.2 zum erwähnten Text aus Ugarit
vermerkt: "Used as a greeting. When it heads the sentence, qṭl
frequently has optative force in Arabic". Leider macht Gordon dazu
keine nähere Angabe. Und in seiner Behandlung des Verbums beschäf-
tigt er sich nur beim Imperfekt (yqṭl) mit "Moods", nicht aber beim
Perfekt (qṭl) (S.67-91).

Wie steht es mit dem prekativen Perfekt? Im Gegensatz zur ausführlichen Behandlung der "Modi" beim Imperfekt übergehen die älteren Grammatiken diese Frage durchweg oder beantworten sie ausdrücklich negativ.[52] Auch dort, wo Ugarit bereits im Blickfeld steht,
verneint Spuler (1954) die Existenz von "(ursprünglichen) modalen
Variationen" für "die suffigierte Verbalform" für die semitischen
Sprachen insgesamt[53], ebenso wie Moscati[54], der darüberhinaus auf
die nominale Grundlage der Suffixconjugation(= perfekt) hinweist:
"Proto - Semitic possessed almost certainly a nominal suffixconju-

---

52) Z.B. Gesenius - Kautzsch, Grammatik, (1909), S.123 (§ 40.1);
    S.319-324. (§ 106 "Gebrauch der Tempora"; hier wird jedoch auf
    die Möglichkeit, einen unerfüllten Wunsch auszudrücken, ver-
    wiesen; S.324 zu Nu 14,2, allerdings auf Grund der Partikel
    לו). Brockelmann, Vergleichende Grammatik der Semit. Sprachen
    (1908) übergeht beim Abschnitt "Die Modi" (I S.554ff) das
    Perfekt unausgesprochen. Bergsträßer, Hebräische Grammatik II
    (1918/1929) erklärt kurz und bündig: "Die angeblich prekative
    Bedeutung des Perf(ekts) läßt sich nur mit poetischen Stellen
    belegen, die nicht beweisend sind". (S.29; § 6.h).
53) B.Spuler, Der semitische Sprachtypus, in HO III, Semitistik,
    S.3-25; S.12f.
54) S. Moscati, u.a., Comparative Grammar of the Semitic Languages,
    1964, S.131-136; "In West Semitic, modal differentiation is
    limited to the imperfect" (S.135).

gation which in West-Semitic has evolved into a verbal conjugation yet without differentiation of mood, which might well be a pointer to its origin outside the verbal system."[55]

Im Rahmen der Formenlehre geht R. Meyer[56] denselben Weg[57], in der Satzlehre jedoch vertritt er auch einen jussivischen und optativischen Sinn des Perfekts, wofür er neben Ugaritisch und Arabisch auch darauf hinweist, daß im Hebräischen das Perf. cons. "sich im Bezug auf Modus und Zeitstufe nach der vorangehenden Aussage richtet."[58] Zum Gebrauch des Perfekt im Arabischen erklärt Brockelmann[59] zunächst: "Das Perfekt konstatiert unzweifelhafte Tatbestände" weiters aber u.a. :"Da der Wunsch das Gewünschte voraussnimmt, kann dieses einfach konstatiert werden".

Zusammenfassend läßt sich sagen: In formaler Hinsicht kennt das Perfekt in den (West-) Semitischen Sprachen keine modalen Differenzierungen. Solche lassen sich nur aus dem syntaktischen Gebrauch erschließen, wobei Vorsicht geboten ist, weil die formale Grundlage fehlt. Eher ist zu sagen, daß das Perfekt von seiner nominalen Struktur (und vermutlich auch Entstehung)[60] her offen ist für die Interpretation im Sinn der Aussageweisen des Kontextes. Man wird also sowohl für das Hebräische[61] als auch für das Ugaritische (wo zudem alles an ein oder zwei Textstellen hängt)[62] besser auf die Rede von einem optativen bzw. precativen Perfekt verzichten. Das יהי יהוה unserer Stelle Ps 18,47 wäre also als "normales" Perfekt aufzufassen, das sich im obigen Sinn in den hymnischen Kon-

---

55) A.a.O., S.133.
56) R.Meyer, Hebräische Grammatik, II Formenlehre, 1969³; III Satzlehre, 1972³.
57) A.a.O., II 103: "Entsprechend ihrer ursprünglich nominalen Natur verfügt die Afformativkonjugation morphologisch nicht über Modi".
58) A.a.O., III S.52f; Für Ugarit unter Berufung auf Gordon, UT, § 9,54; für das Arabische unter Hinweis auf H.Rechendorf, Arabische Syntax, § 7 (mir leider nicht zugänglich; laut Brockelmann, Arab. Grammatik S.225, erschienen Heidelberg 1921).
59) C.Brockelmann, Arabische Grammatik, 1958¹⁴, S.119.
60) Vgl. Zitat bei A.55.
61) Vgl. A.54. Zitat Bergsträsser.
62) Sowohl in § 9.54 (Verbs) als auch in § 13,28 (Syntax, Optativ) verweist Gordon, UT nur auf den Text 76 II 20. Dazu kommt eventuell UT 49 III 8f.

text einfügt.

Noch besser erscheint es jedoch, חי יהוה gleich als Nominalsatz aufzufassen. Nominale Wunschsätze sind im AT zahlreich belegt[63], weil eben der Nominalsatz wegen der fehlenden Kopula der
Interpretation durch den Kontext offensteht und dieser auch bedarf[64]. "In solchen Nominalsätzen kann die Grenze zwischen Ausruf
und Aussage sich verwischen."[65] Dies scheint auch für unsere Stelle
am besten zuzutreffen. Dies ermöglicht zugleich eine sinnvolle Verbindung zur SF, nach der ja auf jeden Fall zu fragen ist. Wir hatten
gesehen, daß חי in der Verbindung חי יהוה als Nomen aufzufassen
ist und daß die SF zwar verschieden stark, aber doch zunehmend,
reflektiert wurde. Durch die enge Zusammengehörigkeit bzw. prakti-
sche Identität von Nomen und Adjektiv ist die Verschiebung des Verständnisses von einer Genetivverbindung zu einem Nominalsatz durchaus möglich. Die Formen sind ja hier identisch und die grammatischen
Kategorien sind zwar zu beachten, aber sie sind doch sekundär gegenüber der lebendigen Sprache.[66]

Zusammenfassung

חי יהוה in Ps 18,47 // 2.Sam 22,47 ist also zu verstehen als
hymnischer Ausruf: Lebendig ist Jahwe! Der emphatische Charakter,
den חי יהוה als SF hat, paßt dabei gut in den Kontext des Psalms;
wir haben aber hier keinen Schwur mehr vor uns, sondern einen emphatischen Ausruf, der im Kontext weitergeführt wird zur Akklamation bzw. zu einem Aufruf dazu (imperativischer Hymnus!). Diese hymnische
Aussage über die Lebendigkeit Jahwes steht im Zusammenhang mit
den Aussagen über sein rettendes Eingreifen im Licht der Erfahrungen der Jahwekriege (vgl. zu ישע) und über seine Verläßlichkeit
(vgl. zu צור). Die traditionsgeschichtlichen und sprachlich-gram-
matikalischen Untersuchungen haben einen Zusammenhang mit kanaanäischen Vorstellungen (wie sie in Ugarit belegt sind) unnötig bzw.

---

63) C.Brockelmann, Hebräische Syntax, 1956, § 7a.c, S.5f.

64 Meyer, Hebräische Grammatik, III 9.

65) Brockelmann, Syntax, S.6.

66) Viele Grammatiken widmen dem Adjektiv bei der Behandlung des
    Nomens nicht einmal einen eigenen Abschnitt (z.B. Meyer,
    Grammatik, II Formenlehre), weil eben "Substantiva und Adjek-
    tiva...in ihrer Wortform so nahe miteinander verwandt (sind),
    daß sie gemeinsam besprochen werden können." (O.Grether, Hebr.
    Grammatik, S.152.

eher unwahrscheinlich gemacht.[67)]

---

67) Soweit ich sehe gehen alle entsprechenden Meinungen in der
     Literatur auf den Hinweis von Widengren, Sakrales Königtum
     (vgl. A.1) zurück. Z.B. auch noch Kraus, Ps., BK[5] (1978), der
     allerdings recht ambivalent formuliert: "Man wird ʲdiese Zu-
     sammenhänge unter allen Umständen beachten müssen. Jedoch
     räumt Widengren der kanaanäischen Komponente im Inhaltlichen
     eine zu starke Relevanz ein. Handelt es sich in Ps 18,47 nicht
     doch nur um die Übernahme einer archaischen Formel?" (S.295).
     In seiner Theologie der Psalmen (1979) ist Kraus noch kritischer
     geworden: "Jeder Vergleich mit der kanaanäischen Religion kann
     nur den Charakter des Hinweises auf sprachliche Analogien
     haben." (S.25). Dazu ist weiters zu sagen: der Hinweis auf den
     Text CTA 6 erfolgte ohne jede formkritische Betrachtung und
     ohne Frage nach dem 'Sitz im Leben'. Zwar wird auch im ugari-
     tischen Text eine Gottheit gepriesen. Aber diese Aussage wird
     zunächst als eine Erkenntnis im Traum ausgesprochen (III 2f.8f)
     und dann als Grund für das Ende der Sorge des Gottes El ange-
     geben (III 20f).
     Die Engführung durch nur einen Text wurde durch den Hinweis
     auf CTA 10 II 20 etwas aufgehoben. In dieser Begrüßung "es lebe
     meine Schwester" wird Anat von Baal angesprochen. Auffallend
     ist hier die 3-Gliedrigkeit, die Ps 18,47 entspricht, und wei-
     ters die Tatsache, daß sich Baal hier bei seiner "Retterin"
     "bedankt" (was allerdings von der sehr ungesicherten Reihen-
     folge der Texte abhängt).
     Jedoch ist zu fragen, ob es sich hier nicht einfach um eine
     geläufige Ausdrucksweise im Semitischen von Palästina/Syrien
     handelt, die nicht nur im Mythos sondern auch im menschlichen
     Bereich, besonders im Hofstil vorkommt. (In der Formulierung
     ist vorausgesetzt, daß die angeredete Person in besonderer
     Weise Leben hat oder darüber verfügt). Doch auch abgesehen da-
     von, daß etwa auch in Ägypten "lebensbestimmende und lebens-
     erhaltende Gottheiten" von Bedeutung sind (siehe R.Schlichting,
     Leben, LÄ III, S.949-951; vgl. u.S.300-304, zu Ägypten) genügt
     für diese Vorstellungen die Existenz von Königen. Gravierende
     religiös-inhaltliche Beziehung dürfen daher wohl für unsere
     Stelle Ps 18,47 nicht angenommen werden. Mit Kraus wird man
     eher nur von "sprachlichen Analogien" reden dürfen.

Die Lebendigkeit Jahwes ist in Ps 18 gesehen in seinem verläß-
lichen Wirken, vor Feinden zu retten, dem König zu helfen und die
Völker zu unterwerfen.

Neben Ps 18,47 par. 2.Sam 22,47 erwies sich auch Jer 23,7f
par. 16,14f als der hymnischen Tradition zugehörig (s.o.S. 115-125).
Eine hymnische Tradition zeigt sich weiters hinter Jer 46,18 (s.u.S.
208-218).

V. <u>Die Schwurformel in der 1. Person חי אני</u>
===

Neben der bisher untersuchten Form der SF חי יהוה mit ihren
gelegentlichen Erweiterungen gibt es 21 Stellen mit der SF in der
1. Person und im Munde Jahwes: חי אני. Diese Form der SF als
Selbstaussage oder Berufung Jahwes auf sich selbst findet sich bei
Ezechiel (16x), Deuterojesaia (1x), Zephanja (1x), Num 14 (2x) und
im Lied des Mose (Dtn 32; 1x). Da Ez die größte Zahl der Belege
bietet, vermutlich aber auch alle anderen Stellen jünger sind, setzen wir mit der Untersuchung bei Ez ein.

Zunächst aber ist die SF noch grammatikalisch näher zu betrachten und die Frage nach Vorformen eines Eides Jahwes bei sich selbst
zu stellen.

A. <u>Vorgeschichte</u>
=========================

1.) Grammatikalisch ist die SF חי אני ein merkwürdiges Gebilde.
Es hatte sich uns ergeben, daß in der SF חי יהוה das חי nominal zu
interpretieren ist. Dafür sprach sowohl der gelegentliche status
constructus חי als auch der Kontext mancher Stellen, wo etwa die
SF einem נשבע ב folgt (1.Sam 28,10). Greenberg[1] sah nun in חי אני
den Gottesnamen durch das Personalpronomen ersetzt, wie es für הוא
der Fall sein kann. Allerdings ergibt sich hier die Schwierigkeit
eines Personalpronomens im Genetiv. Er überbrückt das Problem durch
eine Stelle aus Mischna Sukka 4,5 und die Meinung späterer Kommentatoren dazu. Aber beides ist unbefriedigend und zudem Jahrhunderte
später.[2] Greenberg verweist selber auf 2 für seine Interpretation
schwierige Stellen, Num 14,21, wo חי אני durch einen Verbalsatz
fortgeführt wird und Dtn 32,40, wo חי אני durch לעולם präzisiert
wird. In beiden Fällen ist das verbale Verständnis der SF viel nahe-
liegender als die auch inhaltlich etwas fragliche arabische Parallele.[3]

---

1) Greenberg, Hebrew Oath Particle, S.38f.

2) Vgl. Hans Bornhäuser, Sukka (Laubhüttenfest), Berlin 1935
    ("Gießener Mischna") mit Wiedergabe des Textes (S.114f), der
    Meinung Rabbi Jehudas (ca. 130-160 n. Chr.; S.116f) und aus-
    führliche Diskussion der "bekannten crux interpretum", aus der
    deutlich wird, wieweit die Intentionen des Textes Rabbi Jehu-
    das von Greenbergs Anliegen entfernt ist (S.115-119).

162

Wie ist die SF חי אני bei Ez zu erklären? Ein erster Hinweis
ist der typische Stil des Buches. "Der Prophet spricht durchweg
(Ausnahme 1,3) in 1. Person. Doch er stellt fast alles als ein Reden
und Tun Jahwes dar; selbst was bei Jer die Form der Konfession hätte, erscheint hier als Bestandteil der Gottesrede (33,30-33)."[4]
In diese durchgängige Weise der Formulierung als Gottesrede ist auch
die SF konsequent hineingenommen. Die damit einhergehende Veränderung erlaubt und gebietet die Rückfrage, wie die betreffende Formulierung (nicht nur der SF) ohne diese ezechielische Veränderung lau-
tete. "Diese Verfremdung der Form, die manche Tatbestände nur in der
indirekten Formulierung des Gotteswortes zum Ausdruck kommen läßt,
bildet formgeschichtlich ein Hauptproblem des Ezechielwortes."[5]
    Nun hätte jedoch für das Verständnis von חי יהוה als Genetiv-
verbindung die Umformung in die 1. Person die Form בחיי ergeben
müssen. Hier hilft die andere Einsicht weiter, die sich uns ergeben
hatte, nämlich der Übergang zu einem Verständnis der Verbindung
חי יהוה als Aussagesatz, wie es sich für Jer 23,7f (par 16,14f)
als wahrscheinlich (s.o.S. 115-125) und für Ps 18,47 (par 2.Sam 22,47)
als einzig möglich ergab (s.o.S. 157-159). Insbesondere Ps 18 muß
dem jerusalemer Priester Ezechiel bekannt gewesen sein und damit
werden auch bekenntnishafte oder hymnische Formulierungen, auf die
Jer 23,7 anspielt, in diesem Sinn verstanden worden sein. In einem
Aussagesatz (sei er nominal oder verbal) ist der Ersatz des Subjekts
יהוה durch אני ohne jede grammatische Schwierigkeit. חי אני ist
also als einfacher, wenn auch mit Emphase gesprochener, Aussagesatz
zu verstehen: (So wahr) ich lebe! Hierzu paßt dann auch die Fortsetzung in Num 14,21 und Dtn 32,40.

    2.) Welche Vorformen zum Eid Jahwes bei sich selbst gibt es?
"75x heißt es von Jahwe, er habe sich 'eidlich verpflichtet'; auf-
fälligerweise ist Gott kein einziges Mal Subjekt des Verbums (sc.
שבע) im Hi: Gott verlangt vom Menschen keine eidlichen Versprechen!
Relativ selten (12x, vor allem bei Am und Jer ist gesagt, bei wem
Jahwe solche Selbstverpflichtungen ablegt: bei 'sich selber'...,
bei 'seiner Rechten und seinem kraftvollen Arm'..., bei 'seinem
persönlichen Leben'..., bei 'seiner Heiligkeit', beim 'Stolz Jakobs',

---

3)   Greenberg, ebd., A.25 spricht selber nur von einer "possible
     answer".

4)   Smend, EnstAT, S.165; vgl. Zimmerli, BK., S.821f zur Stelle.

5)   Zimmerli, BK, S.822.

d.h. bei ihm selber (Am 8,7), vielleicht auch bei 'seiner Treue'
(Ps 89,50). Es ist selbstverständlich, daß Jahwe nur sich selber
gehört, daß er nur über sich selber verfügen kann, und daß somit
als Garant seiner Versprechen, wenn überhaupt jemand, so nur er
selber in Frage kommt."[6]

Zu diesen Stellen kommen einige wenige, wo der Schwur durch
יד נשא ausgedrückt wird, z.B. Ez 36,7; 44,12, Ps 106,26. Ps 106,26
spielt dabei auf Pentateuchstellen an, wo das Verbum נשבע gebraucht
wurde (Num 14,30; Dtn 2,14), ebenso wie die vielen Belege bei Ez,
besonders 20,5.6.15.23, mit dem Rückblick auf die Volksgeschichte.
Auch wenn נשבע mit Jahwe als Subjekt bei Ez nur in 16,8 vorkommt,[7]
so ergibt sich doch eine völlige Identität der gemeinten Sache.[8]
Den Schwur Jahwes bei sich selbst finden wir vor allem in Pentateuch-
texten (42x, davon 29x Dtn), bei Amos (3x), Jer (6x) und einigen
Psalmen (6x).

Die Pentateuchstellen haben die Nachkommen- und die Landesver-
heißungen im Blick und beziehen sich aufeinander bzw. zurück auf
den Anfang, Gen 22,16; 24,7; 26,3; 50,24; Ex 6,8 (mit נשא יד);
Ex 13,5;33,1; Num 14,16-21; Dtn 1,8 u.a., häufig unter ausdrückli-
cher Nennung Abrahams oder der Väter. Die Tatsache, daß diese Formulierungen so häufig in Dtn vorkommen, legt nahe, daß sie deuteronomistisch sind. Aber auch etwa Gen 22,16 und 24,7 erweisen sich
bereits literarisch als jüngere Erklärungen,[9] wie auch die Beziehung
der Texte zueinander zeigt, daß der Zusammenhang der Vätergeschich-
ten vorausgesetzt ist. Für diese Form der Verheißung an die Väter
ist die spätere Königszeit Israels anzunehmen, wie Westermann besonders in der Untersuchung zu Gen 15 gezeigt hat.[10] Ob die oben
erwähnten Pentateuchstellen sich exakt auf die uns erhaltene Form
von Gen 15 beziehen, oder auf etwas frühere Überlieferungsstufen,
macht kaum einen Unterschied. Bedeutsamer ist der inhaltliche Aspekt,
an dem es wohl auch liegt, daß auf die von Jahwe in feierlichster
Form gegebene Verheißung an die Väter von den deuteronomistischen
Predigern so oft hingewiesen wurde: "Wichtig war für die spätere
Zeit vor allem, daß die Verheißungen an die Väter ohne jede Bedin-

---

6)   Keller, שבע , THAT II Sp.861f.

7)   Lisowsky, Konkordanz, s.v.

8)   Vermutlich ist die Wortwahl bei Ez wieder ein Ergebnis der
      Formulierung des Buches als Jahwerede (s.o.).

9)   Westermann, Gen, BK I 2, S.445.471f.

10)   A.a.O., S.255f.271-273.

gung ergangen waren. In den Bedrohungen der Gegenwart konnten spätere Generationen die in ihre Situation hinein abgewandelten Verheißungen...neu erwecken, um sich an Gottes Zusagen zu klammern".[11] Hier liegt wohl auch der Grund für die besonders feierliche Form der Zusage als Eid Gottes bei sich selbst.

Zwar gibt es auch die Stelle Nu 14,30, wo Jahwe die Bestrafung der murrenden Israeliten ankündigt, doch ist dieser Schwur Jahwes zugleich der dunkle Hintergrund für seine letztlich doch unverbrüchliche Treue, die er der nächsten Generation erweisen wird. Dtn 2,14 und Jos 5,6 spielen auf diese Stelle an, wobei in Jos 5,6 die beeidete Strafe und die diese überstrahlende Verheißung unmittelbar nebeneinander stehen. Hier bestätigt sich die obige Überlegung zum Inhalt und Anliegen dieser Formulierungen. (Zitat A.11). Damit wird sich keine der Pentateuchstellen vor der späteren Königszeit ansetzen lassen.

Das Schwören Jahwes bezieht sich bei Jeremia einmal auf die Väterverheißung (11,5), an den übrigen Stellen auf Strafankündigungen (22,5; 44,26; 49,13; 51,14). Damit sind wir zeitlich ganz in der Nähe Ezechiels aber auch der oben diskutierten Texte.

Im Jesajabuch finden sich entsprechende Worte außer 14,24 nur bei Deutero- und Tritojesaja (45,23; 54,9; 62,8). Dabei wird interessanterweise der Noah gegebene "Bund" (Gen 9,11-17) in die von Jahwe beeideten Verheißungen einbezogen und, im Sinne der deuterojesajanischen Verbindung der Weltgeschichte (Schöpfungstradition) und Volksgeschichte (Exodustradition), zur Grundlage für Jahwes neues Handeln.

Zu Jes 14,24 sagt Wildberger[12] noch: "Die Herkunft des Wortes von Jesaja wird heute wenig bestritten"; er schränkt jedoch sogleich ein: "In der Vergangenheit ist es allerdings von gewichtigen Exegeten als später Zusatz bezeichnet worden." Für Wildberger handelt es sich um ein Wort Jesajas während der Invasion Sanheribs. Zwar gibt es in Jes 5,9 und 22,14 Unheilsankündigungen, die mit אם bzw. אם לא eingeführt werden, also Schwursätzen nahekommen, aber die ausgeführte, feierliche Form in 14,24 ist doch singulär. Daher ist doch eher Kaiser[13] zuzustimmen, der mit ausführlicher Begründung (inhaltlich vom Kampf Jahwes im eigenen Land und formgeschichtlich in Bezug auf den Schwur Jahwes bei sich selbst) Jes 14,24-27 in

---

11) A.a.O., S.274.

12) Wildberger, Jes, BK X, S.567.

13) Kaiser, Jes, ATD 18, S.40-42.

(eher späte) nachexilische Zeit setzt.

In einen neuen Bereich führen die Stellen des Psalters, Ps 89, 4.36(50); 95,11; 110,4; 132,11. Ps 95,11 bringt noch eine Anspielung auf den Ungehorsam in der Wüste und die vierzigjährige Strafe: "So schwur ich in meinem Zorn: Sie sollen nicht kommen zu meiner Ruhe" (V.11). Wir stehen hier deutlich in der Nähe der oben behandelten (dtr) Tradition, wie der ganze Psalm in den "Überlieferunszeitraum zwischen der Edition des Deuteronomium und der Entstehung des chronistischen Geschichtswerkes"[14] gehört.

Alle anderen Stellen aber gehören zur Davidstradition. Ps 89 ist ein "vielschichtiges und umfangreiches Lied" an dem vielerlei Auf- und Einteilungen erprobt wurden.[15] Inmitten der vielen Aussagen die zum Teil durchaus alte Traditionen und Motive anklingen lassen, steht die Erinnerung an die Davidsverheißung, zweimal eingeführt als Zitat der als Gottesschwur ergangenen Zusage ("Ich schloß einen Bund mit meinem Erwählten, schwur meinem Knecht David:" V.4, ähnlich V.36), einmal in der Erinnerung ("die du zugeschworen dem David" V.50). Das intensive Ringen um den Bestand der ergangenen Verheißung ist ein Zeichen für die Zeit, nämlich eine solche des Niederganges und der Infragestellung des Königtums. Das führt auf die späte Königszeit, vielleicht - so Kraus[16] - wirklich auf den Tod Josias. Gerade für das Ringen um die Verheißung ("wie lange?... gedenke doch...wo sind deine früheren Gnaden?"; V.47-50) ist ihre feierliche Formulierung als Gottesschwur bedeutsam.[17]

Etwas anders liegen die Dinge in Ps 110,4. Hier wird mit der Berufung auf den Jahweschwur (mit der merkwürdigen Ergänzung "und es reut ihn nicht")[18] dem König das Priestertum nach der Art Melchisedeks zugesagt. Ob das Wort (nur) zu einer Inthronisation paßt,

---

14) Kraus, Ps, BK, S.830.

15) A.a.O., S.781-784.

16) A.a.O., S.784.

17) Die angeführten Verheißungen V.5 und 20-38 können durchaus ältere Gottesworte umfassen, die "zu verschiedenen Zeiten den Regenten der Dynastie Davids übermittelt wurden" (Kraus, BK, S.790). Die Erinnerung an sie als Gottesschwur ist aber doch deutlich eine vorangestellte Einführung, die mit der Frage in V.50 zusammengehört, und damit mit der Klage über den Nieder- oder Untergang des Königtums (V.39-52).

18) Sollen damit aufgetauchte Zweifel oder Kritik an der priesterlichen Vollmacht des Königs widerlegt werden?

ist nicht so sicher wie bei V.1. Formkritisch fällt die doppelte Einleitung der Gottesrede V.1 und V.4 auf. Wie oben bei Ps 89 deutlich
wurde, wird mit einer Häufung verschiedener Riten und Traditionen
des Königtums zu rechnen sein.[19] "Psalm 110 enthält nur einen Ausschnitt"[20]. Aus den deutlich kriegerischen Aussagen des Psalms,
die eigentlich nur von dem neuen Gotteswort in V.4 unterbrochen werden, möchte ich den Schluß ziehen, daß ein früherer Bestand diesen
Vers nicht umfaßte. Wenn V.3b mit Ps 2,7 zusammengehört, also eine
Parallele zur Adoptionserklärung darstellt[21], so gibt V.5 eine gute
Fortsetzung. Die Tatsache, daß wir außer Ps 110,4 nur Gen 14,18-20
als Beleg über Melchisedek haben, läßt fraglich erscheinen, ob hier
die Melchisedektradition notwendigerweise in sehr alter Gestalt aufgenommen sei, wie in der Forschung gerne angenommen wird.[22] Aber
selbst ein hohes Alter von 4b läßt das Alter der Einführungsformel
in 4a noch offen. Die Erweiterung 4a läßt ein späteres Stadium vermuten.

Auf's Ganze kaum anders ist das Ergebnis für Ps 132,11.[23]
Hier wird, nachdem in V.2ff von Davids Schwur (hier vielleicht besser: Versprechen), eine Wohnstatt für Jahwe (d.h. seine Lade) zu
finden, die Rede war, an Jahwes Treueschwur erinnert; einen Treueschwur von dem er nicht abgeht (V.11). Dieser Schwur ist dann aber
doch bedingt: (Nur) wenn die Söhne Bund (ברית) und Zeugnis (עדות)
halten, werden auch deren Söhne auf Davids Thron sitzen. (V.12).
Parallel zu 11f steht eine weit ausholende, in V.2ff vorbereitete,
Ausführung über die Erwählung des Zion, V.13-16. Auf dieser ruht
sicher der Akzent, wodurch auch die Bedingtheit des Treueschwures
an David "erträglich" wird. Das "für immer" bezieht sich auf das
Wohnen Jahwes an seiner Ruhestatt (V.14). Ob sich dadurch nicht auch
der Treueschwur Jahwes (11a) stärker auf 13-16 bezieht, jedenfalls
diese Verse miteinbezieht? Aber auch hier werden wir zeitlich nicht
hinter die aus den deuteronomistischen Texten bekannte Umformung der
heilgeschichtlichen Traditionen zu von Jahwe beeideten Verheißungen
zurückgehen können. Die Betonung der Erwählung des Zion läßt eher

---

19) Fohrer, EinlAT, S.316, etwa sieht "drei Fragmente, vorexili ch(er),
    kultprophetische(r) Orakel für den König (V.1-3.4.5-7)."
20) Kraus, BK, S.930.
21) A.a.O., S.933f.
22) So etwa die referierten Meinungen bei Kraus, BK, S.934f und
    Kraus selbst.
23) Zur umfangreichen Diskussion siehe Kraus, BK, S.1053-1066.

eine Datierung im Anschluß an die deuteronomische Reform vermuten.[24]

So bleiben als sicher ältere Texte nur die beiden erwähnten
Stellen bei Jes (5,9; 22,14) mit der angedeuteten Schwuraussage, besonders aber die 3 ausdrücklichen Jahweschwüre bei Amos (4,2; 6,8;
8,7). Von diesen gehen 4,2 und 6,8 sicher auf Amos zurück. Für 8,7
hält Rudolph[25] an Amos als Sprecher fest, während Wolff[26] "dabei
nur unnötigerweise die Amosschule bemüht" (Rudolph). Jedenfalls gehören die Worte in die Zeit um die Mitte des 8. Jh.

Die Einheit 4,1-3 bringt die Rede gegen die Frauen Samarias, die
"Basanskühe auf Samarias Berg". Der Anrede und dem Schuldaufweis
(V.1) folgt die Strafankündigung bzw. das Urteil. Die Angeredeten
werden fortgeschleppt, hinausgeworfen zum Hermon (V.2f). Dieses Urteil wird eingeleitet und bekräftigt durch den Schwur: "Geschworen
hat Jahwe bei seiner Heiligkeit". Einen ähnlichen Aufbau zeigt das
Wort gegen die verbrecherischen Händler (8,4-7(8)). Hier ist die
Anrede noch stärker in den Schuldaufweis integriert (V.4-6), und
diesem folgt im Schwursatz die Strafankündigung (V.7): "Geschworen
hat Jahwe beim Stolz Jakobs: Niemals vergesse ich alle ihre Taten!"
Einen anderen Aufbau hat 6,8 (9f als Ergänzung dazu). Hier steht
der Jahweeid voran: "Geschworen hat Jahwe bei seinem Leben"
(בנפשו), und der Schuldaufweis kommt im Urteilsspruch mit zur Sprache:
"...ich verabscheue Jakobs Anmaßung. Seine Wohnburgen hasse ich.
Ich liefere aus, was in der Stadt ist."

Der Hinweis auf den Jahweschwur steht hier immer als Einleitung
des Urteilsspruches. Damit werden in solenner Weise die auch sonst
im Gerichtsverfahren üblichen weiteren Schritte ausgesprochen: die
Schuldigerklärung mit der Tatfolgebestimmung[27], und auch das kurze

---

24) Vgl. Wildberger, בחר, THAT I, Sp.286-288. Die dortigen Daten
   und Hinweise bestätigen diese Sicht, obwohl Wildberger Ps 132
   als "frühvorexilisch" (= frühe Königszeit?) bezeichnet, was
   aber sein einziger, vor Dtn liegender Beleg bleibt. Das Stichwort 'frühvorexilisch' scheint von Gese, Der Davidsbund und
   die Zionserwählung, ZThK 61 (1964) S.10-26 (S.16: "frühe vorexilische Zeit") zu stammen. Kraus zieht jetzt seine Zustimmung zurück: "Im Unterschied zu Gese würde zu fragen sein, ob
   nicht doch deuteronomisch-deuteronomistische Einflüsse in
   Ps 132 wahrnehmbar sind" (BK, S.1061).

25) Rudolph, KAT, S.261-264.

26) Wolff, BK, S.373f.377f.

168

Wort 6,8 entspricht üblichen Rechtsformulierungen, "indem die Schuldigerklärung die Art der Verfehlung mit ausspricht."[28]

Diese Redeformen finden sich in gleicher Weise, und ursprünglich, im üblichen Rechtsleben der "Rechtsgemeinde". An diesem Übergang zur Tatfolgebestimmung begegnete uns bereits gelegentlich die
SF חי יהוה. Ein schönes Beispiel dafür ist 1.Sam 14,38-45[29].
Vor Beginn des Losverfahrens formuliert Saul die Tatfolge: "חי
יהוה...auch wenn sie (=die Schuld) bei meinem Sohn Jonatan wäre, so
soll er sterben!" (V.39). Nachdem das Los auf Jonatan gefallen ist
und dieser sein Vergehen berichtet (eingestanden?) hat, spricht
Saul: "Gott tue mir dies und das (כה יעשה יהוה וכה יוסיף), du
mußt des Todes sterben, Jonatan!" (V.44). Dieser Tatfolge widerspricht das Volk: " חי יהוה , es soll kein Haar von seinem Haupt
auf die Erde fallen, denn Gott hat heute durch ihn geholfen."
(V.45)[30]. Auffallend ist hier die Austauschbarkeit der SF und der
Selbstverfluchungsformel.[31] Weitere Beispiele für die eidliche Ein-
leitung der Tatfolgebestimmung bieten 2.Sam 12,5 und 14,11. Die Bei-
spiele zeigen, daß das Ansinnen der Frau aus Tekoa (2.Sam 14,11) im
Rahmen der Rechtsformulierung verständlich ist,[32] und daß die SF als
Bekräftigung der Tatfolge, sowohl für Verurteilung als für Frei-
spruch[33], verwendet wurde. In der Verkündigung des Amos ist diese
Redeform des Rechtslebens aufgegriffen. Das paßt genau zum übrigen
Bild: "Das Gerichtswort stellt die Grundform der Verkündigung des
Amos dar, und zwar in der Gestalt, daß eine Begründung der Strafan-

---

27) Vgl. dazu die Ausführungen bei Boecker, Redeformen, S.122f
(Abschluß des Verfahrens) und besonders S.149-159 (Ausgeführte
Tatfolgebestimmungen), wo er zahlreiche Beispiele aus den pro-
phetischen Büchern heranzieht.

28) A.a.O., S.136.

29) S.o.S.3 und Boecker, Redeformen, S.146.

30) Das Hin und Her ist hier wohl kein Zurückgehen in Anklage- und
Verteidigungsreden, sondern dem Entscheid des Königs wird die
Rechtsentscheidung Gottes entgegengesetzt, die er in der Ret-
tungstat erwiesen hat.

31) Daher wird man auch das חי aus der Parallele zu עשה (mit-)
interpretieren dürfen.

32) Vgl. Boecker, Redeformen, S.150.

33) "Es soll kein Haar (vom Haupt) des N.N. zur Erde fallen"
scheint eine gebräuchliche Folgebestimmung für den Freispruch
gewesen zu sein.

sage voraufgeht. Mehr als die Hälfte der Sprüche ist so komponiert."[34]

Amos kennt noch nicht die SF im Munde Jahwes (חי אני wie bei Ez.) sondern er drückt den Eid durch das Verbum נשבע aus. Hier ist der Übergang von dem Jahwe anrufenden Richter (vgl. oben 1.Sam 14) zu Jahwe als Richter leichter. (Die Formulierung mit אם bzw. אם לו, Jes 5,9; 22,14 ist ein ähnlicher Ansatz in dieser Richtung). Nun schwört der irdische Richter "bei Jahwe", bzw. er "erwähnt Jahwe" (2.Sam 14,11). Wobei schwört Jahwe? - Bei seiner "Heiligkeit", bei seiner "napäsch", beim "Stolz Jakobs" (Am 4,2; 6,8; 8,7)[35]. Diese Wendungen bieten sich an, um das Reflexivverhältnis bzw. die Identität zu umschreiben. Die Formulierung "ich habe bei mir selbst geschworen (בי נשבעתי)" (Gen 22,16) ist in dieser Hinsicht der nächste logische Schritt. Bei Jer finden wir die verschiedenen Möglichkeiten nebeneinander: "Geschworen hat Jahwe...bei seinem Leben (בנפשו)", 51,14; "Geschworen habe ich bei meinem großen Namen" 44,26 und "Bei mir habe ich geschworen" 22,5; 49,13. Damit stehen wir in der formgeschichtlichen Entwicklung an der Schwelle zu den Formulierungen bei Ezechiel: Sowohl bei den großen Geschichtsrückblicken in c.16 und 20, wo in der Art der oben erwähnten Tetrateuch- und Dtn-Stellen Erwählung und Verheißung als Eideshandlungen Jahwes dargestellt werden (16,8 und 7x in c.20)[36], als auch bei den mit חי אני bekräftigten Gerichtsworten.

Die Botschaft des Amos war eine Unheilbotschaft, somit kündigen auch die durch den Jahweschwur bekräftigten Worte nur Unheil an. Die Botschaft des Amos wirkte weiter und gewann besonders nach dem Ende des Nordreiches neue Bedeutung und wurde auf die eigene geschichtliche Situation der Tradenten im Südreich bezogen. Daneben wurde das radikale Nein des Amos gelegentlich abgemildert (5,6.14f; 9,9f).[37] Man wird für die Formulierungen der Verheißungen im Penta-

---

34) Wolff, BK, S.117.

35) "Stolz Jakobs" nimmt vielleicht die selbstgewisse Gottesbezeichnung des Nordreiches ironisch auf. Zum Problem siehe Wolff, BK, S.377. Vielleicht darf man eine Nähe zu den zu Am 8,14 diskutieren Beerscheba-Überlieferungen (s.o.S. 100-105) vermuten.

36) נשבע in 16,8 und נשא יד in c.20, wobei beide Ausdrücke genau dieselbe Sache bezeichnen, und beide in der Konstruktion mit ל fortgeführt werden.

37) Markert, Amos, TRE II, S.482.

teuch als Jahweeide durchaus auch vordeuteronomistische Wurzeln an-
nehmen dürfen, aber man wird fragen können, ob nicht die betonte
Formulierung der Verheißungen an die Väter als Jahweeide bei den
Deuteronomisten auch eine Form der "Kritik an Amos" darstellt.[38]
Wieweit Jesaja Amos kennt und an ihn anknüpft, ist umstritten.[39]
"Ezechiel hingegen hat vermutlich an Amos unmittelbar angeknüpft".[40]
Das gilt sowohl für seine Botschaft als ihre uns hier vor allem in-
teressierende Form.

Von diesen Erkenntnissen aus sollen nun die 16 in Frage kommenden Stellen des Ezechielbuches (Ez 5,11; 14,16.18.20; 16,48; 17,16.19;
18,3; 20,3.31.33; 33,11.27; 34,8; 35,6.11) und dann die weiteren
Texte literarisch, formkritisch und theologisch-inhaltlich untersucht werden.

---

38) Vergleiche den gleichnamigen Aufsatz von Crüsemann, FS vRad,
S.57-63, zu 2.Kön 14,27.

39) Vgl. R.Fey , Amos und Jesaja, WMANT 12 (1963) und die größere
Zurückhaltung bei Markert, Amos, TRE II S.482. Immerhin gehört
Am 4,1-3 zu jenen wenigen Stellen, die mit großer Wahrschein-
lichkeit Jesaja bekannt waren (Markert, ebd.).

40) Markert, a.a.O., S.483.

Die Belege des Buches Ezechiel
==

1.   Ezechiel 5,11

     Die große Einheit 3,16a.22 - 5,17 baut sich in einem auch sonst
bei Ez häufig zu findenden Schema auf: berichtende Einführung - Rede Jahwes an den Propheten - Auftrag zur Verkündigung.[41] Es geht
dabei um eine Zeichenhandlung des Propheten und die mit ihrer Ausführung verbundene Verkündigung. Unsere Stelle findet sich im 3.
Teil, im Auftrag zu Verkündigung (5,4b-17). Dieser 3. Teil bietet
mehrfache Einsätze und verschiedene Sprüche. Da die für uns wichtige
Einheit V.11-13 zwar auf die Zeichenhandlung V.1f Bezug nimmt, aber
doch den Gerichtsvorgang etwas anders beschreibt, gehört V.11-13
vermutlich zur Nachinterpretation des Textes[42]. Zimmerli rechnet
sie der "Schule" des Propheten zu, die er in unmittelbarer Verbindung mit dem Propheten sieht: "Es ist im Einzelfall oft nicht möglich, die Grenzlinie festzustellen, an der des Propheten eigene Arbeit in die der Schule übergeht."[43] Die Begründung des Gerichtswortes bezieht sich auf die in c.8 ausführlich beschriebene Verun-
reinigung des Tempels. Andererseits scheint V.11-13 älter zu sein
als die zweite Erweiterung V.16-17.
     Eichrodt leitet V.11-12 von Ez selbst her und versteht V.13
als spätere Einfügung, wobei er allerdings auch die Verfasserschaft
Ezechiels diskutiert. Anzunehmen wäre sie mit Eichrodt dann, wenn
"der Begriff des Heiligtums...hier weiter gefaßt ist und den ganzen
Raum der heiligen Stadt einschließt... Dann geht es auch hier wie im
Anfang um die Entweihung der Metropole des Rechts durch die Greuel
des Rechtsbruches, der sich um den heiligen Gott nicht kümmert."[44]
     Eine andere Einteilung bietet Fohrer, der V.10-11 und V.13 je-
weils als Glosse ausscheidet ("delendum"), wobei V.13 wiederum V.10f
voraussetzt. V.10f ist für Fohrer "näherbestimmende Gl(osse), die
Einzelheiten ausmalt".[45] In welchen zeitlichen oder auch sachlichen
Abstand zu Ez Fohrer diese Glossen sieht, ist schwer zu erkennen[46],

---

41) Zimmerli, Ez, BK^2 (1979). S.104, (1.Auflage: 1955-1969).
42) A.a.O., S.135.
43) Vgl., a.a.O., S.106 -109*; Zitat S.109*.
44) Eichrodt, Hes, ATD^1 (1966), S.15.32f.
45) Fohrer, Ez, HAT^1 (1955), S.33.35.
46) A.a.O., Einleitung, S.XI. Zur Vorsicht mahnen dabei jedoch
     folgende Sätze von Fohrer: "Aller Wahrscheinlichkeit nach hat

und für die Abgrenzung scheint die Theorie von Kurzversen und daraus zusammengestetzten Strophen von Einfluß gewesen zu sein.[47]

Ez 5,7 hatte die in V.8 beginnende Strafansage begründet. Die
Strafansage V.8 wurde mit לכן eingeleitet. Dieses לכן kehrt in
V.10 und 11 wieder, dem im weiteren die Einsätze mit ו in V.13.14.
15.17 entsprechen. V.11f hebt sich somit als eigene Einheit heraus,
die wiederum eine Strafansage mit Begründung enthält. "Darum, so
wahr ich lebe (חי אני), spricht der Herr Jahwe, fürwahr (אם לא),
weil du mein Heiligtum mit all deinen Greueln verunreinigt hast,
darum will auch ich Schur halten und mein Auge soll sich nicht be-
trüben lassen, und auch ich will kein Mitleid empfinden: Der dritte
Teil von dir soll durch die Pest umkommen und...der dritte Teil..
..und den dritten Teil will ich..."[48]

Der Aufbau entspricht den oben erarbeiteten Formen des Rechtslebens. Dem Schuldaufweis in V.5-6(7), an den V.11 anknüpft, folgt
die Tatfolgebestimmung, das ist hier das prophetische Gerichtswort.
Dieses wird nun noch einmal mit einem Schuldaufweis verbunden und
durch ו eingeführt. Der innere Aufbau von V.11 entspricht dabei der
bekannten Folge von Schuldaufweis und Tatfolge, zugleich entspricht
er in der Verbindung mit den vorangegangenen Versen dem häufigen
Ineinander von Tatbestand und Urteil bzw. Tatfolgebestimmung.[49]
Auffallend ist die starke Betonung des Einsatzes der Strafansage.
Neben den Einleitungen durch לכן und dann nochmals ו (11b) steht
die Schwurformel (חי אני), die Gottesspruchformel (נאם אדני

Ez die einzelnen und getrennt wiedergegebenen Worte und Berichte
hinterlassen, wie seine eigenen Nachträge und die späteren Zusätze am Ende der Abschnitte zeigen." (Ebd) und: "Er hat dabei
nacheinander zu mehreren Teilpunkten und Teilaspekten eines
ihn bewegenden Themas Stellung genommen." (Einleitung, Xf).

47) Zum Kurzvers siehe a.a.O., Einleitung VIIIf und die für
Ez 5,1-17 getroffene Einteilung S.34.

48) Zu den textkritischen Problemen siehe Fohrer, HAT, S.33 und
ausführlich Zimmerli, BK, S.98. Zum Gebrauch des Gottesnamens
אדני יהוה siehe bes. Zimmerli, BK, Exkurs 1: Der Gottesname,
S.1250-1258.1265, mit dem Ergebnis, "daß אדני יהוה in den
Formelgruppen des klagenden Anrufes Jahwes, der Einleitungsformel des Botenspruches und der Gottesspruchformel ursprünglich im Wort des Propheten beheimatet gewesen sein könnte."
(S.1258).

49) Boecker, Redeformen, S.136; Vgl. A.28.

173

יהוה) und schließlich noch die Schwurkonjunktion (אם לא). Dies
alles zeigt die Emphase der Gerichtsankündigung. Jahwe ist der, der
die Strafe für die Untaten seines Volkes ganz gewiß herbeibringen
wird. Er selbst ist der Urheber dieses kommenden Gerichts (vgl. die
Gottesspruchformel und den Blick auf das persönliche "Engagement":
"ich will Schur halten... ich will kein Mitleid empfinden"), und
erweist darin seine Wirksamkeit und Lebendigkeit (חי אני ; dazu
auch in V.13 der Abschluß mit dem Erweiswort "sie werden erkennen").

Wir hatten oben (S.162f) gesehen, daß die SF חי אני als Aussagesatz zu verstehen ist. חי wird näher bestimmt von diesem Gerichtswort. חי bezeichnet damit das aktive, wirkende Wesen Jahwes.
Das Erweiswort hat seine Heimat in Bereichen des heiligen Krieges,
also im Bereich äußerster Handlungskraft des Gottes Israels.[50]
Es ist weiters nicht unbedeutend, daß die Selbstvorstellungsformel,
die bei Ez in sachlichem Zusammenhang mit diesem Erweiswort vorkommt,
mit der in gesetzlichen Anordnungen häufigen Selbstvorstellung אני
יהוה   zusammengehört, wir also auch hier in den Bereich des Rechtslebens, speziell der Rechtsproklamation geführt werden.[51] Das Erweiswort, das uns im Buch Ezechiel häufig begegnet, und das auch
in 5,11-13 vorliegt, "hält...fest, daß das Ziel all dieser Begegnung Jahwes mit seinem Volk kein anderes sein kann, als der Selbsterweis des Herrn Israels gegenüber seinem Volk und darüber hinaus
gegenüber der Weite der Völkerwelt."[52] "In der kombinierten Formel
(sc. Erweiswort und Selbstvorstellung) wird es danach um das Erkennen dieses sich so in seiner Freiheit vorstellenden Ich gehen."[53]

Die Tatsache, daß die SF חי אני betont in diesem Zusammenhang
hineingestellt ist, und diesen besonders unterstreicht, zeigt, daß
für Ez bzw. seine Schüler der Aussagegehalt der SF mit seinen bzw.
ihren dargestellten theologischen Grundaussagen identisch gewesen
sein muß. Diese bisher gewonnenen Einsichten sind an den weiteren
Texten zu entfalten und zu differenzieren.

Zunächst aber bietet unsere Stelle einen günstigen Einstieg,
zusammenfassend auf die Frage der literarischen und zeitlichen Einordnung der uns hier interessierenden Stellen des Ezechielbuches
einzugehen. Allerdings ist hier nicht der Ort die Forschungsge-

---

50) Zimmerli, Wort des göttlichen Selbsterweises, GO, S.120-132.
    Bes. S.121f und 130f.
51) A.a.O., S.125.
52) Zimmerli, BK, S.55*f.
53) A.a.O., S.57*.

schichte in extenso zu referieren.[54] Nach manchen Verwirrungen hat
sich in den vergangenen Jahrzehnten ein gewisser Konsens herausge-
bildet, insbesondere auf Grund der Vorarbeiten von Fohrer.[55] Diese
fanden ihren Niederschlag in seinem Kommentar (HAT, 1955). Daneben
steht die äußerst umfangreiche und gründliche Arbeit von Zimmerli
(BK, 1955-1969; 1979²) und schließlich der Kommentar von Eichrodt
(ATD, 1966). Nach diesen Arbeiten gehört der weit überwiegende Teil
der Texte des Ezechielbuches zum Propheten bzw. in seine unmittelbare Nähe, wodurch allerdings gelegentliche spätere Ausgestaltung
und Erweiterung nicht ausgeschlossen ist.[56][57] Von Zimmerli werden
von den 16 Stellen mit אֲנִי הוּ etwa die Hälfte als unmittelbar von
Ezechiel stammend betrachtet, die andere Hälfte als eher dem Kreis
der Schüler zugehörig.[58] Etwas größeren Abstand sieht er nur bei
35,6-11, wobei aber auch dieser Text noch vor das Ende der Exilszeit gehört.[59]

Ähnlich ist das Ergebnis bei Fohrer[60]: 13 von den 16 Stellen
verbindet er unmittelbar mit Ez; 5,11 bewertet er, wie oben behandelt, als Glosse, leider ohne nähere zeitliche Angabe. Ebenso 17,16
neben dem echten V.19 (S.95f). Auch 16,48 "rührt nicht von Ez her."

---

54) Siehe dazu die Einleitungen, von Fohrer und Kaiser; Smend,
     EntstAT.
55) Fohrer, Hauptprobleme des Buches Ezechiel, BZAW 72 (1952).
56) Siehe etwa Smend, EnstAT, S.165f.
57) Gelegentliche neuere Arbeiten, in denen für Ez meist nur weni-
     ge Verse übrigbleiben, und der Großteil in kaum greifbare
     pseudepigraphische Schichten zerfließt, gehen von fragwürdigen
     Methoden aus und sind kaum anders als mit Fohrers Stoßseufzer
     zu quittieren (ZAW 87 (1975), S.396: zu Garscha, Studien zum
     Ezechielbuch, EHS 23/23): "... nimmt zugleich das Postulat
     auf, daß auch in der Prophetenforschung nicht mehr die etwaige
     Unechtheit, sondern gerade umgekehrt die Echtheit des Einzel-
     gutes zu prüfen und glaubhaft zu machen sei - als habe man es
     gerade in der Bibel ständig mit betrügerischen Buchverfassern
     und Redaktoren zu tun, die ihre aus dem verschiedenartigsten
     Material zusammengestellten Machwerke dadurch glaubhaft zu
     machen suchten, daß sie sie z.B. einem - ausgerechnet so gut
     wie nicht bekannten - Propheten zuschrieben... Armer Ezechiel!"
58) Zimmerli, BK, passim zu den Stellen, meist unter "Ort".
59) A.a.O., S.857f.860.
60) Fohrer, HAT, passim.

Doch scheint Fohrer auch diese Glossen nicht allzuweit von Ez weg-
zurücken.[61] So ergibt sich auch hier eine Zuordnung unserer Belege
zu Ez und in die folgenden Jahrzehnte des Exils.

Am zurückhaltendsten ist Eichrodt.[62] Er spricht nur 16,48 Ez
ab und sieht den Abschnitt 16,44-58 als "die Bereicherung einer Straf-
rede gegen Jerusalem durch einen Schüler."[63] Damit ist der zeitliche
Rahmen abgesteckt und die Sicht einer eher engen Zusammengehörigkeit
der Stellen mit der SF אני חי berechtigt.

2. Ezechiel 14,16.18.20

In der Einheit Ez 14,12-20 wird in einer allgemeinen und grund-
sätzlichen Erörterung die Bestrafung eines gegen Jahwe sündigen Landes dargelegt, und V.21-23 zieht dann die Konsequenzen im Blick auf
das Gericht an Jerusalem.[64] In vierfacher Durchführung geht es um
den Erweis der Gerechtigkeit Jahwes:"...und ihr werdet erkennen,
daß ich all das, ...nicht grundlos getan habe" (V.23). Insbesondere
geht es um die Durchführung des individuellen Gerichts: Nur der Gerechte selbst wird gerettet, alle anderen, auch die engsten Angehörigen, ja Sohn und Tochter, würden nicht gerettet. Nach allgemeiner
Exposition, in der die drei berühmten Gerechten Noah, Daniel und
Ijob herangezogen werden (V.12.14), folgt eine dreimalige, die Form
der Strafe variierende Durchführung (V.15f.17f.19f). "Oder wenn ich
wilde Tiere das Land durchziehen lasse, so daß sie es entvölkern
und es zur Wüstenei wird, weil niemand mehr um der wilden Tiere willen es durchzieht, und dann diese drei Männer in seiner Mitte wären -
so wahr ich lebe, spricht Jahwe, sie würden weder Söhne noch Töchter
retten. Sie allein würden gerettet, das Land aber würde zur Wüstenei." (V.15f). Hier finden wir wieder wie in 5,11 am Übergang zur

---

61) Vgl. a.a.O., S.XI. Die Bemerkung in 17,16 "näher bestimmende
     Glosse, die genauer auf den Vertragsbruch und die Vorgänge
     beim Feldzug gegen Zedekia eingeht, die Ez noch unbekannt
     sein mußten" (S.95) erlaubt andererseits keine allzu weite
     Entfernung von diesen "Vorgängen".
62) Eichrodt, ATD, passim.
63) A.a.O., S.129.
64) Zu Einzelfragen des Textes, insbesonders auch die Frage der
     Zusammengehörigkeit von 12-20 und 21-23 und zur "Nachinter-
     pretation" in 22f siehe Zimmerli, BK, S.315-324. Fohrer, HAT,
     S.78-81 stimmt praktisch durchweg mit Zimmerli überein.

Tatfolgebestimmung die Verbindung von Schwurformel, Gottesspruchformel und Schwurkonjunktion: חי אני נאם אדני יהוה אם . Die
beiden anderen Einheiten sind ganz genau so aufgebaut, lediglich
daß in V.18 die Schwurkonjunktion לא durch die einfache Negation
ersetzt ist.

Durch den Eid Jahwes bei sich selbst, bei seiner lebendigen
Wirksamkeit, wird hier wieder die Strafansage bekräftigt. Die Lebendigkeit Jahwes erweist sich damit umgekehrt in diesem seinem Gerichtshandeln, das weltweit für jedes Land gilt, dann aber konkret an Jerusalem geschieht, wobei letztlich auch die Davongekommenen "erschüt-
ternder Beweis für Gottes heiliges Richten werden."[65] "Das ganze
Wort verkündete...ganz personal die Gerechtigkeit Jahwes, der sich
in seiner Freiheit je neu durch sein Handeln erweist."[66]

An diesem Text ergänzen inhaltliche und formale Betrachtung
einander sehr schön, als hier der Bezug der Erwähnung von Jahwes
Lebendigsein und die Verbindung der SF mit der Redeform des Rechtslebens Hand in Hand gehen.

3. Ezechiel 16,48

Die Einheit 16,44-58 ist ein Nachtrag zur großen Darstellung
der Geschichte Israels im Bild der untreuen Frau. Dieses Bild geht
traditionsgeschichtlich auf Hosea zurück. Das Bild wird bei Hosea
im Rahmen des Rechtsstreites Jahwes mit seinem Volk (2,4-17) entfaltet.[67] In ähnlicher Weise dient die Entfaltung des Bildes in
Ez 16,1-34 zunächst der Schilderung des Tatbestandes im Sinn der
Anklage, worauf in V.35-43a das Urteil ausgesprochen wird.[68] Zu
dieser in sich teilweise bereits weitergeführten Einheit 16,1-43
tritt die Ergänzung V.44-58. Sie konkretisiert das Bild, vermutlich
auf Grund des mittlerweile eingetretenen Falles Jerusalems, und erweitert es zugleich auf die "Nachbarstädte" Sodom und Samaria, die
paradoxerweise weit weniger sündigten als Jerusalem. Jerusalem hat
es schlimmer getrieben als Sodom: "So wahr ich lebe, spricht der

_____

65) Zimmerli, BK, S.324.

66) A.a.O., S.323.

67) Hos 2,4: ריבו. Dazu Wolff, BK: "ריב bezeichnet den Wechsel
    der Reden vor Gericht...und somit die Prozeßführung im Ganzen,"
    (S.39). Und: "Sie (sc. die verwendeten Redeformen) gehören alle
    in ein Rechtsverfahren wegen ehelicher Untreue." (S.37).

68) Vgl. Zimmerli, BK, S.344 mit dem Stichwort "Gerichtsrede".

Herr Jahwe, deine Schwester Sodom, sie und ihre Töchter haben nicht
getan wie du und deine Töchter." (V48).

Die uns bereits geläufige Verbindung von Schwurformel, Gottesspruchformel und Schwurpartikel חי אני נאם יהוה אם bekräftigt
hier nicht die Tatfolgebestimmung, sondern die Tatbestandsfeststellung. Damit liegt eine gewisse Verschiebung gegenüber dem ursprünglichen Ort der SF vor, auch wenn der weitere 'Sitz im Leben' nämlich Gerichtsrede, noch gegeben ist. Das paßt zur auch sonst hier
vorliegenden Wandlung der Form, der die sakralrechtliche Grundlage
noch anzumerken ist, diese aber zugleich weitergeführt hat (vgl.
die Abwandlung der alten Wendung נשא עון in V.53 und 58)[69].
"Stilabhängigkeit und Stilwandel sind hier recht deutlich zu erkennen."[70]

Inhaltlich geht es in 44-58 bzw. zumindest in 44-52 um den Ruf
zur Anerkennung der von Jahwe verhängten Strafe und zur Beugung unter dieselbe.[71] Da die Strafe bereits eingetreten ist, geht es nicht
mehr um ihre Androhung, sondern um ihre Begründung und damit um Anerkennung der Gerechtigkeit von Jahwes (jetzt ergangenem) Gerichts-
handelns. Es liegt nahe zu vermuten, daß die Verschiebung des Ortes
der Schwurformel mit dieser inhaltlichen Verschiebung parallel geht.
War für die Schüler Ezechiels die Erwähnung der Lebendigkeit Jahwes
mit dem Ringen um die Anerkennung der Gerechtigkeit seines Straf-
handelns verbunden? – Die Verlagerung der SF hin zum Schwerpunkt
des Textes scheint dafür zu sprechen.[72]

4. Ezechiel 17,16.19

Ez 17,1-10 bringt der Prophet eine Bildrede von Adler, Zeder
und Weinstock, in der es eigentlich um den Bundesbruch Zidkijas gegenüber dem babylonischen König geht. V.11-21 bringen dazu die göttliche Deutung, die möglicherweise "in einem gewissen zeitlichen Abstand", d.h. nach den Ereignissen von 587, aber vermutlich durchaus
von Ezechiel selbst, formuliert wurde.[73]

---

69) A.a.O., S.367f.

70) A.a.O., S.367.

71) A.a.O., S.367f. Ganz ähnlich Eichrodt, ATD, S.131.

72) In ähnlicher Weise könnte die SF sonst nur noch mit V.51 verbunden werden. Anscheinend wurde die SF mit der ersten, betonten Tatbestandsfeststellung verbunden, der gegenüber der neben Sodom harmlosere Vergleich mit Samaria gewissermaßen einen zweiten Anlauf darstellt.

V.11-15 bringt zunächst die Auslegung der Bildrede. Sie zielt auf
den Treueeid (V.13f), den der König von Babel von dem von ihm ein-
gesetzten Vasallen verlangt hatte, und den Bundesbruch, der durch
die Beziehungen Jerusalems zu Ägypten seinen Anfang nahm (15a). Es
folgt die rhetorische Frage: "Wird Erfolg haben, wird sich retten
können, der dieses tut? Und wer den Bund bricht, wird der dann sich
retten können?" (15b). Dieser Tatbestandfeststellung folgt nun die
in der rhetorischen Frage bereits in Blick kommende Tatfolgebestimmung. Diese besteht aus 2 Einheiten, die jeweils mit der SF eingeleitet sind: V.16-18 und 19-21. Die erste Einheit spricht von Deportation und Tod Zidkijas und vom Versagen des Pharao zur Zeit
der Belagerung Jerusalems (V.16f), leitet dann zurück zum Tatbestand:
"Er hat den Eid mißachtet, den Bund gebrochen" und kommt nochmals
zum Urteil: "Er wird sich nicht retten können." (V.18). Diese Einheit scheint ein Zusatz zu sein[74], wofür auch die eben vorgeführte
Verschleifung der Formen spricht.

Die ursprüngliche Fortsetzung von V.15 ist die formal strenger
aufgebaute und inhaltlich wesentlich tiefer schürfende zweite Einheit V.19-21. Die Einleitung der Gerichtsankündigung geschieht durch
die Botenspruchformel, Schwurformel und Schwurpartikel כה אמר אדני יהוה
חי אני אם לא in der auch bisher vorgefundenen Weise.[75] Die Folge

---

73) Zimmerli, BK, S.384. Nach Fohrer, HAT, S.94 gehören 17,1-10
und 11-21 "aufs engste zusammen".

74) Entsprechend Zimmerli, BK, S.386; Fohrer, HAT, S.95 (vgl.
A.61) und auch Eichrodt, ATD, S.139.

75) Der Wechsel von יהוה נאם und כה אמר י spielt kaum eine Rolle..
Beides findet sich bei Ez, oft in unmittelbarer Nähe, vgl.
Lisowsky, Konkordanz, S.116f und 887. Dabei ist das sonst weitaus häufigere כה אמר י nur 2x mit der SF verbunden, während
die übrigen 14 Stellen mit נאם יהוה verbunden sind. Diese Beobachtung könnte für eine ursprüngliche Nähe dieser Form der
Gottesspruchformel zum 'Sitz im Leben' der SF sprechen.
(Damit ist bewußt die sonst beliebte Ableitung vom Seherspruch,
siehe etwa Vetter, נאם , Ausspruch, THAT II, Sp.1-3, und die
dort angeführte Literatur, in Frage gestellt. Es würde hier
viel zu weit führen, dem Problem nachzugehen, doch scheint
mir die singuläre Stelle Nu 24,3.15 zu wenig tragfähig, bes.
in Anbetracht der literarischen Probleme der Bileamperikope.
Zudem sind divergierende Meinungen offensichtlich kaum korrekt
zur Kenntnis genommen worden: Noch Vetter zitiert Hölscher,

des Bundesbruches wird sein, daß Jahwe den verachteten Eid und den
gebrochenen Bund auf das Haupt des Königs zurückfallen läßt. Er
entkommt Jahwe nicht, und auch seine Truppen werden fallen oder ver-
sprengt werden. Diese Unheilsansage wird abgeschlossen durch die
Formel des Erweiswortes: "und ihr werdet erkennen, daß ich, Jahwe,
geredet habe."

Die besondere Erkenntnis um die es hier geht, ist, daß der
Fehlschlag der Politik Zidkijas "nicht aus der Geschichtslogik, daß
Großmannssucht und Treuebruch kein gutes Ende zu nehmen pflegen."[76]
herzuleiten sind. Vielmehr ist der Untergang die Folge des Vergehens gegen Jahwe, "der als Hüter des Rechts den Eid- und Ver-
trauensbruch nicht ungestraft läßt, weil er seine Heiligkeit ver-
letzt."[77] Jahwe wacht über den bei ihm geschworenen Eid und dem
damit vor ihm[78] bekräftigten Bund. Seine Lebendigkeit erweist sich
in der Bestrafung des Übertreters des Bundes bzw. des Verächters
des Eides.

אלה steht hier in Parallele zu ברית, gewissermaßen als
pars pro toto, wie es auch sonst häufig neben Schwurleistung (שבע)
und Bund (ברית) erwähnt ist.[79] "אלה ist im wesentlichen ein Terminus des Rechtslebens"[80], er ist "Rechtsbehelf zur Sicherung von
Eid...Vertrag...Bund" u.ä.[81]. Es ist bezeichnend, daß auch in
1.Sam 14 ein solcher bedingter Fluch dem (unbewußten) Vergehen
Jonatans vorausgegangen war (V.24) und auch dort die Tatfolge Verurteilung (V.39) bzw. Freispruch (V.45) durch die SF eingeleitet
war. Hier scheinen institutionelle Zusammenhänge zu bestehen.

Jedenfalls ist durch Ez 17,19-21 der Pfandsetzungscharakter
der SF ausgeschlossen. Diese Interpretation hatte L.Köhler vertreten. "Will man nämlich seine Aussage glaublich machen, so setzt man

---

Propheten, mit "S.79ff", obwohl dieser erst S.119 auf den
Bileamspruch eingeht.)
76) Fohrer, HAT, S.96.
77) Ebd.
78) "Mein Eid...mein Bund" kann schwerlich anders gedeutet werden.
    dafür spricht auch, daß "nach babylonischer Übung...die Va-
    sallen bei ihrer eigenen Gottheit zu schwören" scheinen;
    Mendenhall, BASOR 133 (1954), S.30 A.16, nach Zimmerli,
    BK, S.386.
79) Vgl. Keller, אלה , Verfluchung, THAT I Sp.150f.
80) A.a.O., Sp.150.
81) Horst, Segen und Fluch, RGG V, Sp.1651.

ein Pfand... Das Pfand soll verfallen sein, wenn die Aussage falsch ist."[82] Damit gelingt es zwar Köhler, die verschiedenen Eidesformulierungen auf einen gemeinsamen Nenner zu bringen: "Die Formulierungen sind mannigfaltig, der Sinn ist immer derselbe"[83], aber damit widerspricht er dem alttestamentlichen Gottesverständnis (vermutlich auch dem jeder anderen Religion) und auch sonstigen Ergebnissen formgeschichtlicher Beobachtung: "Vom privaten Leben dringt dieser Eid in das Recht ein, wo er eine sorgfältigere Formulierung findet."[84] Bereits Greenberg hatte diese Meinung Köhlers als "rather strainend - if not indeed blasphemous"[85] empfunden. Durch die Beobachtung von 'Sitz im Leben' und Funktion der SF wird sie hinfällig. Selbst für die SF in Bezug auf Menschen (חֵי נֶפֶשׁ) ist zu beachten, daß hier Menschen angesprochen sind, die als Vertreter Jahwes fungieren und Rechtsentscheidungen zu treffen haben.

Hier in Ez 17 ist klar zu sehen, wie Jahwe, bei dem der Eid geschworen wird, der ist, der bei Eidesbruch diesen bestraft. Er wendet der Eid auf den Übertreter zurück. In diesem Kontext gewinnen die in der Schwurpartikel אִם bzw. אִם לֹא angedeuteten und gelegentlich ausgesprochenen Folgen (Num 5,19-28; Ps 7,4-6; Hi 31) ihren Sinn. Auch der Eid beim König (1.Sam 17,55; 2.Sam 14,19), beim Priester (1.Sam 1,26) und beim Propheten (2.Kön 4,30) paßt zu dieser Sicht, als diese Amtsträger mit der Autorität ausgestattet sind, den Eid zu überwachen bzw. seine Übertretung zu ahnden[86]. In dieser tiefen theologischen Deutung des Gerichts an Israel kommt die Verkündigung Ezechiels zugleich stark in die Nähe des ursprünglichen 'Sitzes im Leben' der Schwurformel חֵי יהוה .

5. Ezechiel 18,3

In 18,1-31 geht es um die Freiheit zur Umkehr für einen jeden, und auf diesen Hintergrund um die Gerechtigkeit Jahwes. Diese wird von den Israeliten angezweifelt durch das bei ihnen kursierende Sprichwort: "Die Väter haben saure Trauben gegessen, aber den Söhnen

---

82) Köhler, Eid, RGG² II, Sp.51. Entsprechend KBL, s.v. שבע ; hier ausdrücklich in Verbindung mit der SF.

83) Köhler, Eid, a.a.O.

84) Ebd.

85) Greenberg, Hebrew Oath particle, S.37, A.18.

86) Auch dem Prophetenbild der Elija/Elischa-Erzählungen wird man diesen Zug nicht absprechen können, eher im Gegenteil!

sind die Zähne daran stumpf geworden." (V.2). Der ironischen Auflehnung setzt Jahwe seinen Rechtsentscheid entgegen: " חי אני נאם
אדני יהוה אם, keiner von euch soll mehr diesen Spruch in Israel
sagen. Siehe, jeder der da lebt, gehört mir, der Vater, der da lebt,
ebenso wie der Sohn. Mir gehören sie! (Und) der da sündigt, der
soll sterben."[87]

Wieder ist der göttliche Urteilsspruch eingeleitet durch die
SF, die Gottesspruchformel und die Schwurpartikel. Es folgt eine
doppelte Bestimmung. Zunächst wird der weitere Gebrauch des Sprich-
wortes untersagt, dann folgt die Alternative: der, der da sündigt
wird sterben (und nicht etwa ein schuldloser Sohn). Zwischen diesen
beiden Teilen des Urteils (statt von 'Tatfolgebestimmung' müßte man
hier von 'Sachverhaltsfolgebestimmung' sprechen) steht der begründete Sachverhalt: Sowohl Vater als auch Söhne gehören unmittelbar
Jahwe. Jeder ist verantwortlich für sein Tun, jeder wird von Jahwe
persönlich[88] gerichtet. Dieser Sachverhalt mit seinen jeweiligen
Folgen wird in V.5-30a kasuistisch entfaltet.

In dieser Entfaltung mit ihrer mehrfachen Durchführung geht
es immer wieder um den Gegensatz von Leben und Tod. In diesen 26
Versen finden sich 10 Vorkommen des Verbums חיה (9x Qal, 1x Pi.),
wovon 6 zusätzlich durch inf. abs. verstärkt sind[89]. Andererseits
gibt es 10 Vorkommen des Verbums מות (9x Qal, 1x Ho.), wovon eines
durch inf. abs. verstärkt ist[90]. Mit חיה und מות ist jeweils die
Tatfolge für den vorher gegebenen Sachverhalt formuliert, übrigens
mehrmals in der Verbindung mit נאם אדני יהוה (V.9.23.30).

Die einzelnen Einheiten folgen damit einem Grundschema, das in
der 1. Einheit, V.5-9, streng durchgeführt ist: Nachdem in V.5-9a
das Verhalten des Gerechten vorgeführt bzw. überprüft ist, erfolgt
in 9b das deklaratorische Urteil "gerecht ist er" und die Folgebestimmung "er soll leben", abgeschlossen mit der Gottesspruchformel.
Diese klar aufgebaute Formel צדיק הוא חיו יהיה נאם אדני יהוה
hat offensichtlich ihren festen 'Sitz im Leben'. Ezechiel greift

---

87) Die eindrucksvolle, aber für die Übersetzung schwierige
    Konstruktion ist hier etwas freier wiedergegeben; vgl. Zimmer-
    li, BK, S.391.393.
88) Vgl. Zimmerlis Übersetzung "Person"; ebd.
89) Lisowsky, Konkordanz, S.484 gibt nach dem MT 11+6. Vermutlich
    ist jedoch der Text in V.13 zu ändern, was eine Verschiebung
    zu 10+6 ergibt. Vgl. Zimmerli, BK, S.394.
90) Lisowsky, a.a.O., S.767.

hier die Formen der Torliturgie und der priesterlichen Lebenszusage
auf: "Die an den einzelnen Rechtssätzen ablesbare, an einzelnen
"Werken" als Sachtatbeständen orientierte Teildiagnose wird durch
den Priester vollmächtig zur Gesamtdiagnose über die Person erhöht
...Durch die Folge: Rekapitulation der Gebotsreihe - deklaratorisches
Urteil scheint somit in Ez 18 ein realer Vorgang durch, der sich im
Bereich des Heiligtums (in Jerusalem) am Tempeltor abzuspielen pflegte. In das Geschehen am Heiligtum führt aber offenbar auch das dritte Element von 18,5-9, die den zwei erwähnten Elementen folgende
Lebenszusage."[91] Wir befinden uns damit im Bereich des Sakral-
rechtes.[92] In ähnliche Zusammenhänge führt uns der Gebrauch von
מות . Zunächst ist "nicht sterben" betonte Gegenüberstellung zu
"leben" (z,B. V.17b) und gehört damit in denselben Kontext. Sodann
aber erfordert ein echter Vorgang der Urteilsfindung auch die Möglichkeit eines negativen Ausgangs. Dieses negative Gegenbild zu
V.5-9 wird in 10-13 entfaltet. Antithetisch zu 9b ergeht in 13b das
Urteil: All diese Greuel hat er getan, er soll (des Todes) sterben,
sein Blut komme über ihn.[93]

In den beiden Einheiten, V.5-9 und V.10-13, ist damit die grundlegende Gegenüberstellung getroffen. Die beiden Möglichkeiten Leben und Tod werden im Weiteren unvermischt durchgezogen. Genau
differenziert wird jedoch im Blick auf den Menschen und sein Tun,
zunächst zwischen den Generationen, dann sogar zwischen Gegenwart

---

91) Zimmerli, BK, S.399.

92) Siehe besonders Zimmerli, BK, S.52 f mit Aufnahme der Einsichten bei vRad, Gerechtigkeit und Leben in der Kultsprache der
Psalmen (1950).

93) Der Text ist umstritten. Zimmerli, BK, S.394.410f will bei der
Lesung des MT bleiben. Viele andere Autoren (vgl. ebd.), z.B.
Boecker, Redeformen, S.140 halten entsprechend der Lesart vieler Versionen מות ימות für ursprünglich. Hauptargument dafür
wären die Formulierungen in V.17.21.24.28, der einheitliche
Charakter des Kapitels und "der parallel formulierte Lebens-
zuspruch in V.9 (חיה יחיה)". Nun ist es aber fraglich und
eher unzutreffend, דמיו בו (V.13) parallel zu צדיק הוא (V.9)
zu sehen, zumal die Reihenfolge der Glieder wechselt und vor
מות יומת (V.13) כל התועבות האלה עשה steht, was viel besser
dem צדיק הוא entspricht. So erscheint es mir richtiger, sich
mit dem MT im Sinn der lectio difficilior auseinanderzusetzen,
als die Schwierigkeit zu beseitigen.

und Vergangenheit im Leben des Einzelnen.[94] Die Möglichkeit des
Lebens ist Gabe Jahwes, konkret erfahrbar im Einlaß zum Heiligtum
und damit zu Jahwes Nähe. "Die Lebenszusage stammt ganz so wie die
vorausgehende Beschreibung der Ordnungen der Gerechtigkeit und der
deklaratorische Spruch aus dem Bereich des Heiligtums und läßt all
das aufklingen, was dort lebte. Manche Psalmenstellen machen nun
aber deutlich, daß das dort zugesprochene Heil nicht zuerst Zuspruch einer bestimmten, sachlich bestimmbaren Gabe, sondern in
alledem zuerst Zuspruch des "Gott mit dir" war".[95] Diese Aspekte
sind auch für den Propheten und seine Hörer im Exil relevant.

Das Urteil über den Sünder (V.10-13) führt zur Tatfolgebestimmung der Tötung. Nun geht es sicher im ganzen c.18 um ein Wirken
Jahwes. Dies zeigt der Gebrauch von מות im Qal ebenso wie bei חיה.
Die Formulierung מות יומת schließt nun die Aktion der Menschen,
konkret der israelitischen (Kult)gemeinde mit ein. Diese Formulierung
scheint zunächst nicht in der Torliturgie beheimatet gewesen zu
sein - allerdings bleibt die Frage, ob ein negatives Ergebnis der
Prüfung im Tor immer ohne jegliche Folge bleiben konnte. Die Auf-
zählungen in Lev 20 wie auch andere Strafbestimmungen zeigen, daß
die Übertretung des Jahwerechtes das Volk zum Einschreiten ver-
pflichtete. Die in V.10-13 aufgezählten Taten verlangen eine Aktion
des Volkes. Damit ist die מות יומת Formulierung hier durchaus angezeigt. Offensichtlich ist in V.10-13 ein geläufiger Rechtsvorgang
für die Ausdrucksweise Ezechiels prägend und in das Anliegen von
Ez 18 integriert. Wieweit hier eine Unterscheidung von sakralrecht-
lich und profanrechtlich möglich bzw. notwendig ist, ist angesichts
der derzeitigen Forschungslage schwer zu entscheiden. Hilfreich erscheint hier der von Liedke[96] verwendete Begriff des "autoritären

---

94) Dies paßt gut zu der von Zimmerli herausgestellten "Eigenart
    der prophetischen Rede des Ezechiel" (GO, S.148-177): "Im sa-
    kralrechtlichen Bereich, wo über die Zulassung oder den Aus-
    schluß aus der Kultgemeinde entschieden wurde, wo im Ordal der
    Entscheid über Schuld oder Unschuld fiel, konnte nur der Ein-
    zelne zählen... Die Praxis dieser dem Einzelnen erteilten
    priesterlichen Thorabelehrung und -beurteilung...steht hinter
    Ezechiels radikaler Verkündigung, die nun fern vom Kultraum
    des Tempels prophetisch ans ganze Volk gerichtet wird."
    (S.172f). Vgl. dazu noch Ringgren, חיה , ThWAT II, Sp.888f.
95) Zimmerli, BK, S.407.
96) G.Liedke, Gestalt und Bezeichnung alttestamentlicher Rechts-

Urteils". Auch angesichts von Boeckers Warnung[97] vor vorschneller
Vermischung von "Sakralrecht" und "bürgerlich-sozialem" Recht scheint
es berechtigt, zwischen diesen Formen des "autoritären Urteils"
wesentliche Verbindungen zu sehen. Liedke vermutet, "daß gerade
hier im autoritären Urteil die Hauptbrücke zwischen Recht und Prophetie liegt. Es ist einleuchtend, daß die von den Propheten ange-
sagten Jahweurteile eher autoritäre Urteile als von der Gegenseite
zu akzeptierende Urteilsvorschläge sind."[98] Es liegt auf der Hand,
daß ein doch kaum andere als autoritäre Urteile aussprechendes Sakralrecht sehr gut in dieses Bild paßt. Zumindest für den so sehr
priesterlich bestimmten Propheten Ezechiel scheinen sich diese getrennten Traditionen problemlos zusammenzufügen, wie c.18 zeigt.[99]
- Und vielleicht waren diese Traditionen nur vorübergehend ausein-
andergetreten.[100] Eine Rückfrage hätte wohl für jede Epoche des
im AT bezeugten Rechtslebens Jahwe als letzte Autorität für die

---

sätze, S.129f.

97) Boecker, Redeformen, S.141 Text und A.1.

98) Liedke, a.a.O., S.130.

99) Dabei scheint die erste Einheit V.1-4 so wie die dritte Einheit
V.10-13 von einem stärker "profanrechtlichen" Hintergrund des
Sprachgebrauchs geprägt zu sein, während V.5-9 und 14ff sakral-
rechtlich bestimmt sind. Dieser formalen Differenzierung entspricht eine inhaltliche, wobei ich dem Begriff "Todesrecht"
(Schulz) den Begriff "Lebensrecht" gegenüberstellen möchte.
Bei aller Notwendigkeit, die Bereiche zu ihrer exakten Erfas-
sung möglichst genau zu differenzieren, haben doch sicher diese Bereiche im Leben Israels nie beziehungslos nebeneinander
existiert. Im prophetischen Ringen Ezechiels um die Existenz
und Zukunft seines Volkes traten beide Bereiche in besonders
enge, wenn auch meist polare Beziehung.

100) Die Differenzierung ergibt sich aus der Differenzierung der
Lebensbereiche und der jeweiligen obersten Autorität. Vgl. dazu Liedke, Rechtssätze, S.120-130: "Die die apodiktischen
Rechtssätze tragende Autorität". In einer früheren Zeit, wo
etwa der כהן noch stärkere kultische Funktionen ausübte, lagen
wohl auch die Rechtskreise enger ineinander, wie umgekehrt
schwierige Rechtsfälle immer wieder am Heiligtum entschieden
wurden - siehe z.B. Nu 5,11-28 mit dem dahinterstehenden langen
Traditionsprozeß, s.o.S.34-35, und die Überlegungen zu
Gen 16,13f, s.u.S.249-258.

hier wie dort ergehenden "autoritären Urteile" hervortreten lassen.

Die SF חי אני steht damit in dem soeben dargestellten Kontext, und der Verweis auf die Lebendigkeit Jahwes erhält von hier seine traditionsgeschichtliche und inhaltliche Füllung. Ein Leben nach der Bundesordnung und dem Willen Jahwes "erlaubt" dem Menschen die Nähe Jahwes und damit das Leben. Das Leben des Menschen ist Ausfluß des Rechtsentscheides aber auch des grundsätzlich positiven Willen Jahwes. Das in חי אני angesprochene Lebendigsein Jahwes ist die "Quelle des Lebens" für den Menschen, wie Jahwe auch der ist, dem alle zugehören (V.4).

Die Lebendigkeit Jahwes manifestiert sich in seinen, von ihm als letzter Autorität kommenden Rechtsentscheiden und in seinem Willen zur Gerechtigkeit (V.29f u.a.). Dieser Wille zur Gerechtigkeit ist keine "blinde iustitia" sondern der starke Wille, Leben zu geben und zu erhalten (besonders V.28-32 und das Überwiegen der Aussagen "leben" und "nicht sterben"). Auf diesem Hintergrund erhält der ezechielische Gebrauch der SF חי אני als Einleitungsformel zu Jahwes Rechtsentscheiden einen tiefen Sinn.

6. Ezechiel 20,3.31

In der ersten Einheit des Kapitels, V.1-31[101], finden wir die SF חי אני zweimal zur Bekräftigung des ablehnenden Bescheides: Jahwe will sich nicht befragen lassen. In V.3 folgt auf die empörte Frage "Mich zu befragen seid ihr gekommen?" die abweisende Antwort: חי אני אם אדרש לכם נאם אדני יחוה (so wahr ich lebe, ich lasse mich von euch (in Bezug auf euch?) nicht befragen!). Dieser Ablehnung folgt in V.4-29[102] ein weit ausholender Aufweis der Schuld der Väter, angefangen vom Aufenthalt in Ägypten und in V.30f das Urteil für die jetzige Generation: Sie treibt es wie die Väter. Diese

---

101) In der Trennung des Kapitels zwischen V.31 und 32 folge ich, wie auch Eichrodt, ATD, S.180, Zimmerli, BK; gegen Fohrer, HAT, S.114, der zwischen 32 und 33 trennt. Das gewichtigste Argument ist, daß die SF חי אני "sonst nie in der Einführung eines Wortes begegnet" (Zimmerli, BK, S.438) sondern, wie unsere bisherige Untersuchung zeigte, immer nach der Tatbestandsfeststellung die Tatfolgebestimmung einleitet.

102) V.27-29 scheinen ein späterer Nachtrag zu sein, wie der Inhalt und die Einführung mit לכן vermuten lassen; vgl. Zimmerli, BK, S.438f.

Tatbestandsfeststellung wird durch zwei umfassende Hinweise charakterisiert. Zur Tatfolgebestimmung wird, wie in V.3, mit einer em-
pörten Frage übergeleitet, die hier schon eindeutig die Ablehnung
anklingen läßt: "...und (da) soll ich mich von euch (für euch?),
befragen lassen, Haus Israel?" Das Urteil lautet in V.31 wie in V.3:
חי אני נאם א ' אם אדרש לכם

Wir haben hier denselben formalen Aufbau und denselben Ort der
SF wie wir bisher beobachten konnten: Schwurformel, Gottesspruchformel, Schwurpartikel und die eigentliche Aussage. In V.3 war die
inhaltliche Aussage gegenüber der Gottesspruchformel vorgezogen.
Vermutlich, weil V.3 gewissermaßen die Überschrift darstellt und
damit den Blick auf den Inhalt lenkt, während V.30f den eigentlichen
Rechtsentscheid gibt und in dieser Funktion in der Form strenger
gebunden ist.

Inhaltlich steht unser Abschnitt 14,1-11 nahe. Hier wie dort
wird eine Gottesbefragung abgelehnt, weil das Volk den Götzen nach-
hängt. Allerdings ist in c.14 doch eine Antwort gegeben: Jahwe wird
dafür sorgen, daß "das Haus Israel nicht mehr in die Irre gehe aus
meiner Nachfolge weg" (V.11), während in c.20 die Befragung absolut
verweigert wird. Für c.14 scheinen sakralrechtliche Formulierungen
bestimmend zu sein.[103] In 20,1-31 werden zunächst die Hauptpunkte
der heilsgeschichtlichen Credoformulierungen zur Beschreibung des
Tatbestandes herangezogen (V.5-26 bzw. 19). Hier wird die Absicht
der Wege Jahwes klar gemacht: Der Mensch, der seine Satzungen und
Rechte tut, soll leben (V.11); daran soll Jahwe erkannt werden
(V.12); und auch sein Strafhandeln wird erschreckend deutlich gemacht (V.23-25). Der Vorgang als Ganzer wird jedoch mit dem Verbum
שפט überschrieben. שפט hat im AT sehr weite Bedeutung[104], sodaß
vom Verbum nicht auf eine bestimmte Art eines institutionellen Vor-
gangs geschlossen werden kann, aber es führt immer zu Rettung oder
Verurteilung. Eine schöne Parallele zu Ez 20,4 bietet Jes 5,3.
Diese inhaltlichen Beobachtungen bestätigen ihrerseits das Ausmünden der ersten Einheit von Ez 20 in eine offensichtlich geprägte Urteilsformulierung.

7. Ezechiel 20,33

In V.32-44 wird die erste Einheit von Ez 20 im Blick auf neue

---

103) Vgl. Zimmerli, BK, S.304-309.
104) Siehe die Aufstellung bei Liedke, Rechtssätze, S.62-100.

Probleme der Exilszeit weitergeführt. Der Abschnitt gehört in die
Zeit nach dem Fall Jerusalems, zugleich werden Hoffnungen vermittelt,
die bei DtJes dann voll ausgeführt alles andere überstrahlen. Zimmerli setzt das Wort besonders im Blick auf V.40ff gegen 573/72
an.[105]

Da wir die Trennung zwischen V.31 und 32 vor allem formkritisch
begründet hatten, ist bei formkritischen Folgerungen Zurückhaltung
angebracht. Jedenfalls aber bringt V.33 eine betonte Antithese zur
Absicht der Einführung eines wie auch immer vorgestellten, aber
letztlich heidnischen Gottesdienstes und wohl auch gegen die sich
breit machende Hoffnungslosigkeit. Diese Hoffnungslosigkeit mag
durchaus neben dem Fall Jerusalems auch im Gerichtswort von V.1-31
ihren Grund haben. Dieser Hoffnungslosigkeit und der beabsichtigten
Anpassung an die Religiosität der Umwelt wird die Ankündigung einer
dreifachen Aktion Jahwes entgegengestellt: Er wird "mit starker
Hand, ausgestrecktem Arm und ausgeschüttetem Grimm König sein",
er wird einen neuen Exodus durchführen, er wird sein Volk "in der
Wüste" sammeln, sich mit ihnen ins Gericht stellen und die Abtrün-
nigen sollen ausgeschieden werden. Der wohlgefällige Teil des Volkes
wird ins Land, zum heiligen Berg kommen und Jahwe dienen. Hier steht
deutlich die Exodus- und Wüstentradition, aber auch die Landnahme-
und (unausgesprochen) die Zionstradition im Hintergrund. Seine
Spannung und sein Gefälle erhält der Text aus der bei Hos 2,16 vor-
gebildeten Ankündigung einer neuen Wüstenzeit in der Jahwe von neuem
zu seinem Volk reden und eine neue Beziehung herstellen wird.[106]
Es liegt dabei sowohl auf der Linie der Verkündigung Hoseas als
auch Ezechiels, daß dieses angekündigte Heil erst und nur hinter
dem Gericht seinen Platz hat. Dieses Handeln Jahwes in seiner
Spannung von Gericht und Heilswillen hat seinen innersten Grund in
Jahwe, in seinem שם, seinem "Wesen": "...und ihr werdet erkennen,
daß ich Jahwe bin, wenn ich an euch handle um meines Namens willen
– nicht nach euren bösen Wegen und euren verderblichen Taten,
נאם אדני יהוה." (V.44) – Hier ist ganz ähnliches gesagt, wie in
Hos 11 und wie wir in Ez 18 als Ziel erheben konnten.

Dieses Wort wiederum ist eingeleitet durch die Verbindung von
SF, Gottesspruchformel und Schwurpartikel. Es ist somit ein Gerichts-
entscheid, der nicht mehr nur im Verhalten der Angeklagten seine
Tatbestandsgrundlage findet, sondern letztlich im Wesen Jahwes

---

105) Zimmerli, BK, S.453.
106) Vgl. dazu auch Zimmerli, BK, S.454f und Fohrer, HAT, S.115f.

wurzelt. Damit steht auch hier wieder Jahwes Verweis auf seine Lebendigkeit im Licht seines Willens zur Gerechtigkeit und zum Leben
seines Volkes in der Verbundenheit mit ihm (V.40f)[107]

8. Ezechiel 33,11

"Die Worteinheit 33,1-20 leitet den großen dritten Teil des
Buches Ezechiel ein. In ihm steht die Verkündigung des kommenden
Heils von 34 ab beherrschend im Mittelpunkt. Die vorliegende Einheit
ist bei der Redaktion des Buches bewußt an den Anfang dieses Teiles
gestellt worden und hat 33,21f, den Bericht über die Kunde vom Fall
der Stadt, den man unmittelbar hinter 24 erwartete, nochmals weiter
von seinem ursprünglichen Zusammenhang abgedrängt. Die Folge 24/33,21f
ist so beim Redaktionsprozeß des Buches durch den großen doppelten
Einschub 25-32 und 33,1-20 zerrissen worden.

33,1-20 redet zunächst von der Bestimmung des Propheten zum
Späher und erhebt den Ruf zur Umkehr an Israel und jeden einzelnen
in ihm. ...Die Einheit 33,1-20 trägt danach im heutigen Buchaufriß
etwas vom Gewicht einer zweiten Berufung des Propheten für die Phase
der Verkündigung beim und nach dem Fall Jarusalems an sich.

33,1-20 ist kein nahtlos geschlossener Wortkomplex."[108] Es
liegen 4 Teilabschnitte vor, wobei für uns V.10f und der folgende

---

107) Zwar ist in der Ankündigung des Handelns Jahwes das Verbum
מלך verwendet, aber da es bei Ez nur hier vorkommt, ist es
besser, daraus keine weiteren Schlüsse zu ziehen. Vgl. Fohrer,
HAT: "Dagegen läßt die Redewendung vom Königtum Jahwes...keine
weiteren Schlüsse zu. Schon daß Ez sie nur an dieser Stelle
(33) verwendet, muß davor warnen; und das Bild aus der Tätigkeit des Hirten in 37 zeigt die Verwandtschaft mit den Gedanken von 34,1-16, wonach Jahwe als rechter Hirt an die Stelle
der untauglichen Hirten Israels tritt, und von 34,23f, wonach
er einen Davididen als Hirten einsetzt." (S.115). "Daß Jahwe
König über Israel sein will, besagt demnach, daß er allein
sein Hirte ist und die Verehrung anderer Götter oder die Verwendung fremder Kultformen sein Hirtenamt bestreitet und
seinen Zorn weckt." (S.116).

108) Zimmerli, BK, S.797. Ähnlich äußert sich Fohrer, HAT, S.181-
187, der dann jedoch die Untereinheiten stärker voneinander
abhebt und V.7-9 als sekundär erklärt, und Eichrodt, ATD,
S.16 f, S.305-316, ebenfalls mit Differenzen im Einzelnen.

Abschnitt V.12-20 wichtig ist. Hier werden Erkenntnisse und Aussagen von c.18 und c.20, teilweise wörtlich, aufgenommen und weitergeführt. Gegenüber der Resignation der Israeliten, die durch den Fall Jerusalems ihre vordergründige Hoffnung verloren haben, wird betont Jahwes Heilswille verkündigt. Da aber dieser Heilswille nicht die Gottlosigkeit ignoriert, konkretisiert er sich in der Aufforderung zu Einsicht und Umkehr. Dieser Gegensatz von Verwerfung des Volkes und Heilswillen Jahwes ist prägnant ausgedrückt in V.10f und wird unter Aufnahme von Formulierungen aus c.18 in V.12-20 entfaltet. Die Wende vom - hier trostlosen - Tatbestand zur Aussage von Jahwes Heilswillen wird wieder mit der Zusammenstellung von SF, Gottesspruchformel und Schwurpartikel eingeleitet: " חַי אָנִי נְאֻם אֲדֹנָי יהוה 'ich habe nicht Wohlgefallen am Tod des Gottlosen, sondern daran, daß der Gottlose von seinem Weg umkehre und lebe. Kehrt um, kehrt um von euren bösen Wegen! Warum wollt ihr denn sterben, Haus Israel?" (V.11).

Wichtig ist wiederum das Stichwort "Leben", wie schon in V.10 die Klage אֵיךְ נִחְיֶה "wie können wir leben?" formuliert wird. Die entsprechenden Zusammenhänge wurden bereits oben bei c.18 herausgearbeitet, s.o.S. 181-186 . Die unmittelbare Hineinnahme in Jahwes Rechtsentscheid unterstreicht die Thematik. Es bleibt noch die Beobachtung, daß V.10 zwar formal wie die bisherigen Stellen gebaut ist, aber die Fronten gewissermaßen verkehrt sind. War bisher meist dem unrechten Tun oder der Auflehnung gegen Jahwe sein Strafhandeln gegenübergestellt, so tritt hier der Verzweiflung Jahwes Wille, Leben zu erhalten und zu fördern, gegenüber.

9. Ezechiel 33,27

Die Einheit 33,23-29 ist ein Gerichtswort über die unbußfertigen Israeliten, die nach dem Fall Jerusalems (587) im Land zurückgeblieben sind. Aus der Tatsache, beim Zusammenbruch davongekommen zu sein, resultiert nicht dankbare Bußfertigkeit, sondern Überheblichkeit, Unrecht und Vergehen. Dieser Tatbestandsfeststellung V.24-26 setzt Jahwe sein schroffes Gerichtswort entgegen: Durch Schwert, wilde Tiere und Pest sollen alle in der Stadt und am Land umkommen, das Land wird zur Öde und die Hügel Israels menschenleer (V.27-29) - Ja, es bleibt die Frage, wem denn die anschließende Erkenntnisformel "...und sie werden erkennen, daß ich Jahwe bin" gelten soll? Logischerweise können nur Ezechiels Hörer in der Diaspora gemeint

sein,[109] und insoferne ist eine enge Verbindung mit dem anschließenden Wort gegen die Unbußfertigkeit der Exilierten auch inhaltlich
gegeben.[110]

Zu den mit der SF im vorliegenden Zusammenhang verbundenen
Vorstellungen ist auf das bei 5,11 Erarbeitete hinzuweisen (s.o.
S. 173f). Auch der dortige Abschnitt ist als Erweiswort gestaltet.
Ez 33,23-29 kündet in seiner Schärfe und Schrecklichkeit neues Ge-
richt über jene an, die nach der Rettung aus früherem Strafgericht
in Hochmut und Gewalttätigkeit verfallen, statt zu "Einsicht und
Umkehr" (vgl. zu 33,11) zu kommen. Gerade darin wird sich Jahwe
erweisen als der, der er ist, eben als der Lebendige (חי אני).

Formal finden wir hier wieder die bekannte Kombination von SF
und Schwurpartikel an der Wende von Tatbestandsfeststellung zum
Urteilsspruch. Vorangestellt ist eine neuerliche Aufforderung an
den Propheten zum Reden: "So sprich zu ihnen". Weiters fällt auf,
daß hier die sonst vorkommende Gottesspruchformel ersetzt ist, durch
die Botenformel כה אמר אדני '. Dies findet sich bei Ez nur hier
und 17,19. Es wird schwerfallen, hier eine schlüssige Begründung
zu finden. Die relativ geringfügige Veränderung mag in der Überlieferung des Textes entstanden sein oder in 33,27 durch die vor-
angegangene Aufforderung zum Reden.[111] Beim Vergleich der Stellen
mit der SF fällt aber doch auf, daß gegenüber allen anderen der Zusammenhang mit dem Erweiswort hier besonders eng ist. Sowohl 17,19
als 33,27 ist die Verbindung zur Erkenntnisformel "und ihr werdet
erkennen" besonders eng. In den anderen Texten fehlt sie entweder

---

109) Dies wäre zugleich ein weiteres Argument zugunsten eines ba-
     bylonischen Standortes des Propheten - vgl. Zimmerli, BK,
     S.818 mit seiner Argumentation gegen Herntrichs Meinung "un-
     möglich in Babylon geschrieben". (Soweit ich sehe Herntrich,
     BZAW 61, S.114).

110) Zimmerli, BK, S.815 wählt für 33,23-33 die Überschrift "Gegen
     die Unbußfertigkeit in der Heimat und in der Fremde". Ähnlich
     spricht Eichrodt, ATD, S.322 von "gutem Bedacht...bei der
     Komposition... Es soll den in der Verbannung lebenden Volks-
     teil hindern, sich an der Verurteilung der Landsleute in Juda
     mit allzu bereiter Zustimmung zu beteiligen, ohne das eigene
     Verhalten gegenüber Gottes Heilsabsichten zu prüfen."

111) Baumgärtel, Die Formel n^e um Jahwe, S.279, sieht für
     diese beiden Stellen ebenfalls den Einfluß der Botenformel
     als Grund für die Veränderung.

ganz oder steht sie weiter entfernt. (s.u.S.195ff zu 35,6.11) oder
gehört sie zu einem Nachtrag (5,13).

So ergibt sich die Vermutung, daß in 17,19 und 33,27, zwei
Stellen deren Herkunft von Ez schwer zu bestreiten ist, die Form des
Erweiswortes besonders prägnant ist, und die Gottesspruchformel zugunsten der Botenformel verdrängt hat. - Nicht zuletzt ist an
Zimmerlis[112] Grundstelle für das Erweiswort, 1.Kön 20,13.28, dieses beide Male mit der Botenformel eingeleitet und hier wie dort
bildet die Botenformel die Einleitung des in die Erkenntnisformel
ausmündenden Wortes.

10. Ezechiel 34,8

Das Wort Ez 34,1-31 verbindet zwei Einheiten, V.1-16 und
V.17-31, in denen im Bild des Hirten und der Herde das bisherige
Verhalten der "Hirten" des Volkes, aber auch der Volksglieder gegeneinander, verurteilt, aber neben Jahwes Eingreifen zum Gericht auch
sein Eingreifen zum Heil angekündigt wird. Dabei ist sein Eingreifen zum Gericht an den als Starke die Schwachen Bedrückenden jeweils
nur die notwendige Kehrseite und Durchgangsstufe für Jahwes helfen-
des und rettendes Eingreifen (V.1-11; 22-24). Beide Male gilt: "Die
Entfaltung dieser Gedanken macht deutlich, daß das Absehen der Aussage auch hier nicht auf das Strafgericht an den Bösen hinausläuft,
sondern auf die Verkündigung des großen Heils an die bisher Bedrängten."[113]

Diesem großen Thema der Ankündigung des Heils, das Jahwe schaffen wird, ist die Gerichtsansage über die bösen Hirten eingeordnet.
Mit einem Wehewort eingeleitet, wird zunächst der Tatbestand festgestellt: Die Hirten Israels weiden sich selber, während doch Hirten eigentlich die Herde zu weiden haben (V.2b). Diese Anklage
wird in V.3-6 an Einzelbeispielen entfaltet. In V.7 folgt dann der
Einsatz mit לכן und der Aufforderung zum Hören des Wortes Jahwes.
Man erwartet die Gerichtsansage bzw. Tatfolgebestimmung, die auch
in der bekannten Weise mit der Kombination von SF, Gottesspruchformel und Schwurpartikel einsetzt (חי אני נאם א' י" אם לא),
dann aber abbricht und einer Rekapitulation der Anklage aus V.2-6
Platz macht. V.9 fordert nochmals zum Hören auf und erst V.10

---

112) Zimmerli, Erkenntnis Gottes nach dem Buche Ez, GO, S.41-119;
bes. S.54-56.

113) Zimmerli, BK, S.841; vgl. weiters S.833f und 838.

bringt, diesmal mit der Botenformel eingeleitet, die durchaus
prägnante Urteilsformulierung: "Siehe, ich will an die Hirten und
will meine Herde aus ihrer Hand fordern und will ein Ende damit
machen, daß sie Hirten meiner Herde sind, und sie werden sich nicht
mehr selber weiden (können), sondern ich reiße meine Herde aus ihrem
Maul, sodaß sie (sc. die Tiere der Herde) ihnen nicht mehr zum Fraße
werden."

Die letzte Wendung dieses Urteils zeigt bereits, daß das Schwergewicht nicht mehr einfach auf der Verurteilung der Hirten liegt -
dann könnte das Urteil mit der Enthebung vom Hirtenamt enden - sondern bei der Errettung der Herde (נצל). Diese Errettung findet
in V.11-15 ihre Konkretion im weiteren Heilshandeln Jahwes, wobei
sogar ein neuer Exodus und eine Rückführung ins Land angekündigt
wird. Ganz parallel dazu wird in V.20-24 den "fetten Tieren" das
Gericht angesagt und den (anderen, den "mageren") Tieren der Herde
die Hilfe: "Und ich werde (den Tieren) meiner Herde helfen, daß sie
nicht mehr zum Raub werden soll, und ich will richten zwischen Schaf
und Schaf." (V.22). Diese Heilsankündigung wird dann konkretisiert
in der Verheißung des 'einen' Hirten (V.23f).

Hier stehen נצל (V.10) und ישע (V.22) genau parallel, beide im
Sinn der Errettung aus akuter Bedrängnis. Die Aktion entspricht dem
oben S.153ff im Exkurs zu ישע Dargestellten. Dabei ist Jahwe der,
der errettet und das heißt beide Male (V.10ff; 20ff) aus akuter
Todesgefahr rettet und damit am Leben erhält bzw. dieses neu ermöglicht. Hier ist auf den genau entsprechenden Gebrauch von חיה
Pi. mit Jahwe als Subjekt hinzuweisen (s.o.S. 22). Diese Tätigkeit
Jahwes wird in V.17.20-22 mit שפט . . . בין. . .ל beschrieben. Er richtet zwischen den beiden Gruppen, indem er den Bedrängten und Schwachen Recht verschafft (V.22). Ähnlich ist der Vorgang in V.10ff.
Die von Jahwe angekündigte Tatfolge läßt das Talionsprinzip anklingen. Die Hirten (des Volkes) hatten nicht ihrer Aufgabe entsprochen,
die Herde vor Raubtieren zu schützen, sondern sie waren für das
Volk zu Raubtieren geworden. Nun greift Jahwe selber ein und ent-
reißt den zu Raubtieren gewordenen Hirten ihre Beute. Anklage und
Urteil entsprechen hier einander sehr deutlich, wenn auch als Kon-
traste.

Nun gibt es in Ez. 34,1-10 ein literarkritisches Problem. Wir
hatten gesehen, wie nach der Entfaltung der Anklage (V.2-6) der Urteilsspruch einzusetzen scheint, aber erst in V.10 wirklich erfolgt,
während V.8 eine Wiederholung der Anklage, und V.9 im Aufmerksam-

keitsruf einen neuerlichen Anlauf zum Urteil bringt. Zimmerli
zieht aus den wiederholten Einleitungsformeln die Folgerung, daß
V.7f ein Nachtrag sei. Anhaltspunkte im Text seien dafür auch die
Einmaligkeit der nota accusativi im Aufmerksamkeitsruf V.7 und die
wörtliche Wiederholung von V.5b aus V.1-6.[114] Fohrer[115] und Eichrodt[116] sehen hier keine Probleme. Cooke erwähnt den Vorschlag
älterer Ausleger, V.8 zu streichen, behält ihn aber bei.[117] Die
Beobachtung Zimmerlis ist ernst zu nehmen und die ausführliche Rekapitulation in V.8 erwies sich auch bei der formkritischen Nachzeichnung des Aufbaues von V.2-10 als störend. - Aber hat Zimmerli
die Grenze richtig gezogen?

Die bisherige Analyse zeigte die SF immer am Anfang der Tatfolgebestimmung. Zusammen mit dem Aufmerksamkeitsruf könnte sie
auch hier den Urteilsspruch einleiten. Nun hat Zimmerli selber den
Anakoluth nach der Schwureinteilung in V.8 gegenüber Gesenius-
Kautzsch und Cooke moniert, ohne allerdings weitere Folgerungen zu
ziehen. Zugleich bezeichnet er die in V.7 beanstandete nota accusativi als sekundär.[118] So scheint es mir richtiger zu sein, den
Beginn des Einschubes in V.8 beim Anakoluth nach der Schwurpartikel
(אם לא) zu sehen. Dieser Einschub hat m.E. dann den neuerlichen
Aufmerksamkeitsruf V.9 bedingt, während V.7 und V.8a das Gerichtswort eingeleitet hätten.

Im Hintergrund von V.2-10 steht die Anklage gegen einen Hirten,
der seine Aufgabe vernachlässigt hat. Ein solcher Prozeß ist sicherlich ein Fall des profanen Rechts, wie auch die Tätigkeit des Hirten in den profanen Bereich gehört. Das in der Formulierung der
Strafe angedeutete Talionsprinzip weist ebenfalls in diesen Bereich.
Wie auch Ez 35,6.11 zeigen werden, scheint die SF eine gewisse
indirekte (s.u.S. 196) Affinität zum Talionsdenken zu haben. Allerdings ist sie hier durch den Aufmerksamkeitsruf und die Botenformel
stark in die Jahwerede hineingezogen und bekräftigt diese.

---

114) A.a.O., S.833.
115) Fohrer, HAT, S.190-192. V.8 und V.10 bilden je eine Strophe
    seines Schemas, wobei V.8 die "Vorwürfe nochmals als Begründung
    zusammenfaßt." (S.192).
116) Eichrodt, ATD, S.327: "So bringt V.7-10 das Drohwort, das zur
    Begründung die Vorwürfe noch einmal zusammenfaßt (V.8), um
    dann das Einschreiten des Eigentümers der Herde zu schildern."
117) Cooke, ICC, S.374: "but M may well be original."
118) Zimmerli, BK, S.828. Ges-K §149c, Cooke, ICC,S.374.

Was wird bekräftigt? Jahwes Handeln als vergeltender und dem
Bedrückten helfender Richter, wobei es sein Ziel ist, seinem bedrängten und geschlagenen Volk neue Existenz zu ermöglichen. Dies
geschieht durch Erneuerung des Lebensraumes und geht einher mit
der Einsetzung eines Jahwe entsprechenden Hirten, wobei die Davidstradition herangezogen wird.[119] Wir finden somit die SF mit ihrem
Verweis auf die Lebendigkeit Jahwes wieder im Zusammenhang mit der
Ankündigung des von ihm gewirkten Gerichts und Heils. Nachdem nun
in der Katastrophe von 587 das Gericht geschehen ist, steht, ähnlich wie bei 33,11, Jahwes Wille zu Heil und Leben im Vordergrund.

11. Ezechiel 35,6.11

Ähnlich wie in c.34 das Gericht an den Schuldigen die Durchgangsstufe zum kommenden Heil war, so ist das in c.35 angesagte Gericht über Edom wegen der Übergriffe auf das besiegte Israel die
Vorstufe für das Heil der "Berge Israels", wie es c.36 angekündigt
wird, bzw. für die Neuschaffung Israels überhaupt (c.36-39).

Ez 35,1-15 besteht aus 3 bzw. 4 Einheiten, die jeweils in die
Erkenntnisformel (V.4.9.12.14) ausmünden.[120] V.1-4 und 14f liegt
die Form des Erweiswortes zugrunde, sind aber als solche nur ver-
kürzt durchgeführt. Die beiden für uns interessanten Einheiten
V.5-9 und 10-13 sind als dreiteiliges Erweiswort aufgebaut nach
dem Schema: Tatbestandsfeststellung (Bedrängung) - Tatfolgebestimmung (Gerichtsansage) - Erkenntnisformel.[121] Nach dem Schuldauf-

---

119) V.23f scheint zwar ein Zusatz zu sein und greift stark auf
V.1-15 zurück, kann aber durchaus von Ez hergeleitet werden.
Vgl. Zimmerli, BK, S.841-844.

120) Zimmerli, BK, S.857 und Eichrodt, ATD, S.339 ("die in drei Ab-
schnitten aufgebaute Rede") gliedern in 3 Einheiten, während
Fohrer, HAT, S.196 wegen der vier "für Ezechiel bezeichnenden
Schlußformeln in 4.9.12a .15" auf vier Einheiten kommt, wie
auch Zimmerli dann (S.858) von "vier in sich abgeschlossenen
Erweisformulierungen" spricht.

121) Bei den hier relevanten Fragen der Textkritik folge ich den
übereinstimmenden Entscheidungen von Fohrer, HAT, S.197 und
Zimmerli, BK, S.852f, d.h. in V.6 Auslassung des Einschubs
zwischen Gottesspruchformel und Schwurpartikel und nach LXX
"mit Blut hast du dich verschuldet". Die kürzere Version in
V.11 nach LXX scheint mir möglich aber nicht unbedingt not-

weis (bzw. Tatbestandsfeststellung) folgt in V.6 die Gerichtsansage, eingeleitet mit לכן und der bekannten Kombination von SF, Gottesspruchformel und Schwurpartikel. Strafausmaß und Strafform sind dann nach dem Talionsprinzip festgesetzt: Mit Blut hast du dich versündigt - Blut soll dich verfolgen! Dies wird in V.7-9 konkretisiert.

Genau entsprechend ist der Aufbau in V.10ff, nur daß in V.11 die Schwurpartikel fehlt. Das Talionsprinzip ist hier folgendermaßen formuliert: "ich will mit dir verfahren nach deinem Zorn und deinem Eifer, den du geübt hast..." und wird wiederum im Weiteren konkretisiert.

Die SF mit ihrem Hinweis auf Jahwes Lebendigsein steht hier im Kontext der Aussage des Gerichts über seine Feinde. Zwar hat er sein Volk und sein Land geschlagen, aber beide bleiben doch sein Eigentum, er selbst ist dort (V.10). Der Angriff gegen sein Volk und sein Land ist ein Angriff gegen ihn, den er "entsprechend" (siehe Talionsprinzip) vergilt. Allerdings - und das ist für die theologische Überlegung wichtig - ist dieses schreckliche Gericht nicht eigenständig zu sehen sondern es ist "nur" die Kehrseite seines Eintretens für die Bedrückten gegen die Anmaßenden. Dieses Handeln Jahwes wird wiederum, wie in c.34 aber auch bereits in c.17.18.20 und 33 mit שפט bezeichnet. Traditionsgeschichtlich wäre hier auf Ps.82 hinzuweisen, in dem es um Jahwes Handeln als Richtergott und Beschützer der Bedrängten geht, und der, wie auch Ezechiel, im Jerusalemer Tempel beheimatet sein dürfte.[122]

Schließlich ist noch die in Ez 34 und 35 jeweils mit der SF verbundene Talionsvorstellung zu diskutieren. Es erübrigt sich an dieser Stelle das landläufige Mißverständnis der Talionsformel (siehe bes. Ex 21,23-25) abzuwehren. Der von Alt, Zur Talionsformel, (1934), KS I S.341-344, vorgeschlagene Ursprung im Sakralrecht kann heute als überholt gelten, allerdings in dem Sinn, daß die Alternative sakral - profan hier überhaupt unzutreffend ist. Der hinter der Talionsnorm stehende Rechtswille wird von Boecker zutreffend umschrieben: "Es geht diesem Recht darum - und das ist eine entscheidende Intention des Rechts überhaupt -, das gegenseitige Verhältnis der Menschen im Gleichgewicht zu erhalten. Mit guten Gründen kann man davon ausgehen, daß die Talionsformel aus der noma-

---

wendig, während die Streichung von V.7 nur in Fohrers Kurzverstheorie begründet ist.

122) Vgl. Kraus, Ps, BK, S.733-739.

dichen Gerichtsbarkeit stammt."[123] So entspricht es durchaus dem
Anliegen der Hilfe für den Bedrängten, wenn das Vergehen gegen die
von Jahwe gesetzte Grenze oder auch Verpflichtung "entsprechend"
gerichtet wird. Diese Überlegung bestätigt ihrerseits die exegetischen Ergebnisse von c.34 und 35. Ob die SF eine Nähe zur Talionsnorm hat ist schwer festzustellen. Ez 34 und 35 scheinen dafür zu
sprechen. Wahrscheinlicher scheint mir aber die Verbindung in der
gemeinsamen Beziehung zur Urteilsformulierung zu liegen.

Merkwürdig ist das Fehlen der SF in den Völkerworten c.25-32.
Liegt es daran, daß verschiedene Gattungen im Hintergrund stehen?
Zimmerli hat auf die Gattung der Erweisworte hingewiesen und auf
die Nähe dieser Gattung zu den Völkerworten: "Der Blick auf 1.Kön
20,13.28 hat zudem ergeben..., daß das im Grunde sehr straffe, wenn
auch formelhaft wiederkehrende Schema des Erweiswortes schon in den
Prophetenworten der Nordreichpropheten gegen den aramäischen Feind
seine feste Form gefunden hatte. Es ist von daher gesehen wohl mehr
als Zufall, daß auch bei Ezechiel die reinsten Beispiele des drei-
teiligen Erweiswortes sich gerade in den Fremdvölkerworten finden.
In der zum Heil Israels gegen dessen Feinde gerichteten Rede der
nationalen Heilspropheten der älteren Zeit dürfte die eigentliche
Heimat des Erweiswortes liegen. Seine Ausweitung in die Unheilsverkündigung gegen Israel und die weitere Hereinnahme der auf die
Unheilsverkündigung folgenden freien eschatologischen Heilsrede,
bei der das Element der "Begründung" angesichts des freien Gnaden-
handelns Jahwes wegfällt..., stellt demgegenüber die Neuerung
dar."[124] Demgegenüber hatten wir die SF bei Ez immer in der Einleitung des (vorher begründeten) Urteilsspruches bzw. der Tatfolgebestimmung gefunden. Sie gehört also in den Bereich des Rechtslebens und wird dort gebraucht, wo es um das Verhalten gegenüber dem
von Jahwe im Blick auf sein Volk oder dessen Repräsentanten gesetztes
Recht geht. Von daher fügt sich der Gebrauch der SF als Gattung des
Rechtslebens gut zur "Ausweitung (der Verwendung des Erweiswortes)
in der Unheilsverkündigung gegen Israel" wie auch zur Hineinnahme
der SF in das Völkerwort Ez 35, das jedoch vorrangig Israel im
Blick hat.

So kommen wir von unserer speziellen Fragestellung zu einem
ähnlichen Ergebnis wie Cooke am Ende seiner Arbeit am Ezechielbuch:

---

123) Boecker, Recht und Gesetz im AT und im AO, S.152.
124) Zimmerli, BK, S.588 unter Verweis auf seine Vorarbeit "Das
     Wort des göttlichen Selbsterweises..." GO, S.120-132.

"His (sc.Ezechiels) permanent value consists especially in this,
that he represents the principles of Law and Prophecy in combination."[125]

Zusammenfassung zur SF bei Ezechiel

Wir versuchen an Hand der in der Einzelexegese gewonnenen Einsichten nach gattungskritischen und traditionsgeschichtlich-theologischen Aspekten zusammenzufassen.

Gattungsgeschichte

1) Wir fanden bei Ez die SF in der Einleitung der prophetischen
Gerichtsankündigung bzw. Tatfolgebestimmung. Dieser ging in der
Mehrzahl der Beispiele die exakte Begründung bzw. Tatbestandsfeststellung voraus. Gelegentlich war die Begründung in die Gerichtsankündigung hineingewoben, was auch sonstigen Rechtsformulierungen
entsprach.[126] Nur in 16,48 steht die SF in Verbindung mit der Begründung. Die Ursache dieser Verschiebung scheint in der (gegenüber Ezechiel) geänderten Problemstellung zu liegen: Es geht nicht
mehr um das (mittlerweile erfolgte) Gericht, sondern um seine Rechtmäßigkeit, was sich am Zutreffen der Begründung erweisen läßt. Daher ist diese durch die SF bekräftigt.

2) Der hier gefundene Aufbau der Texte entspricht den Redeformen
des Rechtslebens, speziell am Abschluß der Verfahren, mit Tatbestandsfeststellung und Folgebestimmung (vgl. Boecker, Redeformen).
Diesen Vorgang und diese Struktur hatten wir bereits in 1.Sam 14
beobachten können, wo der König das Todesurteil und das Volk den

---

125) Cooke, ICC, 1936, Preface VI.
126) Die häufig gebrauchten Ausdrücke "Scheltwort" und "Drohwort"
     habe ich als nicht recht geeignet vermieden. Die Ablehnung
     dieser Bezeichnung finde ich auch bei Westermann, Grundformen
     prophetischer Rede, Exkurs: Zu den Bezeichnungen 'Drohwort'
     und 'Scheltwort', S.46-49. Darüber hinaus verweist Westermann
     ebenfalls auf die enge Verbindung dieser beiden Teile der Pro-
     phetenworte und auf die Vorentscheidung, die damit "über das
     Verständnis der so bezeichneten Prophetenworte gefallen (ist):
     sie werden damit in eine gewisse Nähe zum Gerichtsvorgang ge-
     rückt" (S.49). Beides entspricht unseren Untersuchungen.

198

Freispruch jeweils mit der SF יהוה יח eingeleitet hatten. Das
Verlangen in 2.Sam 14,11 zeigt, daß die Anrufung Jahwes im Eid für
Angelegenheiten von Leben und Tod zur Urteilsformulierung dazu‑
gehört.

3)   Schon bei Amos - und ansatzweise bei Jesaja -, also der ältes‑
ten Schriftprophetie, ist neben anderen Formen aus dem Rechtsbereich
die Beeidigung eines Urteils in das Prophetenwort übernommen worden.
Während wir in Jes 5,9 und 22,14 die Schwurkonjunktion als Ein‑
leitung des Urteilsspruches (vgl. 1.Sam 14,45; 2.Sam 14,11) im Mun‑
de Jahwes finden, spricht Amos ausdrücklich davon, daß Jahwe bei
sich selbst geschworen hat. Allerdings wird dieses Reflexivverhält‑
nis zunächst umschrieben, z.B. durch "bei meiner Heiligkeit" (4,2).
Erst bei Jer (und in Gen 22) finden wir die Formulierung "bei mir
(selbst) habe ich geschworen".

4)   Die SF חי אני, "so wahr ich lebe" ist in dieser Hinsicht der
nächste logische Schritt. Der Wechsel von חי יהוה zu חי אני ist er‑
möglicht und bedingt durch Ezechiels Wiedergabe aller Worte und Tat‑
bestände als Gottesrede in der 1. Person.
    Grammatikalisch kann die SF in der 1. Person (חי אני) nur
ein Aussagesatz sein und keine Genetivverbindung. Das setzt auch
für die SF in der 3. Person (חי יהוה) zur Zeit Ezechiels die
Interpretation als Aussagesatz voraus. Dies wird bestätigt durch das
Verständnis von Ps 18,47 und Jer 23,7f als hymnische Aussage.

5)   Die prophetische Gerichtsankündigung mit ihrer Begründung im
Schuldaufweis (Tatbestandsfeststellung) und ihrer Bekräftigung im
Jahweeid hat Ezechiel aus dem Rechtsleben und aus der ihm vorlie‑
genden prophetischen Überlieferung übernommen. Zugleich aber hat
er diese Form des Rechtslebens der - vermutlich in einer Art der
frühen Kultprophetie beheimateten - Form des Erweiswortes integriert.
Diese Verbindung hat das ursprünglich (und noch bei Ez am reinsten)
in Verbindung mit dem Völkerwort vorkommende Erweiswort für die
Gerichtsverkündigung an Israel "geeignet" gemacht[127].

---

127) Ob damit die beiden Bereiche "Jahwes Rettungshandeln für Isra‑
    el" und "Jahwes Wachen über seiner Bundesordnung" (vgl. Selbst‑
    vorstellung und Einzelgebote im Dekalog) wieder zusammenge‑
    führt sind - wenn auch im jetzt ergehenden Gericht, das aller‑

6) Wie 1.Sam 14,45 und 2.Sam 14,11 zeigen, kann die SF auch einen
Freispruch, besser gesagt die Verschonung bekräftigen ("es wird kein
Haar von seinem Haupt fallen..."). Die entsprechende Verwendung
findet sich aber bei Ez nur in 33,11 ("ich habe kein Gefallen am
Tod des Gottlosen, sondern..."). In der formal strengen Durchführung
von SF und Schwurpartikel scheint sie für eine Heilserwartung, die
mehr ist als die Aussage der Verschonung bzw. Errettung (יש׳)
vor Strafe nicht recht geeignet gewesen zu sein.

Traditionsgeschichte und Theologie

1) In der Form eines von Jahwe selbst gegebenen Eides werden zwei
große Themen des AT dargestellt: die Verheißungen an die Väter und
die Verheißung an David. Entsprechend der sonstigen Verteilung dieser Tradition ziehen sich die Verheißungen an die Väter (Segens-,
Mehrungs-, Landverheißung)[128] vor allem durch den Pentateuch, wobei auf die Landverheißung im Dtn besonders häufig rekurriert wird.
Die Davidtradition ihrerseits ist in 3 Psalmen als Jahweschwur
wiedergegeben.

2) Auch Ez kennt solche Jahweeide, die sich bei ihm jedoch auf
die Vorgeschichte, also ab der Zeit des Exodus beziehen, wie die
Geschichtsrückblicke c.16 und 20 zeigen. Allerdings haben diese
Schwüre keine große Zeitspanne im Blick, sondern beziehen sich jeweils auf das unmittelbar geschehende oder bevorstehende Rettungs-
oder Strafhandeln Jahwes beim Exodus und in der Wüste. Nur in wenigen (eher späteren) Texten wird die Landverheißung an die Väter
im Blick auf den neuen Exodus aktualisiert.

3) Ganz anders als im Pentateuch und in den Psalmen sind die
Jahweeide bei Amos ausgerichtet: Jahwe beschwört sein Eingreifen

---

dings bei Ez auch zu Jahwes Heilswillen hinleitet - wäre eine
reizvolle Überlegung. Leider ist derzeit für eine zuverlässige
Antwort der Forschungsstand zur Frühgeschichte Israels und zum
Stichwort "Bund" zu kontrovers. Als Hintergrund der Überlegun-
gen dieses Abschnittes vgl. Zimmerli, Erkenntnis Gottes, GO,
S.41-119 und ders., Erweiswort, GO, S.120-132.

128) Zu den Fragen um "die Verheißungen an die Väter" und zur literarischen und sachlichen Differenzierung vgl. Westermann,
Die Verheißungen an die Väter (1976).

zum Gericht. Wir finden uns unmittelbar im Gerichtsvorgang. Die
Anklage wird vom gegenwärtigen, unrechten Tun einzelner Volksteile
her gestaltet und das unmittelbar folgende Strafurteil durch Hinweis auf den Eid Jahwes bekräftigt. Hier ist der Gerichtsvorgang
noch deutlich, wie auch das Herausgreifen konkreter Gruppen des
Volkes und ihrer Vergehen zeigt.

Wie die Stellen mit den Jahweeiden, aber auch die Gesamtver-
kündigung des Amos zeigen, ist die Situation Israels nicht mehr
Heils- sondern Unheilssituation. Jahwe ist nicht mehr Retter und
Mehrer des Volkes sondern der Richter. Jahwe ist nach wie vor der
an seinem Volk und darüber hinaus Handelnde, aber seine Stellung
zu Israel hat sich gewandelt: "Gott hat Unheil über sein Volk beschlossen, dessen Bote muß Amos sein"[129].

4)   Die SF אני הﬨ finden wir bei Ez zunächst ganz im Rahmen dieser
Gerichtsankündigung. Jahwe ist der machtvoll Handelnde, aber er begegnet seinem Volk im Gerichtshandeln. In der frühen Volksgeschichte
hatte es auch gelegentliches Gericht gegeben (vgl. 20,15), jetzt
aber geschieht dieses Gericht viel umfassender und tiefer. Jahwe
bekräftigt mit dem Verweis auf seine Lebendigkeit nun gerade sein
Gerichtshandeln. Dieses Handeln Jahwes ist ein gerechtes Handeln.
Er spricht das ganze Volk, aber auch einzelne Gruppen und Funktions-
träger an. Die Schuld wird konkret aufgezeigt und ein Abschieben
nicht erlaubt (bes. c.14) oder - wie beim eidesbrüchigen König
(c.17) - die Hoffnung auf einen Ausweg zunichte gemacht. Besonders
in der Verbindung dieser Aussagen mit der Form des Erweiswortes
wird deutlich, "daß das Ziel all dieser Begegnung Jahwes mit seinem
Volk kein anderes sein kann, als der Selbsterweis des Herrn Israels
gegenüber seinem Volk und darüber hinaus gegenüber der Weite der
Völkerwelt."[130]

5)   Gerade in diesem Ringen um die Anerkennung des Gerichts und
der Schuld von Seiten des Volkes zeigt sich auch, daß Jahwes Gerichts-
wille nicht das Einzige und auch nicht das letztlich Bestimmende
ist. Sosehr seine Lebendigkeit sich in seinem Gericht erweist, so
sehr will er doch nicht den Tod des Frevlers, sondern daß dieser
umkehre und lebe. Der Einzelne hat die Wahl zwischen Tod und Leben.

---

129) Westermann, Grundformen prophetischer Rede, S.52, in der Auf-
       nahme von Würthwein, Amos-Studien.
130) Zimmerli, BK, S.55*f.

Jahwe will das Leben und das heißt ein Leben in
seiner Nähe und in seiner Bundesordnung. Sosehr das Gericht unausweichlich, und die Anerkenntnis seiner Rechtmäßigkeit von Jahwe
gefordert ist, sowenig ist es das Letzte. Jahwe läßt sein Volk
nicht in der Verzweiflung. Ähnlich wie bei Hosea in der Botschaft
vom Gericht neues Heil sichtbar wurde, und so wie schon in der
frühen Volksgeschichte Jahwes Zorn nicht das Letzte war (vgl.
Ez 20,8f.13f), so schenkt er auch jetzt nach der endgültigen Katastrophe neue Hoffnung, die in seinem Wesen und seinem Willen zum
Leben ihren einzigen Grund hat: "...und ihr werdet erkennen, daß
ich Jahwe bin, wenn ich an euch handle um meines Namens willen -
nicht nach euren bösen Wegen und euren verderblichen Taten" (20,44).

6)   Dieser Wille Jahwes zum Leben wird besonders deutlich an der
ungewöhnlichen Verwendung der SF zur Bekräftigung einer Aussage
über den Heilswillen Jahwes: "Ich habe keinen Gefallen am Tode
des Frevlers, sondern daß der Frevler umkehre von seinem Wege und
lebe!" (33,11). Von hier aus wird, zunächst tastend, dann immer
kräftiger, die Verkündigung neuen Heils entfaltet. Wir stehen hier
am anderen Ende jener Linie des Unheils und der Unheilsverkündigung,
die bei Amos begonnen hatte. Im Rahmen der Heilsverheißung Ezechiels
finden wir die SF noch zweimal, bezeichnenderweise aber in enger
Verbindung mit Gerichtsworten über jene, die sich Jahwes Heilswillen entgegengestellt haben. In dieser Zeit des neuen Gottesver-
hältnisses gewinnen auch die früheren Traditionen von den eidlichen
Zusagen Jahwes neue, wenn auch teilweise etwas andere Bedeutung:
Die Davidstradition hat ihren Einfluß auf die Ankündigung des
rechten Hirten (c.34, bes. V.23f), und die Verheißung des neuen
Wohnens auf den Bergen Israels ist nicht ohne die Mehrungs- und
Landverheißung vorstellbar.

7)   Der Hinweis auf Jahwes Willen, Leben zu geben und zu erhalten,
kehrt bei Ezechiel immer wieder, auch wenn das prägnante Wort seines Zeitgenossen Jeremia von Jahwe als "Quelle des Lebens" (die das
Volk ja verlassen hat, Jer 2,13) nicht vorkommt. Die SF mit ihrem
Hinweis auf die Lebendigkeit Jahwes war aber anscheinend für Ezechiel so fest mit dem Gericht und der Verurteilung Israels verbunden, daß sie in der Heilsankündigung für Israel keinen Platz
fand. - Wie andererseits das Fehlen der SF in den Völkerworten darauf hinzuweisen scheint, daß sie zunächst in den Bereich gehört,
der Jahwe im Rahmen seiner Bundesordnung zugehört.

C. Einzelbelege: Zef 2,9; Jer 22,24; 46,18; Jes 49,18;
Num 14,21.28; Dtn 32,40.

Für die SF in der 1. Person (חי אני) bleiben nun noch sieben
verstreute Einzelbelege: Num 14,21.28; Dtn 32,40 (hier: חי אנכי);
Jes 49,18; Jer 22,24; 46,18 und Zef 2,9. Eine nähere Betrachtung
zeigt, daß keine dieser Stellen die Beweislast tragen kann, die SF
in dieser Form vor oder unabhängig neben Ez zu belegen: Num 14,18
gilt allgemein als zu P gehörig, während 14,21 zwar im Kontext der
alten Quellenschichten steht, aber allgemein als Zusatz aufgefaßt
wird. Dtn 32,40 ist Teil des Moseliedes und partizipiert damit an
der uferlosen Diskussion über dieses. Die Nähe zu Aussagen aus Ez
und DtJes erlauben kaum, das Moselied als älter anzusehen. Jes 49,18
gehört auf Grund der unbestrittenen Einordnung von DtJes einige
Jahrzehnte nach Ez an des Ende der Exilszeit. Am ehesten zu erwägen
ist eine vor Ez liegende Abfassung bei den Stellen aus Jer und Zef.
Jer 46,18 gehört zu den Völkersprüchen, die als vielfach überarbei-
tet, wenn nicht überhaupt als sekundär angesehen werden. Dasselbe
Problem stellt sich für das Völkerwort Zef 2,9. So bleibt einzig
Jer 22,24, das Wort über Konja(=Jojachin), das allgemein unbestritten ist. - Doch scheint mir auch hier eine andere Einordnung für
die jetzt vorliegende Form mit der SF möglich. Entsprechend den
bisher untersuchten Belegen zum Jahweeid bei Ez und den Vorläufern
dieser Formulierung bei Am, Jes und Jer setzen wir bei den prophetischen Texten ein.

1. Zef 2,9

Zef 2,9 steht im Zusammenhang der Fremdvölkerworte 2,4-15 und
ist das Wort gegen Moab und Ammon: "Gehört habe ich das Schmähen
und das Lästern der Ammoniter, womit sie mein Volk geschmäht und
sich groß gemacht haben gegen mein Gebiet. לכן חי אני נאם יהוה
צבאות אלהי ישראל כי Moab soll wie Sodom werden und die Ammoniter
wie Gomorra, ein Unkrautplatz, eine Salzgrube und eine Wüste für
ewig. (Der Rest meines Volkes wird sie plündern und, was von ihm
übrig ist, sie beerben)."
Formal haben wir hier die Verbindung von Tatbestandsfeststellung und Folgebestimmung, wie wir sie bei den Stellen in Ez wiederholt vorfanden. Die Abgrenzung der Einheit nach vorne ist klar,
indem V.7 noch zum Spruch gegen die Philisterstädte gehört und in
V.8 Moab und Ammon neu eingeführt werden. Die Abgrenzung nach

hinten ist schwieriger. Jedenfalls scheint V.10 sekundär zu sein.
Er gibt **eine** Wiederholung und Interpretation von V.8f. V.11 kündigt die Durchsetzung Jahwes gegenüber den Göttern der Erde an, mit
der besonderen Konsequenz, daß ihn die Völker von jeweils ihrer
Stätte anbeten werden.[1] Jedoch steht auch V.9b in Spannung mit
V.9a. Was soll an einem Platz, der wie Sodom und Gomorra geworden
ist, noch zu holen sein? Zudem paßt auch das betonte "für ewig"
besser am Ende einer Einheit. So scheint es mir richtig, hier den
Einschnitt zu sehen und V.9b mit V.10 zur Ergänzung zu rechnen,
womit diese Ergänzung mehr Sinn hätte, als eine bloße Wiederholung
zu sein.[2]

V.8.9a bilden somit eine klar aufgebaute Einheit, wobei Begründung und Gerichtsansage jeweils zwei Stücke umfassen und durch die SF
und den (erweiterten) Gottesspruch formal verbunden sind. Damit
heben sie sich aber zugleich von der Form der übrigen Völkersprüche
V.4-15 ab, die jeweils ohne Begründung nur das Unheil ansagen. Von
daher scheint es berechtigt, in 9aβ den Kern des Wortes anzunehmen.[3] Die SF ist aber nur möglich im Zusammenhang der Einheit
V.8.9a. Fällt damit das Stück als Ganzes? Die Zugehörigkeit zu
Zefanja ist viel diskutiert worden. Der Spruch wäre gut verständlich im Rahmen von Übergriffen dieser beiden Völker auf Juda nach
dem Fall Jerusalems, ähnlich den Sprüchen gegen Ammon, Moab, Edom
und die Philister, Ez 24. Wir wissen aber viel zu wenig über die
sicher wechselvollen Beziehungen Israels zu seinen östlichen Nachbarn[4], und eine Lücke in den nach allen Himmelsrichtungen gesprochenen Völkerworten wäre zu merkwürdig, um das Fehlen eines Wortes in
dieser Richtung hinzunehmen. Zudem sind nicht, wie in Amos 1,9f .11f
Sprüche gegen (Tyrus und) Edom eingefügt, "die im Horizont des
Exils nicht fehlen dürfen"[5].

Nun enthalten auch bereits die Völkerworte in Amos 1f, "wo die

---

1) Zu den Einzelfragen vgl. Smith, ICC, S.228f; Horst, HAT, S.
194-197; Rudolph, KAT, S.275-283; Elliger, ATD, S.69-73.

2) Nämlich die Rechtfertigung der in V.9b angekündigten Übergriffe.
Die Ergänzung paßt mit V.7 zusammen. Ähnlich entscheidet und
argumentiert, soweit ich sehe, nur Rudolph, KAT, S.281f.

3) So Horst, HAT, S.195f.

4) Ausführlicher diskutiert bei Rudolph, KAT, S.281. Siehe auch
Ez 35,5 mit der Betonung der "Feindschaft von alters her".

5) Markert, Amos, TRE II S.483/12f. Siehe auch die Nennung Edoms
in Ez 25.

formale Übereinstimmung mit dem Gerichtswort an Israel offenkundig
ist"[6], jeweils eine Begründung. Eine ältere aber davon unabhängige
Form der Völkerworte scheint ohne Begründung oder mit "eine(r) ganz
andere(n) Art von Begründung" ergangen zu sein.[7] Die Fremdvölkerworte Zef 2,4-15 scheinen zunächst solche Worte ohne Begründung
gewesen zu sein. Die jetzt vorliegende Form des Wortes Zef 2,8.9a
ist eine Weiterführung, die aus der unbegründeten Unheilsankündigung ein begründetes Gerichtswort macht.[8]

Diese Gestalt des Wortes gehört formal und zeitlich zwischen
eine durchaus für Zef in Anspruch zu nehmende Grundform der Völkerworte und jene Zusätze, die vermutlich gegen oder nach Ende des
Exils recht konkrete Erwartungen einer neuen Landnahme und politische Ansprüche ausdrücken (z.B. 2,7 und 9bß.10)[9]. Gegenüber diesen Gebietsansprüchen scheint die Erwartung in Zef 2,8.9a dem Wort
in Ez 35f nahezustehen: So ist in V.8 ähnlich, wie in Ez 35, jenes
Verhalten vereitelt, das den Israeliten ihre Existenz im Heimatland
schwer oder unmöglich gemacht hätte.

Das in diesem Wort erwartete Handeln Jahwes ist ähnlich wie
in Ez 35. Die Gottesbezeichnung ist eine andere, nicht אדני יהוה
sondern יהוה צבאות אלהי ישראל. Dieser Frage kann aber erst in
Verbindung mit den anderen Texten nachgegangen werden.

---

6) Westermann, Grundformen, S.147.

7) Ebd. Leider gibt es die von Westermann gewünschte "Gesamtunter-
    suchung der Völkersprüche" noch nicht.

8) Vgl. Westermann, ebd.: "Wenn in den Büchern der Gerichtsprophe-
    ten Völkersprüche begegnen, die in der Struktur den GV (=Gerichts-
    worte an das Volk Israel) ganz entsprechen, ist zu fragen, ob
    hier etwa eine nachträgliche Angleichung vorliegt." Diese Über-
    legung ist wohl auch schon auf Am 1f anzuwenden, wo der ganze
    Zyklus der ursprünglich 5 Worte auf Israel zielt (vgl. Wolff,
    Amos, BK, bes. S.179f).

9) Vgl. Elliger, ATD, S.71-74; nach Rudolph, KAT, S.280 zu V.7
    und V.9b.10: "...haben wir es beide Male mit späteren, nach-
    exilischen Zusätzen zu tun, die Anspruch auf westliche und öst-
    liche Territorien anmelden." Ebenfalls in die Zeit des Exils
    datiert Smith ICC S.173 V.8f "since its phraseology presupposes
    the conditions of the exile as actually existing", allerdings
    ohne nach einer Vorform zu fragen (S.225-228).

2. Jer 22,24

Im Rahmen der Königssprüche Jer 21,1 - 23,8 finden wir nach
Worten an Joahas und Jojakim in 22,24-30 Worte über Jojachin, jenen
König Israels, der nur drei Monate regierte und der 597 nach Babylon
gebracht wurde, wo er nach 562 starb.[10] Die drei ursprünglichen
Sprüche finden sich in V.24.28 und 30a. "Alle drei erfuhren eine
Konkretion bzw. sogar eine Korrektur (30!) durch D(=dtr Redaktion),
die nicht nur den historischen Hintergrund klarstellte, sondern darüber hinaus die Ereignisse der verlaufenen Geschichte in die Ankündigung einbrachte: Die ausgesprochene Verwerfung Jojachins wird
als Deportation durch die Babylonier, als Tod im Exil und als Ausschluß seiner Nachkommen vom Königtum bestimmt."[11] Diese Sicht
einer Ergänzung ursprünglicher Prophetenworte ist durch Beobachtungen in den älteren Kommentaren vorbereitet, wenn auch erst Thiel
mit dem Begriff einer "deuteronomistischen Redaktion" arbeitet.[12]

Der für uns wichtige V.24 lautet: חי אני נאם יהוה כי
אם יהיה כניהו חותם על יד ימיני כי משם אתקנך
"So wahr ich lebe, Spruch Jahwes, selbst wenn Konjahu ein Siegelring an meiner rechten Hand wäre, ich risse dich (ihn) weg von
dort!" Gegenüber dem MT erscheint es richtig, die Näherbestimmung
Konjahus als Sohn Jojachims und König von Juda zu streichen, wie
auch das merkwürdige Suffix der 2.pers.sg. durch die Fortführung
V.25 verursacht scheint. Ein ursprüngliches Suffix 3.pers.sg.
scheint passender.[13] Dieser Vers macht jegliche Hoffnung, die
sich Jojachin macht oder die auf ihn gesetzt wird, zunichte. In

---

10) Vgl. 2.Kön 24,8.10-12.15; 25,27-30. Zu den Daten: Herrmann,
    GI, S.341-343.359f.

11) Thiel, Die dtr Redaktion des Jeremiabuches, S.246.

12) Z.B. Duhm, KHC (1901), S.179. Volz, KAT (1928) S.229f betrach-
    tet V.24-27 als Einheit, aber "der Spruch ist wohl überarbei-
    tet". Bright, AncB, S.142f erwähnt die Möglichkeit, daß V.24 ur-
    sprünglich vom Folgenden getrennt war ("originally seperate
    from what follows"). Rudolph, HAT, S.143f leitet V.24-30 ge-
    schlossen von Jeremia her. In V.24 sieht er nur die Näherbe-
    stimmung Konjahus als "Sohn Jojakims, König von Juda" als Nach-
    trag, der den Rhythmus stört. Allerdings unterscheidet auch
    Rudolph V.24 als den eigentlichen Spruch vom prosaischen Kom-
    mentar V.25-27.

13) Vgl., Rudolph, HAT, S.144 und Thiel, Redaktion S.242f.

206

der Zeit vor der Eroberung Jerusalems hatte diese Hoffnung ihren
Grund darin, daß Jojachin nicht am Abfall von den Babyloniern
unmittelbar die Schuld trug. Allerdings überrascht, daß Nebukadnezar
anscheinend keinen Versuch machte, Jojachin als Vasallen an sich zu
binden.[14] Wir wüßten gerne, ob und wieweit Jojachin die Politik
seines Vaters teilte oder beeinflußte. So bleibt es ziemlich offen,
welche Hoffnung hier von Jeremia so radikal durchgestrichen wird.

V.24 ist eine Unheilsankündigung ohne Begründung.[15] Im Vergleich mit dem Siegelring der fortgeworfen wird, wird die Verwerfung ausgesprochen. Die SF und die Gottesspruchformel leiten einen
irrealen Bedingungssatz ein. Dabei ist אם כי entweder zusammen zu
sehen als Gegensatz zur Hoffnung, die abgelehnt wird: "...vielmehr",
oder, was zutreffender erscheint, ist כ deiktische Partikel, die auf
das Folgende, weist, während אם den Bedingungssatz einleitet.[16]
Bekräftigt durch den Eid beim Lebendigsein Jahwes erweist sich
Jahwe hier als der, der falsche Hoffnungen zunichte macht, und dessen Gericht unausweislich ist.

Doch auch hier ist zu prüfen, ob das Wort wirklich von Jer
stammt und damit ein jeremianischer Beleg für die so sehr mit Ez
verbundene Form der SF in der 1. Person. Es erhebt sich die Frage,
warum die SF in dieser Form sich ausgerechnet im Spruch über Jojachin findet. Nach den bisherigen Beobachtungen zur Formgeschichte
würde sie viel besser zum Wort über Jojakim zwischen V.17 und 18
passen, als Einleitung zum begründeten Urteilsspruch. Ähnlich steht
auch das כי נשבעתי in V.5 zwischen Tatbestandsfeststellung (möglicher Ungehorsam) und Folgebestimmung (für diesen Fall unbedingt
eintretende Zerstörung). Nun ist Jojachin jener König, der fast
vier Jahrzehnte in Babylon lebte, und mit dem sich die politischen
Hoffnungen verbanden, wie etwa die Datumsangaben des Buches Ezechiel zeigen, aber auch jene babylonischen Texte aus der Zeit zwischen 595 und 570, in denen Jojachin als König bezeichnet ist.
Jojachin war weiterhin der rechtmäßige, wenn auch deportierte
König.[17] Nun zeigt gerade das Buch Ezechiel etwas davon, wie man

14) Herrmann, GI, S.341f.

15) Westermann, Grundformen, S.115f.

16) Vgl., GesK §159 l-bb und §163; Brockelmann, Syntax, §164-168
    und HAL S.449 s.v. כי אם . Hier wird nirgendwo ein unserem
    Fall wirklich entsprechendes Beispiel gegeben.

17) Zu diesen babylonischen Texten und zur Datierung des Ezechiel-
    buches siehe Zimmerli, Ez, BK, S.43f.

die Ereignisse im babylonischen Weltreich und auch in der Heimat
verfolgte und überdachte. Jer 22,25-27 bringt eine erstaunlich genaue Angabe über die weiteren Ereignisse. Sofern man nicht, wie
etwa Rudolph, eine exakte prophetische Zukunftsschau annimmt,[18]
sondern einen Nachtrag, wird man sich die Entstehung dieser Sätze
nicht ohne Kontakt mit den Exilierten vorstellen können. Die weh-
mütige Beschreibung der Exilssituation in V.26b.27 macht sogar das
Exil als Erfahrung des Sprechers wahrscheinlich. V.25-27 hat zwei
Schwerpunkte: Die Exilierung und den Tod Jojachins und seiner
Mutter im fremden Land.

Sollte nicht die Begnadigung Jojachins unter den Exilierten
Hoffnungen ausgelöst haben, die mit jenen beim Beginn seiner Regierung mindestens vergleichbar wären? So scheint mir die Bekräftigung der Verwerfungsaussage V.24 einerseits durch die SF im Stil
Ezechiels bzw. seiner Schule und andererseits durch den Hinweis auf
die geschichtliche Konkretion des alten Jeremiawortes gut in diese
Zeit zu passen.[19] Ob das Wort den Tod Jojachins ankündigt oder
voraussetzt, muß offen bleiben. Im ersten Fall wäre das Wort eine
Warnung vor voreiliger Hoffnung; im zweiten Fall eine Bekräftigung
der Relevanz des alten Prophetenwortes, über das sich Jahwe wachend
(Jer 1,11f!) und damit lebendig erweist.

3. Jer 46,18

חי אני נאם המ ך יהוה צבאות שמו
כי כתבור בהרים וככרמל בים יבוא

Dieser Satz steht am Ende des zweiten Wortes gegen Ägypten und
seinen Pharao im Rahmen der Fremdvölkerworte des Jeremiabuches. Die
Fremdvölkerworte Jer 46-51 geben viele Fragen auf und werden von
der Forschung sehr verschieden eingeordnet. Die Meinungen reichen
von einer Zugehörigkeit "zu den jüngsten Erzeugnissen einer Schrift-
gelehrsamkeit im Jeremiabuch" (Duhm)[20] bis hin zur Deutung als Beleg für ein Frühstadium der Tätigkeit Jeremias als Heilsprophet

---

18) Rudolph, HAT, S.143f.
19) Mit dieser Einordnung berühre ich mich einerseits mit Pohlmann,
    Studien zum Jeremiabuch, der mit der Annahme einer golaorien-
    tierten Redaktion eine babylonische Überlieferung des Jeremia-
    buches voraussetzt; zugleich scheint die in Jer 22,24ff bestehen-
    de Tendenz einer golaorientierten Redaktion zu widersprechen.
20) Duhm, KHC, S.337.

(Bardtke).[21] Smend umschreibt den Forschungsstand: "Eine Mehrheit von Forschern hält das am Anfang stehende Wort gegen Ägypten (46, 3-12) für sicher jeremianisch, die am Ende stehenden Worte gegen Babylon (50,1-51,58) für sicher nichtjeremianisch."[22] Inhaltlich "finden sich viele Berührungen mit den entsprechenden Partien in den Büchern Jes und Ez."[23]

Beachtlich ist die Meinung von Volz, der die Völkergedichte geschlossen einem "Deuterojeremia" zuordnet, für den er wegen des historischen Hintergrundes der Sprüche und der theologischen Aussagen die Zeit um 560 annimmt: "Der Tod dieses mächtigen Fürsten (sc. Nebukadnezar) mußte ein dichterisches, die Weltgeschichte aufmerksam verfolgendes Gemüt stark bewegen. Die Schlacht von Karkemisch hatte die glänzende Laufbahn des Babyloniers eröffnet, sollte sein Tod nicht eine ähnliche, neue Wendung bringen?"[24] Weiters verweist Volz auf vielfache literarische Abhängigkeit oder Nähe besonders zu Jer, Ez, Amos, Zefanja.[25] Zur Heimat des Verfassers meint er: "Für Babylon spricht die Kenntnis keilschriftlicher Wörter und babylonischer Landschaftsnamen..., die er allerdings teilweise aus Ezechiel übernahm. Aber auch der ganze weite Gesichtskreis des Verfassers, das Verständnis für die weltgeschichtlichen Vorgänge und die umfassende Vorstellung von der Gottheit war eher auf babylonischem Boden möglich, als im engen Palästina... Die Heimat Israels war damals Babylonien..."[26]

Allerdings stellen manche Beobachtungen, die Volz selbst nennt, seine Sicht der völligen Geschlossenheit in Frage. So etwa, wenn er 46,3-12 aus der Argumentation einfach ausblendet oder zu dem für uns wichtigen folgenden Abschnitt fortfährt: "Bei anderen Gedichten könnte man vermuten, der Verfasser schreibe mitten aus den Ereignissen heraus, in 46,13ff z.B. sei Nebukadresar im Anmarsch (also c.586), die erste Schlacht sei schon geschlagen, Ägypten nun unmittelbar bedroht..."[27] Andererseits spricht Volz auch von "zahlreichen Zusätzen" bei deren Bestimmung jedoch das problematische Leitbild einer religiös hochstehenden Persönlichkeit Pate ge-

---

21) Bardtke, Jeremia der Fremdvölkerprophet, ZAW 53 (1935) S.209-239.
22) Smend, EnstAT, S.164.
23) Ebd.
24) Volz, KAT (1928), S.384.
25) A.a.O., S.379-390 passim.
26) A.a.O., S.385.
27) A.a.O., S.383.

standen hat, wie Volz auch selbst die Fraglichkeit metrischer und
strophischer Kriterien eingesteht.[28] Auch wenn wir nicht die Begeisterung von Volz über die Entdeckung dieser "Persönlichkeit eines kraftvoll religiösen, geistig bedeutenden, vornehm gesinnten
Mannes" und die Freude "mit diesem 'Deuterojeremia' einem weiteren
charaktervollen Vertreter der exilischen Gemeinde neben Ezechiel
und Deuterojesaja gefunden zu haben"[29] teilen können, so wurden
hier doch von ihm wesentliche Erkenntnisse über Eigenart und Hintergrund der jetzt vorliegenden Völkersprüche dargelegt.

Die neuere Forschung hat die divergierenden Zeitangaben und
andererseits die zeitgeschichtlichen Bezugspunkte wieder ernster
genommen. Allerdings erscheint es auch nicht gerechtfertigt, wie
Rudolph, außer wenigen Zusätzen und c.50f alles von Jeremia und aus
dem Jahr 605/604 herzuleiten.[30] Dem Tatbestand am ehesten zu entsprechen scheint die Position Weisers: "Man wird vielmehr (sc.
gegenüber Volz) mit einem gewissen Grundbestand jeremianischer Völkersprüche rechnen müssen, die - was bei der vermutlichen Sonder-
existenz der Sammlung leicht begreiflich ist - einer stärkeren redaktionellen Bearbeitung unterlagen, als sie bei den übrigen Worten
des Jeremia zu beobachten ist."[31]

Unser Vers 46,18 steht im Anschluß an das 2. Wort gegen Ägypten,
V.(13)14-17. V.17 endet mit einem Spottwort über den Pharao. V.19
setzt mit einer Aufforderung an die "Tochter Ägypten, sich Flucht-
gepäck zu machen, ein und bringt eine neuerliche Ankündigung des
überraschend kommenden Unheils. V.22-24 und 25f bringen neuerliche
Beschreibungen des Unheils für Ägypten. V.18 ist in diesem Zusammenhang die Bekräftigung für dessen völlig sicheres Kommen: "So
wahr ich lebe, spricht der König, Jahwe Zebaoth ist sein Name: Wie
der Tabor unter den Bergen, wie der Karmel am Meer wird er (es?)
kommen."[32] Dieses abschließende יבא hängt in der Luft. Die Kommen-

---

28) A.a.O., S.385f.

29) A.a.O., S.390.

30) Rudolph, HAT, S.265-268; 295-299.

31) Weiser, ATD, S.389. Ähnlich Eißfeldt, EinlAT, S.489f. Fohrer,
EinlAT, S.435 leitet nur 46,3-12 von Jer her.

32) LXX liest: $\zeta\tilde{\omega}\ \dot{\epsilon}\gamma\acute{\omega},\ \lambda\acute{\epsilon}\gamma\epsilon\iota\ \kappa\acute{\nu}\rho\iota o\varsigma\ \acute{o}\ \vartheta\epsilon\acute{o}\varsigma,$ (26,18). In LXX
31,15 = MT 48,15 fehlt die Gottesbezeichnung überhaupt, während
LXX 28,57 dem hebräischen Text 51,57 entspricht. Die Verkürzung
dürfte auf Vereinfachung durch LXX zurückgehen. Die Singularität der SF in Verbindung mit נאם המלך gab wohl den Anlaß.

tare helfen sich gerne mit der neutrischen Formulierung[33] oder durch Einfügung eines Subjekts, "der Feind kommt"[34].

Im jetzigen Zusammenhang mag sich das Kommen tatsächlich auf das Kommen "des Feindes", konkret Nebukadnezar, der in der Überschrift des Spruches genannt wird, beziehen. Die Form zeigt aber deutlich, daß es sich hier um ein selbständiges Wort handelt. Volz spricht von einem Volkssprichwort.[35] Der Vergleichspunkt wäre die besondere und auffallende Erscheinung dieser beiden Berge. Aber der Vergleich wirft auch Fragen auf: Der Tabor ist keineswegs so überragend hoch. In dieser Hinsicht würde sich der Hermon besser zum Vergleich anbieten.[36] Merkwürdig ist aber vor allem das Verbum. Vom Verbum her würde V.18 hinter V.20 oder 24 passen. Der gegebene Ort von V.18 spricht für die Geschlossenheit des Verses. Sollte sich das Verbum nicht auf Jahwe beziehen? Geht es nicht eigentlich um sein Kommen zum Gericht? Volz deutet eine solche Sicht an, allerdings ohne weitere Folgerungen: "Das Volkssprichwort wird Jahwe zugeschrieben, der als 'König', als wahrer König, dem anmaßenden Ägypterkönig entgegentritt."[37]

Steht hinter diesem Vers nicht vielleicht ein Hymnus, der Jahwes Kommen besang, und der allerdings ursprünglich mit der SF in der 3. Person begann? Etwa חי יהוה כי oder auch in voller Form: חי יהוה המלך יהוה צבאות שמו כי . Wir kämen damit zu ähnlichen Überlegungen wie sie sich oben (S. 115-125) zu Jer 23,7f als wahrscheinlich erwiesen. Die Gegenüberstellung innerhalb von 23,7f, aber auch die Wiederholung in 16,14f, zeigte die Gebräuchlichkeit solcher Formulierungen.

---

33) Z.B.: Volz, KAT, S.400.

34) So Rudolph, HAT, S.270.

35) Volz, KAT, S.400.

36) Cornill, Jer, S.453f hilft sich zunächst psychologisch: "In dem flachen und ebenen Nildelta lebend, mag Jer gar manchmal mit stiller Sehnsucht der Berge seiner Heimat gedacht haben, so daß sich ihm gerade für etwas Gewaltiges, welches im Gegensatz zu Ägypten steht, der Berg als Symbol darbot." (S.453) - Aber kann man Tabor und Karmel als Berge der Heimat Jeremias, der in Jerusalem wirkte, bezeichnen? Cornill will denn auch "nicht unbedingt die Richtigkeit des überlieferten Textes vertreten, wenn sich auch eine befriedigende Emendation nicht bietet." (Ebd.)

37) Volz, KAT, S.400.

Zu dieser Vermutung paßt sehr gut die besondere Formulierung
יהוה שמו von der Crüsemann[38] schreibt: "Von diesen insgesamt
achtzehn Vorkommen der Formel in ihren drei Varianten stehen neun
im Jer-Buch, je vier bei DtJes und Am und ein Beleg im "Schilfmeer-
lied". Wo hat diese Formel ihren ursprünglichen 'Sitz im Leben' gehabt? Sieht man auf den jeweiligen Kontext, in dem die Wendung sich
findet, so ist es überraschend, daß die Formel genau zwölfmal, also
in zwei Drittel ihrer Belege mit partizipialen Prädikaten verbunden
ist." (S.95f) Die Formel findet sich in verschiedenen Zusammenhängen,
"vor allem aber im Zusammenhang mit längeren (Jer 10,16; 51,19)
oder kürzeren (Am 4,13; 5,8; 9,6), ausgesprochen hymnischen Stücken.
(S.96) Crüsemann sieht den 'Sitz im Leben' dieser Formel in der
Gattung des partizipialen Hymnus: "Somit ist folgende Struktur als
prägend für einen völlig eigenständigen Typ des israelitischen Hymnus anzunehmen: Eine Reihe von Partizipialaussagen wird durch die
Unterschrift יהוה שמו gedeutet und zu einer Einheit geformt. Nach
seiner grundlegenden Stileigenschaft soll er als "partizipialer Hymnus" bezeichnet werden." (S.104)

"Was ist nun der Sinn dieser hymnischen Form?... Auch den Doxo-
logien des Amosbuches ist noch abzuspüren, daß ihre Aussagen Ge-
meingut altorientalischen Gottesglaubens sind. Daß die Götter Berge,
Wind und Sterne schaffen, daß sie hinter den geheimnisvollen Über-
gängen von Hell und Dunkel, Tag und Nacht stehen, daß sie Erdbeben
und Regen beherrschen und im Himmel ihren Sitz haben, all dies
braucht hier im einzelnen nicht noch einmal nachgewiesen zu werden.
Vor allem die Erwähnung der Höhen, auf denen ja im allgemeinen die
Heiligtümer liegen, setzt typisch kanaanäische Vorstellungen voraus.
Alle diese Aussagen, die das typische, immer und überall geltende
göttliche Handeln beschreiben, werden durch die Unterschrift יהוה
שמו   für Jahwe, den Gott Israels reklamiert." (S.104). Nach
Crüsemann ist dieser Formtyp "durch Jes 51,15 als vorexilisch erwiesen; zur Zeit der Redaktion des Psalters war er offenbar nicht
mehr im kultischen Gebrauch. (S.105f) Diese Gattung scheint in gewisser Verbindung mit der Gottesbezeichnung Jahwe Zebaoth gestanden
zu sein, und aus dem Nordreich zu kommen. Ihr nachexilisches Zurücktreten scheint mit dem Zurücktreten der Gottesbezeichnung Jahwe Zebaoth zusammenzuhängen. (S.106, A.1) Eine der offensichtlichen Wei-
terbildungen der Gattung zeigt sich in Jer 10,12-16, wo "ein par-

---

38) Crüsemann, Studien zur Formgeschichte von Hymnus und Danklied
     in Israel.

tizipialer Hymnus um eine Götzenpolemik erweitert wurde".(S.113)
Diese Veränderung läßt "annehmen, daß die alte Front, aus der heraus diese Hymnen entstanden waren, hier mit sprachlich anderen und
neuen Mitteln weitergeführt werden sollte. Die Einfügung der Götzenpolemik zeigt dann an, daß die Auseinandersetzung Jahwes mit den
Göttern in ein neues Stadium getreten ist, daß sie andere Formen
des Kampfes benötigte und hervorbrachte...Jer 10,12-16 par stellt
dann ein Produkt des Überganges dar. Es ist der Versuch, die neue
Form des Kampfes mit ihren neuen sprachlichen Mitteln rationaler
Polemik in eine der alten Formen, eben den partizipialen Hymnus,
aufzunehmen und beides zu verbinden. Da das auf die Dauer nicht
möglich war, zeigt unser Text im Grunde das Ende der Gattung des
partizipialen Hymnus an; diese Form konnte ihre alte Aufgabe nicht
mehr länger wahrnehmen; ihre Funktion wird von anderen Gattungen
weitergeführt." (S.113f) Interessanterweise verweist Crüsemann
schließlich auf die Verbindung der Gattungen des imperativischen
und des partizipialen Hymnus, die in verschiedener Weise erfolgen
konnte (S.126-135). Dabei "lassen sich grundsätzlich zwei Arten
der Verbindung unterscheiden. Einmal treten Partizipialprädikationen
an die Stelle des Jahwe-Namens im Aufruf zum Lob des imperativischen
Hymnus... Bei der zweiten Art werden die Partizipialsätze dem imperativischen Hymnus angefügt und damit in gewissem Sinne nebenge-
ordnet." (S.127)

Im Blick auf die Überlegungen bei Jer 23,7f ließe sich hinter
46,18 formal eine solche Verbindung von einem imperativischen Hymnus ...חי יהוה כי mit einem partizipialen Hymnus, in dem ein (doch
wohl Götter-)König mit Jahwe Zebaot gleichgesetzt wird (המלך
יהוה צבאות שמו , erkennen. Wenn die Rückführung in die 3. Person
berechtigt ist, hätte der Hymnus lauten können חי יהוה המלך
יהוה צבאות שמו כי ... .

So bleibt nun noch einmal die 2. Hälfte unseres Verses, nach
der bisherigen Überlegung die sog. Durchführung des Hymnus, zu betrachten. Es war mein erster Eindruck, daß יבוא sich auf Jahwe
beziehen müßte. Jedes andere Subjekt ist zu allgemein oder zu weit
entfernt, zumal Nebukadnezar nur in der sekundären Einleitung V.13
erwähnt wird. Nun ist es doch Jahwe, von dem gesagt wird, daß er
kommt - und zwar zu machtvollem Eingreifen, z.B. Ri 5,4, wo Jahwe
auszieht und einhergeht, oder das schreckliche Kommen Jahwes als
Sieger über Edom, Jes 64,1ff. Auch ist der Vergleich mit Tabor und
Karmel sowohl für einen Verfasser in Jerusalem aber auch in Babylon

(oder Ägypten)[39] recht auffallend. Von diesen Standorten hätten
sich doch andere geographische Besonderheiten angeboten. Nun ist es
ja ohnehin sehr unwahrscheinlich, daß bei zwei Bergen, die jeder
ein Heiligtum trugen, das für die Existenz und die Religion Israels
so viel bedeutet hatte, nur die Topographie das tertium comparationis gewesen wäre. Tabor und Karmel waren nach allem, was wir wissen, zwei kanaanäische, also bereits vorisraelitische Heiligtümer.
Zum Karmel vermerkt G.Sauer: "Sehr früh wird ein Baalheiligtum anzunehmen sein, um dessen Übernahme in die Jahweverehrung im 9.Jh.
Elia kämpft, nachdem der Karmel von Ahab dem Reiche Israel einge-
gliedert worden war (1 Kg 18)".[40] - Wobei dieser Besitzwechsel
vielleicht nicht der erste war.[41] Für den Tabor ergeben sich aus
außerbiblischen Funden Hinweise für eine Gottesverehrung bereits
im 2.Jahrtausend. Der Stammesspruch Dtn 33,18f beschreibt, wie die
Stämme Sebulon und Issachar "Völker auf den Berg rufen und daselbst
opfern". Hier kann schwerlich ein anderes Heiligtum als der Tabor
gemeint sein, und vollends zeigt die Deboraschlacht (Ri 4f) die Bedeutung dieses Heiligtums für Israel.[42]

Hinter Jer 46,18 scheint eine Tradition zu stehen, die auf
die Verbindung Jahwes mit diesen beiden Heiligtümern und auf sein
"Kommen" (in Bezug) zu diesen beiden Plätzen hinweist. Nun ist aber
der Vergleich eines Berges in Verbindung mit einem Verbum der Bewegung recht ungewöhnlich. Das tertium comparationis bei einem Berg
muß doch immer statisch-beschreibend sein, vgl. etwa Hld 7,6 "dein
Haupt auf dir ist wie der Karmel". Die Vermutung liegt nahe, daß es
nun um Jahwes Kommen von oder zu diesen Bergen geht. Nach den Traditionen Israels kommt Jahwe von Süden oder Südosten, vom Sinai
(Dtn 33,2), von Teman (Hab 3,3), von Seir bzw. Edom (Ri 5,4). (Erst
in der späteren Zeit, je nach der Auffassung vom Wohnen Jahwes,

---

39) Volz, KAT, S.385 ("Heimat").
40) G.Sauer, Karmel, BHH II Sp.934f.
41) Alt, KS III S.276f (Der Stadtstaat Samaria). Galling, Der Gott
     Karmel und die Ächtung... , FS Alt (1953), S.105-125. Galling
     schlägt übrigens vor, "die im Alten Testament vorkommenden
     Nennungen des Karmel daraufhin zu prüfen, ob in ihnen etwas
     von einer besonderen kultischen Tradition noch mitschwingt.
     Ich denke dabei besonders an Amos 9,3 und Jer 46,18." (S.119,A.3).
42) Bach, Thabor, BHH III, Sp.1962f.
     Eißfeldt, Der Gott des Tabor und seine Verbreitung, KS II, S.
     29-54.

214

kommt er etwa auch vom Zion her).[43] Könnte nicht hinter Jer 46,18
der Hinweis auf ein Kommen zum Tabor und zum Karmel stehen? - Nun
haben wir gerade in der für Israels frühe Geschichte so wichtigen
Deboraschlacht, von der das Lied Ri 5 berichtet, ein Beispiel für
Jahwes Kommen zum Tabor. "Immerhin repräsentiert das Debora-Lied
ein Stadium und nennt einen Anlaß, der für das Zusammenwachsen und
gemeinsame Handeln führender israelitischer Stämme von weittragender
Bedeutung gewesen sein wird."[44] "Auch das Debora-Lied ist nicht
mehr als ein Schlaglicht, aber ein bedeutsames. 'Israel' als 'Volk',
als Summe seiner Stämme, die schicksalhaft zusammenwuchsen, gewann
Gestalt in dieser Zeit der charismatischen Führer...durch die erfahrbare und erfahrene Führungsmacht seines aus fernem Gefilde auf-
gebrochenen Gottes, der 'seine', und das heißt auch 'Israels' Feinde schlug."[45]

   So spielt die Aussage von Jer 46,18b auf Jahwes Kommen zu diesen beiden Bergen an. Der Vergleich meint nicht bloß topographische
Besonderheiten, sondern das כ ist umfassender zu verstehen. Sinnge-
mäß wäre zu übersetzen: "So wie (damals zum) Tabor inmitten der Berge und so wie (damals zum) Karmel am Meer, kommt er (sc. Jahwe)!"
Durchaus möglich schiene mir auch folgende Rekonstruktion: "So wie
(damals zum) Tabor inmitten der Berge so kommt er (sc. Jahwe) (jetzt
auch) zum Karmel am Meer!" "Die Partikel כ erlaubt durchaus, eine
Menge prägnanter Beziehungen auszudrücken, die im Deutschen nur mit
Hilfe von Präpositionen wiedergegeben werden können."[46] Da כ
öfter auch vor beiden Vergleichsgrößen steht,[47] wäre für die letzte
Interpretation lediglich das ו (und) auszulassen. Die Aussage wäre
ein hymnischer Reflex auf das Ereignis von 1.Kön 18, d.h. das Vor-
dringen Jahwes in das nordwestliche Grenzgebiet. Das würde den to-
pographischen Aussagen eine sinnvolle Bedeutung geben: So wie Jahwe
am Tabor mitten unter den Bergen in Erscheinung tritt, so tut er
es auch am Karmel, der vorgeschoben am Meer draußen liegt. Gegenüber dem alten Blickpunkt des Hymnus wäre in Jer 46,18 das Ereignis vom Karmel zusammen mit dem Tabor auf die eine Seite des Vergleichs gerückt, während das jetzt neu erwartete Kommen Jahwes die
andere Seite bildet. - So wie er damals bis zum "Karmel am Meer"

43) Jenni, בוא THAT I Sp.268.
44) Herrmann, GI, S.158.
45) A.a.O., S.160.
46) GesK, §118s.
47) Brockelmann, Syntax, §109 d.

215

kam, so kommt er auch jetzt, etwa bis nach Babylon, bis zu den Brenn-
punkten der Ereignisse.

Zu den bisherigen Überlegungen paßt schließlich auch die Bezeichnung als König. Zwar ist der älteste, sicher datierbare Beleg
in Jes 6 zu finden, die Vorstellung vom Herrscher scheint aber bereits
in der vor- oder frühstaatlichen Zeit Israels gebräuchlich gewesen
zu sein. Nach allem, was wir heute sagen können,[48] wurde der Titel
in Kenntnisnahme und Auseinandersetzung mit der kanaanäischen Vorstellung vom Königtum Els und Baals auf Jahwe übertragen. Die Königs-
vorstellung hatte zunächst das Verhältnis des Königs der Götter zu
den Göttern im Blick, und gewann erst in der Glaubensgeschichte Israels eine Relevanz für die Beziehung der Menschen zu Gott. Es geht
also in der Übernahme des Königtitels für Jahwe um einen ähnlichen
Vorgang, wie er hinter dem partizipialen Hymnus steht: Eine Funktion,
die in der Umwelt anderen Göttern zugeschrieben wird, wird für Jahwe in Anspruch genommen. Wo dies geschah, ist für uns kaum noch zu
erkennen. In Anbetracht der vielfältigen und gerade im Bereich der
Nordstämme sehr intensiven kanaanäischen Kontakte wird man nicht
nur an Jerusalem (vgl. Jes 6) denken dürfen. "Die Thronvorstellung,
die im Zusammenhang mit der Lade (1.Sam 4,4; 2.Sam 6.2, "der Kerubenthroner"), aber auch unabhängig davon (1.Kön 22,18ff) außerhalb Jerusalems bezeugt ist, könnte einen Anhalt für die Vermutung bieten,
daß Jahwe schon am Tempel von Silo zum König proklamiert wurde."[49]
Diese Vermutung würde bekräftigt durch Jer 46,18; 48,15; 51,57.
Dies sind die drei einzigen Belege für die Verbindung von נאם
mit המלך wobei zugleich eine "einigermaßen feste Verbindung"[50]
mit יהוה צבאות שמו vorzuliegen scheint. Allerdings fehlt in den
Ladeerzählungen und in 1.Kön 22 der Königstitel für Jahwe, sodaß
besser allgemeiner von Proklamation zum Herrscher zu sprechen ist,
während der Königstitel erst später für Jahwe übernommen oder zumindest in manchen Kreisen (Nordreichprophetie, Ezechiel) lange Zeit
abgelehnt wurde (s.S.262-265 zu אדון und S.287-292 zu Jer 10,10).

Die jetzige Endgestalt verbindet den Hinweis auf das Lebendigsein Jahwes mit dem Hinweis auf seine Königsherrschaft und auf sein

---

48) W.H.Schmidt, Königtum Gottes in Ugarit und Israel (1966); ders.
    At-Glaube, S.142-150; J.A.Soggin, מלך THAT I Sp.908-920, bes.
    914-916. (Leider fehlen Sp.916 mehrere Belege, jedenfalls
    Jer 10,10; 46,18; 48,15; 51,57).

49) Schmidt, At-Glaube, S.144f.

50) Crüsemann, Hymnus, S.96.

machtvolles Kommen zum Eingreifen gegen Ägypten. Dabei wird dann
noch besonders betont, daß Jahwe Zebaot der Name dieses Königs sei.
Von der Verwendung der SF in der 1. Person her ergab sich eine Abhängigkeit von der Sprache Ezechiels und seiner Schüler. Die formgeschichtliche Entwicklung des imperativischen und partizipialen
Hymnus, besonders die Verbindung dieser beiden Gattungen, gehört in
die Zeit um und während des Exils. Schließlich verweisen die Beobachtungen an der Hauptredaktion der jeremianischen Völkersprüche
(vgl. Volz) ebenso wie die Heilserwartung, die sich einerseits
schon und andererseits erst bloß in Völkerworten ausspricht, zeitlich, geographisch und traditionsgeschichtlich in das babylonische
Exil zwischen Ezechiel und Deuterojesaja.

Hinter dieser Endgestalt scheinen zwei Traditionen zu liegen:
1. Die aus dem Bereich des partizipialen Hymnus stammende Wendung
vom König, dessen Name Jahwe Zebaot ist (vgl. 48,15; 51.57). Damit
wird das Königtum über die Götter (und dann auch über die Menschen)
für Jahwe beansprucht bzw. von ihm ausgesagt.
2. Die andere, der Durchführung des imperativischen Hymnus nahestehende Tradition spricht von Jahwes Lebendigsein in seinem Kommen,
das mit seinem Kommen zum Tabor und zum Karmel verglichen wird; bzw.
wie es trotz leichter Textänderung noch wahrscheinlicher erschien:
Jahwe kommt zum Karmel, wie er (einst machtvoll) zum Tabor kam. Die
hymnische Aussage wurde vermutlich ursprünglich in der 3. Person gemacht, wofür besonders Jer 23,7 spricht.

Diese beiden Traditionen hatten wohl ihre Heimat im Nordreich,
wo die Auseinandersetzung mit kanaanäischer Glaubensvorstellung besonders intensiv war. Die Erwähnung des Tabor und des Karmel verweisen auf diese Konflikte.[51] Die Erwähnung des Karmel führt zudem
auf die mittlere Königszeit und auf Anliegen, wie sie Elija, Elischa
und ihre Schüler vertreten hatten. Es paßt zum Gesamtbild, daß diese
Traditionen in einer von der Schule Ezechiels geprägten Formulierung
(חי אני) wieder auftauchen: Gerade bei Ezechiel war eine inten-

---

51) Die hier zu Jer 46,18 beigebrachten Beobachtungen und Überlegungen
    finden zu einem guten Teil eine Stütze am Inhalt und der mutmaßli-
    chen Überlieferungsgeschichte von Ps 68 (der allerdings manche
    Schwierigkeiten bietet). Immerhin spricht dieser Psalm von der Er-
    scheinung des Sinaigottes auf einem Berg, der vermutlich der Tabor
    ist, und im weiteren Gebrauch dieses Psalms wurden damit "die
    großen Heilstaten Jahwes in der Geschichte seines Volkes vergegen-
    wärtigt" (Kraus, BK, S.632, zum Ganzen S.624-638).

sive Kenntnis der Schrift- und besonders der Vorschriftprophetie
des Nordreiches zu erkennen.

Diese traditionsgeschichtlichen Beobachtungen legen es nahe,
daß die Aussage von der Lebendigkeit Jahwes in den religiösen Auseinandersetzungen im Nordreich eine besondere Bedeutung gewonnen
hatte und besonders in Jahwes machtvollem Kommen und Eingreifen erfahren wurde. Spätestens zur Exilszeit - teilweise vielleicht schon
früher-wurde diese Aussage mit Jahwes Königtum und mit der Bezeichnung Jahwe Zebaot verbunden und dann auf Jahwes Handeln in der Völkerwelt hin neu konkretisiert. Sowohl gattungsgeschichtlich wie inhaltlich ist es von Jer 46,18 kein weiter Schritt zu Jer 10,1-16,
wo in V.10 Jahwe ausdrücklich als der "lebendige Gott und ewige
König bezeichnet wird (s.u.S.287-292).

Nachtrag: Die Bekanntheit der Vorstellung vom "Kommen Jahwes", ursprünglich eben vom Süden, und von Verbindungen zwischen dem Nordreich
und dem tiefen Süden (vgl. 1.Kön 19) wird in frappierender Weise gerade für die mittlere Königszeit durch die Erwähnung von 'Yahweh of
Samaria' und 'Yahweh of Teman' in den Inschriften von Kuntillet ʿAjrud (ca. 50 km südl. von Kadesch-Barnea, um 800!) bestätigt; siehe
dazu J.A. Emerton, New Light on Israelite Religion, ZAW 94 (1982).

4. Jes 49,18

Dieser Vers ist die einzige Stelle, an der wir bei Dtjes die
SF vorfinden. Abgesehen von dieser Stelle fehlt die SF sowohl in der
Form יהוה חי als auch in der Form אני חי im ganzen zweiten Teil
des Jesajabuches, wie übrigens auch im ersten Teil. Diese Beobach-
tung läßt vermuten, daß die SF in Gattungen beheimatet ist, die bei
Dtjes kaum eine Rolle spielen.

"Man muß sich zunächst klarmachen, daß es nur ein schmaler Sek-
tor aus der Fülle möglicher prophetischer Ausdrucksmöglichkeiten
und prophetischer Redeformen ist, den wir bei Deuterojesaja antref-
fen. Es fehlt, abgesehen von der prophetischen Gerichtsankündigung,
die ihm nicht aufgetragen ist, jeglicher Bericht, es fehlen Worte
an Einzelne, an besondere Gruppen oder Repräsentanten des Volkes...
Visionsberichte und jedes den Propheten selbst betreffende Reden.
Wenn uns aber bei Deuterojesaja nur der eine schmale Ausschnitt des
Heilswortes begegnet, ist es erstaunlich, wie reiche, immer neue
Ausdrucksmöglichkeiten der Prophet für das e i n e , was er zu sa-

218

gen hatte, gefunden hat. Die Mitte seiner Botschaft ist das Heilsorakel oder die Heilszusage mit ihrem Ruf "Fürchte dich nicht!", der
die Heil zusagende Gottesantwort auf die Klage des Einzelnen zugrundeliegt; mit ihr verbunden, aber auch selbständig die Heilsankündigung, die einzeln und in mancherlei Verbindung das ganze Buch
durchzieht."[52] "Zur Verkündigung Deuterojesajas gehört auch ein
polemisches Reden. Es dient der Heilsbotschaft, ist aber ein durchaus kämpferisches Reden. Seine Polemik geht in zwei Richtungen, gegen die Völker und ihre Götter und gegen das eigene Volk."[53] "Die
Polemik richtet sich gegen das eigene Volk in den Gerichtsreden, in
denen Jahwe Israel gegenübersteht und in den Bestreitungen (Dispu-
tationsworten). Hierher gehören die Teile der beiden großen Gedichte
40,12-31 und 49,14-26".[54] In diesem größeren Zusammenhang und in
dieser - gewissermaßen einem fremden Zweck dienenden - Funktion finden wir hier die SF אנ יח

Die Einheit Jes 49,14-26 schreitet in den drei zueinander parallelen Teilen V.14-20; 21-23; 24-26 jeweils von der Klage über
die Bestreitung zur Heilsankündigung fort. Die Zuwendung Gottes,
die die Grundlage für die Bestreitung der Klage und für die Heilsankündigung ist, ist besonders ausgeführt und ist auch für die weiteren Einheiten die wesentliche Grundlage.[55] V.14 referiert zunächst
die Klage Zions: "Verlassen hat mich Jahwe, der Herr hat mich vergessen!" Diese resignierte Klage, die zugleich Anklage gegen Jahwe
ist, wird von diesem bestritten. "Vergißt denn eine Frau ihr Kind-
lein, daß ihr leibliches Kind sie nicht dauert?" (V.15a) - Ja sogar
noch viel mehr, Jahwes Verhalten ist viel zuverlässiger als die
tiefsten menschlichen Bindungen:[56] "Selbst wenn diese vergäßen -

52) Westermann, ATD, S.12.

53) A.a.O., S.16.

54) A.a.O., S.18.

55) Vgl. a.a.O., S.177. Die besondere Intensität der Aussagen im
    ersten Teil (V.14-20) ist der Grund, daß diese Einheit bei
    manchen Kommentatoren als selbständig herausgestellt wird,
    z.B. Duhm, HK, S.373: "49,14-21 ist ein Gedicht in wahrschein-
    lich fünf Strophen...es dient nach dem Beispiel von 40,1-4 und
    44,24 - 45,7 zur Einleitung einer Reihe von Ausführungen, die
    sich mit der Tröstung Zions beschäftigen."

56) Es gehört zu den Schönheiten aber auch den Feinheiten der Bot-
    schaft Deuterojesajas, daß er auf die Größe der geschöpflichen
    Realitäten achtet, und zugleich auch auf die Grenzen alles

ich vergesse dich nicht! Siehe in meine Hände habe ich dich gezeichnet; deine Mauern sind immerdar vor mir!" (V.15b.16) Aus diesem
grundlegenden Tatbestand wird nun die weitere Folgerung gezogen und
das in Jahwes Treue begründete Heil konkret entfaltet: "Deine Er-
bauer eilen herbei, deine Zerstörer und Vernichter ziehen aus von
dir! Erhebe rings deine Augen und sieh! Sie alle versammeln sich,
kommen zu dir. Siehe diese kommen von fern, diese vom Norden und
vom Meer und diese vom Land Sewenim.[57] חי אני נאם יהוה כי
So wahr ich lebe, Spruch Jahwes: Sie alle wirst du anlegen wie einen
Schmuck, wirst dich mit ihnen gürten wie eine Braut. Denn deine
Trümmer und dein zerstörtes Land: Jetzt wird es dir zu eng zum Wohnen und fern sind deine Zerstörer." (V.17-19)

Die SF (und die Gottesspruchformel) finden wir hier in einer
wohlbekannten Verwendungsweise. Entsprechend der Redeform des
Rechtslebens wird zunächst ein Tatbestand festgestellt, hier Jahwes
unverbrüchliche Treue, und dann die hieraus abgeleitete Folgebestimmung mit der SF bekräftigt. Zwar steht die SF nicht direkt an der
Verbindungsstelle der beiden Teile, sie steht aber dort, wo Israel
nicht mehr nur die Rolle des staunenden Beobachters hat, sondern
unmittelbar in das Geschehen einbezogen ist ("sie alle wirst du
anlegen wie einen Schmuck" V.18). Dabei ist hier die SF nicht wie
bisher meist mit der Schwurpartikel (אם לא oder אם) sondern, so
wie in Ez 35,6 und Zef 2,9 mit כי fortgeführt. Diese Verwendung der
SF und die Redeform des Rechtslebens ist allerdings in einen ganz
neuen Zusammenhang hineingekommen. Sie dient nicht mehr der prophetischen Gerichts-, sondern der prophetischen Heilsankündigung. Zwar
war die SF in Ez 35,6.11 im Rahmen eines Heilswortes verwendet, hatte
aber dort doch das Gerichtswort über jene eingeleitet, die diesem

---

Geschöpflichen weist (vgl. Westermann, ATD, S.178).

57) Volz, KAT, S.99 hat erstmals vorgeschlagen, V.12 hier nach
V.18a einzufügen. Er paßt vom Thema "Sammlung der Zerstreuten"
her jedenfalls sehr gut hierher als Entfaltung von V.18a. Ein
Grund für die Versprengung dieses Verses ist allerdings schwer
zu finden. Die Unsicherheit tangiert aber nicht den Aufbau des
Abschnittes, sondern nur die Konkretheit der Aussage. Die bereits von Michaelis (1775) vorgeschlagene Konjektur von Senim
zu Sewenim ist heute allgemein akzeptiert und durch Qumran bestätigt (vgl. BH und Westermann, ATD, S.175). Gemeint wäre
dann die jüdische Kolonie von Syene (Assuan), heute bekannt
durch die Texte von Elephantine.

Heil entgegenstanden. Und in Ez 18,3 ging es zwar um die Verkündigung des Heilswillens Jahwes, die SF bekräftigte aber die Verurteilung eines unbußfertigen Zynismus. Hier bei Dtjes ist die Verschiebung der SF hinüber zur reinen Heilsankündigung noch weiter fort-
geschritten: Jetzt bekräftigt die SF ganz eindeutig eine bedingungs-
lose Heilsankündigung - mit der allerdings die resignierende, rück-
wärtsgewandte Klage des Volkes aufs kräftigste bestritten wird.

Damit ist nun hier gegen Ende der Exilszeit im Kontext der SF
mit ihrem Verweis auf die Lebendigkeit Jahwes der Ton ganz auf die
Heilsankündigung gerückt. Jahwe erweist sich als der Lebendige, indem er, über alles menschliche Maß hinaus, Zion die Treue hält und
eine neue, herrliche Existenz schafft. Dabei setzt er sich sowohl
gegen die äußeren Feinde durch als auch gegen die Klage und Resignation, die die Exilierten beherrscht.

Schließlich ist noch kurz auf den weiteren Zusammenhang unserer
Stelle einzugehen. Die Kommentare lassen die Einheit fast überein-
stimmend bei V.14 beginnen. Das Ende wird entweder bei V.26 gesehen,
oder es wird noch 50,1-3 einbezogen, sodaß sich drei bzw. vier Teile
ergeben. Westermann[58] argumentiert formkritisch und sieht in den
drei Einheiten V.14-26 die dreifache Richtung der Klage: die Anklage
Gottes (V.14), die Ich-Klage (V.21) und die Feindklage (V.24). Gegenüber der besonderen Betonung der Grundlage für die Heilsankündigung
in der Treue Jahwes in der ersten Einheit (V.15f), haben die beiden
anderen Einheiten besonders das Ziel im Auge: Du sollst erkennen
(V.23)...alle Welt soll erkennen (V.26). Demgegenüber ist die Einheit 50,1-3 eine Gerichtsrede, in der Jahwe und Israel gegenüber-
stehen, wobei Jahwe der Angeklagte ist.[59] Besonders die älteren
Kommentare[60] neigen zur anderen Sicht, nämlich 50,1-3 mit 49,14-26
zusammenzusehen. Diese Meinung ist offensichtlich stärker vom Inhalt
der Einheiten bestimmt, wobei 50,1-3 die Motive der unverbrüchlichen
Treue und der Handlungsmächtigkeit Jahwes betonen. Die in den alten
Kommentaren gemachten, oft sehr weit reichenden Textkonjekturen
können heute auf sich beruhen. In Anbetracht der wichtigen formkritischen Aspekte ist wohl der Abgrenzung von Westermann mit der Be-

---

58) Westermann, ATD, S.177.

59) A.a.O., S.181. Allerdings tritt Jahwe nur zunächst als sich
    verteidigender Angeklagter auf, in V.2 ist die Lage schon völ-
    lig gewandelt.

60) Marti, KHC (1900), S.330-334, Duhm, HK (1922), S.373-397,
    neuerdings Mc Kenzie, AncB, S.110-114.

achtung des Kompositionsprinzips von V.14-26 zuzustimmen.[61]

Die andere Beobachtung zum weiteren Kontext der SF ist das Auftauchen der uns besonders von Ezechiel her bekannten Erkenntnisformel in V.23 und 26. Mit dieser hat Dtjes ähnlich wie bei der SF ein
zunächst selbständiges und überwiegend in ganz anderen Zusammenhängen verwendetes Element aufgegriffen und seiner Intention der Heils-
verkündigung und den dafür verwendeten Gattungen integriert.[62]
Diese Beobachtung spricht trotz ihrer Singularität auch für die Ursprünglichkeit der SF an dieser Stelle.

Für die theologische Aussage ist schließlich noch auf den Jahweeid in 45,23 hinzuweisen. Zwar steht dort nicht die SF חי אני ,
aber doch die damit überlieferungsgeschichtlich zusammengehörige
(s.o.S.170) Aussage: Bei mir habe ich geschworen! (בי נשבעתי)
Es geht dort um die Durchsetzung des von Jahwe zuvor ergangenen
Wortes, die Einladung an alle Entronnenen (auch, und hier besonders,
Heiden) und um die Anerkennung Jahwes durch die Israeliten und die
Völker. - Aspekte, die in c.49 in der Erkenntnisformulierung mitschwingen und hier wie dort auch im Jahweeid (vgl. A.87).

5. Num 14,21.28

In Num 13f stehen wir im Zusammenhang der Erzählung von der
Aussendung und Rückkehr der Kundschafter und der dadurch ausgelös-
ten Reaktionen. Auf Grund der Nachrichten der Mehrzahl der Kundschafter verfällt das Volk in Resignation bzw. dann in Auflehnung gegen
Mose und Aaron, die man steinigen will. In diesem kritischen Augenblick erscheint Jahwe vor allen Israeliten beim Zelt der Begegnung
(14,10). Die Reaktion Jahwes ist ein Gerichtswort über das Volk:
Israel soll 40 Jahre in der Wüste bleiben. Die jetzt vorhandenen Er-
wachsenen sollen sterben. Einzig Josua und Kaleb, die für Vertrauen
auf Jahwe plädiert hatten (14,6-9) sollen gemeinsam mit der heran-
wachsenden Generation ins Land kommen.

Diese Antwort Jahwes findet sich parallel in V.11-25 und V.26-38.
Die zweite Antwort ist dabei eindeutig P zuzuordnen. Die erste Rede
Jahwes gehört dagegen offensichtlich zu einer anderen Quelle, wobei

---

61) Hier ist auf die gewichtigen Arbeiten von Begrich, besonders
    seine Studien zu Deuterojesaja, hinzuweisen, wo er S.38f
    Jes 50,1f behandelt hat.

62) Vgl. Zimmerli, Erkenntnis Gottes, GO 69-71 und Begrich, Studien
    zu DtJes, S.14-18.25.

bei beiden noch manche Ergänzungen hinzukommen.[63] Beide Male wird
die Rede Jahwes von ihm selbst mit der SF אני חי beeidet.

Wir beginnen mit dem klarer fixierbaren Beleg V.28: "Wie lange
soll ich diese böse Gemeinde, die Aufruhr gegen mich treibt, gewäh-
ren lassen? Den Aufruhr der Israeliten, den sie gegen mich erheben,
habe ich gehört (V.27). Sprich zu ihnen: So wahr ich lebe, Spruch
Jahwes, fürwahr (חי אני נאם יהוה אם לא), wie ihr vor meinen
Ohren geredet habt, so will ich an euch tun! (V.28) In der Wüste
sollen eure Leichen hinfallen...Eure kleinen Kinder aber, von denen
ihr gesagt habt...(V.29-31)...Ich, Jahwe, habe geredet, wahrlich,
das will ich auch tun (אני יהוה דברתי אם לא; V.35)". In den
Kommentaren werden einzelne Sätze von V.26-38 als Zusätze betrachtet.
Für uns wichtig ist nur V.27. Noth sieht V.27b als Zusatz, während
Gray hier keine Probleme sieht und Baentsch nur die erste Erwähnung
des Murrens aus V.27a als Dittographie streichen will. Noths Bemerkung "der Satz V.27b kommt post festum und ist ein Zusatz" ist fraglich und auch nicht gerade vielsagend. Wir gehen also zunächst vom
oben zitierten Text aus.[64]

Die SF in V.28 leitet das Urteil ein. Die uns besonders von Ez
her bekannte, formal strenge Kombination SF, Gottesspruchformel und
Schwurpartikel steht der Tatfolgebestimmung voran. Der Inhalt des
Urteils ist genau das, was das Volk auf Grund des fehlenden Vertrauens zu Jahwe befürchtet hatte: Sie werden in der Wüste umkommen. Dabei wird allerdings genau unterschieden: Die noch unmündigen Kinder
werden in das Land kommen - sie haben nicht die Schuld der Väter zu
tragen. Von den Kundschaftern bleiben Josua und Kaleb am Leben, während die anderen, die die Verursacher der Auflehnung des Volkes waren, sofort sterben. So ist das Gericht vierfach differenziert. Wir
sehen uns erinnert an Ez 18 mit der Betonung des individuellen Gerichts aber auch an den von dort und von anderen Stellen zu erschlies-
senden Vorgang der Rechtssprechung mit der Zulassung zur Lebensge-
meinschaft mit Jahwe oder dem Ausschluß aus dieser. In Blick auf
diesen Ausschluß ist dann unterschieden zwischen der Generation, die
im Laufe der nächsten Jahrzehnte stirbt und den Kundschaftern, die

---

63) Vgl. zuletzt Noth, ATD, S.87-99. Die Zuschreibung der Verse an
    P erfolgt einhellig (gelegentlich wird V.39a noch zu P gerech-
    net, z.B. Gray, ICC). Die Zuschreibung von V.11-24 erfolgt
    sehr verschiedenartig, vgl. Baentsch, HK, S.525-529; Gray, ICC,
    S.155-161.
64) Noth, ATD, S.97; Gray, ICC, S.132; Baentsch, HK, S.530.

sofort durch eine von Jahwe geschickte Plage sterben.

Vor der SF in V.28 steht nun auffallenderweise eine Tatbestandsfeststellung: "Den Aufruhr der Israeliten, den sie gegen mich erheben, habe ich gehört." Die Einkleidung in die Feststellung "ich
habe gehört..." ändert nichts an der Funktion dieses Satzes. Wir
haben die exakte, gattungsgeschichtlich strenge Folge Tatbestandsfeststellung - Jahweeid - Folgebestimmung.[65] Der Inhalt der Strafe
ist prinzipiell die Scheidung aus der Sphäre Jahwes, erinnert aber
in der Konkretion etwa an Sprüche 10,24 "Was der Frevler fürchtet
kommt über ihn..." wo übrigens im Gegensatz zwischen dem צדיק
und dem רשע eine im Rechtsentscheid festgestellte Kategorie aufgegriffen wird.[66]

Es gibt bei P fünf Stellen, an denen sich der kabod Jahwes im
Zusammenhang geschichtlicher Ereignisse erweist: Ex 16 (Manna),
Num 14 (die Kundschafter), Num 16 (die Rotte Korach), Num 17 (Auf-
ruhr wegen der Vernichtung Korachs), Num 20,1-13 (das Haderwasser).
Diese Texte folgen bei aller Verschiedenheit einem gemeinsamen Auf-

---

65) Diese gattungskritische Beobachtung spricht sehr stark für die
Ursprünglichkeit von V.27b. Eher auffallend ist die Frage
"bis wann?" in V.27a, die "im Hexateuch nur noch Ex 10,3.7 (J)"
vorkommt (Baentsch, HK, S.530), doch paßt die Frage durchaus
zur Wiederholung des Murrens der Israeliten, das hier (in P)
erstmals eine Bestrafung findet.

66) Leider gibt es, soweit ich sehe, keine Untersuchung, die gerade
die ältere Weisheitsliteratur in dieser Hinsicht traditionsgeschichtlich aufarbeitet. Spr. 10,24 gehört zur ältesten Sammlung des Spruchbuches (vgl. Gemser, HAT, S.4f). Gemser verweist
auf die Berührungen verschiedenster Bereiche des öffentlichen
Lebens, insbesondere der Rechtspraxis, mit der Weisheit (a.a.O.,
S.3) und auf den starken religiösen Einschlag in der Sammlung
10 - 22,16 (a.a.O., S.65). Die umfangreiche neuere Untersuchung
von Mc Kane, Proverbs, OTL, hat m.E. zu deutlich bestimmte
(Entwicklungs)schemata vor Augen. "In the case of these senten-
ces, I find it hard to resist the conclusion, that the antithesis
of ṣaddiq and rašaᶜ is a dogmatic classification and that it
is expressive of a premise of Yahwistic piety namely, the
doctrine of theodicy." (S.420). Lediglich vRad, Weisheit in
Israel, widmet dem Verhältnis von Weisheit und Kultus einen
Exkurs (S.240-244), wobei er unsere Frage nur kurz streift
(S.243).

bau. In der Mitte steht jeweils die Lokalisierung am Zelt der Begegnung, das Erscheinen des kabod Jahwes und das Wort Jahwes an Mose
(und Aaron). Diese "mittleren drei Teile sind nun aber offensichtlich
eine eigene Ganzheit, ein dreigliedriger Vorgang, der sich...als
etwas selbständiges heraushebt; es ist ein Vorgang eigener Herkunft,
der ursprünglich keiner der fünf Erzählungen angehört, sondern eine
dem P eigene Struktur ist, die mit der Erzählung verschmolzen wird.
.. Am auffälligsten ist das bei der Lokalisierung am Zelt der Begegnung... Hier ist die Intention von P mit Händen zu greifen: Für ihn
kann die Wende der Not nur vom Heiligtum kommen. Und zwar sind je-
desmal bestimmte kultische Vorgänge angedeutet, von denen her die
Erzählungen umgeprägt werden: in Ex 16,9... ist es das Heilsorakel,
in Num 14 der Rechtsentscheid, in Num 16 ein Rechtsentscheid durch
Gottesurteil, in 17 das Flehen der Bedrängten um Hilfe vom Heiligtum, in 20 das Flüchten der Verfolgten zum Asyl des Heiligtums...
Es ist ihm (sc. P) damit gelungen, die hier sich abzeichnenden Kult-
vorgänge in der direkten Herkunft aus dem Geschehen zwischen Gott
und Israel während der Wüstenwanderung (sc. aufgrund der Analogie
in der Darstellung, Ex 24) nachzuweisen."[67]

Diese Beobachtungen zeigen für unsere Stelle Num 14,28 erstens,
daß hier ein sakralrechtlicher Vorgang dargestellt ist, zweitens
aber bestätigen sie eindrücklich die bisherige Einordnung der besonders bei Ez vorgefundenen Gattung des durch Jahweeid bekräftigten
Rechtsentscheides auf dem Hintergrund der sakralen d.h. am Heiligtum
und als Jahwewort ergehenden Rechtssprechung. Unsere Stelle ist zwar
als Text der Priesterschaft literarisch jünger als Ezechiel, traditionsgeschichtlich aber älter, und bezeugt damit einen Vorgang, den
Ez seiner Verkündigung dienstbar machte. Ja es wäre, vom Zeugnis der
Theologie der Priesterschaft her, zu fragen, ob nicht die Berufungs-
vision, bei der ihm der kabod Jahwes im fernen Babylon erschien, die
sachliche Voraussetzung für die Aufnahme dieser Gattung in seine
Verkündigung darstellte (d.h. der Rechtsentscheid als Wirkung des
Kommens Jahwes in seiner kabod). Die Formulierung des Rechtsentscheids
Jahwes in der 1. Person (חי אני) als "prophetisches" Wort aller-
dings dürfte doch von Ezechiel abhängig sein, wie auch die Singularität von נאם יהוה vermuten läßt.[68]

---

67) Westermann, Die Herrlichkeit Gottes in der Priesterschrift,
    FS Eichrodt (1970), S.227-249; Zitate S.242f. Vgl. jetzt auch
    ders., כבד , THAT I Sp.794-812.

68) נאם יהוה im Pentateuch sonst nur noch im (dtr) Nachtrag Gen 22,16

Num 14,11-25 ist im jetzigen Zusammenhang ein Einschub in den
Text von P. Er beginnt in V.11 mit der Einführung der Jahwerede,
die (wie V.27a,P) mit einer Frage beginnt: "Wie lange sollen die
Leute mich verachten dürfen?" Jahwe will das Volk vernichten und
dafür von Mose her ein größeres und stärkeres Volk schaffen. Darauf
folgt eine längere Entgegnung des Mose, in der er Jahwe vor Augen
hält, daß ihn diese Aktion in den Augen der Völker blamieren würde.
Mit einem Appell an Jahwes "Eigenschaften" ("Jahwe ist langmütig
und reich an Treue, einer, der Schuld und Auflehnung vergibt, der
aber doch nicht völlig ungestraft läßt..." V.18) bittet Mose um Ver-
gebung für das Volk, worauf Jahwe sein Urteil abändert: "Ich vergebe
hiermit entsprechend deinem Wort (V.20). Jedoch, so wahr ich lebe
und die Herrlichkeit Jahwes die ganze Erde füllt (ואולם חי אני
... כי וימלא כבוד יהוה את כל הארץ:), alle Männer, die gesehen
haben meine Herrlichkeit und meine Zeichen, die ich in Ägypten und
in der Wüste getan habe, und die mich nun (gleichwohl) schon zehnmal versucht und auf meine Stimme nicht gehört haben, wahrlich
(אם), sie werden das Land nicht sehen, das ich ihren Vätern zugeschworen habe, und alle, die mich verachten, werden es nicht zu
sehen bekommen." (V.21-23)

Das Stichwort "verachten" (נאץ; im Gegensatz zu לון , V.27)
wird erst in V.23b wieder aufgegriffen. Wenn man in V.11-25 eine
alte Quelle (J) sucht, ist es am ehesten zutreffend, diese in V.11
und V.23b.24 zu sehen. Die dazwischen stehenden Verse sind deutlich
von anderen Texten abhängig, die Überlegungen von V.18 sind als eher
spät anzusehen, und die beschworene Landverheißung (V.16-23a) setzt
die entsprechenden dtr Aussagen voraus. Von diesen Voraussetzungen
her ist die Analyse Noths sinnvoll, der in V.11a.23b.24 den Jahwisten
erhalten findet; demgemäß ist "was dann in 11bff vorkommt...so stark
mit deuteronomistischen Redewendungen und Anschauungen durchsetzt,
daß man hier einen umfangreicheren späteren Zuwachs zur J-Erzählung
annehmen muß."[69] Ältere Kommentatoren[70] sehen in diesem Abschnitt

---

und bei den Bileamsprüchen, jedenfalls nicht P; vgl. Baentsch,
HK, S.530.

69) Noth, ATD, S.96.

70) Z.B. Baentsch, HK, der Num 14,11-23 als "ein Musterstück einer solchen (sc. von Rje) Erweiterung" sieht (S.LXIV), während
er auch von einer "von einem prophetischen Bearbeiter (vielleicht unter Benutzung ursprünglicher Elemente von J oder E)
verfaßte(n) Erweiterung" spricht (S.525).

eine Erweiterung der alten Quellen durch die jehowistische Redaktion, wobei eine Aussonderung des alten Bestandes meist bewußt nicht mehr gewagt wird. Vielfach wird auf die Nähe zu Ez 20 und Stellen bei DtJes verwiesen, wobei anscheinend dann nur mehr das Schema der Pentateuchquellen und ihrer Komposition die Ursache für das Festhalten an der jehowistischen Redaktion und am 7.Jh. war. Ohne diese Voraussetzung wäre von diesen Beobachtungen her auch eine Datierung in der (ausgehenden) Exilszeit möglich.[71] Zu erwägen ist schließlich auch der Gedanke eines sukzessiven Wachstums dieses Abschnittes, worauf manche Wiederholungen (z.B. V.13f par 15f) und der Wechsel von der 1. Person der Gottesrede zu theologischen Erörterungen in der 3. Person (V.17-18; V.21) hinweisen.

Formal ist der Gebrauch der SF hier sehr stark aufgelockert. Der SF folgt zunächst die feierliche Aussage, daß die Herrlichkeit Jahwes die ganze Erde füllen soll.[72]

Ähnlich bereits auch andere, z.B. Wellhausen, Composition des Hexateuch[3], S.102: "Hauptsächlich vom Jehovisten selber verfaßt; so ist namentlich V.11-25 eine freie Ausführung desselben auf Grund eines ursprünglich gewiß sehr kurzen Kerns". Gray, ICC, sieht in unserem Abschnitt "neither J nor E" (S.133). Er vermutet, daß V.13f "perhaps...have been gradually built up of glosses." (S.156) und V.15 "would form a very suitable beginning to Moses' appeal" (S.157).

71) Es ist besonders Gray, der in Aufnahme älterer Hinweise die Nähe der Thematik zu Ez und zur Exilszeit betont: "The problem therefore, is: How is Yahweh to inflict that punishment on a rebellious people which His moral nature demands, and yet maintain the reputation of His power among the peoples of the world? The same problem presented itself to Ezekiel, who saw in the Exile the punishment of the nation's sins and the vindication of Yahwe's moral nature, and believed, as a necessary consequence, in a future restoration, which should vindicate Yahweh's power, and prove to the nations that Yahweh was indeed Yahweh: see especially Ezek.36,16-36; 39,21-29... and compare the prophet's treatment of the problem raised by these rebellions in the wilderness, Ezek.20,9ff. The idea occurs also, though with less prominence, in Is.48,11; 52,5f." (ICC, S.156).

72) Es ist schwer zu entscheiden, ob mit MT passiv oder nach LXX aktiv übersetzt werden soll. Eher scheint MT sekundär zu sein,

Der grammatikalische Bruch ist dabei offensichtlich. Der mit כי eingeführte V.22 begründet ausführlich das ergehende Gericht, und zwar nicht nur aus dem vorliegenden Verhalten des Volkes, sondern viel stärker aus der wiederholten ("nun schon zehnmal") Verachtung der Herrlichkeit (כבוד) und der Zeichen (אותות) Jahwes. Erst V.23 ist mit der Schwurpartikel (אם) eingeführt und bringt den eigentlichen Rechtsentscheid: Fürwahr, sie werden nicht sehen das Land, das ich ihren Vätern zugeschworen habe. V.24, der zur alten Tradition gehört, weil er das Sonderschicksal der Kalebsippe im Blick hat, würde gut an V.23a anschließen; jedenfalls setzt er eine entsprechende Aussage voraus. Von den formgeschichtlichen Beobachtungen her läßt sich folgende Grundform erschließen: Mit einem Schwur wurde ein wohl eher prägnant formuliertes Urteil bekräftigt. Der Inhalt dieses Urteils scheint das Nicht-zu-Gesicht-Bekommen des Landes für die Israeliten und die Landgabe für Kaleb gewesen zu sein. Auch V.25 mit dem Befehl, morgen in die Wüste zurückzukehren, dürfte als nähere Ausführung des Nichtsehens des Landes dazugehören. Die Beobachtung, daß in Num 16 nach den alten Quellen Mose den beiden Aufrührern Datan und Abiram selber entgegentritt, während in der P - Version Jahwes kabod zum Gottesgericht erscheint, läßt in Num 14 eine ähnliche Entwicklung vermuten. D.h. Mose könnte in die auf Grund der Berichte der Kundschafter entbrannte Diskussion und die jetzt geplanten Vorhaben eingegriffen haben: Kaleb soll Erfolg haben - und ihr Anderen zieht zurück in die Wüste, oder gar nach Ägypten (V.23a.24.25b).

Damit könnte hier noch die von Süden erfolgte Landnahme der Kalebsippe bezeugt sein (gegenüber der späteren Vereinheitlichung der Einwanderung Israels von Osten),[73] wie zugleich die in Dtn berichtete Rückkehr und der lange Verbleib im Gebiet von Seir (Dtn 1,2.6.19.46; 2,1) hier einen überlieferungsgeschichtlichen Hintergrund hätte.[74] Diese alte Überlieferung von der Besonderheit der

---

da durch das Passiv eine stärkere Unterscheidung zwischen der kabod und Jahwe selbst (passivum divinum) vorausgesetzt ist.

73) Noth, ATD, S.98f vermutet zu Num 14,39-45 einen solchen Kern der Tradition. Warum sollte nicht J die alte Tradition aufgenommen haben? V.24 spricht doch zunächst von Kaleb selbst, die Nachkommen wirken eher ergänzt. Die Landgabe an Kaleb war begründet und auch legitimiert in seinem Verhalten bei der Rückkehr der Kundschafter.

74) Jedenfalls gibt der Text den Eindruck eines "Zurück zum Aus-

Kalebsippe muß mit dem Zunehmen der Bedeutung der Landnahmetradition zum Problem geworden sein, mit dem man sich intensiv beschäftig-
te. Ihre Bevorrechtung hatte ihren Grund in dem besonderen Vertrauen
ihres Ahnherrn zu Jahwe. In der weiteren Überlieferung wurde dann
die Kalebsippe in das Bild der geschlossenen Landnahme durch Israel
mithineingenommen. Etwa auf dieser Ebene hat vermutlich J den Text
behandelt. Die weitere Übelieferung brachte dann eine allmähliche
Ausgestaltung dieser Perikope, in der sich ein intensives Interesse
an diesem entscheidenden Punkt der Frühgeschichte Israels spiegelt.
Es ist deutlich, daß diese Situation des Ausschlusses aus dem Land
mit dem Exil (vielleicht schon des Nordreiches, besonders aber des
Südreiches) aktuell wurde. Die einzelnen Elemente des umfangreichen
Komplexes passen gut in diese Zeit (s.o. bei A.69.70.71). Interessanterweise dürfte die geprägte Formel über die Eigenschaften, besser
gesagt Handlungsweisen, Jahwes (V.18) in den Bereich des Rechtslebens gehören.[75] Die Formulierung des Rechtsentscheides in der 1.
Person als Jahweeid mit der SF אני חי ist von Ezechiel abhängig,
wie besonders die ganz ähnlichen Aussagen Ezechiels über Jahwes Motive des Handelns an Israel zeigen (z.B. Ez 20,9ff; vgl. A.71). Das
Ringen um das Verhältnis von Jahwes Vergebungsbereitschaft einerseits und der Heimsuchung der Schuld der Väter an den Kindern (V.18)
andererseits zeigt den Abstand zu Ezechiels entschiedenen Aussagen
(Ez 18) und auch zu seiner Zeit; es sind doch schon eher die Probleme der Kinder, die wegen der Schuld der Väter (noch immer!) im
Exil sitzen.[76]

---

gangspunkt" und setzt nicht unbedingt einen völlig neu einzu-
schlagenden Weg voraus. Herrmann, GI, S.108-110, nimmt einen
längeren Aufenthalt im Großraum Kadesch und das selbständige
Vorgehen einzelner Gruppen an (S.110 zu Num 13f).

75) Crüsemann, Hymnus, S.109f.

76) Das alles würde zur Einordnung von R[d] ("deuteronomistische"
Redaktion des Penta- bzw. Hexateuch) gut passen; vgl. Holzin-
ger, Hexateuch, S.494, "...so kommt man für R[d] jedenfalls ins
babylonische Exil"; positiv aufgenommen bei Smend, EntstAT,
S.63f, der auch die bereits bei Holzinger geäußerte Vermutung
einer Mehrschichtigkeit der Redaktion unterstützt. "Es mag
also eine fortgesetzte redaktionelle Arbeit sein, welche von
R[je] allmählich zu R[d] weiterführt" (Holzinger, Hexateuch,
S.491). Besonders für unsere Stelle wird dies zutreffen, vgl.
A.70.

Die Erweiterung der SF in V.21 gibt eine Näherbestimmung der Lebendigkeit Jahwes : Er ist lebendig, indem seine Herrlichkeit die ganze Erde füllt. Dieser כבד ist kein geheimnisvolles Fluidum, sondern sein mächtiges Wirken in der Geschichte.[77] Jahwe ist der, der sich in seinem Handeln an der Wüstengeneration herrlich erwiesen hat und der - so darf man aus der Datierung in die Exilszeit folgern - sich auch an den jetzt aus dem Land ausgeschlossenen machtvoll erweisen wird.[78] V.18 mit seiner Spannung von Gnade und Gericht und den Anklängen an das 1. Gebot zeigt die zentrale theologische Bezugnahme an.

6. Dtn 32,40

Der letzte unserer Belege für die SF אני חי findet sich im "Lied des Mose". Trotz gelegentlich vorgeschlagener Einordnung des Moseliedes in die frühe Königszeit, ja sogar in die Richterzeit[79] ist nach wie vor der Einordnung in die Exilszeit und der zusammenfassenden Beurteilung bei Fohrer zuzustimmen: "Die ganze Schilderung in der Umgebung von V.21 weist indes so eindeutig auf den Untergang des Staates Juda durch den Ansturm der Babylonier hin, während V.32ff diesen Feinden den Untergang, Israel aber neues Heil ankündigt, daß man sich fragen muß, warum je an der exilischen Entstehung dieses Liedes gezweifelt worden ist. Ebenso legen die Anklänge an den aus der gleichen Periode stammenden Abschnitt Jes 63,7 - 64,11, vor allem aber die überaus starke Beeinflussung durch die Gedanken Ezechiels die Annahme nahe, daß das Lied während oder bald nach der Mitte des 6.Jh. geschaffen worden ist. An noch jüngere Zeit ist wohl nicht zu denken, obwohl Meyer auf Grund seiner Interpretation des neuen Textes, der sich für V.8f.43 durch das wichtige Fragment aus der vierten Qumranhöhle ergibt, die Zeit der persischen Universalmonarchie um 400 v. Chr. annimmt.[80] Beziehungen zur Theologie der beiden Exil-

---

77) Vgl. Westermann, כבד , THAT I Sp.806f.

78) Die Nähe der kabod-Aussage zu P fällt auf, dürfte aber doch nicht von dort abhängig sein, sondern eher in einen gemeinsamen geistigen Raum gehören, der eben von priesterlichen Aussagen und der Botschaft Ezechiels geprägt ist.

79) Z.B. Eißfeldt, Das Lied Moses.., 1958; Cassuto, The Song of Moses (1938) jetzt in: Biblical and Oriental Studies I S.41-46, Jerusalem 1973.

80) Fohrer, EinlAT, S.206; Meyer, Die Bedeutung von Dtn 32,8f.43

propheten zeigen etwa V.6, Erschaffung des Volkes (vgl. DtJes 43,15);
V.10, Fundtradition (vgl. Ez 16) und V.27, Jahwe scheut den Spott
der Feinde (Ez 20,9.14.22; Jes 48,9.11)[81] Die Datierung in die aus-
gehende Exilszeit schließt natürlich nicht aus, daß teilweise wesentlich ältere Traditionen aufgegriffen und im Moselied zusammen-
gestellt wurden, "zumal es aus verschiedenen Formelementen gemischt
ist: aus solchen des Hymnus am Anfang und Schluß, dazwischen aus
solchen der Geschichtsbetrachtung, der prophetischen Verkündigung
und der Weisheitslehre."[82]

Auf den Rückblick auf Jahwes Heilstaten (V.8-14), auf Israels
Abfall (V.15-18) und auf das Gericht Jahwes an seinem Volk (V.19-25)
folgt ein Selbstgespräch Jahwes (V.26-35), das teilweise in weisheit-
liche Überlegungen übergeht (V.30f). Nun wird (V.36-38) in geradezu
prophetischer Sprache Jahwes Recht schaffendes und erbarmendes Eingreifen angekündigt und (V.39-42) durch feierliche Gottesrede und
einen Eid Jahwes bei sich selbst bekräftigt. Schließlich folgt ein
hymnischer Abschluß (V.43). Nach der Zeit des Abfalls und des Vertrauens auf Götzen und dem darum ergangenen Strafgericht ist nun
"jeder Halt geschwunden" (V.36). Jahwe fordert ironisch die Götter
zum Erweis ihrer Wirksamkeit auf: "Wo sind nun ihre Götter, der
Fels (צור ; vgl. S. 150ff, zu Ps 18,47) auf dem sie sich bargen?
Die das Fett ihrer Opfer aßen, den Wein ihrer Spenden tranken, die
mögen aufstehen und euch helfen..." (V.37f).

Demgegenüber erweist sich Jahwe nun als der einzige, und das
heißt einzig machtvoll wirkende Gott: "Sehet nun: Ich, ich bin es
und außer mir ist kein Gott! Ich töte und ich mache lebendig, ich
schlage (מחץ) und ich heile, und keiner errettet aus meiner Hand.
Wahrlich ich erhebe meine Hand zum Himmel (כי אשא אל שמים ידי
ואמרתי חי אנכי לעולם אם) Ich habe mein blitzendes Schwert geschärft
und es greift meine Hand zum Gericht (במשפט). Ich lasse Rache über

---

(4Q) für die Auslegung des Moseliedes, FS Rudolph (1961) S.197-
209. Meyer bezieht V.8f, die Verteilung der Völker nach der
Zahl-der-Gottessöhne (MT: Israeliten) zu direkt auf das System
der persischen Satrapien. Provinzeinteilung und Provinzverwal-
ter aber gibt es nachweislich schon seit dem 2.Jt.: vgl. z.B.
Safren, New evidence for the title of the provincial governor
at Mari, HUCA 50 (1979), S.1-15.

81) Für weitere Bezüge vgl. vor allem Driver, ICC, S.347f und 344-
382 passim.

82) Fohrer, EinlAT, S.206; vgl. vRad, ATD, S143.

meine Gegner kommen und denen, die mich hassen vergelte ich. Trunken
mache ich meine Pfeile von Blut und mein Schwert frißt Fleisch vom
Blut der Erschlagenen und Gefangenen, vom Haupt der feindlichen
Führer." (V.39-42)

Die Stellung des Jahweeides und der SF entspricht auch in diesem aus verschiedenen Elementen gemischten Lied den bisher geläufigen formkritischen Erkenntnissen. Sie steht wieder zwischen Tatbestandsfeststellung und Folgebestimmung. Allerdings ist der begründen-
de Tatbestand jetzt nicht mehr das Verhalten Israels oder seines
Volkes oder eines Einzelnen, sondern Jahwes "Eigenschaft" als der
Einzige und als der machtvoll Handelnde (V.39). Die daraus gezogene
Folgerung ist sein gewalttätiges Handeln an den Völkern und ihren
Anführern (V.41f). Das Nebeneinander von Handerhebung und SF bestätigt noch einmal die Zuordnung der SF und des Eides bzw. die
Richtigkeit der Bezeichnung "Schwurformel". Gegenüber sonst immer
חי אני ist hier חי אנכי, also die Langform des Personalpronomen
verwendet. Dies sollte entweder die Altertümlichkeit oder einfach
den besonderen Nachdruck und die Feierlichkeit betonen.[83] Die Erweiterung לעולם verlangt, wie bereits oben S.162f behandelt,
ein Verständnis der SF als Aussagesatz.

Inhaltlich ist die Umgebung der SF hier geprägt von der Auseinandersetzung mit den Göttern, die sich als ohnmächtig "erweisen"
(vgl. Elija am Karmel!), von der Ausschließlichkeitsforderung Jahwes,
und von seinem Strafhandeln an denen, die ihn hassen, indem sie diese
Forderung verachten (vgl. das erste Gebot!) und schließlich vom
Bild Jahwes als Kriegsmann (das hier ähnlich grausig entfaltet ist
wie in Jes 63,1-6).[84] Jahwes Lebendigkeit erweist sich hier an seinem richtenden Handeln gegenüber seinen Feinden, d.h. gegenüber den
Völkern aber auch gegenüber jenen aus seinem Volk, die ihn "hassen"
indem sie sich von ihm abwandten.[85] Der ganze Abschnitt wirkt

---

83) Zur Entwicklung und Verwendung von Kurz- und Langform vgl.
    Günther, אני, THAT I Sp.216f.

84) In Anbetracht dieser alten Traditionen ist es verständlich,
    daß das Moselied von manchen in die Richter- oder frühe Königs-
    zeit datiert wird, vgl. A.79 zu Eißfeldt und Cassuto; weiters
    Albright, Some remarks on the Song of Moses, VT 9 (1959),
    S.339-346. Dennoch verweist die konkrete Ausformung dieser
    alten Traditionen auf jüngere Zeit.

85) In der Bestimmung des Volkes Jahwes und der Feinde gehen die
    ethnischen und die religiösen Kriterien ineinander über, bzw.

geradezu wie eine Entfaltung des 1. Gebotes des Dekalogs, wobei besonders die Selbstvorstellung betont zugespitzt ist (V.39f), und die Vergeltung an denen, die ihn hassen zum dramatischen Gericht an seinen Feinden wird (V.41f). Hier, im Moselied, gewinnt der polemische und kämpferische Aspekt der SF , der bereits bei den ältesten Belegen auf dem Hintergrund der Jahwekriege (z.B. 1.Sam 14) mitzuhören war, in seiner Aktualisierung eine gewaltige Wucht, und die Ausschließlichkeit der Jahweverehrung, wie auch Jahwes Herrschaftsanspruch, eine räumlich und zeitlich (לעולם) universale Dimension.

Es wird besonders deutlich, daß "Leben" hier nicht einfach "am Leben sein" bedeutet, sondern machtvolles Handeln.[86] חי ist hier am besten mit "herrschen" zu übersetzen. "So wahr ich ewig herrsche!" gibt den Anspruch der SF an dieser Stelle am deutlichsten wieder und wird dem Kontext am besten gerecht. "Herrschen" hat zudem den Vorteil, daß in diesem Wort die gemeinte Beziehung mitzuhören ist, während im deutschen Wort "leben" eher eine "Existenz an sich" ausgedrückt ist.

Zur Konkretisierung unserer Erklärung sind noch zwei traditionsgeschichtliche Rück- bzw. Seitenblicke zu machen:

1.) Im expliziten Jahweeid von V.40 ist praktisch dasselbe gewaltige Geschehen proklamiert wie jenes, das Jahwe in Jes 45,23f als

---

gewinnen diese das Übergewicht; vgl. V.36 mit dem Parallelismus "sein Volk" - "seine Knechte". Darin wurzelt auch die Schwierigkeit, die Götter von V.37 zu identifizieren. Sind es die Götter, "zu denen, wie V.15-21 sagen, Israel abgefallen ist ...oder (sind) die Götter der Feinde Israels gemeint, von denen schon V.31 angedeutet ist, daß sie ganz anderer Art sind als Israels Gott, nämlich tief unter ihm stehen." Eißfeldt, Das Lied Moses, S.13, A.1.

86) Dies zeigen auch die Aussagen V.39b "Ich töte und mache lebendig, ich schlage und heile" (vgl. 1.Sam 2,6). Übrigens bezeichnet das hier gebrauchte Verb מחץ, immer ein besonders gewalttätiges Vorgehen Jahwes (nur Ri 5,26 Jael an Sisera, wobei doch Jahwe durch Jael recht unmittelbar handelt, siehe V.31) gegen seine Feinde, seien sie auf Erden oder mythologisch (Rahab, Jes 51,9 und Hi 26,12; Hi 5,18 ist Zitat und beeinträchtigt unsere Feststellung nicht). Damit ist auch das Heilen (und wohl auch das Lebendigmachen) nicht die Aktion eines freundlichen Heilgottes, sondern die Verschonung und Errettung aus Jahwes strafender Hand (V.39b).

Inhalt seines Eides berichtet: "Ich habe bei mir selbst geschworen und Gerechtigkeit ist ausgegangen aus meinem Mund, ein Wort bei dem es bleiben soll: Mir sollen sich aller Knie beugen und alle Zungen schwören und sagen: 'In J$_a$hwe habe ich Gerechtigkeit und Stärke'." (Die Konsequenz für die Widerspenstigen - allerdings offensichtlich jene innerhalb Israels - ist hier jedoch wesentlich freundlicher: "Aber alle, die ihm widerstehen, werden zu ihm kommen und beschämt sein..." V.24b).[87] Hier wie dort geht es im Jahweeid um die Anerkennung seiner Herrschaft; darum auch der hymnische Abschluß des Moseliedes (V.43).[88]

2.) Im Moselied ist zu sehen, wie "die Herausforderung der Geschichte zu schärferer polemischer Klärung des (ersten) Gebotes zwingt."[89] "Für die Bedeutsamkeit des 1. Gebotes ist hier auch die Geschichtsrekapitulation von Ez 20 aufschlußreich. Sie setzt bei der "Erwählung" Israels in Ägypten ein. Auf die Namensoffenbarung Jahwes: "Ich bin Jahwe, euer Gott", folgt zunächst der Schwur, daß Jahwe sein Volk aus Ägypten heraus in ein gutes Land hineinführen wolle. D$_a$zu tritt unmittelbar die Gebotsforderung, die damit ganz an den Anfang der Erwählungsgeschichte in Ägypten gerückt wird. Sie umfaßt inhaltlich allein das 1. Gebot..."[90] Diese Herausforderung durch die Geschichte ist im Moselied mit dem Rückblick auf die Rettungstaten Jahwes und den Abfall seines Volkes Israel (V.15 bewußt paradox der Ehrenname Jeschurun!) ebenso deutlich zu greifen, wie die kraftvolle und polemische Konzentration auf die Drohung und die Verheißung des 1. Gebotes: Die Drohung verwirklicht sich im Unheil, das das abtrünnige Israel getroffen hat (V.19-25) und jetzt die uneinsichtigen (V.27-31) Feinde treffen wird (V.34-42). Die Zusage verwirklicht sich darin, daß jetzt, wo "jeder Halt geschwunden ist", es doch nicht "ganz und gar aus ist mit ihnen" (V.36).

---

87) Dazu Westermann, ATD, S.143: "Das ist der Sinn des Schwures Gottes: das freie Bekenntnis, das überzeugte Ja derer, die erkannt haben, daß allein hier wirklich Gott ist, ist das Ziel der Geschichte Gottes mit der Menschheit." Jes 45,23f ist auch schon für die rein inneralttestamentliche Bewertung der in Dtn 32,41 und (besonders) 42 gegebenen Ausmalung der Herrschaft Jahwes von großer Bedeutung.

88) Siehe dazu Crüsemann, Hymnus und Danklied S.41-43.

89) Diese Formulierung bei Zimmerli, TheoLAT, S.101.

90) A.a.O., S.103.

234

Jetzt, am Ende der Arbeit an diesen Versen des Moseliedes bin
ich versucht ein ähnliches Geständnis zu machen, wie Albright im
Blick auf Eißfeldts Datierung des Moseliedes: "...but after rereading
the chapter over and over again... I have come around to his eleventh-
century dating"[91]. Einzelne Aspekte drängen dazu, wie etwa die Belege von חצמ (s.A.86), oder der in unmittelbare Nähe eines dieser
Belege vorkommende Satz: "So sollen umkommen, Jahwe, alle deine Feinde! Die ihn (dich?) aber lieben, sollen sein, wie die Sonne (die)
aufgeht in ihrer Pracht" (Ri 5,31), der in ähnlicher Dynamik wie
Dtn 32 Drohung und Zusage des 1. Gebotes entfaltet und übrigens auch
ein im 1. Gebot verwendetes Stichwort (hier "lieben", gegenüber
"hassen", Dtn 32,41) aufgreift. Trotzdem möchte ich an der eingangs
getroffenen literarischen Einordnung festhalten. Prophetische Rede
in dieser Form, wie sie V.37ff letzten Endes ist, scheint mir vor
den Propheten doch kaum denkbar. Auch finden sich derart "blutrüns-
tige" Beschreibungen für Jahwes Handeln an den Feinden erst in der
späten Zeit, z.B. Jes 34,1ff; 63,1-6. Trotz der Grausamkeit auch
mancher kriegerischer Ereignisse der früheren Zeit bleibt ihre Darstellung, und auch die Beschreibung des Handelns Jahwes, in einem
gewissen Rahmen, wie auch gelegentlich ein menschliches Erschrecken
oder Mitgefühl anklingt. Dagegen scheinen mir Bilder wie Dtn 32,41f
erst nach den Erlebnissen der Assyrer- und Babylonierkriege denkbar,
vgl. die Rachewünsche in Ps 137. Schließlich - und das ist die wesentliche Frage für die vorliegende Arbeit - wäre zwar die SF für
die früh- oder vorstaatliche Zeit Israels denkbar (vgl. die Stellen
in 1./2.Sam), aber nicht in der 1. Person und mit der ausführlichsten
Einleitung und Beschreibung als Jahweeid (V.40a). Andernfalls müßte
man auch die beeideten Verheißungen an die Väter der Frühzeit und
nicht der deuteronomistischen Zeit zuordnen. Dem widerspricht nicht
zuletzt die oben erarbeitete Formgeschichte der Eide Jahwes bei sich
selbst mit ihrem terminus a quo bei Amos und Jesaja (s.o.S. 168-171).

Dtn 32,40 steht literarisch und formgeschichtlich nicht am Anfang sondern fast am Ende der Belege für die SF im AT, jedenfalls
jene in der 1. Person. Von hier ist unmittelbar hinüberzublicken
auf Dan 12,7, wo durch den angelus interpres, der beide Hände zum
Schwur zum Himmel erhebt, der gewagte Anthropomorphismus, daß Jahwe
dies tut, hinfällig wird, und die SF wieder zur traditionellen Form
in der 3. Person zurückkehrt. Die für das Geschehen zentrale Frage
ist aber hier wie dort die Forderung des 1. Gebotes.

---

91) Albright, Song of Moses, VT9 (1959), S.339.

VI. Die Eigennamen
    =================

    Für unsere Thematik "Der lebendige Gott" sind vor allem die
beiden Namen Jechiel und Jechija von Bedeutung. Der Name des Hiel
von Betel läßt sich unserem Thema wahrscheinlich nicht zuordnen.
Die Gottesbezeichnung "Der Lebendige, der mich sieht" ist, insbesondere wegen ihres hohen Alters, sehr interessant, allerdings auch
sehr schwer zu deuten. Wir wenden uns den Namen in dieser Reihenfolge zu.

A. Jechiel und Jechija
   ===================

    Von dem Verbum חיה, leben, sind die Personennamen יְחִיאֵל und
יְחִיָּה abgeleitet. Der Name יְחוּאֵל ist nicht eigenständig, sondern, wie
bereits durch das Qere angedeutet, eine Verschreibung (ו statt י;
2. Chr. 29,14). Mit יְחִיאֵל hängt das Gentilicium יְחִיאֵלִי zusammen
(1. Chr 26,21f). Es handelt sich bei den Trägern dieser Namen überwiegend um Leviten, wovon manche mehrfach genannt werden. Es ergibt
sich folgender

Bestand:[1]

יְחִיָּה Levit, Torhüter für die Lade,   1. Chr 15,24

יְחִיאֵל 1. Levit, Sänger des zweiten Ranges

                                     1. Chr 15,18.20; 16,5

        2. Levit, Oberhaupt der Ladaniten,   23,8; 29,8

           vermutlich derselbe,   27,32

        3. Levit,   2. Chr 29,14

        4. Levit, Beauftragter unter Konanja,   31,13

        5. Levit, einer der drei Fürsten am Tempel, 35,8

        6. Rückwanderer (Laie oder Priester),

                             Esra   8,9

        7. Jerusalemer (?), Vater des Schechanja 10,2

        8. Jerusalemer, Priester in Mischehe, 10,21

        9. Jerusalemer, Laie (der Oberschicht?) 10,26

      10. Sohn des Königs Joschafat   2. Chr 21,2

יְחִיאֵלִי Jechiel(it)(en), Levit, Funktion wie oben 2.,

                                     1. Chr 26,21f

---

    1)   Vgl. GesB, s.v., S.296, HAL I, S.388f. Galling, die Bücher der
           Chronik, Esra, Nehemia, ATD 12; Rudolph, Esra und Nehemia,

An diesen uns interessierenden Eigennamen fällt sofort auf, daß
sie sich sämtlich im Chronistischen Geschichtswerk finden. Darüber
hinaus finden sich weder im ganzen AT irgendwelche Personen mit diesem Namen, noch werden die in Chronik erwähnten Träger dieses Namens in Sam/Kön genannt. Die Träger der Namen יחיאל und יחיה sind
3 größeren Zeiträumen zugeordnet: 1. Der Regierung Davids und seinen
Kultmaßnahmen, 2. Den beiden jahwetreuen Reformkönigen Hiskija und
Joschija, also der späteren Königszeit, 3. Der Tätigkeitsperiode
Esras in Jerusalem. Einzig יחיאל, der Sohn des ebenfalls jahwetreuen Joschafat, steht außerhalb dieser Gruppen, zwischen 1 und 2.
Ebenfalls singulär ist dieser Sohn Joschafats darin, daß er als
Träger dieses Namens aus der vorexilischen Zeit kein Levit ist bzw.
keine Funktion im Tempeldienst hat.

Zu beachten ist noch, daß die fraglichen Namensträger nirgendwo betont vorangestellt, sondern unter "ferner liefen" zu finden
sind.

Quellenfrage und literarische Einordnung.

Am einfachsten ist die Lage für die Namen in Esra 8 und 10.
Unabhängig von der Frage der Echtheit der Listen sind die Namen
Belege für die nachexilische Namensgebung im Israel der mittleren
Perserzeit. Der Beleg Esra 8,9 gehört zur Liste der Rückwanderer
unter Esra. Diese ist je nach Datierung der Wirksamkeit Esras ca.
450 oder 400 anzusetzen.[2] In den beiden neueren Kommentaren von
Galling und Rudolph wird die Liste 8,1-14 als authentisch betrachtet.
Ähnlich verhält es sich mit der Liste der geschiedenen Mischehen
10,18-24 in der zwei Träger unseres Namens erwähnt werden (V.21.26),
und mit dem Bericht von den vorangegangenen Aktionen, wo der Sohn
eines Trägers des Namens יחיאל in Erscheinung tritt (10,2).[3] Daraus ergibt sich, daß der Name יחיאל um ca. 400 v. Chr. sowohl in
der babylonischen Gola als auch in Jerusalem als ein Name unter anderen bei Familien verschiedenen Standes, sowohl Priester als auch
(führenden) Laien gebräuchlich war.[4]

HAT I, 20; ders., Chronikbücher, HAT I, 21.

2) Vgl. Galling, ATD, S.13; Herrmann, GI, S.378-381.385-387.

3) Galling, ATD, zu den Stellen. Rudolph, HAT, zu den Stellen.

4) Die Bewertung der Listen als sekundäre Kombination (z.B. Fohrer, EinlAT, S.264) oder Erfindungen hat vielerlei dann auf-
tauchende Fragen gegen sich (siehe die ausführliche Diskussion
bei Rudolph, Esra, HAT, S.79.100f); aber selbst dann würde sich

Anders liegen die Dinge bei den Namen in der Chronik. Außer jenem Sohn des Königs Joschafat werden dort ausschließlich Leviten bzw. Tempelbedienstete dieses Namens genannt. Die Frage ist, ob jene Personen echt sind, und damit die Namen Jechiel und Jechija in der Zeit Davids, Hiskijas und Joschijas, also der gesamten Königszeit, gebräuchlich waren, oder ob es sich um eine Rückprojektion nachexilischer Verhältnisse und Namen handelt. Dies führt zur Frage, ob und wieweit der (die) Chronist(en) über die uns bekannten biblischen Texte hinaus alte Quellen zur Verfügung hatte(n). Diese viel verhandelte Frage ist negativ zu beantworten. Außer wenigen kleinen Fragmenten (z.B. die Festungsliste Rehabeams, 2.Chr 11,5-10)[5] ist das Sondergut nicht Beleg für die alte Zeit, sondern ein Spiegel für die Gegenwart des Chronisten. Dabei wird manches von diesem Sondergut im Lauf der Zeit, besonders der nachexilischen, als mündliche Tradition entstanden und bekannt gewesen sein. Vgl. Mowinckel: "What he gives in addition to his sources, with its mixture of legends and historical 'kernels', which are not attested in the older saga, can best be explained as the development of oral tradition alongside the written book(s)."[6]

Eine Durchsicht der für uns wichtigen Stellen zeigt, daß sie sämtlich zu jenen Komplexen gehören, die die Einrichtung bzw. Reform der kultischen Verhältnisse in Jerusalem beschreiben. Sie sind ein Spiegel für die entsprechenden Verhältnisse zur Zeit des Chronisten oder kurz davor, bzw. dafür, wie man sich ihre Enstehung vorstellte. Nun ist die Chronik ein kommentierendes, aber auch selbst wiederum vielfach kommentiertes Buch. Galling[7] nahm einen zweiten Chronisten an, während sonst meist eine Vielfalt literarischer Nachträge vermutet wird.[8] Bei Galling sind alle für uns wichtigen Stel-

---

die Zeit der Belege um kaum mehr als 100 Jahre verschieben, und sich der Raum stärker auf Jerusalem einengen. Dabei ist aber noch immer anzunehmen, daß viele der damals (ca.300v.Chr.) gebräuchlichen Eigennamen Abkömmlingen babylonischer Rückwanderer (und, wie bei der Namensgebung wahrscheinlich, auch jenen Rückwanderern selbst) zu eigen waren.

5) Vgl. neben der Diskussion in den Kommentaren die Stellungnahme bei Welten, Geschichte und Geschichtsdarstellung in den Chronikbüchern, S.191-194 und Willi, Die Chronik als Auslegung, S.31-47.184-189.

6) Monwinckel, Israelite Historiography, ASTI 2 (1963), S.23.

7) Galling, ATD, S.8-12.

238

len dem zweiten Chronisten zugerechnet.[9] Rudolph rechnet die entsprechenden Stellen aus 1.Chr (Zeit Davids) zu den Zutaten, während die Belege aus 2.Chr (Zeit Hiskijas und Joschijas) "das ursprüngliche chronistische Werk" repräsentieren.[10]

Die Namen Jechiel und Jechija waren also in Levitengeschlechtern des 4. und 3. Jahrhunderts bekannt und gebräuchlich. Dabei scheint der Name Jechiel weitaus häufiger zu sein - soweit man aus der beschränkten Zahl statistische Folgerungen ziehen darf -, wobei aber sicher zur gegebenen Zeit das theophore Element als gleichbedeutend empfunden wurde.

Der Königssohn Jechiel, 2.Chr 21,2, fällt aus dem Rahmen. Nach der Darstellung ist er der 3. Sohn Joschafats, der von seinem Vater mit befestigten Städten in Juda belehnt, später aber von seinem, zum König gewordenen Bruder umgebracht wurde. Der Bericht 2.Chr 21, 2-4 gehört zum Sondergut des Chronisten. Er dürfte alte, vermutlich zeitgenössische Praxis wiederspiegeln, die Namen aber gehören wohl ebenfalls zum Namensgut des (der) Chronisten. "Wahrscheinlich stammen die einzelnen Angaben über die Familienverhältnisse nicht aus einer älteren Quelle. Wohl aber scheinen Kenntnisse über die Erbfolge und die Belehnung von Prinzen vorzuliegen, die aus der Königszeit stammen können."[11][12] Auch hier steht übrigens unser Name keineswegs betont voran, sondern ist unter die anderen eingereiht.

יחיאל und (seltener)יחיה sind Namen, die im Israel der mittleren und ausgehenden Zeit der persischen Oberherrschaft neben anderen Namen bei Angehörigen verschiedener Standesgruppen (Priester, Leviten, Laien) gebräuchlich waren.

Typ und Bedeutung des Namens

In seiner wichtigen Studie über "die israelitischen Personennamen im Rahmen der gemeinsemitischen Namengebung" (=IP) hat Martin

---

8) Z.B. Rudolph, Zusammenstellung der "Zutaten" auf S.1-5. Smend EntstAT, S.228: "Es gelingt aber nicht, das sekundäre Gut als eine sachliche und zeitliche Größe zusammenzusehen".

9) Galling, ATD, zu den Stellen. Übrigens steht keiner der entsprechenden Namen in Esra 8 und 10 in Texten die Galling dem 2. Chronisten zurechnet.

10) Rudolph, HAT, S.1-5.

11) Welten, Chronikbücher, S.194.

12) Die Siebenzahl der Söhne Joschafats spricht ebenfalls für eine Bildung des Chronisten.

Noth Typen der Bildung der Eigennamen und, in Verbindung damit,
Schichten der semitischen Namengebung erarbeitet. Die Namen יחיאל
und יחיה gehören zur Gruppe der Imperfektbildungen, die ein Charak-
teristikum der, von Noth so bezeichneten, "protoaramäischen" Schicht
sind.[13] Auch wenn die Bedeutung des Elementes יחי noch näher zu erörtern ist, bleibt die Zuordnung zur Imperfektgruppe des Verbums -
im Gegensatz zu Perfektbildungen, Nominalsatznamen oder Wortnamen
-[14] eindeutig. Des Näheren werden unsere beiden Namen von Noth unter die Wunschnamen gerechnet, die die Geschichte der Imperfektbildungen teilen: "Die Wunschnamen decken sich im wesentlichen mit den
Verbalsatznamen mit Imperfektformen, die...in Israel vor allem in
der ältesten und dann wieder in der späten Zeit begegnen."[15] Diese
Erkenntnis bestätigt unsere Einordnung der Namen in die nachexilische Zeit.

Die Deutung des Namens יחיאל (bzw. יחיה) ist nun allerdings
umstritten. Noth meint, daß in den Wunschnamen oft "sehr allgemeine
Erwartungen für das göttliche Handeln...in den meisten Fällen gewiß
im Hinblick auf das Leben des Kindes" ausgesprochen werden; und
speziell zu unseren Namen: Sie bekunden "den Wunsch, daß die Gottheit
sich lebendig erweisen, sich wirksam, d.h. wohl vor allem hilfreich
betätigen möge."[16] Damit ist natürlich אל bzw. יהוה Subjekt und
sein Lebendigsein als Wirksamsein aufgefaßt, wobei sich Noth auf
Baudissin[17] bezieht. Nach den Ergebnissen unserer Untersuchung
schwingt dabei immer ein kämpferischer Aspekt mit, sodaß in dieser
Deutung der Gedanke an Bedrohung und spätere (individuelle) Feinde
mitschwingend gedacht werden müßte. Noth entfernt sich in der Deutung des verbalen Elements eigentlich vom Grundstamm, wobei er un-
genannt auf einer zuvor gemachten Beobachtung fußt: "Schließlich
sei bemerkt, daß verschiedentlich in den Namen noch die Grundform
des Verbums steht an Stelle und im Sinn einer der sonst in dem uns
bekannten Bereich der hebräischen Sprache gebrauchten abgeleiteten
Konjugationen, besonders des Kausativums."[18] - Mit dieser Hypothese
käme man wieder in eine gewisse Übereinstimmung mit der Beobachtung,
daß חיה sonst nie im Grundstamm mit Jahwe als Subjekt vorkommt

---

13) Noth, IP, S.43-47.
14) A.a.O., S.41-55.
15) A.a.O., S.195.
16) A.a.O., S.206.
17) Baudissin, Adonis und Ešmun (=AE), 1911.
18) Noth, IP, S.36.

240

(s.o.S. 21-22) , doch empfiehlt sich Zurückhaltung gegenüber grammatikalischen und sprachgeschichtlichen Hypothesen.

Die Lexika von Gesenius und Köhler (-Baumgartner) geben keine
Deutung der beiden Namen. Neuerdings gibt jedoch Baumgartner in
HAL II, S.388 eine Deutung und zwar: "Möge er leben, o Gott!" unter
Anführung des Gegensatzes zu Noth und unter Berufung auf Huffmon.[19]
Bei dieser Deutung wird unter Beachtung der bekannten Grammatik mit
der Bestimmung des Verbums als Jussiv Kal ernst gemacht und als Sub-
jekt das Kind genommen, dem der Wunsch gilt. Dies paßt gut zur Na-
mengebung in der Geburtssituation. Jedoch muß dadurch das theophore
Element vom Verbum getrennt und als Vokativ verstanden werden.

Wie eine Überprüfung der Diskussion der amoritischen Namen bei
Huffmon zeigt, ist weder die Bestimmung der Wurzel noch der Stammform eindeutig. Die beiden in Frage kommenden Namen sind Ya-aḫ-wi-AN
und Ya-aḫ-wi-na-si. Recht wahrscheinlich ist die Ableitung von einer
Wurzel ḥwy, leben. Wegen der schwachen Wurzel bleibt die Bestimmung
der Stammform ziemlich offen, zumal auch die Entzifferung nicht
zweifelsfrei ist. "The form ya-aḫ-wi is more difficult. It is probably derived from ḥwy, "live"... The correct reading, however, is
perhaps indicated by the name Ya-ḫi-AN,,. The verbal form is probably
a causative (jussive?) and as such favors ya-aḫ-wi. The causative
interpretation is quite possible on semantic grounds as well, in
that "give live" is very suitable if the name relates to the birth
of a child." (Verweis auf Noth, IP, S.206).[20] Sowohl AN als wahrscheinlich auch na-si bezeichnen das theophore Element, wobei allerdings na-si dem hebräischen נשא entspricht.[21]

Die Vorsicht Huffmon's in den Formulierungen und die Abhängigkeit von Noth, IP, zeigt, daß hier keine zuverlässigen Hinweise für
die Deutung unserer beiden biblischen Namen zu erwarten sind. Der
Haupteinwand gegen Baumgartner ist die Bestimmung von אל als Vokativ.
Dies zerreißt die typische Form der Imperfektbildung. Soweit ich
sehe, führt Noth kein analoges Beispiel an.[22] Die Interpretation

---

19) Huffmon, Amorite Personal Names in the Mari texts (1965).
20) A.a.O., S.71f
21) A.a.O., S.162-165.239f.
22) Lediglich auf S.32 diskutiert Noth den einzigen (von Baudissin,
    AE, S.474, A.1 übrigens anders gedeuteten) Fall eines mit ei-
    nem Imperativ gebildeten Namens. "Ganz selten findet sich die
    in der akkadischen Namengebung so häufige Anrede an die Gott-
    heit in der 2. pers. Das einzige israelitische Beispiel dafür

241

Baumgartners in HAL findet sich übrigens bereits wesentlich früher
bei Baudissin, Adonis und Ešmun, auf Grund ihm vorliegender Inter-
pretationen babylonischer Eigennamen, jedoch lehnte er sie ab:
"Jedenfalls scheint mir die Auffassung des Gottesnamens als Vocativ
für die alttestamentlichen Namen ausgeschlossen zu sein. Den Ausdruck
eines Wunsches mit einer Anrede an die Gottheit weiß ich für westsemitische Personennamen in keinem Falle nachzuweisen."[23]

In seiner Form ist der Name יחיאל am ähnlichsten der Akklamation an den König יחי המלך. In seiner Untersuchung zu dieser Formel kommt de Boer zu dem Ergebnis, "que le terme יחי dans l'acclamation יחי המלך est suivant toute probabilité un jussif à sens in-
dicatif... יחי המלך signifie donc: le roit vit, il detient la
puissance royale."[24] Mit dieser Erklärung "der König lebt, er ist
im Vollbesitz der königlichen Macht" unterwirft sich das Volk der
Autoritätsausübung des Königs.[25] De Boer und Mettinger verweisen

scheint mir der mit einem Imperativ gebildete Name שׁובָאל zu
sein" (Noth, IP, S.32). Doch ist die Verbindung des Imperativs
mit dem Vokativ des Angeredeten etwas anderes als die Verbin-
dung der 3. pers. mit dem Vokativ, wo es um zwei verschiedene
Adressaten geht.
Übrigens wäre zu überlegen, ob nicht mit Hilfe der von G.Sauer,
die Umkehrforderung in der Verkündigung Jesajas, S.286-288, zu
Jes 30,15 gegebenen Ableitung von שׁובה dem Namen ein neuer Sinn
abzugewinnen wäre. Wenn שׁובה von ישׁב abzuleiten ist, in der
Bedeutung "Ruhe, Rast", so ergäbe sich der Vertrauensname
"Ruhe(ort) ist Jahwe". Dies paßt gut zu den Namen, wie sie
Noth, IP, S.157-160, referiert, in denen sich "das Vertrauen
zur Hilfe der Gottheit...ausspricht" (S.160). Damit wäre jedenfalls die grammatikalische Mißlichkeit beseitigt.שׁובָאל ist
dann nicht das einzige israelitische Beispiel eines Namens mit
Imperativ (Noth), und es liegt auch nicht "wahrscheinlich ein
Participium vor" (Baudissin), sondern der Name fügt sich in
die große Gruppe der Nominalsatznamen, in denen bei den "späteren, speziell israelitischen Bildungen die Voranstellung
des Prädikats aufkommt" (Noth, IP, S.19). - Und die Belege
dieses Namens stehen alle in späten Listen der Chronik (1.Chr
23,16; 25,4; 26,24; in 25,4 unmittelbar hinter dem Namen Us-
siel "Hilfe ist Jahwe"). - Vgl. S.Kreuzer, ZAW 1981, S.443-445.
23) Baudissin, AE, S.473f.
24) De Boer, Vive le roi, VT 5 (1955), S.225-231. Zitat S. 231.
242

darüber hinaus auf die Nähe dieser Akklamationsformel zu den Schwurformeln, in denen der König genannt wird (1.Sam 17,55; 2.Sam 11,11;
14,19), und die ihrerseits wieder der Schwurformel, in der Jahwe angerufen wird, ähnlich sind. "La similitude de cette acclamation avec
les serments où la vie du roi est mise en parallèle avec celle de
Dieu, indique que le pouvoir royal a été, en Israel aussi, mis en
relation avec l'autorité divine."[26] Für diese Form der Akklamation
finden wir Belege praktisch durch die ganze Königszeit, beginnend
von Saul (1.Sam 10,24) bis hin zu Joasch (2.Kön 11,12 = 2.Chr 23,11).
Gegenüber einer zu engen Verbindung zwischen Akklamationsformel und
Schwurformel bei Mettinger ist festzuhalten, daß die Akklamation
fast immer (in 7 der 8 Belege)[27] den Beginn eines Autoritätsverhältnisses markiert, während die SF auf die "Aktualisierung" der Autoritätsausübung Bezug nimmt.

Auf diesem Hintergrund ist es gut verständlich, wenn mit dem
Wegfall des Königtums die jetzt wieder verfügbare, gewissermaßen
freigewordene Akklamation auf Jahwe zurückübertragen wurde. Die
Autorität des Königs war ja nach israelitischem Glauben - und nach
Ausweis der Schwurformeln, in denen meist Jahwe und nur selten der
König genannt wurde - von Haus aus nur eine von Jahwe geliehene. Der
Israelit der (nach)exilischen Zeit, der den Namen יהוה und später[28]

---

25) De Boer wird von Gerleman, חיה, THAT I, Sp.551f aufgenommen.
    Mettinger, King and Messiah, S.131-137 geht es in seiner Dis-
    kussion der Akklamation um die Frage eines Bundes bzw. Vertrags
    zwischen Volk und König, welchen er sowohl für Israel als auch
    für Juda als gegeben betrachtet (S.149f).

26) De. Boer, Vive le roi, S.231.

27) Behandelt bei Mettinger, King and Messiah, S.132-137. Gegenüber
    Mettinger zähle ich 2.Sam 16,16 (Huschai kommt zu Absalom) zu
    den Fällen, die am Anfang des Autoritätsverhältnisses stehen,
    auch wenn die Investitur Absaloms (um die es Mettinger geht)
    schon geschehen ist.

28) Vermutlich ging die Entwicklung in diese Richtung, wie über-
    haupt אל in der nachexilischen Zeit im Wert eines Eigennamens
    statt Jahwe gebraucht wurde, weil ja kein anderer Gott in Frage
    kam, und man sich auch schon bemühte, die Verwendung des Jahwe-
    namens zu meiden (vgl. oben S.53-54 zu 2.Sam 2,27 und Noth, IP,
    S.98). Jedenfalls ist es nicht berechtigt, wie Zobel, der kana-
    anäische Hintergrund der Vorstellung vom lebendigen Gott, die
    nachexilische Namengebung der Chronik mit der kanaanäischen

יְחִיאֵל trug, bekannte sich damit zu Jahwe, "dem Gott, der König
(geworden) ist" (z.B. Jes 53,7) bzw. dieses Bekenntnis war ihm bei
der Geburt in den Mund gelegt worden.[29]

Wir hatten etwa bei Jer 46,18 gesehen, wie hier in der Exilszeit verschiedene Traditionen zusammengeflossen waren. Jahwes machtvolles Kommen und die Beanspruchung der Wirksamkeit und des Königtitels für ihn, eingeleitet durch die Schwurformel "(so wahr) ich
lebe!" forderten gerade zur Akklamation auf.[30] In Ez 20,33 hatte
Jahwe, wiederum eingeleitet mit der Schwurformel, seinen Willen
zur Herrschaft über sein Volk angekündigt: So wahr ich lebe...ich
will über euch herrschen..." - wobei dieses Herrschen in Vergleichen
mit dem früheren Exodus, insbesondere aber mit dem Gericht in der
Wüste (Num 13f) entfaltet wird. Die Namengebung mit יְחִיָה und יְחִיאֵל
ist geradezu die Antwort auf diese Ankündigung und Aufforderung, in
Form der Akklamation "Jahwe (Gott) lebt, er ist im Vollbesitz der
königlichen Macht".

Auf Grund der oben gemachten Differenzierung zwischen Akklamation und Schwurformel, derzufolge die Akklamation den Beginn eines
Autoritätsverhältnisses markiert, paßt der Name in dieser Deutung
gut zur Situation von Geburt und Namengebung. Durch die Paralle-
lisierung mit יְחִי הַמֶּלֶךְ ist auch die Grammatik geklärt. Ohne Änderung der Vokalisierung oder der grammatischen Begriffe ist bei
Jussiv Kal zu bleiben. Für die Akklamation ist zu beachten, daß der
Satz "Es lebe der König" für den Sprecher bedeutet: "ich sei sein
Knecht". Dieser performative Sprechakt macht den Wunsch zur Wirk-

---

Religion des 2. Jt. zu verbinden. Auch wenn "die nachexilische
Namengebung...gleichsam einem archaisierenden Interesse gefolgt" ist (S.188), so ist der kanaanäische El doch etwas völlig anderes, als der El der Chronik; zudem gibt es zwar viele
"El-haltige Namen (in) den frühen Schichten des Alten Testaments" (ebd.), aber eben nicht diesen!

29) Diese Intention, dem Kind ein Bekenntnis in den Mund bzw. ein
Verhalten nahe zu legen, ist die Voraussetzung jeder theologisch oder ethisch qualifizierten Namengebung (vgl. das Tauf-
versprechen christlicher Eltern). Für die nachexilische Zeit
wird man sich das Geschehen bereits ganz ähnlich der Schilderung in Lk 1,59ff vorstellen müssen (Namengebung in Verbindung
mit der Beschneidung am 8. Tag).

30) Vgl. besonders auch Jer 10,10: Jahwe ist der wahrhaftige Gott,
er ist der lebendige Gott und der ewige König!; s.u.S. 287-292.

lichkeit.[31)]

Auf Grund der Bedeutsamkeit der Exilsprophetie für die Aussagen
über das Königtum Gottes, aber auch wegen der Belege für die Schwurformel יח י־ אנ י, könnte vermutet werden, daß die Namen יחיה und
יחיאל in der Gola aufkamen. Die Listen in Esra stützen diese Vermutung.

Schließlich ist der amoritische PN Ya-ah-wi-na-si ein Hinweis
für die Richtigkeit unserer Überlegung. Dieser Name steht neben
Ya-ah-wi-AN. Dabei ist na-si so wie AN theophores Element und amo-
ritischer Göttername bzw. -epitheton. Zugleich ist na-si kaum zu
trennen von der Bedeutung Fürst, Herrscher, im menschlichen Bereich.[32)] Zu eventuell vergleichbaren Namen im ugaritischen bzw.
phönizischen Bereich, s.u.S. 328-333.

---

31) Von Jussiv mit indikativischer Bedeutung sprechen de Boer, Vive
le roi, S.230 (mit eigenen Beispielen und Verweis auf GesK §
109 und Joüon, Grammaire, §114kl) und Gerlemann, חיה THAT I
Sp.550.551f, der allerdings auf die Schwierigkeit verweist,
daß in Dan 2,4; 3,9; 5,10 u.ä. in der Akklamation der Imperativ steht. Mettinger, King and Messiah, setzt sich wegen
akkadischer Belege in den Amarnabriefen für den prekativen
Charakter ein (S.135). Jedoch liegt bei Mettinger die falsche
Interpretation des Eides bei Lehmann, ZAW 81 (1969) S.83-86
zugrunde (auch wenn er die Entwicklung umgekehrt sieht, S.133,
A.7). Im Rahmen der Untersuchung Mettingers ist zu beachten,
daß die Akklamation bereits einen wichtigen Schritt näher an
der Realisierung ist als der voraufgehende Wunsch "wir wollen
einen (oder diesen) König", was den performativen Charakter der
Akklamation verdeutlicht. Zugleich wird klar, daß es in dieser
Formel nicht um den Gegensatz von Leben oder Tod des Königs
(oder Gottes!) geht, sondern um Ausübung der Herrschaft.

32) Siehe Huffmon, Amorite Names, S.191f. Er verweist zudem auf
einen in Kish gefundenen Namen Ya-ah-wi-el. Zu na-si siehe
Huffmon, a.a.O., S.239f; Bottéro, Archives Royales de Mari,
VII, S.344f, A.1. Tallqvist, Assyrian Personal Names, S.91
bringt zudem noch einen Beleg für einen Namen Ia-(a)-hi-mil-ki.
E.A.Speiser, Background and function of the biblical Nasiʾ,
CBQ, 25 (1963), S.111-117 geht in seinem bedeutenden Beitrag
leider nicht auf außerbiblische Vorkommen ein; ebensowenig
Noth, Das System der zwölf Stämme Israels, im Exkurs zu nasiʾ,
S.151-162.

B. Hiel von Betel

"Zur selben Zeit (sc.zur Zeit Ahabs) baute Hiel der Beteliter Jericho (wieder) auf (oder: weiter aus). Um den Preis seines Erstgeborenen Abiram legte er ihre Grundmauer, und um den Preis seines Jüngsten Segub setzte er ihre Tore ein, nach dem Wort Jahwes, das er durch Josua, den Sohn des Nun, gesagt hatte." (1.Kön 16,34).

"Die in 34 isoliert dastehende Notiz ist in fast jeder Beziehung dunkel und rätselhaft."[33] Dies gilt nicht nur für die in den Kommentaren behandelten Fragen, sondern ebenso für die meist übergangene Deutung des Namens Hiel. Historisch ist die Notiz wahrscheinlich auf einen Ausbau oder eine stärkere Befestigung (Stadtmauer? Zitadelle?) auf der Ruinenstätte (vielleicht gab es eine kleinere Siedlung in der Oase bei der Quelle) zu beziehen. Nachdem die früher gerne postulierten Bauopfer archäologisch nicht wirklich nachzuweisen sind, "muß damit gerechnet werden, daß der Tod der beiden Hiel-Söhne während des Bauens in Jericho erfolgte und daß man diesen Tod eben mit diesem Bauen in Verbindung brachte und als göttliche Strafe für dieses Werk interpretierte."[34] – Jedenfalls muß dies die Meinung des jetzt vorliegenden Berichtes sein, weil es sich ja um die Erfüllung eines Fluches handelt (Jos 6,26). Noth und Gray[35] nehmen eine Herkunft der Notiz aus offiziellen Quellen an, worauf besonders die Einführung mit בימי hinweisen soll. Dagegen verweist Würthwein im Anschluß an Dietrich auf die Störung, die dieser "Nachtrag" der "einem zweiten Dtr (=Deuteronomisten) zuzuweisen ist" in dem "beabsichtigten Zusammenhang zwischen der Versündigung Ahabs und der Unheilsverkündigung Elijas (17,1ff)" verursacht. Ein Hinweis dafür ist ihm "auch die lose Anknüpfung 'in seinen Tagen'". Würthwein meint, daß die Notiz dieses zweiten Dtr einer volkstümlichen Tradition folgt; diese "könnte sich im Zusammenhang mit der Bautätigkeit auf der Ruinenstätte im 7. Jahrhundert gebildet haben und hier zeitlich falsch eingeordnet sein. – die oft vertretene These, die Notiz...entstamme den offiziellen Tagebüchern, erscheint unwahrscheinlich."[36]

Wir haben also in Hiel einen Namen der mittleren (9.Jh.) oder

---

33) Noth, BK, S.355.

34) A.a.O., S.356; ebenso Würthwein, ATD, S.204. Gray, I & II Kings³, OTL, S.370 schwankt etwas.

35) Noth, BK, S.355f. Gray, Kings, OTL, S.369.

36) Würthwein, ATD, S.203f.

späteren (7.Jh.) Königszeit vor uns. Neben den literarischen und archäologischen[37] Argumenten ist die historische Überlegung ernst zu nehmen. Israel war im 9.Jh. in Konflikt mit seinen östlichen Nachbarn Moab (vgl. 2.Kön 3,5 und von der Seite der Moabiter die Mesastele). Der Ausbau des Ortes Jericho am Weg zur Ostgrenze ist dabei geradezu gefordert. Zudem kommt Hiel von Betel, einem wichtigen Ort des Nordreiches, und nicht von Jerusalem, wie für das 7. Jh. eher anzunehmen wäre.

Für den Namen חִיאֵל gibt es zwei Möglichkeiten der Deutung: 1. Als Abkürzung von אחיאל, 2. Als Name im vorliegenden Konsonantenbestand, wobei das i aus aj kontrahiert ist, und der damit in die Nähe der Schwurformel bzw. zu dem Ausruf "Jahwe, bzw. El, ist lebendig" zu stellen ist.

Für die erste Deutung spricht die Wiedergabe in LXX, $A\chi\iota\eta\lambda$. Von dieser Namensform geht auch Noth[38] aus und behandelt den Namen zusammen mit אביאל und עמיאל. Zwar gibt es im AT sonst keinen Beleg für den Namen אחיאל, dafür jedoch viele Belege für den Namen אחיה, von der frühstaatlichen bis in die nachexilische Zeit.[39] Noth sieht in der "Verwendung von אב und אח zur Personennamenbildung eine allgemein nordsemitische Erscheinung...in einer Zeit entstanden...in der das Nordsemitentum noch eine in sich geschlossene Größe war."[40] Für Noth ist es wahrscheinlich, daß אב und אח ein und dieselbe Gottheit bezeichnen, אב in ihrer Stellung innerhalb des Stammes selbst, אח (Stammesgenosse) im Hinblick auf andere Stämme.[41] Unter den geänderten Verhältnissen des Volkes Israel modifizierte sich diese Grundvorstellung. Bei der Ableitung des Namens Hiel von אחיאל ist der Name interessant für die israelitische Religionsgeschichte, für unsere Fragestellung aber fällt er aus. Für die Deutung als Kurzform von אחיאל spricht das Vorkommen von חמלך im Punischen neben alttestamentlichem אחימלך.[42]

---

37) Jericho wurde trotz dreier bedeutender Ausgrabungskampagnen nicht vollständig ausgegraben und der Ostteil des Tell wurde durch die neuzeitliche Straße zerstört, sodaß Argumente e silentio zurückhaltend zu gebrauchen sind.

38) Noth, IP, S.69f.140f.

39) GesB, s.v.

40) Noth, IP, S.66.

41) A.a.O., S.74.

42) Erwähnt bei Baudissin, Kyrios III, S.375, ausführlich dargestellt bei Noth, IP, S.14, A.1.

Baudissin[43] referiert zwar die Herleitung des Namens חיאל von
אחיאל auf Grund der LXX und analoger phönizischer Eigennamen,[44]
will aber beim MT bleiben und bietet ein umfangreiches Belegmateri-
al für die Form חיאל, von einer Sinaiinschrift über palmyrenische
Inschriften bis hin zu einem hadramautischen Königsnamen.[45] "Der
Name חיאל ist auf aramäischem und arabischem Boden zweifellos vom
Stamm חיה abzuleiten, da die phönizische Abkürzung חי für אחי sich
im Aramäischen und Arabischen nicht nachweisen läßt"[46]. Baudissin
verbindet den alttestamentlichen Beleg mit jenen und betrachtet חי
als Kontraktion aus חי. Trotz viel Hin und Her ergibt sich aber
nicht sehr viel für die Gottesvorstellung.[47] Zwar wurde diese Sicht
bei (Gesenius -) Buhl, Wörterbuch (1915[17]) übernommen, doch ist sie
unwahrscheinlich. Gerade die weite Verbreitung des Namens spricht
für eine Kurzform von אחיאל, einem Namenstyp, der, wie wir oben
sahen, allgemein nordsemitisch ist. Zudem erwähnt Baudissin selbst
häufigen nordsemitischen Einfluß bei den Südarabern (S.470). Die
Palästina ferner liegenden Belege sind zudem ziemlich jung und können entweder als Beispiele für die sonst fehlende Abkürzung betrachtet werden oder der Name wurde eben in der Kurzform weiter verbreitet.

Damit ist an der Erklärung des Namens חיאל als Kurzform von
אחיאל festzuhalten,[48] womit der Name für unsere Fragestellung zum
"lebendigen Gott" ausfällt.[49]

---

43) Baudissin, Adonis und Eśmun (1911).

44) A.a.O., S.466.

45) A.a.O., S.466-471.

46) A.a.O., S.467.

47) Siehe besonders S.470 unten bis 471 Mitte.

48) So auch Baumgartner, HAL I, S.296.

49) Zobel, der kanaanäische Hintergrund der Vorstellung vom lebendigen Gott (1975), gibt Hiel als "El lebt" wieder (S.188). Dabei scheinen sowohl der Gedanke einer Kurzform von Jechiel als
auch die weitläufigen Ausführungen bei Baudissin, AE, im Hintergrund zu stehen. Jedoch fällt Zobels Voraussetzung eines sehr
hohen Alters des Namens Jechiel - zumindest für das AT - weg,
und Baudissins Belege erweisen sich nicht als beweiskräftig.
Zobel ist sehr daran gelegen, die Vorstellung vom lebendigen
Gott nicht von Baal sondern von El herzuleiten, wofür die erwähnte Deutung der Namen Hiel und Jechiel ein wichtiges Argument wäre. Zu den ugaritischen Namen s. S. 328-333.

C. Lahai-roi

"Und sie nannte den Namen des Gottes, der mit ihr geredet hatte: Du bist der Gott, der mich sieht. Denn sie sagte: Wirklich, Gott
habe ich gesehen, nachdem er mich sah! Deswegen nennt man die Quelle: Quelle Lahai-roi (בְּאֵר לַחַי רֹאִי), sie liegt zwischen Kadesch
und Bered." (Gen 16,13.14).[50]

Es ist hier nicht der Ort, eine ausführliche Forschungsgeschichte und Exegese[51] zu bringen, sondern wir beschränken uns auf die
Frage, wieweit und in welchem Sinn der Name der Quelle bzw. des
Gottes einen Beleg für die Lebendigkeit Gottes bzw. Jahwes darstellen kann.

לחי wird in den Kommentaren normalerweise mit einem Begriff des
Wortfeldes "Leben" wiedergegeben. Jedenfalls sei dies die Meinung
der jetzigen Form der Erzählung, während vermutlich ursprünglich
eine später nicht mehr verstandene Bezeichnung vorgelegen sei. "Es
ist nicht unbestritten, daß diese Deutung den Text richtig trifft,
und schon gar nicht wahrscheinlich, daß sich darin die tatsächliche
Deutung des Ortsnamens erhalten hat."[52]

In diesem Sinn haben Wellhausen und vor ihm schon Andere vorgeschlagen, לחי als לֶחִי zu lesen und dies als Ortsbezeichnung zu

---

50) Übersetzung nach Westermann, BK I 2, S.278, jedoch ohne die
   Änderung von Jahwe zu Gott in V.13aα. Der schwierige V.13b, zu
   dem viele Konjekturen gemacht wurden, braucht für unseren Zweck
   nicht weiter diskutiert zu werden. Die Änderung von Jahwe zu
   Gott in V.13 ist auch nach Westermanns Auslegung nicht nötig:
   "...sondern Hagar sagt: Für mich ist er - wie er auch sonst
   heißen mag - der Gott, der mich sieht, d.h. der sich in meiner
   Not mir zugewendet hat (das gleiche ראה Gottes in Ps 113).
   Damit ist schon entschieden, daß das י in ראי Suffix in objek-
   tivem Sinn sein muß, also nicht 'Gott des Sehens'...sondern
   'Gott der mich sieht'" (S.296). Neben dieser neuen Deutung kann
   durchaus bereits vorher von Jahwe geredet worden sein. Ob das
   auch für die Erzählung galt, bevor sie in den Jahwisten aufgenommen wurde, möchte ich offen lassen.
51) Vgl. die ausführliche Darstellung bei Westermann, BK I 2, S.
   276-281(-300). In der (älteren) Literatur siehe vor allem die
   Kommentare von Gunkel, HK; Procksch, KAT; Skinner, ICC; vRad,
   ATD; Zimmerli, ZBK.
52) Zimmerli, ZBK, S.64.

verstehen. "Nach Ri. 15,9-19, 2.Sam 23,11 wird Lahai Roi richtiger
zu erklären sein: Kinnlade der Bergziege (oder eines anderen der-
artigen Tieres)"[53]. Dieser Vorschlag wirkt bestechend und wurde
vielfach aufgenommen. Doch erheben sich m.E. dagegen zwei Bedenken:
Zunächst fällt, abgesehen von der Unklarheit des Tiernamens, die
Genetivverbindung auf. Ist es denn denkbar, daß ein Fels, der einem
Kinnbacken ähnlich schaut, dann auch noch auf eine bestimmte Tier-
art hin näher bestimmt werden kann? - Eine naturgegebene Felsforma-
tion ist kein anatomisches Modell, und auch die Näherbestimmung
als Eselskinnbacken bei Simson bezieht sich nicht auf die Topologie.
Das andere Bedenken bezieht sich auf die angegebenen Stellen in
Ri 15,9-19 und 2.Sam 23,11. In 2.Sam 23,11 ist die Schreibung weder
im MT noch entsprechend LXX לְחִי, sondern לֶחְיָה, während Chronik
sehr passend לַמִּלְחָמָה liest. Selbst wenn wirklich ein Ortsname vorliegt, ist also seine Lesung unsicher. Der verbleibende Beleg
Ri 15,9-19 ist sehr vielschichtig. In den Kommentaren wird das
Nebeneinander verschiedener Überlieferungen nur kurz notiert, ohne
weiter danach zu fragen.[54] Aber V.9-16 und V.18f kreisen doch um
zwei ganz verschiedene Ereignisse, auch wenn in V.18 an die erste
Einheit angeknüpft wird. V.17 ist deutlich eine Ätiologie, ebenso
V.19b. Die "Quelle des Rufenden", an der der Rufende wieder auflab-
te (וַיֶּחִי) wird in לֶחִי lokalisiert, und es liegt nahe zu vermuten, daß diese beiden Begriffe auch zusammengehören. Die in V.17
gegebene Ätiologie scheint mir eher gegen eine entsprechende Fels-
formation zu sprechen als für ihr Vorhandensein. "Er warf den Esel-
kinnbacken aus seiner Hand" setzt gerade nicht voraus, daß dieser
Platz (bereits!) entsprechend geformt ist. Diese Aktion und damit
diese Benennung wären überall möglich. So erscheint der Ortsname
fester mit V.18f verbunden als mit V.9-17. In V.18f wird nun die
Errettung eines Menschen aus großer Not, ja Lebensgefahr berichtet.
Er ruft zu Jahwe, dieser greift wunderbar ein, und der bedrängte
Mensch wird gerettet, er lebt (wieder auf).[55]

53) Wellhausen, Prolegomena[5], S.329f. Skinner, ICC, S.288 verweist
    auf die entsprechenden Vermutungen bei Mich(aelis?) und
    Ges(enius), Th(esaurus), S.175.

54) Z.B. Budde, KHC, S.104: "Eine zweite Simsonsage knüpft sich an
    diese Örtlichkeit." Blenkinsopp, Structure and Style in Judges
    13-16, JBL 82 (1963), S.65-76, spricht bei 15,8b - 16,3 von
    "Three place 'etiologues'" (S.67).

55) Der geschilderte Vorgang paßt gut zur theologischen Verwendung

Es scheint mir erwägenswert, ob nicht die beiden Bezeichnungen "die Quelle des Rufenden"[56] und "Lehi" die Benennung für einen Ort waren, an dessen (heiliger?) Quelle man Zuflucht finden und einen Gottesentscheid einholen konnte, durch den man - im positiven Fall - am Leben blieb. Immerhin wird für den Gottesentscheid, wie er in Num 5 beschrieben wird, "Fluchwasser" benützt,[57] und kennt Israel eine En-Mischpat, eine Quelle des Rechts, bei oder in Kadesch (Gen 14,6; Ex 15,25b)[58]. Erstaunlicherweise findet sich in Ex 15,22-25 ebenfalls das Motiv von Erschöpfung und Verdursten! Diese lokalen religiös-rechtlichen Gegebenheiten wären dann später zurückgetreten, und in Ri 15 mit Elementen der Simsonüberlieferung, die dort zu Hause waren,[59][60] kombiniert. Die hier vorgetragenen Überlegungen zeigen jedenfalls, daß die angegebenen Stellen nicht vorschnell zur Interpretation von Gen 16,13f als "Wildeselskinnbackenbrunnen" herangezogen werden können, und daß der vorliegende Text von Gen 16,13f durchaus dem ursprünglichen Sinn sehr nahe stehen oder diesen auch wiedergeben kann.

In der Exegese zu Gen 16 lassen sich drei große Typen unter-

---

von קרא , nämlich "das Anrufen von Jahwe, das nicht immer kultisch gemeint ist" und u.a. auch "das Zetergeschrei bezeichnen" bzw "auch im Sinne von 'um Hilfe rufen (zu)'" begegnen kann; Labuschagne, קרא , THAT II, Sp.673.

56) Bei Budde, KHC, ist "'Quelle des Rufenden' d.h. des Jahwe um Hilfe anrufenden V.18...gewiß wieder Volksetymologie statt Rebhuhnquelle" (S104). Doch fragt sich, wie der Kinnbacken mit seiner Zahnlücke (ebd.!) und die Rebhuhnquelle zusammenpassen. Dieses Nebeneinander demonstriert anschaulich die Grenzen dieser Art, Namen zu erklären.

57) Zur Stelle und ihren überlieferungsgeschichtlichen Schichten s.o.S.34.

58) Zur Stelle und den mit ihr verbundenen Traditionen: Westermann, Gen, BK I 2, S.232 und Herrmann, GI, S.105.

59) Blenkinsopp, Judges 13-16, S.67, A.8 beschreibt sehr schön diese "Ortsgebundenheit tendency".

60) Übrigens spielt 2.Sam 23,11 ebenfalls auf dem Hintergrund der Philisterkämpfe, und es wird dort ebenso wie Ri 15,18 die Rettungstat mit dem theologisch reflektierten Begriff תשועה גדולה (V.10.12) bezeichnet.

scheiden, die stammesgeschichtliche, die personale und die theologische Erklärung. Die stammesgeschichtliche Erklärung hat ihren Anhaltspunkt in dem Stammesspruch V.12, der allerdings ein selbständiges Element darstellt, die theologische Deutung blickt vor allem
auf den weiteren Kontext der Erzvätergeschichten.[61] Ursprünglich
gehört Gen 16 in den Bereich der Familiengeschichten und zwar speziell in "die Gruppe der Erzählungen von der Rivalität zwischen
Frauen, zu der auch Gen 21 und, angedeutet, 29-30 gehören."[62] Die
formkritische Analyse zeigt, daß c.16 aus zwei Teilen besteht,
V.1-6, die Kinderlosigkeit Saras und der Konflikt mit Hagar, und
V.7-14, Hagars Begegnung mit dem Gottesboten und die an sie ergehende Verheißung. Die Zugehörigkeit des Ganzen "zu J ist unbestritten; sie zeigt sich vor allem in der Technik des Verschmelzens
zweier älterer, mündlicher Erzählungen zu einer Erzählung in zwei
Teilen oder Szenen."[63] Nun kann aber V.6 nicht der Abschluß eines
ersten Teiles gewesen sein. Die Entscheidung Abrahams ist zu einsei-
tig bzw. ist eher ein Rückzug ("tu was dir gut erscheint").

Der ganze Konflikt ist wiedergegeben in termini der Rechtssprache. Kaum war in V.4 die Veränderung des sozialen Gefüges in
der Familie vermerkt, appelliert Sara an Abraham als Richter. "Er
allein ist die Instanz, die hier einen Wandel schaffen kann. V.5
zeigt einerseits, daß in dieser Gemeinschaftsform der Vater zugleich
der Richter für den Bereich der Familie ist, er zeigt andererseits,
daß ein Streit im Bereich der Familie die Form eines Rechtsvorgan-
ges annehmen kann, wie die formelhafte Sprache dieses Verses zeigt.
Die Anklagerede Saras hat drei Teile: die kurze und prägnante Anklage..., die Begründung der Anklage und die Forderung eines Rechtsentscheides."[64]

Es ist deutlich, daß dieser Rechtsentscheid Abrahams noch nicht
"recht" sein kann, denn Abraham degradiert Hagar zu ihrer früheren
Stellung, "er stellt die alte Rechtslage wieder her"[65]. Nicht nur
dies, sondern auch die Tatsache, daß Sara selbst in V.5 eigentlich
an Jahwe appelliert hat ("Jahwe richte zwischen mir und dir") deutet an, daß Abraham nicht die letzte Instanz bleiben kann.

Der zweite Teil der Erzählung ist überfüllt. In V.9-11 wird

---

61) Westermann, BK I 2, S.279-281.
62) A.a.O., S.282.
63) Ebd.
64) A.a.O., S.287.
65) vRad, ATD, S.149.

dreimal ein Wort des Boten Jahwes eingeführt. Dabei schafft V.9
die Voraussetzung für eine Weiterführung der Hagar-Erzählungen und
V.10 entfaltet die Nachkommenverheißung (V.11) zur Mehrungsverheis-
sung. V.12 seinerseits gehört zur Gattung der Stammessprüche und
"setzt das Nebeneinander und Gegeneinander der in Kanaan ansässigen
und der beduinischen Wüstenstämme der Zeit nach der Ansiedlung
voraus."[66] Daraus ergibt sich, daß der ursprüngliche Erzählgang
in V.7f.11.13 wiedergegeben war.[67] Jedoch wäre zu überlegen, ob
nicht V.9 zu einem relativ alten Bestand der Erzählung zu rechnen
ist. Wenn die Erzählung vom Streit der Frauen in mündlicher Tradition bis auf die Väterzeit zurückgeht und sie "einen wesentlichen
Bestandteil des Gemeinschaftslebens in einer familiär strukturierten
Gemeinschaftsform" darstellt und "ein lebenswichtiger Vorgang in
ihr"[68] ist, so kann die Erzählung schwerlich mit einer völligen
Trennung enden, sondern sie muß eher zu einer neuen Verhältnisbestimmung innerhalb dieser Gemeinschaft führen.[69] Auf diesem Hintergrund erhielte dann auch die Anrede in V.8 ihren Sinn.[70] "Hagar,
Magd Saras" greift zurück auf die noch immer gültige Verhältnisbestimmung, der sich Sara entziehen will. Das Wort des Jahweboten
stellt diese Beziehung fest (V.9), ebenso wie er Hagar eine neue
Würde innerhalb dieser Beziehung zusagt (V.12). So wäre durch das
Wort (des Boten) Jahwes die Einseitigkeit der Reaktion aller drei
Beteiligten (Sara, Abraham, Hagar) aufgehoben und eine Entscheidung
getroffen, die den Weiterbestand der Gemeinschaft ermöglicht. Der
zweite Teil von Gen 16 ist damit die Erfüllung des von Sara geäußerten Wunsches, "Jahwe möge richten" (V.5), und zwar in einer

---

66) Westermann, BK, S.295.

67) M.E. ist bei V.12 damit ernst zu machen, daß er eine spätere
    Situation voraussetzt. Er ist dann aus dem Erzählgang heraus-
    zunehmen und - gegen Westermann, BK, S.293 - zur Darstellung
    der Geschichte der Gattung V.11-12 (!) nicht so unmittelbar zu
    verwenden.

68) Westermann, BK, S.282.

69) Dies ist zu beachten, wenn man bei der Bestimmung des Sitzes
    im Leben zu einer Antwort kommt, wie sie Westermann, BK,
    S.281f, gibt.

70) Typisch für die Schwierigkeit, die V.8 den Exegeten bietet,
    ist der Satz Zimmerlis, ZBK, S.63: "Es stört den Erzähler nicht,
    daß der Gottesbote die Hagar unmittelbar als 'Hagar, Magd der
    Saraj' anredet...".

Form, die auch ihre eigene Willkür einschränkt.

Die Erzählung ist nun abgeschlossen durch die Benennung Gottes und des Brunnens. Auch hier ist wieder eine Häufung der Motive festzustellen. Für uns geht es um die Bezeichnung באר לחי ראי und אל ראי. Wichtig und zutreffend erscheint mir Westermanns Verweis auf die Vokabel ראה, die auch in Gen 22 erscheint und hier wie dort zur Bezeichnung des Ortes der Rettung dient. "Wir können dann eine ältere Form der Erzählung annehmen, in der V.13 die Benennung der Quelle erzählte. Die Benennung des Berges durch Abraham in Gen 22 ist ein Gotteslob, genauso die Benennung des Brunnens durch Hagar. Auf dieses Gotteslob zielte die Erzählung in der älteren Form von V.13;...V.13, wie er jetzt überliefert ist, kann dann als Schlußvariante verstanden werden. Bei dieser Variante, in der am Ende nicht der Brunnen, sondern der Gott einen Namen erhält, ist das Ziel der Erzählung ein Gotteslob, das auf die Errettung zurücksieht."[71] Allerdings ist darauf zu achten, daß nicht unversehens Aspekte aus Gen 21 hier eingetragen werden. Dort werden Hagar und ihr Sohn vor dem Verdursten gerettet, indem ihnen der Brunnen gezeigt wird, hier in c.16 ist keine so unmittelbare Gefährdung erwähnt, sondern es geht um Jahwes Urteilsspruch über die weiteren Wege der hier Beteiligten. Demzufolge ist V.13 eher als "Gotteslob, das auf Jahwes Entscheidung zurückblickt" zu bezeichnen, d.h. als lobende Anerkenntnis bzw. Akklamation.

Die Bezeichnung "Quelle Lahai-roi" steht in gewisser Parallele zur Gottesbezeichnung.[72] Sie hat viele Deutungen erfahren, meist "Brunnen des Lebenden, der mich sieht".[73] Unter Ablehnung der Kinnbackenversion bleibt לחי von חיה abzuleiten. In herkömmlicher Deutung ist ל Umschreibung des Genetivs, daher dann: Brunnen des Lebenden, der mich sieht. Doch wurde dies gelegentlich abgelehnt.[74]

---

71) Westermann, BK, S.295f.

72) A.vGall, Altisraelitische Kultstätten, BZAW 3 (1898) S.39-44 verteilt die beiden Bezeichnungen auf zwei literarische Quellen und auf zwei verschiedene Orte. "So scheint am nächsten zu liegen, die beiden Brunnen der Hagarsage nicht nur namentlich sondern auch örtlich zu trennen. Vielleicht hing die עין ראי ursprünglich nur mit Israel zusammen, während an die באר לחי sich die Gestalt der Hagar knüpfte." (S.43f).

73) Siehe den Bericht bei Westermann, BK, S.297.

74) "taking ל als circumscribed gen(itiv); but that can hardly be correct." Skinner, ICC, S.288.

An dieser Stelle möchte ich an eine andere Bedeutung des ל erinnern,
die durch verschiedene Textfunde der neueren Zeit stärker in den
Blick trat. ל hat auch emphatische bzw. vokative Bedeutung,[75] ja
es gibt im Amoritischen und darüber hinaus in semitischen Sprachen
eine Form laqtul, welche "apparently represents a precative, re-
sulting from the combination of yaqtul (jussive) and the asservera-
tive/optative particle la".[76] Die Verbform bzw. die mit "nouns,
participles, and verbs" verbundene Partikel la[77] könnte die Bezeichnung לַחַי erhellen helfen, zumal die entsprechende sprachliche
Bildung gerade auch im Arabischen belegt ist, ein Bereich an dessen
Rand Gen 16 führt. "That laqtul is a genuine early form, however,
is confirmed by the use of la/li with the imperfect in Arabic and
Ethiopic. The problem of isolating laqtul name elements is compli-
cated by the fact that the particle la may also be used with sub-
stantives and participles".[78] Dieses Problem ist für unsere Fragestellung aber eher ein Vorteil, weil es die Häufigkeit dieser Bildungen bestätigt. Ähnliches folgt aus der Möglichkeit, daß Bildungen mit la-ri-im nicht nur Grundstamm sondern auch Kausativstamm
(laqtil) darstellen können.[79] Weiters haben die ugaritischen Texte
die Existenz eines emphatischen Lamed bestätigt.[80]
    Nun hat Huffmon[81] mehrere Namen angeführt, die mit einem Verb
in laqtul-Form gebildet sind, darunter auch zwei, in denen die laqtul-

---

75) HAL II, S.485f, und die ausführliche und abwägende Untersuchung
    von Nötscher, Zum emphatischen Lamed, VT 3 (1953), S.372-380.
    Die Unterscheidung zwischen emphatischem und vokativem Lamed
    betont besonders Dahood, Vocative Lamed in the Psalter, VT 16
    (1966), S.299-311; ders. in Biblica 47 (1966), S.407, und viel-
    fach in seinem Kommentar, Psalms I-III, AncB. Dahood's Unter-
    scheidung ist positiv aufgenommen bei G.Sauer, Die Ugaristik
    und die Psalmenforschung, UF 10 (1978), S.382; Baumgartner,
    HAL II, S.486, erwähnt sie ohne Stellungnahme. Es handelt sich
    wohl nicht so sehr um eine sachliche Unterscheidung, sondern
    um eine grammatikalische; das Gemeinsame ist dabei jeweils die
    besondere Betonung und Hervorhebung.
76) Huffmon, Amorite Personal Names, S.78.
77) A.a.O., S.223.
78) A.a.O., S.79.
79) A.a.O., S.79f.
80) Vgl. Gordon, UT, §9.16, und oben A.75 (M.Dahood, G.Sauer).
81) Huffmon, Amorite Personal Names, S.79.

Form von ḥwy, leben, mit der Gottesbezeichnung AN bzw. ma-li-ku
verbunden ist. Huffmon setzt diese Namen in Parallele zu Ya-aḥ-wi-
na-si (vgl. oben, S.241-245) ; man wird also in diesem wie in jenem Namen eine Akklamation an die Gottheit sehen dürfen; - wie ma-
li-ku und na-si zeigen, vermutlich speziell in ihrer richterlichen
Funktion. Unter den verschiedenen Belegen, bei denen man im AT emphatisches Lamed vermutet, hat jener in Ps 89,19 weithin Zustimmung gefunden: כי ליהוה מגננו ולקדוש ישראל מלכנו.[82) Auch der
Kontext V.16-18 stützt die Annahme, daß Jahwe gemeint ist: "Ja,
fürwahr, Jahwe ist unser Schild (hier: = Herrscher), fürwahr, der
Heilige Israels unser König!" Dieser Satz ist ein Lobpreis, eine
Akklamation, an Jahwe, den Herrschergott, auf dessen Eingreifen
sich die Hoffnung des Volkes richtet (V.16f bereitet dies vor, V.18
sagt es ausdrücklich). Dieser Vers ist zugleich ein Beispiel für die
Verwendung des emphatischen Lamed in einem Nominalsatz.

Auf diesem Hintergrund wäre es möglich, das לחי von Gen 16,14
als Verbindung einer Form von חיה mit dem Lamed emphaticum bzw.
(bei einer Nominalform) vocativum zu verstehen. Dabei möchte ich
eher die Nominalform חי, Leben, lebendig, heranziehen. Die Bezeichnung לחי ראי wäre dann eine Akklamation an den "Lebendigen, der
mich sieht", d.h. an den Gott, der den zu ihm Flehenden sieht[83),
und sich als der Lebendige erweist, indem er Recht schafft, und
zwar an jener Quelle, die auch Hagar aufsuchte.[84) Diese Sicht von
Gen 16,13f paßt sowohl als Abschluß des hier Berichteten (Akklamation der Entscheidung Jahwes) als auch zum Wirken Jahwes (er richtet zwischen den Menschen und stellt "Gerechtigkeit" her) und

---

82) HAL II, S.485. Eißfeldt, Psalm 80 und Psalm 89, WdO 3 (1964),
S.27-31 = KS IV, S.132-136. Dahood, Psalms, AncB II, S.316.
Kraus, BK, z.St., erwähnt den Vorschlag nicht.

83) Zum theologischen Sprachgebrauch von ראה in diesem Sinne siehe
Vetter, ראה, THAT II, Sp.695-697 (4a.b).

84) In der Bezeichnung באר לחי ראי gehört m.E. לחי ראי enger
zusammen, wofür auch אל ראי in V.13 spricht. Nach späterer
Grammatik wäre ein Artikel notwendig, vgl. יחי המלך, doch
"eine Determination durch ein besonderes Demonstrativelement,
den sogenannten Artikel, gehört erst der jungwestsemitischen
Sprachstufe an" (Meyer, Hebräische Grammatik III, S.25), sodaß ein Artikel zumindest noch nicht so fest wäre. Vor allem
aber dürfte ראי, wie אל ראי in V.13 zeigt, praktisch den Wert
eines Eigennamens gehabt haben.

schließlich auch zur Lokalisierung an einem Heiligtum nahe bei Kadesch (vgl. die En-Mischpat und das oben S.251 Gesagte.[85] Jedenfalls ist die Wurzel חיה, leben, in diesem Kontext zu betrachten,
und die Vorstellung vom "Lebendigen" von daher zu konkretisieren,
auch wenn man das Lamed in לחי nur als eine Umschreibung des Genetiv und nicht als emphatisches Lamed auffaßt.

Der vorfindliche Beleg gehört in die Zeit zwischen dem "historischen Abraham" (ca. 18.Jh.)[86] und den ältesten Literaturwerken
in der frühen Königszeit und ist am ehesten der späteren Erzväterzeit zuzuordnen, vermutlich noch vor dem Übergang zur Seßhaftigkeit
(siehe V.12 und das dazu Gesagte). Der geographische Bereich ist der
Großraum von Kadesch, ein Raum der Begegnung verschiedener nomadischer Stämme untereinander, aber auch der Beziehung zu einem oder
mehreren Heiligtümern, an dem ein Gott verehrt wurde, der später
(oder vielleicht doch bereits damals, etwa ca. 14.Jh.)[87] als

---

85) "Die Gesetzgebung an der Gerichtsstätte von Kades wird jedoch
   nicht vorgestellt als ein einmaliger Akt..sondern sie dauert
   vierzig Jahre und besteht in der Rechtssprechung am Heiligtum,
   die er (sc. Mose) beginnt, und die nach seinem vorbildlichen
   Anfang die Priester und Richter nach ihm fortsetzen." Wellhausen, Prolegomena[5], S.348. - Daß Mose dabei auch ältere
   Tradition aufnahm, zeigt sein Verhältnis zu Jitro, Ex 18;
   vgl. Herrmann, GI, S.105f und A.17.
86) Martin-Achard, Abraham, TRE I, S.364f.
87) Westermann, BK, S.282, verbindet V.12 und 14 und sagt: "Der
   Ort seiner Entstehung kann nur das Werden der Stämme in der
   Zeit der Ansiedlung sein. In den gleichen Raum und die gleiche
   Zeit gehört die Benennung der Quelle in V.14". Der in V.14
   gemeinte Ort liegt aber nun gerade nicht im Bereich der "Ansiedlung", sondern tief im Süden. Andererseits besteht in
   Gen 16 wie auch anderwärts in den Patriarchenerzählungen eine
   Verbindung mit einem Ortsheiligtum, was auf ein Spätstadium in
   der Patriarchenzeit hinweist; vgl. Weiser, Abraham, RGG I,
   Sp.69: "Mit der Einordnung der Väter in die Zeit vor dem Aus-
   zug aus Ägypten und der Landnahme scheint die biblische Erzväterüberlieferung insofern im Recht zu sein, als der kultu-
   relle Hintergrund des Weidewechsels...auf die Vorstufe der
   eigentlichen Landnahme hinweist." Übrigens paßt V.12, in dem
   ja nur ein Stamm charakterisiert wird (gegenüber ausführlichen Listen, die eine Beziehung vieler Stämme voraussetzen),

Jahwe verehrt wurde. Dies paßt dazu, daß "der Traditionskreis um Abraham...im Süden Palästinas verankert" ist[88] und dazu, daß - jedenfalls in der späteren Patriarchenzeit - auch Beziehungen zu lokalen Heiligtümern bestehen.[89]

Abgesehen von diesen überlieferungsgeschichtlichen Rückschlüssen ist Gen 16,13f ein Beleg für die Verbindung des Begriffes Leben/ Lebendigkeit mit Jahwe bzw. Gott, der schwerlich später als die frühe Königszeit datiert werden kann.[90] Und wenn die vorgetragenen Überlegungen zu recht bestehen, so ist "der Lebendige, der mich sieht" eine Gottesbezeichnung, in der die Anerkennung des richterlichen Wirkens dieses Gottes an (dem Heiligtum an) seiner Quelle ihren Niederschlag findet. Sie ist damit zugleich eine Akklamation an diesen Gott, der vielleicht schon zu dieser Zeit (nicht sehr lange vor dem Exodus), oder bald danach, Jahwe genannt wird.

---

zu entsprechenden Begegnungen von (nur wenigen) Stämmen im Raum von Kadesch (vgl. Herrmann, GI, Stämmeoperationen auf der Sinaihalbinsel, S.97-115). So möchte ich die hier für uns relevante Phase der Überlieferung an das untere Ende der möglichen "Erzväterzeit", aber noch vor der "Mosezeit" rücken, also etwa 14. Jh.

88) Martin-Achard, Abraham, TRE I, S.366, Z.7.

89) Vgl., a.a.O., S.367, Z.28ff.

90) Auch angesichts der bei E.Otto, Stehen wir vor einem Umbruch in der Pentateuchkritik?, VuF 22 (1977), S.82-97, behandelten Werke.

VII. Der lebendige Gott

Schließlich bleiben noch jene Belege des AT zu behandeln, in denen von Jahwe ausdrücklich als vom "lebendigen Gott" gesprochen wird. Dabei soll es nicht nur um das - gerade hier oft schwer zu bestimmende - Alter der Belege gehen, sondern besonders auch darum, welche inhaltlichen Linien aus den bisher dargestellten Anschauungen und Aussagen des AT und auch der Umwelt Israels in der Rede vom "lebendigen Gott" aufgenommen und weitergeführt sind. Diese traditionsgeschichtliche[1] Fragestellung soll nicht zuletzt auch helfen, die Frage nach dem Woher dieser Rede vom "lebendigen Gott" schlüssiger und auch differenzierter beantworten zu können.[2]

Die 13 im hebräischen AT vorhandenen Belege verteilen sich nach ihrer Form folgendermaßen:

אֵל חַי: Jos 3,10; Hos 2,1; Ps 42,3; Ps 84,3

אֱלֹהִים חַיִּים: Dtn 5,26; 1.Sam 17,26.36; Jer 10,10; 23,36

אֱלֹהִים חַי: 2.Kön 19,4.16 par. Jes 37,4.17.

Dazu kommen zwei aramäische Belege in Dan 6,21 und 27: אֱלָהָא חַיָּא.
Zunächst verblüfft die Tatsache, daß sowohl אל als auch אלהים und dazu auch die verschiedenen Möglichkeiten der Rektion des Adjektivs verwendet werden. Die drei Möglichkeiten lassen sich jedoch kaum in das Schema einer Entwicklung einordnen. אל und אלהים sind für den in Frage kommenden Zeitraum gut und nebeneinander belegt.[3] Auch die Rektion des Adjektivs ist grammatikalisch sowohl mit als auch ohne Pluralendung möglich. Die drei Ausdrucksmöglichkeiten sind vom Sprachlichen her gleichwertig.[4] Am ehesten läßt sich vermuten, daß die Form אל חי das nebenher laufende אלהים חיים beeinflußt hat, und daß von da her und von der zunehmenden Tendenz, אלהים als Name (des einzigen) Gottes aufzufassen,[5] die Singular-

---

1) In der Unterscheidung von Überlieferungs- und Traditionsgeschichte folge ich hier wieder der Definition bei Barth/Steck, Exegese des AT[5], S.71, wonach mit Traditionsgeschichte der Inhalt gemeint ist (traditum), während Überlieferungsgeschichte den Vorgang (traditio) bezeichnet.

2) Vgl. die in der Einleitung erwähnten Pauschalurteile.

3) Schmidt, אל, THAT I, Sp.142; ders., אלהים, THAT I, Sp.153-156. 161f.

4) Schmidt, אלהים, THAT I, Sp.155f.

5) A.a.O., Sp.155.

form חי אלהים gebildet wurde. Andererseits warnt die Vielfalt der
Ausdrucksweisen davor, die Rede vom "lebendigen Gott" zu eng auf
eine literarische Schicht festzulegen, etwa auf "deuteronomistisch".
So sind im dtrG alle drei Formen belegt. Vom sprachlichen Befund
her legt es sich nahe, an eine weitere Verbreitung dieser Aussage
zu denken, von der sich verschiedene schriftliche Belege im AT
niedergeschlagen haben. Wir behandeln zunächst die Belege der 1.
Gruppe und dann jene der übrigen Gruppen, jeweils nach der Reihenfolge im Kanon.

Alter und Inhalt der Belege

1. Jos 3,10

Jos 3,1-5,1 berichtet vom Übergang der Israeliten vom Ost-
in das Westjordanland und dem dabei geschehenen Jordanwunder.
Nach vorbereitenden Ereignissen und nach Anweisungen an Amtleute
und Priester ruft Josua auch das Volk herbei und gibt Erklärung
und Anweisung für das bevorstehende Ereignis des Durchzugs durch
den Jordan: "Da sprach Josua zu den Israeliten: 'Kommt hier heran
und hört die Worte Jahwes, eures Gottes.' Und Josua fuhr fort:
'Daran werdet ihr merken, daß ein lebendiger Gott unter euch ist
(בזאת תדעון כי אל חי בקרבכם), und daß er bestimmt die Kanaaniter,
Hetiter, Hiwiter...die Amoriter und die Jebusiter vertreiben wird:
Sehet die Lade Jahwes, des Herrn der ganzen Erde, wird vor euch
den Jordan durchschreiten." (3,9-11)[6]

Das bevorstehende Wunder ist für die Israeliten Grundlage,
zweierlei zu erkennen: Nämlich, daß der lebendige Gott mitten unter
ihnen ist, und daß dieser die Kanaanäer sicher vertreiben, d.h.
die Landnahme gelingen lassen wird. V.10 will also "anleiten, aus
dem bevorstehenden Einzelereignis allgemeine Konsequenzen zu
ziehen".[7] Das "ihr werdet erkennen" zeigt eine gewisse Nähe zur
sogenannten Erkenntnisaussage, wie sie uns im Buch Ezechiel und
dessen diesbezüglicher Vorgeschichte begegnete (s.o.S. 162ff).

Der lebendige Gott ist hier der, der inmitten seines Volkes

---

6) Zum Text vgl. BH und Noth, Josua, HAT, S.28. Es genügt, "Lade
   des Bundes" in "Lade Jahwes" zu ändern, was auf Grund der
   Fortsetzung "des Herrn der Erde" und von V.13 so gut wie
   sicher ist. - Anders Hertzberg, Josua, ATD, S.22.

7) Noth, HAT, S.33.

ist, und diese Beziehung zeigt sich in seinem machtvollen Eintreten, im Blick auf die folgenden Ereignisse heißt das schon: in seinen machtvollen Kämpfen für dieses Volk, die zugleich die Vertreibung jener bedeutet, die diesem Anspruch entgegenstehen. Dieser lebendige Gott ist Jahwe, der im folgenden Vers als "der Herr der ganzen Erde" bezeichnet wird (V.11). Die Bezeichnung "Herr" drückt zunächst die Erhabenheit Jahwes aus, wie auch die verschiedentlich beigefügten Prädizierungen, wie etwa Zebaot, "welche die überragende Würde dieses Allherrn noch besonders hervorheben und ihr damit Nachdruck verleihen. Weiter verdient Beachtung, daß Amos, Jesaja und Ezechiel, deren Verkündigung die majestätische Erhabenheit ihres Gottes besonders in den Vordergrund stellt, Adonaj samt solchen Prädizierungen seiner Allmacht häufiger als andere gebrauchen."[8] Mit dem Hinweis auf Amos und Ezechiel finden wir uns bei jenen Propheten, wo wir die Schwurformel häufig vorfanden. Bei Amos fanden wir zudem die Grundlagen für die Entwicklung zur SF in der 1.Person des Buches Ez. Andererseits finden wir bei Jes den ältesten sicheren Beleg für die Benennung Jahwes als König (Jes 6,5), die damit für das 8.Jh. als (man darf wohl sagen:) geläufige Vorstellung bezeugt ist. Daß die entsprechende Vorstellung nicht auf Jerusalem begrenzt ist, zeigt die Vision des Micha ben Jimla, 1.Kön 22,18ff, in deren Kontext wir nicht zuletzt einen Beleg für die SF יהוה חי fanden – auffallenderweise wird dort allerdings der Titel "König" für Jahwe gemieden!.

Die Traditionen um Gilgal und die Lade dürften zunächst in Gilgal und im Gebiet der Stammes Benjamin zu Hause gewesen sein.[9] "Die Ausweitung dieser benjaminitischen Tradition zu einer gesamtisraelitischen hängt wohl mit der Geschichte des Heiligtums Gilgal zusammen, das vielleicht schon einmal in der vorstaatlichen Zeit und jedenfalls vorübergehend unter Saul die Rolle eines zentralen Heiligtums aller Stämme gespielt...und wohl auch später noch zu den bedeutenderen und von weit her besuchten Kultorten des Landes gehört hat (cf. Am 4,4; 5,5)."[10] – Die hier erwähnte Rolle Gilgals zur Zeit Sauls führt uns zu den ältesten Belegen für die SF, besonders 1.Sam 14,39.45 wo Jahwe als "Retter Israels", מושיע ישראל bezeichnet wurde, wie überhaupt die Erwähnung des Hinaufsteigens (V.36) darauf hindeutet, daß sich die Auslosung Jonatans und die

---

8)   Eißfeldt, אדון, ThWAT I, Sp.76.

9)   Zobel, ארון, ThWAT I, Sp.402f.

10) Noth, HAT, S.12.

Freisprechung durch das Volk in Gilgal abspielte. Daneben wäre
neben Amos 4,4 und 5,5 besonders auf Hos 4,15 hinzuweisen, wo für
Gilgal ausdrücklich die beim Volk beliebte Verwendung der SF חי יהוה
bezeugt ist, ebenso wie für Betel, das seinerseits ebenfalls
eine bedeutende Rolle in der Geschichte der Lade gespielt zu haben
scheint.

Jos 3,11 und 13 dürften die ältesten Belege für die Bezeichnung Jahwes als "Herr der ganzen Erde" sein, wobei es nahe liegt,
ארץ zunächst als das von den Israeliten bewohnte bzw. zu bewohnen-
de Land Kanaan zu verstehen. Dieser Bereich wäre für Mi 4,13;
Sach 4,4 und Ps 114,7 (emendierter Text) noch ausreichend, während
für Sach 6,5; Ps 97,5 (und wohl auch für das Endstadium der Überlieferung von Ps 114,7) die Erweiterung der Vorstellung voraus-
zusetzen ist.[11] So könnte sich in diesem Titel eine frühe, vielleicht in Gilgal beheimatete Bezeichnung Jahwes erhalten haben, in
der sich Jahwes Herrschaftsanspruch über dieses, von den Israeliten
oder zunächst von den Benjaminiten eroberte Land widerspiegelt.

Wir finden also im Zusammenhang mit der Bezeichnung "lebendiger
Gott" Traditionen vom Herrschaftsanspruch Jahwes (אדון), konkret
über dieses Land (כל הארץ) und von seiner Hilfe in der Eroberung
und Verteidigung dieses Landes bzw. zunächst des Gebietes von Benjamin (vgl. die Stichworte Gilgal und מושיע, die Lade und nicht
zuletzt die Bedeutung Gilgals für das Königtum Sauls) und schließlich die Verknüpfung des Jordanwunders mit dem Exodusgeschehen.
Darüber hinaus ist uns für die Zeit Hoseas, also für das 8.Jh., die
Beliebtheit der SF חי יהוה in Gilgal bezeugt. - Ein relativ frühes
Vorhandensein (d.h. wenigstens zur Zeit Hoseas) der Bezeichnung
אל חי ist somit für den Raum von Gilgal und Betel und damit für
das Nordreich traditionsgeschichtlich durchaus wahrscheinlich.[12]

Dem widerspricht nun die Einordnung von Jos 3,6-10 bei Noth
als dtr.[13] Der ganze Abschnitt 3,1-5,1 macht nach Noth "in seiner
Gestalt literarisch einen ungewöhnlich komplizierten Eindruck...
Der Bestand dieses Stückes hat also offensichtlich eine bewegte
literarische Vorgeschichte."[14] Dieser Beobachtung will Noth aber

---

11) In diesem Sinn sieht auch Kraus, Psalmen, BK, S.958 die Entwicklung (zu Ps 114,7).

12) Die 'national-religiöse' Bedeutung Gilgals ist auch durch das
   Vorkommen in den Erzählungen von (Elija und) Elischa und der
   Prophetenschüler unterstrichen (2.Kön 2,1; 4,38).

13) Noth, HAT, S.27f.33.

nun mit der Trennung in nur zwei literarische Schichten gerecht
werden, nämlich der vom 'Sammler' (ca. 900) geschaffene **Grund**bestand und die Redaktion des dtrG (ca. 560). Dieser Abstand von
über 300 Jahren und die "bewegte literarische Vorgeschichte"
passen einfach nicht zusammen. In Anbetracht der Besonderheit der
Gilgalperikope wäre zudem auch nach der Überlieferung vor der Zeit
des Sammlers zu fragen. Die Annahme mehrerer Quellen und Redaktionen durch die ältere Literarkritik konnte der bewegten Vorgeschichte
besser Rechnung tragen. So verteilt etwa Holzinger den Text auf
die bekannten Pentateuchquellen und Redaktionen.[15] Steuernagel
verfährt ähnlich, wobei er betont V.9-11 (ohne V.10b) als zusammengehörig bezeichnet,[16] sie allerdings seinem D^2 zuordnet, das ist
"die Fortsetzung der Schrift, deren Anfang in Dtn 1-3 zu sehen
ist"[17]. Entsprechend der Fragestellung seiner Zeit geht Steuernagel
kaum auf die Frage nach einer voraufgehenden Überlieferung ein, betont aber die Nähe zum Elohisten.[18] Somit läßt sich mit guten Gründen die Einheitlichkeit von V.9-11, andererseits ebenso die Herleitung von V.11f vom Sammler behaupten. Zugleich ist damit aber
einerseits die Trennung, wie sie Noth annimmt, andererseits die
relativ späte Datierung bei Steuernagel (aber, gegenüber Noth's
dtrG noch vorexilisch)[19] aufgehoben.

Auf diesem Hintergrund äußert sich Hertzberg verständlicher-
weise sehr zurückhaltend. Er erwähnt die literarische Vielschichtigkeit, stellt aber voran, daß "zunächst diese Geschichte als eine
einheitliche, theologisch von bestimmter Grundhaltung und literarisch durch feste Stichworte zusammengehalten(e)" erscheint.[20] In
seiner äußerst gründlichen Untersuchung der Gilgal-Tradition hat
Otto neuere Beiträge zu unserer Frage dargestellt.[21] Otto selber
betrachtet Jos 3,1.5.9-11 als zusammengehörig und rechnet sie seiner Quelle A zu.[22] Das Epitheton אדון כל הארץ zeigt (in Verbin-

14) A.a.O., S.31.

15) Holzinger, Josua, KHC, S.7f.

16) Steuernagel, Deuteronomium und Josua, HK, S.162.

17) A.a.O., S.136.

18) A.a.O., S.137-139.

19) A.a.O., S.XVI.

20) Hertzberg, Josua..., ATD, S.24.

21) E.Otto, Das Mazzotfest in Gilgal, S.104-117. Vgl. das Referat
    bei Soggin, Joshua, OTL, S.51-54. Soggin selber folgt aller-
    dings im Blick auf dtrG Noth.

dung mit Eigenheiten der Quelle B) nach Otto, "daß wir uns...auf überlieferungsgeschichtlich festem Grund eines Überlieferungsvorganges in Gilgal befinden."[23] Otto sieht nun die Quelle A (ob bereits schriftlich ist nicht ganz klar) als der Redaktion des Jahwisten bereits vorgegeben,[24] also wenigstens ins 10.Jh. gehörig. Wir dürfen also die Bezeichnung "lebendiger Gott" jedenfalls für die Zeit Hoseas, von den beachtenswerten Argumenten Ottos für seine Quelle A und für die Bedeutung Gilgals insgesamt her, sogar mit einiger Wahrscheinlichkeit für die Zeit Sauls (!) annehmen.

Die Untersuchung Ottos bringt noch einige weitere, für unsere Arbeit wichtige Aspekte. Otto rekonstruiert einen "Landnahmebund in Gilgal" (S.199-316), wobei die Darstellung "für einen überlieferungsgeschichtlichen Zusammenhang zwischen der Gilgalüberlieferung Jos 3f und der Bundesüberlieferung Ex 24,3-8" spricht (S.312). "Die ursprüngliche in Gilgal verankerte Überlieferung hat also die Gebotsverkündigung und Zustimmung des Volkes..., das Errichten von Altar und zwölf Mazzeben..., Darbringung von Schlacht- und Gemeinschaftsopfern...und den mit dem Bundesschluß verbundenen Blutritus umfaßt." (S.315) - Hier sind die aus der Untersuchung der SF und der Namen bedeutsamen Elemente vertreten: Rechtsleben, (basierend auf der Gebotsverkündigung; את כל דברי יהוה ואת כל המשפטים); Akklamation (feierliche Zustimmung des Volkes ויען כל העם קול אחד), die sich konstituierende bzw. in Hinkunft zusammentretende Gemeinschaft (vgl. auch Jos 3,10 "ein lebendiger Gott mitten unter euch") und schließlich der Bundesschluß der stets in gewisser Nähe zu Eidesleistungen steht, wobei hier die feierliche Zustimmung (V.3b) diese Funktion hat.[25]

Otto nimmt die Entstehung der Landnahme-Bundesüberlieferung für die 2. Hälfte des 12.Jh. an (S.321). Zunächst dürfte eine teilweise positive Beziehung zu Kanaanäern bestanden haben; wie die Erzählung von der List der Gibeoniten zeigt (Jos 9), war aber schon bald eine Rechtfertigung dieser "Ausnahmen" notwendig, während Saul, wie 2.Sam 21,5 zeigt, dann den kanaanäischen Bevölkerungsanteil gewaltsam vernichten wollte. "Dieser Befund macht deutlich,

---

22) A.a.O., S.120-135; "Innerhalb des Abschnittes V.9-12 besteht kein Anlaß zu literarkritischer Scheidung." (S.33)!
23) A.a.O., S.150.
24) A.a.O., S.167.
25) Vgl. Mettinger, King and Messiah, S.133-137, zur Nähe von Akklamation und Eid.

daß zur Zeit Sauls die Landnahme-Bundesüberlieferung deutlich erkennbare historische Auswirkungen zeigte, indem Saul sich zum Vollstrecker des in Gilgal rezitierten Bundesschlußverbots machte." (S.320) "Die Zeit ihrer größten Wirksamkeit erreichte die Bundesüberlieferung in der Zeit Sauls ...Dieser Befund weist also darauf hin, daß Saul in seinen politischen Aktionen von Überlieferungen des Heiligtums von Gilgal geleitet war. Dem entspricht es, daß Gilgal sein kultisches Zentrum war." (S.321) - Hier wird nochmals die Verbindung zur Frühzeit Sauls (vgl. 1.Sam 14) und zu den Retter- und Jahwekriegtraditionen deutlich. Insbesondere aber verdeutlichen diese Zusammenhänge warum und in welcher anfänglichen Intention "der 'lebendige Gott'...mit Vorliebe in polemischen Aussagen gegen Fremdvölker und Fremdgötter erwähnt" wird.[26] Die von Anfang an antikanaanäische Tendenz der Landnahmebundesüberlieferung verbietet, ganz abgesehen von der völligen Andersartigkeit der Vorstellungen, die Herleitung der Vorstellung vom "lebendigen Gott" aus dem kanaanäischen Bereich.[27]

Schließlich ergeben sich noch interessante Aspekte für die so

---

26) Gerleman, חיה, THAT I, Sp.554.

27) Diese Folgerung kann auch angesichts der am Heiligtum vorhandenen Gibeoniten und angesichts der Verbindung mit dem Mazzotfest bestehen. Die Existenz der Gibeoniten besagt noch nicht, daß auch religiöse Vorstellungen von ihnen übernommen wurden, noch dazu eine solche, die sich gegen sie richtete. Die Beziehung der Gibeoniten zu Gilgal ist zudem nicht so eindeutig: "This means that the aetiological motive which Gressmann, Alt and Noth strongly maintain is present in the final verse amounts to very little." (Soggin, Joshua, OTL, S.112) Das Mazzotfest ist keineswegs so eindeutig ein Ritus seßhafter Bewohner des Kulturlandes und die häufig angenommene Verbindung mit dem neugeernteten Getreide ist kaum richtig, da dieses zur fraglichen Zeit noch nicht reif ist (Dalman, AuS I, S.453). Die Erklärung von Holzinger und Rost als nomadischer Ritus (das beim Weidewechsel in Eile gebackene Brot) hat viel für sich (siehe Otto, Mazzotfest, S.182f, A.5). Für kanaanäische Herkunft läßt sich nur ein sehr dünner Faden der Überlieferung annehmen und es ist schwer vorstellbar, daß ausgerechnet hieran eine völlig anders geartete und von Anfang an zum guten Teil antikanaanäische Vorstellung (siehe die Intentionen Sauls) geknüpft worden sei.

merkwürdig vorgeschobenen Belege der SF in Ri 8,19 und Num 14,21.28.
Der Kampf Gideons gegen die Midianiter findet in der Nähe des Jordan statt. Der Stamm Manasse, zu dem Gideon gehört, lebt westlich
und östlich des Jordan. Beziehungen zu Gilgal sind hier besonders
gut möglich. Otto erwähnt in seiner Untersuchung die Nähe von Ausdrücken der Gideonüberlieferung, insbesondere kultischer Begriffe,
zur Gilgalüberlieferung (S.209f). Es liegt zudem nahe, eine bestimmte Beziehung zwischen dem "Führungsengel" (S.280-287) und dem
Engel, auf dessen Erscheinung Gideons Altarbau zurückgeht (Ri 6,11-
24) anzunehmen. Schließlich legt die Beziehung der Gideonüberlieferung zur Frage nach der Berechtigung des Königtums (vgl. o.S.126-
128) eine Beziehung zu den Anfängen des Königtums und damit zu
Gilgal nahe. Handelte Gideon unter den von Gilgal ausgehenden
religiösen Bestrebungen und wurde umgekehrt die Gideonüberlieferung
später unter den Aspekten des (werdenden) Königtums tradiert? Die
SF würde zumindest für letzteres sprechen. Ist vielleicht gar Gideon als Vorkämpfer des Jahweglaubens und als Verteidiger Israels
ein Paradigma geworden in der Diskussion um das Königtum und seine
Aufgabe und seine eventuell(!) mögliche Begründung? Im Anschluß an
frühere Forschungen vertritt Otto die Meinung, daß der Jahwist eine
ihm in Num 13 und 14 "vorgegebene Landnahmeüberlieferung, die eine
Landnahme von Süden her berichtete, umgebogen hat zu einer Kund-
schaftergeschichte, die die Landnahme über das Ostjordanland voraussetzt." (S.98f). Diese Landnahmeüberlieferung ist in Gilgal beheimatet und es paßt gut dazu, daß das entsprechende Urteil über das
Scheitern der Landnahme von Süden her mit der offensichtlich ebenfalls in Gilgal beheimateten SF bekräftigt wird (vgl. o.S. 228f)
die Überlegungen zu einer Vorform der jetzt vorliegenden Formulierung).

Die enge Verbindung der hier behandelten theologischen und
überlieferungsgeschichtlichen Aspekte machen es sehr wahrscheinlich, daß die Bezeichnung "der lebendige Gott" von Gilgal ihren
Ausgang nahm. Die Meinung von Otto zu Jos 3 würde eine Datierung
schon in die Zeit Sauls erlauben. Die aufgezeigten theologischen,
historischen und überlieferungsgeschichtlichen Bezüge sprechen ebenfalls für eine Einordnung in die frühe Königszeit. Insbesondere die
historische Situation (s.o.), die Bezeichnung Jahwes als Herr
(אדון) des Landes und die in den weiteren Belegen bis hin zur Exilszeit zu beobachtende Vermeidung des Königstitels (מלך) für Jahwe
als den lebendigen Gott (s.u.S.288-290) legen eine von Haus aus

266

bestehende Divergenz zur "kanaanäischen" Religion nahe.

2. Hos 2,1

Hos 2,1-3 ist ein Heilswort, das ausdrücklich an das Unheils-
wort in 1,2-9 anknüpft. Zug um Zug werden den Namen der Kinder und
den daran geknüpften Unheilsankündigungen Heilszusagen gegenübergestellt. So wie der Name Nicht-mein-Volk (1,9) die endgültige
Trennung signalisierte, so ist jetzt dieses Wort aufgehoben und
das genaue Gegenteil angekündigt: "Es soll geschehen, anstatt daß
man zu ihnen sagt 'Nicht mein Volk seid ihr', wird man zu ihnen
sagen 'Söhne des lebendigen Gottes' (בני אל חי)". (2,1b) Diesem
Wort ist eine Verheißung der großen Zahl der (jetzt dezimierten)
Israeliten vorangestellt; es folgt eine Verheißung des Zusammen-
schlußes der Judäer und Israeliten unter einer gemeinsamen Autorität bzw Führung und eine neue 'Landnahme', "sie werden e i n
Haupt über sich einsetzen und ins Land hinaufsteigen."[28] Nach dem
Hinweis, daß der Tag von Jesreel groß sein wird (2,2b; vgl. 1,4f)
folgt nochmals die Deklaration "mein Volk" und die Zusage des
Erbarmens.
In dieser Heilsankündigung steht die Beziehung Jahwe - Volk
im Mittelpunkt. Die auf Grund der Untreue und der fehlenden Bereitschaft des Volkes auch von Jahwe aufgekündigte Beziehung (s.1,9),
soll wieder hergestellt, besser gesagt neu geschaffen werden.
Diese Beziehung soll eine Beziehung der Gnade (V.3b) und der liebe-
vollen Zuwendung werden (dieser Aspekt schwingt in der Bezeichnung
'Söhne' sicherlich mit; vgl. c.11). Auch die weiteren Aussagen be-

---

28) מִן־הָאָרֶץ ist hier in diesem Sinn zu übersetzen. Wolff, Hosea,
     BK, S.32, übersetzt unter Hinweis auf Ex 1,10 und auf andere
     Exegeten "sich des Landes bemächtigen". Doch könnte in Ex 1,10
     auch an den später ja tatsächlich erfolgenden Auszug und Hin-
     aufzug nach Kanaan gedacht sein. Ebenso berechtigt erscheint
     es, daran zu erinnern, daß מִן gelegentlich den Ort angibt,
     "in dessen Richtung, wo etwas ist" (siehe HAL II, S.565b, Nr.1c).
     Vgl. מִקֶּדֶם, ostwärts, im Osten; ähnlich hier "landwärts".
     Vgl. auch die Diskussion bei Rudolph, Hosea, KAT, S.57f, der
     allerdings "sie werden aus dem Boden wachsen" übersetzt, wo-
     bei dieses "Pflanzenbild" (S.58) doch etwas anderes ist als
     der Vergleich mit den Heuschrecken in Num 22,5 und mir für
     das AT und speziell für Hosea reichlich künstlich erscheint.

kommen, wenn man den Abschnitt, wie unten nochmals zu behandeln ist,
von Hosea herleitet, ihren guten Sinn. Die Verheißung der großen
Vermehrung des Volkes bekommt vor dem Hintergrund der Assyrerkriege
ihre besondere Bedeutung. "Die gegenwärtigen Zahlen Israels müssen
angesichts der erdrückenden Macht Assurs unbedeutend erscheinen.
So kann der zeitgenössische Hörer Hoseas Wort nur als Ankündigung
des absoluten Wunders verstehen... Ist die schwindende Zahl Zeichen
des Gerichtes Jahwes, so wird die eschatologische Volksvermehrung
nur von der Aufhebung des Gerichtes her verstanden werden können."[29]

Überraschend sind nun die Aussagen des V.2. Die getrennten
Brüder, Juda und Israel, werden sich vereinen, ein gemeinsames
'Haupt' wählen und in das Land hinaufziehen (bzw. sich des Landes
bemächtigen). Die Bezeichnung Haupt, רֹאשׁ, resultiert, ähnlich wie
bei Ez, aus der Ablehnung des Königtums in der Gestalt, wie es
geschichtlich in Erscheinung trat (vgl. 1,4 u.ä.). "Das Königtum
fällt unter das Gericht...weil es im Trotz gegen den Willen Jahwes
existiert... Israel wird also als erstes seine staatliche Ordnung
verlieren, in der es sein Leben unabhängig von Jahwe glaubt sichern
zu können." (Wolff, BK, S.78, zu Hos 3,5). Dennoch wird erstaunlicherweise das Volk Jahwes auch in der Heilszeit ein "Haupt"
haben. Dabei ist wohl an Führergestalten der Frühzeit gedacht,
Ri 11,8 und Nu 14,4 verwenden diesen Begriff, Nu 14,4 aber doch in
negativem Kontext. Allerdings erscheint es mir nicht so eindeutig,
daß "nicht an Jahwe als רֹאשׁ gedacht ist." (Wolff, BK, S.31). "Denn
Israel und Juda setzen sich ja selbst das gemeinsame Haupt" (ebd.)
ist noch zu wenig Begründung. Wenn Königswahlen die Zerrissenheit
steigern (ebd.) kann auch die Wahl eines "Hauptes" dasselbe be-
wirken. Ob nicht die Einsetzung des רֹאשׁ אֶחָד doch die Unterstellung
unter Jahwe meint? Sie wäre dann das Gegenstück zur Neuannahme des
Volkes durch Jahwe, entsprechend der Wechselseitigkeit der Bundes-
formel, die in 1,9 gekündigt wurde; vgl. 2,24 "er wird sagen: 'Du
bist mein Gott'."!

"Sie werden hinaufziehen in das Land" wirkt wie eine Anspielung
auf die Landnahme. Zwar führt Jahwe sein Volk weg in die Wüste zum
Gericht und zugleich, um ihm neu zu Herzen zu reden (2,11ff), aber
die Heilszeit ist doch eine Existenz im von Jahwe neu geschenkten
und fruchtbaren Land (2,18ff), in das Israel durch das Tal Achor
als Tal der Hoffnung (wieder) einziehen wird (2,17). Daß der Tag
von Jesreel groß ist, ist wahrscheinlich einfach eine zusammen-

---

29) Wolff, BK, S.30.

268

fassende Gegenüberstellung dieser Heilsereignisse zu dem bisher
mit Unheil und Gericht verbundenen Namen dieses Ortes (vgl. 1,4f).[30]
Vielleicht ist es aber auch eine Erinnerung an ein bedeutendes
Ereignis der Frühzeit Israels, etwa die Deborahschlacht, die sich
in jener Gegend ereignete (Ri 5,19), oder an Gideons Kampf gegen
die Midianiter und Amalekiter, wo ausdrücklich Jesreel genannt
wird (Ri 6,33). - Hosea kennt die Geschichte seines Volkes. Der
Blick auf die Anfänge deckt bei Hosea nicht nur die Gegenwart auf,
sondern vertieft auch die Schau der Zukunft.[31]

Die Herkunft dieser Verse von Hosea ist vielfach bestritten
worden. So stellt etwa Marti zunächst die Differenz zur Unheils-
botschaft in c.1 und in 2,4ff fest und die Nähe zu Heilshoffnungen
Ezechiels, um dann den Abschnitt am Ende des Exils einzuordnen:
"Jedenfalls ist er nachhesekielisch, vielleicht sogar recht lange
nach Hesekiel entstanden."[32] Dieses Urteil Martis (wie auch anderer)
ist von der Voraussetzung bestimmt, daß ein vorexilischer Prophet
keine Heilsverkündigungen haben kann, wie sehr schön seine Behandlung von Hos 11,8f zeigt.[33] Differenzierter urteilt Fohrer: "Die
These daß Hosea alle oder die meisten Heilsworte abzusprechen seien,
läßt sich in dieser Form nicht halten; während 2,1-3 sicher nicht
von ihm herrührt, sind die meisten, vor allem in 2,16ff, nach Stil
und Inhalt hoseanisch."[34] Damit ist aber 2,1-3 nicht mehr einfach
der Exilszeit zuzuordnen, wie sich auch aus der oben gezeigten Nähe
zu anderen Heilsworten ergibt. So haben in neuerer Zeit Wolff und
in seinem Gefolge Rudolph mit guten Gründen die Herleitung dieses
Wortes von Hosea vertreten und aus der Spätzeit des Propheten,
nach dem vernichtenden Bruderkrieg des Jahres 733, verständlich zu
machen versucht.[35] Dafür lassen sich sowohl zeitgeschichtliche als
auch sprachliche Argumente beibringen, und auch die Verbindungen
zur weiteren Botschaft Hoseas aufzeigen.[36] Seinen Platz als Gegenstück zu c.1 wird es einem Sammler verdanken. "Im einzelnen muß
es offenbleiben, wieweit die Worte vom Sammler, der zu den Hörern
Hoseas gehört haben muß..., mitgeprägt sind. Seine Mitwirkung an

30) A.a.O., S.66.
31) Vgl., a.a.O., S. XVII-XX.
32) Marti, Dodekapropheten, KHC, S.30.
33) A.a.O., S.90f.
34) Fohrer, EinlAT, S.463.
35) Wolff, BK, S.28f; Rudolph, KAT, S.56 (allerdings nur V.1f).
36) Wolff, BK, S.28f.

ihrer vorliegenden Gestalt ist ebenso wahrscheinlich wie die hoseanische Herkunft des wesentlichen Inhalts."[37]

Für Wolff ist "der neue Name 'Söhne des lebendigen Gottes'
originell hoseanisch formuliert. Es ist ungewiß, ob auch nur die
Wendung אל חי vor Hosea schon geläufig war;...Die Verbindung
'Söhne des lebendigen Gottes' ist kaum anders denn als hoseanische
Schöpfung verständlich."[38] Dieser Sicht hat sich Kraus in seinem
Aufsatz "Der lebendige Gott" (S.20) entschieden angeschlossen, ebenso wie der Näherbestimmung dieser Bezeichnung durch "das Gegenbild
der 'Hurenkinder', die ihr Leben einem fremden Gott verdanken und
die infolgedessen dem großen Sterben im Gericht anheimfallen."[39]
Rudolph widerspricht Wolff's Meinung, "daß erst Hosea den Ausdruck
בני אל חי geschaffen haben soll", u.a. mit dem Hinweis: "auch
das altertümliche אל spricht dagegen."[40] Dieser Hinweis ist richtig,
besonders insoferne es bei Hosea nur 3 oder 4 Belege für אל gibt
(2,1; 11,9; 12,1.5(?)). Allerdings bleibt bei Wolff offen, ob es
die Rede vom lebendigen Gott schon vor Hosea gab, wie auch Kraus
1.Sam 17.26.36 für älter hält. Die Verbindung 'Söhne des lebendigen
Gottes' aber dürfte auf Hosea zurückgehen. Ob allerdings diese
Aussage wirklich von den kanaanäischen Vorstellungen, gegen die
Hosea angeht, herausgefordert oder beeinflußt ist, erscheint doch
fraglich. Dort wo entsprechende Erwartungen an Jahwe herangetragen
werden (6,2; 13,14; jene Stellen auf die sich Wolff, BK, S.30 beruft), werden diese radikal abgelehnt. So ist die neue Aussage
doch wohl eher von 11,1 und der Plural "Söhne" von 2,4 her zu
verstehen. Hosea dürfte die Bezeichnung אל חי schon vorgelegen
haben. Bei Jos 3,10 hatte sich uns die enge Verbindung dieser
Gottesbezeichnung mit Landnahme- und Bundesschlußtradition in Gilgal ergeben. Läßt sich das auch für Hos 2,1 annehmen? Die obige
Exegese von 2,1f hatte die engen Beziehungen zu Bundesschluß- und
zu Landnahmetraditionen deutlich gemacht. Darüberhinaus wird diese
Zuordnung dadurch bestätigt, daß auch der Weg der zukünftigen "Landnahme" in der Heilszeit unmittelbar an Gilgal vorbeiführt, nämlich
durch das Tal Achor[41]! Bei aller Kritik an Gilgal (4,15; 9,15) hat
er diesen Weg nicht geändert. Schließlich zeigt 4,15, daß Hosea
den Eid "So wahr Jahwe lebt" aus Gilgal (und Betel) kennt. Trotz-

---

37) A.a.O., S.29.   38) A.a.O., S.30f.   39) A.a.O., S.31.
40) Rudolph, KAT, S.56f.
41) Zur Lokalisierung von Achor siehe den Exkurs bei Wolff, BK,
    S.52f.

dem ist die Jahweverehrung in Gilgal wie auch anderwärts für Hosea
nicht mehr legitim. Durch die Baalisierung aller Lebensbereiche
und durch die Selbstsicherheit, ja auch durch die Unbeständigkeit
scheinbarer Reue ist Israels Gottesverehrung eigentlich keine
Jahweverehrung mehr. Auch dies sah Hosea in besonderer Weise in
Gilgal verkörpert: "All ihre Bosheit geschieht in Gilgal. - Dort
wurde ich ihnen feind." (9,15) Hosea weiß offensichtlich um einen
Bruch in der Geschichte Gilgals. Ob man ihn zur Zeit Sauls, wegen
der Einführung des Königtums annehmen soll, bleibt fraglich. Elija,
Elischa und ihre Schüler scheinen noch eine positive Beziehung gehabt zu haben. Geschah der Bruch in Gilgal zwischen der Zeit Elischas und der Zeit Hoseas? Drang in dieser Zeit die Baalisierung
und Kanaanisierung auch an diesem Heiligtum eines ursprünglich besonders exklusiven und geradezu kämpferischen Jahweglaubens ein?
Weisen die gelegentlichen Spuren einer Verfolgung der Propheten in
den Elija-Elischa-Erzählungen auf eine Vertreibung der Propheten
aus Gilgal hin? All dies scheint gut möglich. Diese Prophetenschüler und über Israel verstreute ähnliche Gruppen sind vielleicht
"jene Kreise..., die Hosea von Anfang an zugetan waren, und die auch
in den Tagen der Bedrohung zu ihm hielten".[42] - Und darüber hinaus
vielleicht jene Kreise, durch die er mit der Vorschriftprophetie
und den alten Überlieferungen Israels (jenem "Wissen um Jahwe", das
die Priester nicht mehr weitergaben (4,6)) verbunden war.

3. Ps 42,3; 84,3

   Die beiden Belege für den אל חי sind in doppelter Hinsicht
eine Merkwürdigkeit im Psalter. Einerseits ist es die Tatsache,
daß die Rede vom lebendigen Gott, die doch aufs Erste für die
Psalmensprache so geeignet erschiene, nur zweimal vorkommt. Andererseits ist es die Tatsache, daß diese Gottesbezeichnung nun eben
doch vorkommt und in so ganz anderem Kontext als bei den bisherigen
Belegen für die Vorstellung von der Lebendigkeit Jahwes (abgesehen
vielleicht von der Stelle in dem auf einen Einzelnen bezogenen
Hymnus, Ps 18,47). Die zweite Feststellung hat denn auch häufig
dazu geführt, eine Änderung der beiden Stellen zu אל חַיַּי Gott
meines Lebens, vorzuschlagen, wofür auf Ps 42,9 hingewiesen wird,
während es in der Textüberlieferung dafür keinen Anhalt gibt (vgl.
BHK und BHS).[43] Allerdings ist die Wendung אל חיי für das ganze

42) Wolff, BK, S.XXV.

AT singulär,[44) sodaß eine Angleichung an diesen Ausdruck erst recht die Frage nach der Bedeutung hervorruft. Bezeichnend dafür ist, daß Gunkel, der sowohl in Ps 42,3 als auch 84,3 mit "Gott meines Lebens" übersetzt, in der Erklärung auf den lebendigen Gott zurückgreift: "trotzdem erkennt man aus den Herzenstönen, die der Psalmist findet, daß das, was er im Grunde seiner Seele begehrt,... die gewisse Erfahrung des lebendigen Gottes" ist.[45)

Beide Psalmen sind durchdrungen von der Sehnsucht nach dem Heiligtum, in dem der Beter die Nähe des lebendigen Gottes erfährt. "Wie eine Hinde lechzt nach den Wasserbächen, so lechze ich, Jahwe, nach dir. Es dürstet meine Seele nach Jahwe, nach dem lebendigen Gott" (42,2.3a).[46) Ganz ähnlich ist der Ton in 84,3: "Meine Seele lechzt und verzehrt sich nach den Vorhöfen Jahwes. Mein Herz und mein Leib schreien nach dem lebendigen Gott." Aus diesem Grund weist Gunkel Ps 84 den Zionsliedern zu; "gesungen ist es von einem Pilger, der jetzt endlich das Ziel seiner Sehnsucht erreicht hat, und also mit Ps 122 zusammenzustellen."[47) Auch wenn in Ps 42/43 die Klage stärker in den Vordergrund tritt, so ist doch auch hier die Ausrichtung auf den Tempel und auf Zion sehr deutlich zu sehen, und zwar ebenfalls mit Motiven der Wallfahrt verbunden: "Daran will ich denken..., daß ich einst zum Zelt des Herrlichen zog, zu Jahwes Haus, bei Jubelschall und Dank, in der festlichen Menge" (42,5). Die dieses Motiv aufgreifende Bitte in der letzten Strophe: "Sende dein Licht und deine Treue, die mögen mich leiten, mich führen zu deinem heiligen Berge und zu deinen Wohnungen" (43,3), widerrät, aus 42,7 auf eine Verbannung o.ä. des Beters in den äußersten Norden

---

43) Z.B. Gunkel, HK, S.177.367; die Begründung erfolgt metri causa und unter Verweis auf Vorläufer (S.181). Dieselbe Stellung auch bei Kraus, BK, S.470.472 und (allerdings zurückhaltender) S.749.

44) Siehe Mandelkern, Konkordanz, S.85f; überhaupt ist, soweit ich sehe, der Begriff "mein (bzw. auch dein oder sein) Leben" nie in diesem Sinn mit einer Gottesbezeichnung verbunden, nur Dtn 30,20; 32,47 gehen in diese Richtung, wenn es dort heißt, "es (nämlich das Tun der Worte Jahwes) ist dein Leben", vgl. a.a.O., S.389.

45) Gunkel, HK, S.179f.

46) Mit Kraus, BK, S.470.472 ist die Veränderung von Jahwe zu Gott im elohistischen Psalter berücksichtigt.

47) Gunkel, HK, S.368.

272

Israels zu schließen.[48] Gegen Kraus und viele frühere Exegeten
erscheint mir 42,7 nicht tragfähig für eine genaue Lokalisierung
des Psalms. Die Strophe V.7ff ist eine Beschreibung der Not des
Beters, zu deren typischer Ausdrucksweise die Gefährdung durch
Wasserfluten und die Gottferne gehören.[49] Der ganze Psalm ist
m.E. eine Anleitung und Aufforderung, auch in der äußersten Gefährdung und größten Gottferne (die hier geographisch verdeutlicht
wird) Jahwe zu suchen und Zion aufzusuchen (vgl. den Refrain).
Gegenüber Ps 84 ist in Ps 42f der dunkle Hintergrund der Ferne von
Jahwe, dem lebendigen Gott, und seinem Tempel noch stärker entfaltet. Beide Male ist es aber der dunkle Hintergrund für den Anfang der Wallfahrt: "Ich freute mich über die, die zu mir sagten:
lasset uns ziehen zum Hause Jahwes" (Ps 122,1). Auch für Ps 42f
ist das Wohin wichtiger als das Woher. Dies gilt besonders für
den in beiden Psalmen sehr ähnlichen Kontext der Erwähnung des
lebendigen Gottes und wird bestätigt durch die Beziehung beider
Psalmen zu den Korachitern, den Tempelsängern der nachexilischen
Zeit. Für beide Psalmen ergibt sich aus diesen Beobachtungen eine
Einordnung in die nachexilische Zeit und eine enge Verbindung mit
den Korachitern, womit nicht ausgeschlossen ist, daß einzelne Motive wesentlich älter sind (z.B. die drohende Wasserflut, 42,8; die
Fürbitte für den König, 84,10; die Gottesbezeichnung Jahwe Zebaot
oder überhaupt der Gang zum Heiligtum, vgl. 1.Sam 1).

Die Nähe Jahwes, des lebendigen Gottes ist in besonderer Weise
am Zion, in seinem Heiligtum zu erleben. Bei ihm ist Leben und Errettung, Rechtfertigung und Freude. Hier wird deutlich, daß und in
welchem Sinn bei Jahwe die Quelle des Lebens ist und man in seinem
Licht das Licht schaut (Ps 36,10, vgl. Jer 2,13). - Das Licht
Jahwes finden wir in 43,3 und das Wasser (und den Durst danach) in
42,2f wieder. Sowohl in Ps 42f als auch in 84 finden wir die Frage
nach der Gerechtigkeit des Psalmbeters, wobei es in 42f um die durch

---

48) So z.B. Delitzsch, BC, S.301f, der dort zugleich die Meinungen
    Anderer referiert; vgl. das Referat bei Gunkel, HK, S.180 und
    bei Kraus, BK, S.473.

49) Gunkel, HK, S.182 verweist zu 42,8 auf "die sonstigen Erwähnun-
    gen der Wasser in den Klagepsalmen"; ähnlich Kraus, BK, S.476.
    Beide diskutieren zudem das Problem der Ortsangaben. In Analo-
    gie zur im AT zu beobachtenden "Vergeschichtlichung" mytholo-
    gischer Motive liegt m.E. hier eine "Verortung" mythologischer
    Motive der Klagepsalmen vor.

die Angriffe der Feinde in Frage gestellte Gerechtigkeit geht
("Richte mich, Jahwe, führe meinen Rechtsstreit", 43,1), während
in Ps 84 die Frage Gerechter oder Frevler (V.11b.12b) unter dem
Aspekt der Zulassung zum Heiligtum gestellt wird. Allerdings
wird wohl auch die in 43,1ff erbetene Entscheidung am Heiligtum gefällt. - Wir stehen damit in Zusammenhängen, die bei Ezechiel,
besonders c.18 wiederkehrten (s.o.S.181-186). Leben heißt, vor
Jahwe, bei ihm leben zu dürfen und nicht ausgeschlossen zu sein
aus seiner Nähe und der Gemeinschaft der zu ihm Gehörenden. Der
dahinter stehende Lebensbegriff geht von der Gemeinschaft aus und
konkretisiert sich am Einzelnen, wobei die Entscheidung an Hand von
Kriterien des Rechtslebens getroffen wird. Der Gott in dessen
Namen diese Entscheidung getroffen wird, ist Jahwe, der lebendige
Gott. Bei Ezechiel hatte Gott seine Urteile unter Verweis auf seine
Lebendigkeit bekräftigt: "So wahr ich lebe..." Hatte die Lebendigkeit Jahwes bisher immer, wenigstens überwiegend, die Beziehung
zwischen Jahwe und Volk im Blick, so ist es hier die Beziehung des
Einzelnen zu dem lebendigen Gott, allerdings noch immer in Ver-
bindung mit dem Rechtswillen des lebendigen Gottes und seiner
Macht zu helfen und zu retten.[50]

Wann die Rede vom lebendigen Gott "individualisiert" wurde,
ist schwer genau festzulegen. Die Veränderung dürfte aber um die
Exilszeit anzusetzen sein. Während in Jer 2,13 der Vorwurf, Jahwe,
die Quelle des Lebens verlassen zu haben, dem ganzen Volk gemacht
wird, ist Ps 36,10 das Bekenntnis Einzelner, auch wenn diese im
"Wir" zusammengehören. Der lebendige Gott ist hier der Richter und
Retter des Einzelnen von dem her sich sein Leben begründet. In
diesem Sinn ist die Weiterführung des אל חי zum אל חיי in 42,9 gewissermaßen eine erste Exegese des alten Begriffes im neuen Kontext.
Zu diesen beiden Belegen für den lebendigen Gott in den Korach-
psalmen Ps 42 und 84 passen sehr schön die oben S.236-245
behandelten Eigennamen Jechiel und Jechija. Es waren Angehörige des
Personals, insbesondere der Sänger, am nachexilischen Tempel, die
mit dieser Namengebung dem lebendigen Gott huldigen und sich seiner
Herrschaft unterstellen wollten, und die ihre Sehnsucht und ihre
Hinwendung zum lebendigen Gott ausdrücken bzw. dazu anleiten wollten.

---

50) Vgl. das o.S.214f, Zitat A.36 von Barth zur Qualifizierung
    des Lebensbegriffes im AT Gesagte.

4. Dtn 5,26

In der Reihenfolge des Kanons ist Dtn 5,26 der erste Beleg
für den 'lebendigen Gott' in der hebräischen Form אלהים חיים,
wie auch der erste Beleg für den 'lebendigen Gott' im AT überhaupt
und der einzige Beleg im Pentateuch. Wir stehen hier im Zusammenhang eines in 5,1 beginnenden Rückblickes auf den Bundesschluß am
Horeb und die dabei ergangene Gebotsmitteilung in dessen weiterem
Verlauf die besondere Mittlerstellung des Mose reflektiert und begründet wird: "Es geschah, als ihr die Stimme mitten aus der Finster-
nis hörtet, und der Berg im Feuer brannte, da tratet ihr zu mir,
alle Häupter eurer Stämme und eure Ältesten und ihr spracht: 'Siehe,
Jahwe unser Gott hat uns sehen lassen seine Herrlichkeit und seine
Größe und seine Stimme haben wir gehört mitten aus dem Feuer.
Heute haben wir gesehen, daß Gott mit dem Menschen redet und er
(dennoch) lebt. Aber nun, warum sollen wir sterben? Denn dieses
gewaltige Feuer wird uns verzehren, wenn wir noch weiterhin hören
die Stimme Jahwes unseres Gottes, und wir werden sterben. Denn welches menschliche Wesen könnte die Stimme des lebendigen Gottes
mitten aus dem Feuer reden hören und am Leben bleiben? Tritt du
hinzu und höre alles, was Jahwe, unser Gott, sagt und dann rede du
zu uns, alles was Jahwe zu dir redet, und wir wollen (es) hören und
tun.' Als Jahwe die Rede eurer Worte hörte...sprach Jahwe zu mir:
'...gut ist alles, was sie geredet haben'." (V.23-28).

Hier wird die Mittlerschaft Moses in der Majestät Jahwes, die
der Mensch nicht auf längere Zeit[51] ertragen kann, theologisch
begründet und insbesondere auf die Gebotsmitteilung hin entfaltet.
Die Begegnung des Volkes mit Jahwe und seiner Majestät und seinem
Wort bedarf des Mittlers. Diese Erkennnis wird von Jahwe ausdrücklich gut geheißen, und damit wird die Stellung Moses und auch jener,
die diese Funktion in Zukunft ausüben, bestätigt.[52] Damit ist das
schon in Ex 20,18-21 berührte Problem der majestätischen Erscheinung Jahwes und der Gottesfurcht im Sinn des besonderen Anliegens
der deuteronomistischen Predigt weitergeführt. Die Frage nach dem
Mittler zwischen Jahwe und Volk bzw. nach dem Repräsentanten, die

---

51) Das Nebeneinander von Möglichkeit und Unmöglichkeit die Begegnung mit Gott zu überleben ist in diesem Sinn zu erklären
   und nicht literarkritisch aufzulösen. Vgl. Steuernagel, HK,
   S.23, "trotzdem liegt zu Streichungen...kein Anlaß vor".

52) Vgl. vRad, Dtn, ATD, S.44.

wir bei den Erweiterungen der SF im Blick auf den König (David-
Erzählungen), auf den Propheten (Elija-Elischa-Erzählungen) und
einmal im Blick auf den Priester (Eli) angesprochen fanden, wird
hier in neuer Weise von der Mosetradition her und doch zugleich im
alten Sinn der Vermittlung des Rechts- und damit des Herrscherwillens Jahwes aufgegriffen. Die besondere Aufgabe dessen, der die
Autorität in Israel ausübt, ist es, vor Jahwe zu stehen (vgl.
1.Kön 17,1; 18,15; 2.Kön 3,14; 5,16 "...Jahwe, vor dem ich stehe"!)
und Weisung, Gebote und Rechte weiterzugeben und zu lehren (V.31).

    Jahwe wird in V.24 bezeichnet als "unser Gott" womit in
typisch dt/dtr Weise auf die Beziehung zwischen Gott und Volk,
besonders im Sinn der Verpflichtung und Ausschließlichkeit, angespielt ist. Er hat seinen כבוד und seinen גדל erscheinen lassen.
Unsere Stelle ist der einzige Beleg für כבוד im Dtn, wobei dieser
Beleg im Rahmen des AT mehr der Psalmensprache oder mehr P zugeordnet werden kann.[53] Indem hier das Sinaigeschehen umschrieben
wird, geht es um ein geschichtliches und um ein kultisches Ereignis.
Diese beiden Aspekte berühren sich mit den zwei Linien des Gebrauchs
von כבוד, "die eine ist ein schon früher, spezifisch isr(aelitischer)
Gebrauch, in dem kabod die Gewichtigkeit Jahwes bedeutet, die res-
pektiert werden muß, primär in einem Handeln... Die andere Linie
daneben ist ein spezifisch gottesdienstliches Reden von Jahwes
kabod, das auf eine vorisraelitische, kanaanäische Vorstellung
vom kabod Els zurückgeht, in dem besonders sein Wirken in Naturerscheinungen gefeiert wird... Diese beiden Linien sind aber im
Reden vom kabod Jahwes im AT so miteinander verschmolzen, daß bei
der Mehrzahl der Stellen ein eindeutiges Zurückführen auf nur eine
der Linien nicht mehr möglich ist."[54] An unserer Stelle ist die
Bewegung vom Blick auf die in der Geschichte erfahrene Naturer-
scheinung, die aber primär ein Wortereignis ist (V.23f) weitergeführt zur Respektierung der kabod Jahwes in Gottesfurcht und im
Halten der Gebote (V.29.32f). Die erste der beiden Linien erhält
hier ganz eindeutig das Übergewicht (wie sie sich auch sonst im
AT durchsetzt[55]). כבוד ist, was dem Mächtigen, dem der Autorität
hat, eignet und ihm zukommt, in besonderer Weise dem Herrscher.
Allerdings wird hier nicht, wie so eindrucksvoll in Jes 6,5, vom König gesprochen. Zwar kommen im Dtn irdische Könige vor, nicht nur
der König von Ägypten, sondern auch die viel weniger bedeutenden

---

53) Westermann, כבד, THAT I, Sp.808.
54) A.a.O., Sp.805.   55) Ebd.

Herrscher des Ostjordanlandes gelten als Könige, aber Jahwe wird
nie als König bezeichnet.

In ähnlicher Weise ist auch mit גָּדֵל , Größe, ein Begriff aus
dem Bereich des Herrschertums aufgenommen, ohne daß das Wort מלך
König, verwendet wird. Die Aussage, daß Jahwe groß (גדול) ist,
begegnet "vor allem in den hymnischen Texten der Zionstradition...
(Ps 48,2 'groß ist Jahwe und hoch zu preisen in der Stadt unseres
Gottes'; 77,14 'wer ist ein so großer Gott wie Gott'...; 95,3 denn
ein großer Gott ist Jahwe, ein großer König über allen Göttern'...)."
Daß Gott groß ist, wird nicht nur im Vergleich mit anderen Göttern
gerühmt, sondern auch "oft in Verbindung mit dem Königstitel auf
die Völker der Welt bezogen" und findet sich auch in Bekenntnis-
und Vertrauensaussagen.[57] "Ein weiterer Traditionskomplex wird in
den dtn. Reihungen von Gottesepitheta erkennbar (Dtn 7,21 'Jahwe...,
ein großer und furchtbarer Gott'; 10,17 'der große, starke und
furchtbare Gott'),... Seit dtn Zeit wird nun auch abstrakt von
Gottes 'Größe' gesprochen (godäl Dtn 3,24; 5,24; 9,26; 11,2;
32,3...)".[58]

Wir treffen hier auf ähnliche Aspekte, wie sie uns bei Jos 3,10
im Blick auf die Bezeichnung Jahwes als אדון begegneten. Zugleich
stehen wir damit noch vor dem Zeitpunkt der Verbindung der hier
vorliegenden Traditionen mit der Vorstellung vom Königtum Jahwes,
besser gesagt mit der Bezeichnung Jahwes als König, wie sie dann
in Jer 10,10 ("Jahwe ist...der lebendige Gott, der ewige König")
vorliegt.[59]

Das literarische Alter unserer Stelle hängt mit dem Bild, das
man sich von der Entstehung des Dtn, insbesondere von c.1-11, macht,
zusammen, ohne daß sich ein allzugroßer Unterschied ergibt. Jedenfalls findet sich in unserem Abschnitt die pluralische Anrede an
das Volk. Steuernagel[60] rechnet V.20-28 daher zur Quelle mit plu-

---

56) Jenni, גדול , THAT I, Sp.406.
57) A.a.O., Sp.406f.   58) A.a.O., Sp.407.
59) Die Unterscheidung zwischen אדון und מלך wird auch durch den
    Sprachgebrauch bei Ez bestätigt, der Jahwe nirgendwo als Kö-
    nig bezeichnet (vgl. Konkordanz), während die Bezeichnung
    אדוני יהוה vermutlich doch auf ihn zurückgeht und nicht erst
    spätere Eintragung ist (vgl. Zimmerli, Ez, BK, S.1258.1265).
    Dazu paßt die besondere Bedeutung,die die SF im Buch Ezechiel
    gewinnt (s.o.S. 162ff, bes. 200-202).
60) Steuernagel, Dtn, HK(1900).

ralischer Anrede (S.IV), die später, aber noch vor Josia mit der
Quelle mit singularischer Anrede kombiniert wurde (S.XI), woraus
sich für ihn die Entstehungszeit der pluralischen Schicht und der
folgenden Gesamtredaktion zwischen 690 und 623 ergibt (S. XII), wobei Steuernagel eher an die obere Grenze denkt (S.XIIIf). Einen
ganz anderen Weg geht Lohfink[61], der unter Verwendung der Gattung
"Bundesformular" die Geschlossenheit von Dtn 5,1 - 6,3 vertritt
(S.140-152), und "von einer einmaligen, bewußten Gestaltung des
ganzen Textes" spricht (S.151). In der Beschreibung der Entstehungs-
geschichte (S.289-291) vermeidet Lohfink allerdings jede nähere
Angabe zur Datierung. In der neueren Forschung bewährt sich eher
der Weg einer Ergänzungshypothese[62], ob allerdings die pluralischen Stücke mit dem dtr Geschichtswerk zu verbinden sind, was
Smend besonders für c.5 annimmt,[63] scheint mir jedoch fraglich,
solange kein gründlicher Vergleich mit den dtr Reden des Königsbuches durchgeführt ist, was m.W. in der Literatur - in dieser
Hinsicht- fehlt. Mittmann wiederum rechnet 5,25b-28 zur 'Grundschicht' von Dtn 1,1 - 6,3, enthält sich aber auch jeder genaueren
Datierung in dem weiten Zeitraum zwischen (der Verbindung von J
und) E und "vor der Kompilierung der JE- mit der P^g-Erzählung".[64]
Somit scheint eine Datierung unseres Textes in den Lauf des 7.Jh.
durchaus berechtigt. Eine Verbindung mit dem dtrG erscheint eher
unwahrscheinlich, da Mittmann die Verse mit der Erwähnung des
lebendigen Gottes seiner ältesten Schicht zurechnet und andererseits die Aufgabe des hier legitimierten Mittleramtes nicht Ge-
schichtsdeutung oder Gerichtsandrohung (auf dessen Eintreten dtrG
zurückblickt) ist, sondern eben Gebotsverkündigung.

---

61) Lohfink, Das Hauptgebot (1963).

62) Vgl. dazu, samt zahlreichen Literaturangaben, Smend, EntstAT
(1978), S.71.   63) A.a.O., S.72.

64) Mittmann, Deuteronomium 1,1-6,3 (1975), S.132-163.180-183;
Zitat S.169. Mittmann betont die Bedeutung der Kundschafter-
erzählung (Num 13f) für die von ihm angenommene Grundschicht
(S.168f), bezieht aber Dtn 7, mit der dort vorhandenen
Gilgaltradition, nicht mehr in seine Untersuchung ein. Wir
hatten oben bei Jos 3,10 gesehen, daß die Kundschaftertradi-
tion für Gilgal wichtig gewesen sein mußte, andererseits
spiegelt Dtn 7 alte Gilgalüberlieferungen, vgl. neben Otto,
Mazzotfest, S.212-238 bereits Lohfink, Hauptgebot, Exkurs:
Der Gilgalbundtext, S.176-180.

Ist die, wie wir sahen, literarisch erst in vergleichsweise
später Zeit belegte Verbindung des lebendigen Gottes mit der Jahwe-
offenbarung am Sinai berechtigt? Die Antwort wird unter verschiedenen Aspekten zu bedenken sein. Überlieferungsgeschichtlich hängt
sie ab vom Verhältnis zwischen geschichtlichem Vorgang und Überlieferung des Sinaigeschehens, etwa im Rahmen kultischer Rezitation
und / oder gar in der aktualisierenden Verbindung mit einer Land-
nahme-Bundesschlußtradition, wie sie sich als Hintergrund von
Jos 3,10 (s.o.) ergab. Religionsgeschichtlich betrachtet hatten
sich die Voraussetzungen - wenn auch nicht mehr - als für den
Sinai als immerhin wahrscheinlich erwiesen. Traditionsgeschichtlich
und damit letztlich auch theologisch für das AT gehört die Offenbarung des Rechtswillens Jahwes mit dem Sinaigebiet zusammen, ebenso wie sein rettendes Eingreifen, insbesondere in der Richterzeit,
immer wieder als Kommen Jahwes aus jenem Gebiet, wo man den Sinai
annahm, verstanden wurde (vgl. die Ausführungen zur hymnischen Aussage in Jer 46,18, o.S. 208-218, und das soeben erwähnte Verhältnis
von Sinai- und Landnahmebund).

5.   1.Sam 17,26.36

    In der Erzählung vom Sieg Davids über Goliat finden wir zwei-
mal den Hinweis auf die 'Schlachtreihen des lebendigen Gottes',
die der Philister zu verhöhnen wagt (כי חרף מערכות אלהים חיים)
Dabei steht diese Wendung in V.26 im Zusammenhang der vorwurfs-
vollen Frage "Wer ist dieser unbeschnittene Philister, daß (weil?)
er die Schlachtreihen des lebendigen Gottes verhöhnt hat?", wobei
in der Frage schon der Entschluß zur Aktion und die Begründung angedeutet sind. Diese sind in V.36 dann klar ausgesprochen: "Wie
dem Löwen und dem Bären, die David als Hirte erschlug, so soll es
diesem unbeschnittenen Philister ergehen, weil er...". V.26 gehört
dabei zu dem in LXX ursprünglich fehlenden Stück V.12-31 während
V.36 zur Einheit V.32ff gehört. In 16,14-23 und 17,12-31 liegen
zwei Berichte vor, wie David an den Hof Sauls kam. Dabei gehört
17,12-31 offensichtlich mit 17,55 - 18,5 zusammen, wo David ebenfalls dem König Saul noch unbekannt ist. Wir haben 17,55 mit der
Frage Sauls an Abner, wer denn dieser unbekannte Retter sei, im
Rahmen der Saul-Jonatan-David-Erzählungen behandelt (s.o.S.39f).
    Die aus dem Nebeneinander von c.16 und c.17 und auch der ver-
schiedenen Szenen in c.17 sich ergebenden Probleme haben in der

Literatur zu verschiedenen Lösungsvorschlägen geführt.[65] Hertzberg unterscheidet die in LXX fehlende und die mit c.16 überein-
stimmende Schicht, wobei beide in sich einen guten Zusammenhang
ergeben. Das Interesse der ersten Schicht (17,12-31.55ff) ist dabei,
"so könnte man sagen, darauf gerichtet, den Aufstieg Davids als
legitim erscheinen zu lassen. Gott hat es so gefügt, daß David, der
kleine Mann, auf den Weg gerät, auf dem er ein großer Mann geworden
ist: vom König geschätzt und berufen, vom Kronprinzen feierlich
zum Freund und Bruder erkoren, für die Prinzessin infolge seiner
Tapferkeit als Ehemann vorgesehen, wirkt David hier wie der gegebene künftige König. Diese Form ist gewiß da weitergegeben worden,
wo man Wert darauf legte, David nicht als Emporkömmling, sondern
als rechtmäßigen Nachfolger nach Gottes Fügung und Willen erscheinen
zu lassen."[66] Die hier von Hertzberg vermerkten Einzelheiten wie
auch die Gesamttendenz passen gut zu den bei den Saul-Jonatan-
David-Erzählungen gemachten Beobachtungen. Die zweite Schicht hat
demgegenüber besonderes Interesse an der (den Israeliten so sehr
überlegenen) Rüstung Goliats und setzt die Bekanntschaft Sauls mit
David (spätestens unmittelbar) vor dem Kampf voraus. Hier ist zudem
der Gesichtspunkt der offiziellen Beauftragung zum Kampf mitbe-
stimmend. Allerdings läßt sich der Text nicht einfach auf 2 Quellen
aufteilen, V.41ff mit dem Kampf ist für keine der beiden Versionen
entbehrlich. Zudem wurde die ganze Geschichte offensichtlich immer
wieder mit Interesse erzählt und dargestellt, was zu den vorliegenden Ausgestaltungen und damit zu den literarischen Problemen führte.
Im Lauf der Überlieferung wurden anscheinend auch die theologischen
Gesichtspunkte vertieft. (Vgl. o.S.39f)

Neben der literarischen Frage steht die historische nach dem
Verhältnis von 1.Sam 17 zur Notiz in 2.Sam 21,19, nach der ein gewisser Elhanan, einer der Männer Davids, Goliat besiegt habe. Man
wird sicher an eine Übertragung des Sieges auf den berühmteren David denken müssen. Allerdings ist Davids Bewährungsfeld der Kampf

---

65) Vgl. etwa Budde, KHC (1902); Nowack, HK (1902), Caspari,
    KAT (1926). Diese Kommentare knüpfen in der Einordnung der
    Quellen stark an die Pentateuchquellen an. Allerdings ver-
    gleicht Caspari nur mehr stilistisch und "literaturgeschicht-
    lich" (vgl. S.10f zu "E"). Hertzberg, ATD (1968[4]) und Stoebe,
    KAT[2] (1973) kennen Noth's These vom dtrG, gehen aber eigene
    Wege und sind - leider - in Datierungsfragen sehr zurückhal-
    tend.   66) ATD, S.117.

gegen die Philister und kann das in 18,6 zitierte Siegeslied nicht
der Grundlage entsprechender Taten entbehren. So ist jedenfalls
im Ablauf der Ereignisse durchaus ein (oder mehrere) "Heldenstück(e)"
anzunehmen. Solche "Heldenstücke" wurden ja nicht nur von den
"Männern Davids" (2.Sam 23,8-39) geleistet, sondern auch von David
selber (z.B. 1.Sam 26,6). Wurde daher eine Tat Davids durch die
Goliatgeschichte ersetzt (so Stoebe)[67], oder gar nur auf den
namenlosen Gegner Davids der Name des einst berühmten Goliat übertragen (so Hertzberg)[68]?

Im Blick auf die Traditionsgeschichte treten hier einige Aspekte auf, die sich aus der besonderen Situation erklären. Zwar fehlt
hier die Tradition des auf Israel gerichteten Jahwerechtes, aber
wir finden hier die Rettertradition. Jahwe "richtet", indem er
sich des bedrängten Volkes annimmt und es rettet (ישע). Dabei
liegt hier die Betonung auf der menschlichen Ohnmacht, der Jahwe
doch den Sieg verleiht. So sehr Jahwe der eigentliche Retter ist,
steht doch auch der, durch den Jahwe hilft (vgl. 1.Sam 14,45) im
Blickfeld. Wegen der besonderen Kampfesweise der Philister wird
hier der Mann "zwischen den Fronten" (17,4),[69] seine Rede und sein
Sieg oder Untergang, besonders wichtig. Die Bedrückung durch die
Philister beginnt schon im Spott des Vorkämpfers, ebenso wie die
Befreiung mit seiner Niederlage. Die beiden Pole von Verhöhnung
(חרף) einerseits und der Tötung des Philisters andererseits sind
die gegebene Haftpunkte für die weitere Entfaltung der Geschichte
(vgl. 17,43-54 und das hier anklingende Rachedenken).

Zur SF in 17,55 hatten wir gesehen, daß sie ein simples Nicht-
wissen bekräftigt, "bei deinem Leben, o König, ich weiß es nicht".
Aus dem Gesamtbild ergab sich aber, daß hier nicht nur eine ehr-
furchtsvolle Anrede vorliegt, sondern auch die Anerkennung der
Autorität Sauls als König ausgesprochen wird. Diese Worte stehen
damit in jener Tradition, die Saul nicht nur negativ sieht, sondern
den Übergang von der Herrschaft Sauls zur Herrschaft Davids als
legitim und unter Schonung Sauls nachzeichnet (vgl. dazu das von
Hertzberg oben, Zitat A.66, Gesagte).

Die beiden mit dem lebendigen Gott verbundenen Begriffe, nämlich מערכות , die Schlachtreihen, und das Verbum II חרף, verhöhnen,
sind im AT relativ selten. Aus den 39 Belegen von חרף läßt sich
schwer eine bestimmte Bedeutungsgeschichte erheben. Der älteste

---

67) KAT, S.315.   68) ATD, S.117.
69) Vgl. Galling, Goliath und seine Rüstung, S.150-153.

Beleg dürfte Ri 5,18 sein, das Wort findet sich dann mehrmals bei
der Begegnung mit den Philistern und schließlich besonders in der
Erfahrung des Exils und seiner Folgen in der Schmähung durch die
umliegenden Völker (z.B. Zef 2,8.10); aber auch im individuellen
Bereich wird das Wort gebraucht (z.B. Ijob 27,6; Spr. 14,31).[70]
Anders verhält es sich mit den מערכות . Die Grundbedeutung ist die
geordnete Aufstellung, als militärischer terminus technicus eben
die zur Schlacht aufgestellte Ordnung, die Schlachtreihe. Nun stehen
sämtliche Belege dieses Wortes in 1.Sam und beziehen sich durchweg
auf die Auseinandersetzungen zwischen Israeliten und Philistern
(außer 1.Chr. 12,39, wo dieses alte Wort zur Schilderung der Davidszeit verwendet wird, was nur eine Bestätigung ist). Die Belege finden sich in 1.Sam 4 und 17 und einmal in 23,3.[71] Dabei sind es
bezeichnenderweise die Philister, die zuerst Aufstellung nehmen.
Diese Form der Kriegsführung war offensichtlich für die Israeliten
neu und führte zur Prägung eines neuen und nur für diese Situation
verwendeten Wortes (Substantivierung von ערך). Das Wort mag in
der späteren Überlieferung absichtlich gehäuft worden sein, sein
Vorhandensein bestätigt aber doch das hohe Alter der Substanz der
Erzählung, die damit nicht zu weit vom Ende der Philisternot und
ihrer מערכות weggerückt werden kann.

Neben den vielen Stellen, wo die Schlachtreihen der Philister
und der Israeliten erwähnt werden, sind die Schlachtreihen nur in
17,26 und 36 auf Gott, hier eben den lebendigen Gott, bezogen. Diese
Besonderheit bestätigt, daß beide Verse - vielleicht aber doch nur
in dieser Hinsicht - "vom gleichen Fleisch und Bein sind" (Budde)[72].
Sie erklärt sich m.E. am einfachsten als Überarbeitung in der die
Schlachtreihen Israels unmittelbar zu Schlachtreihen des lebendigen
Gottes wurden. Im konkreten Vorgang und auch in der alten Erzählung
war Goliat vorgetreten und hatte die gegnerische Schlachtreihe verhöhnt. Für David war diese Situation an der Front empörend, durch
seine Heldentat machte er ihr ein Ende. Daß damit mehr geschah, als
vordergründig zu sehen war, wurde schon in der Geschichtsbetrachtung
der Erzählungen von der Entstehung des Königtums (Saul-Jonatan-
David-Erzählungen) deutlich. Vollends ausgesprochen wurde es in der

---

70) Kutsch, II חרף , ThWAT III, Sp.225f. Die von Childs, Assyrian
    Crisis, S.88f, dargestellte Entwicklung bezieht sich primär
    auf die Spätzeit und mehr auf den Kontext als auf das Wort
    selber.

71) HAL II, S.582.   72) KHC, S.128.

Rede, mit der David dem Philister antwortete: "...ich aber komme
zu dir im Namen Jahwe Zebaots, des Gottes der Schlachtreihen Israels" (V.45). In dieser expliziten Verbindung der Schlachtreihen
mit Jahwe ist nun auch das Verhöhnen noch ärger, nicht "nur" die
Israeliten werden verhöhnt, nein, letztlich ist es ihr Gott selbst.
Der lebendige Gott ist in besonderer Weise der majestätische Herrscher und zugleich der Retter seines bedrängten Volkes. In beider-
lei Hinsicht ist damit der Gegenpol zum Hohn des Philisters angezeigt. Diese Weiterführung von der Verhöhnung der Schlachtreihen
(Israels) zur Verhöhnung der Schlachtreihen des lebendigen Gottes
geschah wohl erst spät, vermutlich im 7.Jh, angesichts der Assyrer,
die ebenfalls mit gewaltigen מערכות ins Land kamen.[73] Das Verhältnis zu 2.Kön 19 par. wird noch zu bedenken sein.

7. 2.Kön 19,4.16 par. Jes 37,4.17

Wir befinden uns hier im Rahmen der in 2.Kön 18-20 und Jes 36-
39 parallel überlieferten sogenannten "Jesajalegenden", deren vielfache literarische und historische Probleme verschiedene und teilweise gegensätzliche Antworten fanden. "With these duplicate texts,
and still more with the complex of historical problems in view of
the external history, no section of Kings has produced more critical debate."[74] Als umfassende neuere Studie zu diesen und den
verwandten Texten siehe vor allem Childs, Isaiah and the Assyrian
Crisis (1967). Der Text stimmt in den für uns wichtigen Partien
in 2.Kön und in Jes überein. Auf's Ganze vertritt die Mehrheit der
Exegeten die Priorität der Texte im Königbuch, aus dem sie als
Anhang zu Jesaja I übernommen worden seien,[75] während Jepsen

---

73) M.E. ist Galling, Goliath, rechtzugeben, wenn ihm für die
    "kerygmatischen Formulierungen in 17,45...eine Datierung
    vor dem 8.Jh völlig ausgeschlossen" erscheint (S.151) und er
    sagt: "Die kerygmatische Zielsetzung will der Furcht eines
    gegenüber den Weltmächten (den Assyrern) ohnmächtigen Jerusa-
    lem wehren." (S.167). Selbst Veijola, Die ewige Dynastie,
    hält die Goliathgeschichte samt der "Beistandsformel", V.37,
    für "vordtr" (S.99.133).

74) Montgomery, Kings, ICC, S.513.

75) Z.B. Kittel, Kön, HK, S.280: "Es empfiehlt sich also die An-
    nahme, dass das ganze Stück vom Redaktor des Jesajabuches aus
    dem Königbuch herüber genommen wurde." Fohrer, EinlAT, S.254:

entschieden die gegenteilige Sicht vertritt[76]. Montgomery unterscheidet die Abschnitte A (18,13-16), B (18,17 - 19,9a.36f) und
C (19,9b-35).[77] Diese Aufteilung wird, mit teilweise anderer
Benennung, allgemein vertreten. Childs[78] benennt die Abschnitte
mit A, B^1 und B^2, während Fohrer A und B als die "erste Erzählung"
zusammenzieht, gegenüber C als "zweite Erzählung", die in die erste
eingeschoben wurde[79]. "Beide (sc. Erzählungen, bzw. B und C, bzw.
B^1 und B^2) sind gleichartig aufgebaut und gliedern sich in vier
Abschnitte: Kapitulationsforderung... Reaktion Hiskijas... Verheißung Jesajas... Abzug der Assyrer. Die zweite Erzählung enthält
im ersten, zweiten und vierten Abschnitt die einfachere und kürzere,
aber theologisch geprägtere Darstellung."[80]

Unsere beiden Belege für den lebendigen Gott finden sich jeweils im zweiten Abschnitt, in der Reaktion Hiskijas auf die Kapitulationsforderung. Diese wird in B in der berühmten Rede des Rabschake[81] ausgesprochen und Hiskija von seinen Unterhändlern überbracht, während sie in C von Boten überbracht wird, die direkt vor
Hiskija treten und zudem einen entsprechenden Brief überreichen.
Dieses Übergehen einer Zwischeninstanz findet sich in C auch noch
in anderer Hinsicht. Hatten in B die assyrischen Unterhändler ihre
jüdischen Gesprächspartner davor gewarnt, auf Hiskija zu hören,
"denn er verführt euch, wenn er spricht: 'Jahwe wird uns erretten'"
(18,32), so wird in C Hiskija davor gewarnt, sich von Jahwe, seinem Gott, betrügen zu lassen (19,10). In ähnlicher Weise wendet
sich in C Hiskija direkt an Jahwe, während er in B zu Jesaja als
Fürsprecher schickt (19,1ff). Sowohl in B als auch in C wird die
Erwartung ausgesprochen, daß Jahwe die Worte Sanheribs hören möge,
der hergesandt hat, um den lebendigen Gott zu verhöhnen (לחרף
אלהים חי; 19,4.16, ebenso Jes 37,4.17). An den Verweis auf dieses
Faktum der Verhöhnung Jahwes schließt sich jeweils (in B implizit)
die Bitte um Errettung an. Dazwischen steht in B die Bitte um Bestrafung des Assyrers ("vielleicht hört Jahwe...und bestraft die

"...ist später auch in das Buch Jesaja übernommen worden".
Vgl. Kaiser, Jes 13-39, ATD, S.291.

76) Jepsen, Die Quellen des Königsbuches, S.77.

77) ICC,S.514.

78) Assyrian Crisis, S.73-76 und 76ff.

79) Fohrer, EinlAT, S.254. Allerdings rechnet er 19,14-16 der
"Geschichtsquelle" zu.   80) Ebd.

81) Wildberger, Die Rede des Rabsake...(1979).

Worte..."; 19,4). In C findet sich an dieser Stelle eine ausführliche Erwägung über die tatsächliche Ohnmacht der Götter, der von
den Assyrern besiegten Völker (19,17f), auf die Sanherib hingewiesen hatte (19,11-13), und der gegenüber die Errettung Jerusalems
allen Königreichen der Erde zeigen soll, daß Jahwe allein Gott ist
(19,19).

Damit sind in B und C zwei verschiedene Aspekte aufgegriffen.
In B wird die Reaktion Jahwes als Strafe für die Verhöhnung der
Majestät des lebendigen Gottes erwartet. Dazu paßt die Form der
Sanherib angekündigten Strafe (Ermordung Sanheribs in Ninive; V.37).
Demgegenüber liegt in C das Schwergewicht auf der Errettung Je-
rusalems und dem Abzug der Assyrer (V.20.32-35). Hier ist יש׳,
Hi, das alte Stichwort der Rettertradition aufgegriffen. Jahwe ret-
tet Jerusalem um seinetwillen und um Davids, seines Knechts willen
(V.34). Die Begründung aber greift Gedanken auf, die besonders von
der Fremdgötterpolemik in DtJes her bekannt sind: "...denn nicht
Gott waren sie, sondern das Werk von Menschenhänden, Holz und Stein"
(V.18 vgl. Jes 44,9-20; 46,5-6, aber auch Dtn 4,28).[82] Wir haben
damit einen Anhaltspunkt für die Datierung: C ist eng verwandt mit
DtJes und Dtn 4, gehört also wahrscheinlich etwa in die Exilszeit.
Die Frage nach der Macht der Götter von Völkern war aber auch schon
früher und auch außerhalb Israels aktuell, ebenso wie die "ratio-
nalistische Kritik" ihre Vorstufen hat, z.B. Hos 8,4b.[83] Damit
haben wir erst hier jene Intention, auf die Köhler in seiner Theologie des AT die Rede vom lebendigen Gott generell zurückführte:
"Die Aussage, daß Gott ein lebendiger Gott ist, findet sich im

---

82) Von daher erhält Kaisers Überlegung, Jes 36-39 sei nicht nur
    an Jes I angefügt, sondern zwischen Jes I und DtJes eingefügt
    worden, eine gewisse Stütze (ATD,S.291). Allerdings können aus
    theologischer Verwandtschaft oder auch Abhängigkeit nicht ein-
    fach kompositionskritische Schlüsse gezogen werden.

83) Kittel, HK, S.287 betont auch die Verbindungen zu Jes I: "Die
    Gedanken von 18f sind in DeuteroJes. besonders beliebt, haben
    aber ihre Grundlage schon bei Jes. selbst (2,20; 17,8; 31,7).
    Doch scheint die Formulierung, wie wir sie hier lesen, später
    als Jes. (vgl. auch Deut. 4,28; 28,36.64 u.ä.)."
    Montgomery, ICC, wendet sich ebenfalls gegen eine zu späte
    Einordnung. B ist für ihn zweifellos älter als C (S.517),
    aber beide "stories...were of early composition and within the
    Assyrian age" (S.518).

AT nur spärlich, spät und als Abwehr der Anschauung, daß Gott kein
Leben und keine Macht habe."[84]

B ist älter als C, wobei hier in B historische und theologische Momente eng verbunden sind.[85] Im Blick auf die Verhöhnung
des lebendigen Gottes stehen wir hier auch der Goliatgeschichte
näher. So wie dort den Verhöhnenden die Strafe am eigenen Leib
trifft, so ereilt sie hier Sanherib. Die Situation der Rede des
Rabschake erinnert ebenfalls an das Hintreten des Philisters zwischen die einander gegenüberstehenden Gruppen und den Spott über
die Israeliten. (Der Unterschied zur Situation in C ist in dieser
Hinsicht augenfällig.) Childs[86] zeichnet in seiner Darstellung
der Bedeutungsentwicklung von חרף ein ähnliches Bild. "This story
(sc. David und Goliat) which became the illustration par excellence
of the blasphemy of God may well indicate the original setting for
the tradition. The scene is the confrontation of two armies... In
his speech to the enemy Goliath defies the army... Yet already
within the same chapter the objekt of the blasphemy has shifted
from 'defying the armies of the living God' (V.26) to defying God
himself." (S.88) In der späteren Zeit wird die Unterscheidung zwischen der Verspottung Israels und der Verspottung Gottes nicht
mehr gemacht. "The enemy now engages in a frontal attack on Yahweh
himself." (S.89). Gegenüber der direkten Rede der Völker in den
exilisch/nachexilischen Belegen (z.B. Jer 46,8; Ez 28,2) steht
hier noch die Interpretation durch den Israeliten dazwischen. Sowohl formgeschichtlich als auch historisch erscheint es als begründet, die hier vorliegenden Überlieferungen im 7.Jhd. einzuordnen.[87]

Im Rahmen des Niederganges der assyrischen Macht und der in
Israel gewagten Reformen hatten die hier vorliegenden Traditionen
sicherlich großes Interesse. Nicht zuletzt zeigt der Protest Jeremias gegen die Sicherheit der Jerusalemer (c.7.26), wie sehr die
"Ereignisse" von 701 bekannt waren und wie sie gedeutet wurden.

---

84) Köhler, TheolAT, S.36.
85) Childs, Assyrian Crisis, S.93.
86) A.a.O., S.88f.
87) Vgl. A.82 (und A.73); Childs ist etwas schwankend in den Be-
    urteilungen, rechnet aber B einem "level of very ancient tra-
    dition" zu (S.119) und spricht sich eher für eine gemeinsame
    Grundlage von B^1 (= B) und B^2 (=C) aus, als für eine Abhängig-
    keit von C von B (S.98).

So ergibt sich als Gesamtbild, daß die Belege der Goliatgeschichte (1.Sam 17,26.36) die älteren sind. Hier ist noch die irdische Größe der Schlachtreihen im Blick, auch wenn sie nicht mehr
(nur) als jene Israels, sondern als jene des lebendigen Gottes bezeichnet werden. 2.Kön 19,4 par. Jes 37,4 wird zwar noch die irdische Konfrontation anschaulich geschildert, die Rede des Gegners
wird aber unmittelbar als Verhöhnung des lebendigen Gottes bezeichnet. In 2.Kön 19,16 par. Jes 37,17 tritt die Situationsschilderung
gegenüber der theologischen Deutung weit zurück (selbst Sanherib
argumentiert theologisch und nicht militärisch!; 19,10-13). Im
Lauf der Überlieferung dürfte die theologische Deutung der Verspottung Israels die Bezeichnung "der lebendige Gott" als besonders
aussagekräftig und auf die Majestät Jahwes hinweisend an sich gezogen haben. Gegenüber dieser, der Tradition von der Lebendigkeit
Jahwes etwas fremden Tradition von der Verspottung, die ihre Strafe
findet, findet sich in der Schicht C die Anspielung auf die Rettertradition und hier ist die Befreiung Jerusalems wichtiger als das
individuelle Schicksal Sanheribs (sofern die Quelle vollständig
vorliegt). Allerdings ist hier die Rettertradition weitergeführt
zur Fremdgötterpolemik, eine Intention, die in dem nächsten zu behandelnden Text (Jer 10) beherrschend ist. Nicht zuletzt setzt aber
die pointierte Verwendung dieser Gottesbezeichnung in diesen, doch
recht populären Erzählungen voraus, daß sie bekannt ist und entsprechende Assoziationen hervorruft.

7. Jer 10,10; 23,36

Die beiden Belege für den lebendigen Gott im Jeremiabuch gehören zu selbständigen und relativ jungen Texteinheiten. Jer 10,10
steht im Abschnitt 10,1-16, einem polemischen Gedicht, das vor
Götzendienst warnt. Hier fällt sofort auf, daß V.11 aramäisch ist,
also wohl doch ein recht später Zusatz. Auch darüber hinaus scheinen
einige Glossen vorzuliegen, etwa V.9, dessen Stichworte "Arbeit
des Handwerkers und der Hände der Goldschmiede" vermutlich die Beziehung zu V.3 angeben soll;[88] V.8 und vielleicht auch V.6f[89]
dürfen ebenso zu beurteilen sein. Somit bleibt als Grundbestand
V.1-5.10.12-16. Das Gedicht warnt vor Götzendienst, besonders im
Zusammenhang der Astrologie (V.2), wobei zunächst die Nichtigkeit

---

88) Rudolph, HAT, S.70 (bei 9^c); von Weiser, ATD, S.85, A.5, übernommen.

der Götzen durch den Hinweis auf ihre handwerkliche Herstellung
aus Holz und Metall und auf die Unfähigkeit dieses Gebildes, zu
sprechen oder zu gehen, demonstriert wird (V.1-5). Dem wird nun
Jahwe gegenübergestellt: "Aber Jahwe ist der wahrhaftige Gott, er
ist der lebendige Gott und der ewige König (ויהוה אלהים אמת הוא
אלהים חיים ומלך עולם), vor seinem Zorn erbebt die Erde und
seinen Grimm ertragen die Völker nicht (V.10). Hieran schließt
sich ein partizipialer Hymnus, der das Wirken (Jahwes) bei der
Schöpfung und in der Natur rühmt (V.12f), dann zur Polemik gegen
Götzen und deren Verehrer zurückkehrt und schließlich nochmals auf
Jahwes Wirken hinweist und durch die 'Unterschrift' "Jahwe Zebaot
ist sein Name" dies alles für ihn in Anspruch nimmt.[90]

Im traditionsgeschichtlichen Vergleich fällt besonders auf,
daß hier der lebendige Gott ganz betont als מלך, König, bezeichnet wird. Jahwe ist der wahrhaftige Gott und der ewige König, vor
ihm erbebt die Erde und erzittern die Völker. Dieses Königtum Gottes bezieht sich auf die ganze Welt und bewegt sich zwischen den
beiden Polen der Schöpfung und der besonderen Beziehung Jahwes zu
seinem Volk (V.16; vgl. Dtn 32,9).[91] Das zentrale Anliegen des
Textes ist, die Beziehung der Israeliten zu Jahwe zu schützen. Die
Gefährdung des Volkes liegt in der Furcht vor den "Zeichen des
Himmels" und in der Verehrung der, diese Zeichen repräsentierenden
und - angeblich - beherrschenden, heidnischen Götter. Die Argumentation bewegt sich zwischen dem entmythologisierenden Hinweis
auf die handwerkliche Herstellung der Götzen (V.3-5) und dem Hinweis auf Jahwe, den Schöpfer (V.12) und Beherrscher (V.13) der
Natur. Dieser Gegensatz (in V.14b.15a.16 nochmals hervorgehoben)
macht klar: Diese Machwerke zu verehren, ist reine Dummheit (V.14a).

Der alte kämpferische Aspekt der Aussage von der Lebendigkeit
Jahwes ist hier (noch stärker als in 2.Kön 19,16; Jes 37,17) zur
Frage nach der Existenz der Götter hin entfaltet. Hier geht es
nicht mehr um die kriegerische Auseinandersetzung mit den Kanaanäern
oder um den späteren, stärker religiösen Konflikt mit ihnen und

89) Volz, KAT, S.121f; Rudolph, HAT, S.72f.
90) Zu 10,12-16 vgl. Crüsemann, Hymnus und Danklied, S.111-114.
     Zu der von Crüsemann vertretenen Selbständigkeit von V.12-16
     siehe im Folgenden.
91) Die Ausdrucksweise der "Anteil Jakobs" und "der Stamm seines
     Erbes" wirkt wie eine Variation der Bundesformel "Jahwe, der
     Gott Israels - Israel das Volk Jahwes".

ihrem Baal (Elija/Elischageschichten, Hosea) sondern um die Existenz
anderer Götter als Jahwe überhaupt. In dieser Auseinandersetzung
wird das Fragment eines alten partizipialen Hymnus aufgegriffen,
sie hat aber ihren Schwerpunkt jetzt in der "rationalen" Kritik
an der handwerklichen Herstellung der Götzen und ihrer daraus evidenten Wirkungslosigkeit. Für unser Thema ist noch zu vermerken,
daß dem lebendigen Gott gegenüber die Götter nicht als "tot" bezeichnet werden, vielmehr geht es um die Wirksamkeit, die ihnen
eben fehlt: Sie müssen gestützt werden (statt daß sie helfen),
sie können nicht reden, nicht gehen, nichts Gutes tun (V.4f), sie
sind eben ohne רוח (V.14). Dies zeigt nochmals, daß es beim "lebendigen Gott" nicht um die Polarität von lebendig und tot geht,
sondern um das Wirksamsein im Blick auf den Menschen.

Der Angriff gegen die Verehrung von Götzen dient einem letztlich seelsorgerlichen Anliegen, nämlich gegenüber der Furcht vor
Göttern und damit deren Verehrung,die Israeliten bei der alleinigen
Verehrung Jahwes zu erhalten. Dieses Anliegen wird hier in lehr-
hafter Form (למד, V.2, vgl. 12,16!) durchgeführt. Dieser lehrhaf-
ten Form dient die "Entmythisierung" der Götter, aber auch die ältere,ursprünglich im Kult verankerte Gattung des partizipialen
Hymnus wird ihr dienstbar gemacht.

Die enge Beziehung zwischen Jahwe und Israel zeigt, daß wir
hier bereits weit diesseits der "hervorstechendsten Änderung", die
der Königstitel in der Übernahme für Jahwe erfuhr, stehen: "Ein
nur oberflächlicher Vergleich alttestamentlicher und ugaritischer
Aussagen über den Götterkönig macht schlagartig klar: Analogien
für Jahwes häufige Benennung 'König Israels' oder 'unser, euer, ihr,
mein König' fehlen in den Ras-Schamra-Texten vollkommen. Der Titel
'König' bekundet nicht ein einziges Mal die Bindung des Gottes an
die Menschen."[92] Es scheint bezeichnend, daß die Verbindung der
Rede vom lebendigen Gott und vom Königtum Gottes erst da belegt
ist, wo der Königstitel eindeutig die Beziehung Jahwes zu Israel

92) Schmidt, Königtum Gottes, S.92. Schmidt erwähnt allerdings in
A.6 die Möglichkeit, daß in ugaritischen Gebeten - falls einmal welche bekannt werden - die Anrede "mein König" bekannt
werden könnte. Die Untersuchung der ugaritischen bzw. phönizischen Namengebung ergibt einen bzw. zwei Belege für die Beziehung eines Einzelnen(!) zur Gottheit (s.u.S. 330-333).
Es bleibt aber die Besonderheit, daß Jahwe der Gott des ganzen
Volkes und dessen König bzw. Herrscher ist.

meint. "Indem sich Gott an sein Volk bindet, richtet er an ihm sein Herrenrecht auf. Dieses Verhältnis bezeugt nun der Begriff mlk, der damit eine totale Wandlung erfahren hat."[93]

Gegenüber dieser neuen Verbindung mit dem Königstitel begegnete die Bezeichnung Jahwe Zebaot bereits früher in Verbindung mit den Aussagen über die Lebendigkeit Jahwes, insbesondere in den Elija-Elischa-Geschichten s.o.S. 84-96 , wo sie geradezu im Wechsel mit Jahwe, der Gott Israels, und Jahwe, der Gott des (rechten) Propheten (der vor Jahwe steht), vorkommt (vgl. 1.Kön 17,1.12; 18,10.15; 2.Kön 3,14; 5,16). Andererseits fehlt hier in Jer 10,10 die Position eines Mittlers. Der Prophet, bzw. hier schon mehr der seelsorgerlich bemühte Lehrer tritt als Person weit zurück. Seine Rolle ist nur mehr in der Aufforderung zu hören und in der Botenformel angedeutet (V.1f). Der Unterschied zu Elija und Elischa, ja auch zu Jeremia ist offenkundig. Es fehlt aber auch völlig die Rolle des Königs, wie sie uns besonders bei David begegnete. Ja, es ist sehr wahrscheinlich, daß erst mit dem Ende des irdischen Königtums in Israel der Königstitel für Jahwe in einem Sinne zur Verfügung stand,[94] der die Verbindung mit der Rede vom lebendigen Gott erlaubte. Diese Sicht wird gestützt durch die parallele Erscheinung, daß die Namen Jechiel und Jechija, die, in Analogie zur Akklamation für den König, die Anerkennung der Herrschaft Jahwes ausdrücken, ebenfalls erst in der (exilisch-)nachexilischen Zeit vorkommen (s.o.S.236-245). Weiters paßt dazu, daß die Rede vom lebendigen Gott erst für ebendiese Zeit in den Psalmen (42,3; 84,3) belegt ist, während die Rede vom Königtum Gottes in den Psalmen häufig und alt ist.[95]

Das wahrscheinliche Alter unseres Textes paßt zu den traditionsgeschichtlichen Beobachtungen. Die Beziehung des Volkes zu Jahwe ist zwar gefährdet, aber doch noch in Ordnung. Das ist eine ganz andere Situation als bei Jeremia.[96] Zudem gab es zwar unbestreitbar auch schon vor dem Exil die Warnung vor und die Auseinandersetzung mit den Götzen,[97] aber die Auseinandersetzung mit den

---

93) A.a.O., S.93; vgl. die ebd. nachgezeichnete Entwicklung.

94) Vgl. dazu das bei Schmidt, a.a.O., insbesondere S.95, über die Entwicklung bei und um DtJes Gesagte.

95) Vgl. dazu a.a.O., S.105, das Register, und die dort angegebene ausführliche Behandlung einzelner Psalmen.

96) Vgl. Rudolph, HAT, S.71.

97) Mit diesem Argument postuliert Weiser, ATD, S.87 einen jere-

Zeichen des Himmels und deren Göttern paßt doch besser ins babylonische Exil. Zudem passen V.2b wie auch V.3-5 eher zu einem Leben in heidnischer Umgebung. Nach der anderen Seite hin ist das
Verhältnis zu Jer 51,15-19 näher zu bestimmen. Dieser Text stimmt
mit Jer 10,12-16 überein und wird allgemein in die Spätzeit des
Exils datiert.[98] Während Weiser und Rudolph die Priorität von
10,12-16 gegenüber 51,15-19, das (noch) in die exilische Zeit gehört, vertreten,[99] sieht Crüsemann das Verhältnis umgekehrt und
er folgert zudem aus der Parallele, daß Jer 10,12-16 "ein eigenes,
selbständiges Stück" ist, und "Jer 10,1-16...schon deshalb...nur
als eine lose Komposition aus formal ganz unterschiedlichen Stücken
angesehen werden" kann.[100] Nach Crüsemanns weiterer Analyse von
V.12-16, der zuzustimmen ist, wird man "also damit rechnen müssen,
daß hier ein partizipialer Hymnus um eine Götzenpolemik erweitert
wurde."[101] Als Sinn dieser Einfügung der Götzenpolemik konstatiert
Crüsemann: "Dieser Typ des Hymnus war aus der Auseinandersetzung
Jahwes mit den Göttern entstanden und verdankt ihr seine Form.
Auch die Götzenpolemik gehört natürlich in diese Auseinandersetzung
hinein. Man muß deshalb annehmen, daß die alte Front, aus der heraus diese Hymnen entstanden waren, hier mit sprachlich anderen und
neuen Mitteln weitergeführt werden sollte. Die Einfügung der Götzenpolemik zeigt dann an, daß die Auseinandersetzung Jahwes mit den
Göttern in ein neues Stadium getreten ist, daß sie andere Formen
des Kampfes benötigte und hervorbrachte, eben den sich vor allem
bei Dtjes findenden Ton des Spottes und Hohnes mit seinem Zug
zur Rationalität. Jer 10,12-16 par. stellt dann ein Produkt des
Überganges dar."[102]

Nun stellen aber V.2-5 dieselbe Form der Götzenpolemik dar,
wie V.14f. Durch die oben als sekundär ausgeschiedenen V.6-9 und 11
entfallen die weiteren Anstöße Crüsemanns,[103] und es legt sich

---

mianischen Kern, den er im paränetischen Teil des Gedichtes
sucht und von der bei ihm allgegenwärtigen Bundeskulttradition
herleitet (S.88).

98) Rudolph, HAT, S.71, aber auch Weiser, ATD, S.88.

99) Rudolph, HAT, S.75; Weiser, ATD, S.88.

100) Crüsemann, Hymnus und Danklied, S.111.

101) A.a.O., S.113.

102) A.a.O., S.113f. Vgl. dazu die oben S.212.213 im Anschluß an
den Hymnus Jer 46,18 referierte frühere Entwicklung der Gattung.

103) A.a.O., S.111, A.1.

nahe, das ganze Gedicht doch als Einheit zu sehen. Der Verfasser
hätte dann eben sein eigentliches Anliegen vorangestellt (V.2) und
die alte Form (V.12ff), mit der er auch pointiert abschließt (V.16b)
diesem Anliegen dienstbar gemacht. V.2 ist damit die exakte Wieder-
spiegelung des neuen Stadiums der Auseinandersetzung in der von
Crüsemann dargelegten Entwicklung. Daß in Jer 51,15-19 nur ein Teil
des Gedichtes zitiert ist, erklärt sich ohne Weiteres daraus, daß
die Partizipien in 10,12 sich gut an die Gottesbezeichnung in 51,14a
anschließen ließen.[104]

Die Gattungsgeschichte und die Literargeschichte bestätigen
damit die traditionsgeschichtlich-theologischen Ergebnisse. Der
Beleg für den lebendigen Gott in Jer 10,10 gehört, ebenso wie die
Grundform des Gedichtes 10,1-16, in die Spätzeit des babylonischen
Exils. Jahwe ist der lebendige Gott und ewige König, der durch den
Mund des lehrhaft-prophetischen Seelsorgers[105] um die Beziehung
seines Volkes zu ihm und gegen die Verehrung heidnischer Götter,
die nur Machwerke sind, kämpft.

Jer 23,36 gehört demgegenüber in eine spätere Zeit. In dem
wohl von Jeremia stammenden V.33[106] war die Frage nach einem
Gotteswort mit einem Gerichtswort beantwortet, das die Doppel-
deutigkeit von משא benützte: "Was ist das Wort (משא) Jahwes?" -
"Ihr seid die Last (משא), ich will euch abwerfen, Spruch Jahwes."
Daran schließt sich jetzt eine ausführliche Erörterung darüber an,
daß man nicht mehr fragen soll "was ist die משא Jahwes?", sondern
"was antwortet Jahwe?" oder "was redet Jahwe?" (V.35). "Aber Last
Jahwes sollt ihr nicht mehr sagen, denn zur Last wird werden für
einen jeden sein eigenes Wort, und (hier: weil) ihr verdreht die
Worte des lebendigen Gottes (דברי אלהים חיים), Jahwe Zebaot's,
unseres Gottes" (V.36).

Diese etwas spitzfindige Weiterführung des alten Prophetenwortes versucht die Größe des Vergehens durch die Anführung be-

---

104) Zudem war die Gattung des partizipialen Hymnus sicher bekannt
genug, um den Einschnitt empfinden zu lassen.

105) Vgl. die einfühlsame Schilderung bei Volz, "wie sich (sc. in
diesem Gedicht) der geistliche Lehrer seiner apologetischen
Aufgabe entledigt." (KAT, S.126).

106) "An der Echtheit dieses Wortspiels...ist nicht zu zweifeln"
(Rudolph, HAT, S.156).

sonders feierlicher Gottesbezeichnungen besonders hervorzuheben.
Es ist wohl typisch, daß die Bezeichnung "der lebendige Gott" hier
voransteht. Sie war offensichtlich zur feierlichen Gottesbezeichnung
par excellence geworden (vgl. unten zu Dan 6,21.27; im NT Mt 26,63).
Damit verbunden ist wie in 10,10 (und häufig im Jeremiabuch)[107]
die Bezeichnung Jahwe Zebaot, und mit der Bezeichnung "unser Gott"
ist auf die Beziehung zwischen Gott und Volk angespielt. Neben diesen Traditionen nimmt die Hochschätzung des prophetischen Wortes
ebenfalls eine besondere Stelle ein, wie anscheinend überhaupt in
V.34-40 verschiedentlich versucht wird, die Gattung des prophetischen Gerichtswortes aufzugreifen (z.B. V.36b).[108]

Ist nun dieser Abschnitt "nicht anders denn als Mißverständnis
des echten Jeremiawortes" zu bezeichnen, wobei "ein echtes Motiv der
Frömmigkeit, nämlich das der Ehrfurcht vor Gottes Wort, die Jeremia
in 23,23-32 nachdrücklich gegenüber den falschen Propheten vertreten
hat...hier durch eine spitzfindige Theologie...übersteigert" ist[109]?
Denkbar wäre allerdings auch, daß in einer Zeit, in der es oft schwer
war, sich an die משא des Herrn zu halten, ein ironisches Wort umlief,
etwa in dem Sinn "Ja, ja, die משא (das Wort) des Herrn ist wirklich
eine משא (Last)!", und daß der Verfasser demgegenüber eben jenes
"echte Motiv der Frömmigkeit"geltend machen will.

Das Wort gehört zu den "allerspätesten Stellen des Kanons"
(Volz)[110], Weiser spricht von "spätjüdischer Schriftgelehrsam-
keit"[111], Volz bezeichnet der Verfasser schon als Rabbi (!)[112].
Für unser Thema ist die Stelle ein Beleg, daß die Bezeichnung "der
lebendige Gott" als eine der feierlichsten empfunden wurde. Bei
aller Problematik des Zusammenhanges, werden doch Anklänge an alte,
mit der Rede von der Lebendigkeit Jahwes verbundene Traditionen
wachgerufen. Der Text gehört nach Jerusalem, wie aus V.39 hervorgeht.[113] Eine Datierung nach dem 3.Jh. erscheint mir jedoch nicht
berechtigt. Eine so umfangreiche Einfügung ist allzuspät doch nicht

107) Vgl. Baumgärtel, Zu den Gottesnamen in den Büchern Jeremia
     und Ezechiel.
108) Das "prophetische" Thema dürfte auch der Grund für die Ein-
     fügung des Textes nach 23,9-32 sein; Weiser, ATD, S.211.
109) Weiser, ATD, S.212.
110) KAT, S.245.
111) ATD, S.212.
112) KAT, S.245.
113) Rudolph, HAT, S.156.

mehr denkbar. Zudem finden sich gegen Ende des Zwölfprophetenbuches
mehrere Belege für מסא (Nah 1,1; Hab 1,1; Sach 9,1; 12,1; Mal 1,1).
Nach dessen Abschluß und Kanonisierung könnte ein "Schriftgelehrter"
doch kaum mehr so argumentieren.

8.   Dan 6,21.27

Wir stehen hier im aramäischen Teil des Buches Daniel, mit dem
Ende von c.6 zugleich am Ende der Erzählungen (c.1-6), denen dann
die Visionen folgen (c.7-12). Dan 6 ist die Erzählung von "Daniel
in der Löwengrube", wo es den Hofleuten gelingt, den gutwilligen,
aber sehr beeinflußbaren König "Darius" zu einem religionspoliti-
schen Edikt zu veranlassen, über das der gottesfürchtige, vom König
geschätzte Daniel zu Fall kommen muß (V.2-9). Prompt verstößt
Daniel gegen das Edikt, indem er an seinem Glauben und dessen
sichtbarer Äußerung, dem Gebet, festhält. Er wird denunziert und
dem König vorgeführt, der nun unter dem Zwang des eigenen Ediktes
Daniel verurteilt. Daniel wird in den Löwenzwinger geworfen, der
König verbringt eine schlaflose Nacht (V.10-19). Frühmorgens eilt
der König zum Löwenzwinger. "Schon als er sich dem Zwinger näherte,
rief er mit banger Stimme nach Daniel...: 'Daniel! Daniel! Diener
des lebendigen Gottes (עבד אלהא חיא)! Dein Gott, den du ohne
Unterlaß verehrst, hat er dich von den Löwen erretten können?'"
(V.21) Ja, er konnte! Sein Engel hat den Löwen den Rachen zuge-
halten (V.22f). Der König ist hocherfreut und läßt Daniel herauf-
holen, "und kein Schaden fand sich an ihm, weil er auf seinen Gott
vertraut hatte" (V.24). Die dem Daniel zugedachte Strafe trifft
die Anstifter für das Edikt und Denuntianten Daniels am eigenen
Leib (V.25). Der König aber erläßt ein neues Edikt "an alle Völker,
Nationen und Sprachen, die auf der ganzen Erde wohnten" (V.26), in
dem er jedermann die Verehrung des Gottes Daniels befiehlt, "denn
er ist der lebendige Gott (הוא אלהא חיא) und bleibt in Ewigkeit
und sein Königtum (מלכותה) ist unzerstörbar und seine Herrschaft
(währt) bis zum Ende! Er macht frei und errettet und tut Zeichen und
Wunder am Himmel und auf Erden; denn er hat Daniel befreit aus der
Gewalt der Löwen!"
Diese Erkenntnis des Königs, in die alle Welt einstimmen soll,
soll auch die Leser des Buches ergreifen (vgl. 12,3!), und sie soll
das Licht sein, das auf alles Folgende fällt (c.7-12). Das Ergehen
Daniels will Mut machen zu ebendemselben Bekenntnis und Hoffnung

294

geben auf ebensolche Rettung in der Religionsverfolgung, wie sie
Daniel zuteil wurde. C.6 weist hinüber auf c.12, wo die eschato-
gische Errettung aus der dann - in der Zeit des Verfassers des
Buches - bestehenden Not und Verfolgung geschildert und durch den
Eid des Engels "bei dem, der ewig lebt" (12,7) bekräftigt wird.
Gegenüber den stärker auf älteren Überlieferungen basierenden c.3
und 4f gehört c.6 zu den vom Verfasser geformten Kapiteln.[114]
Das in 2,28 formulierte Thema des Buches: "Was wird sein am Ende
der Tage?" "dürfte die eigene Interpretation eines anderen Themas
sein, das vorzüglich den alten Vorlagen der Erzählungsreihen eigentümlich war (Kap. 3; 4/5) und vom Verfasser in den seiner Hand
entstammenden Kapiteln der Erzählungsreihe (Kap 2; 6) durchaus
beachtet wurde, nämlich das vom Hymnus Israels überlieferte Bekenntnis von der Königsherrschaft Gottes, wie es in Ps 145,13 formuliert worden ist. Diesem Thema, in den alten Erzählungen genannt
in 3,33; 4,31.34, hat er in 6,27 eine zusammenfassende und abschließende Form verliehen...das Thema der Erzählungen von dem ewig
lebenden Gott, dessen Herrschaft unaufhörlich ist, soll nach seiner
Auffassung auch im zweiten Teil seines Buches nachdrücklich zur
Geltung kommen".[115] Dieser Erklärung Plögers ist voll zuzustimmen,
und es bleibt nur nochmals darauf hinzuweisen, daß eben in dieser
Neuformulierung des alten Themas von der Herrschaft Jahwes in 6,27
die Bezeichnung "der lebendige Gott" betont vorangestellt wird.
In Übereinstimmung damit hatte in 6,21 der König Daniel als "Diener
des lebendigen Gottes" angeredet und wird in 12,7 die eschatologische Durchsetzung der Gottesherrschaft "beim Leben des Ewigen" beschworen (vgl.o.S.141ff). Die von Plöger ohne besondere Beachtung
der Bezeichnung "der lebendige Gott" vorgetragenen Erklärungen
erlauben es durchaus, den Eid in 12,7 mit "bei der Herrschaft des

---

114) Plöger, Dan, KAT, S.101. Montgomery, Dan, ICC, setzt c.1-6
    geschlossen in das 3.Jh. und nach Babylon (S.90.96). Das mag
    für die zugrunde liegenden Erzählungen zutreffen, die jetzige
    Anordnung und Ausgestaltung von c.1-6 ist aber schwerlich von
    c.7-12 zu trennen. Damit haben die Aussagen, auf die c.1-6 zu-
    laufen, eben ihre besondere Bedeutung für c.7-12. Montgomery
    kann denn auch den Hintergrund von c.1-6 nicht genauer als in
    "the sense of...accute opposition" (S.80) angeben. Bei Bentzen,
    HAT, findet sich keine rechte Antwort auf unsere Frage (vgl.
    die Erwägungen S.55).
115) Plöger, HAT, S.174f.

Ewigen" wiederzugeben, womit die Verankerung von c.12 in dem, das
ganze Buch Daniel durchziehenden Zentralgedanken nochmals deutlich wird.

Neben Plögers Hinweis auf Ps 145,13 ist schließlich noch der
Hinweis auf Jer 10,10 zu stellen, wo wir die Verbindung der Vorstellung vom Königtum Jahwes und der Rede vom lebendigen Gott erstmals angetroffen hatten. Darüber hinaus waren dem Verfasser sicherlich die Goliatgeschichte und die Jesajaerzählungen, wo vom lebendigen Gott als Retter berichtet wird, bekannt. Andererseits ist
Jer 23,36 in zeitlicher Hinsicht nicht allzu weit entfernt (s.o.).
Die Endgestalt des Danielbuches dürfte im Jahr 164v.Chr. oder knapp
davor entstanden sein.[116] Der Verfasser dürfte zur asidäischen Bewegung gehört haben und vielleicht einer der "in Kap.11f gebührend
genannt(en)" eschatologischen Lehrer gewesen sein. "So könnte man
mit der Möglichkeit rechnen, in dem Verfasser des Danielbuches einen dieser Weisen zu vermuten, der einer der asidäischen Gruppen
vorstand und zu ihrer Aufrichtung und Stärkung jenes eschatologische Glaubensbekenntnis vorgetragen hat, mit dem das Danielbuch
abschließt."[117]

Von dieser Erwähnung der Lehrer ist - unabhängig von der Ver-
fasserfrage - noch auf die weiteren, bisher mit dem lebendigen
Gott verbundenen Traditionen einzugehen. Bei Dtn 5,26 war Mose aus-
drücklich die Aufgabe des Übermittlers der Gebote zugewiesen worden.
Damit dürfte zugleich eine spätere Tätigkeit der Auslegung des
Jahwewillens ("deuteronomistische Predigt") legitimiert worden
sein (s.o.). In der Goliatgeschichte war David der Vollbringer der
Rettungstat Jahwes, 1.Sam 17,45ff. In den Jesajaerzählungen war der
Prophet der Mittler zwischen König und Gott, wobei er einmal die
Bitte um Errettung an Gott und einmal die Zusage der Errettung an
den König vermittelt (2.Kön 19,2.20). Im Wirken der "Lehrer der
Gerechtigkeit" (so wird man die Weisen von 11,32f und 12,3, insbesondere in Blick auf 12,3b, bezeichnen dürfen,) geht es nicht um
das Vollbringen der Rettungstat - hierfür ist eher an den Engel
Michael (12,1) und an der "Menschensohn" (c.7) zu denken. Sondern
am ehesten ist die Linie der von prophetischen Vorbildern (besonders
des Nordreiches) beeinflußten dtr Predigttätigkeit aufgenommen,
mit ihrem Anliegen, das Volk in der Verehrung (und das heißt hier
wie dort: in der auschließlichen Verehrung) Jahwes zu halten.

---

116) A.a.O., S.29.
117) A.a.O., S.30.165.171f.

Allerdings ist dieses Volk hier gespalten. Die Bedrängnis von
außen ist so groß, daß der Riß mitten durch das Volk geht, ja selbst
von "den Weisen im Volk", die vielen zur Einsicht verhelfen, kommen welche zu Fall (11,33.35). "Daß...bestimmte Kreise innerhalb
des eschatologisch desinteressierten Teiles von Israel besonders
anfällig waren für den Hellenismus und die damit verbundene Preis-
gabe des Glaubens der Väter, war durchaus dazu angetan, die latente
Spannung innerhalb Israels zu verschärfen. So entspricht dem universalen Dualismus zwischen Gottesmacht und Menschenmacht ein spe-
zieller Dualismus innerhalb Israels, der durch das eschatologische
Bekenntnis markiert ist."[118] Der Anspruch Jahwes, des lebendigen
Gottes, ist damit nicht mehr nur jener als Herr des Landes (Jos 3,10),
der dort, in diesem Land, sein Volk und dessen Repräsentanten aus
der Bedrängnis rettet (1.Sam 14,45; 2.Sam 4,9), der sich aber auch
gegen dessen Ungehorsam wendet (vgl. die SF bei Ez); sondern der
Herrschaftsanspruch des lebendigen Gottes erstreckt sich über die
ganze Erde und jeden Herrscher (6,26f), seine Herrschaft ist ohne
zeitliches (6,27) oder räumliches (6,28, Himmel und Erde) Ende.
Dieser Anspruch führt - wie in begrenzterer Form auch schon früher
- zum Konflikt mit den Mächten der Welt (vgl. c.7ff), aber auch
zum Konflikt innerhalb Israels. In diesem Konflikt bekommen einzelne Menschen eine besondere Bedeutung (11,32ff.12,3). Der lebendige Gott "macht frei und errettet" (6,28) seine "Diener" (6,21).
So wie sein Reich unzerstörbar ist (6,27), so ist auch die Gemeinschaft mit ihm unzerstörbar; sie führt zur Auferweckung der Glieder
seines Volkes, allerdings, je nach ihrem "Bekenntnis" zu Jahwe,
für "die einen zum ewigen Leben, (für) die anderen zur ewigen
Schmach" (12,2). Damit ist hier der lebendige Gott auch in
eschatologischer Dimension "der Gott meines Lebens" (Ps 42,9) und
die Quelle des Lebens (Jer 2,13).

"Es bleibt aber wie ein Stachel zurück, daß das als Zuspruch
und Aufrichtung gedachte Schlußkapitel des Danielbuches mit einer
dualistischen Antwort abschließt...es bleibt...eine Unruhe darüber
zurück, daß nur mit der Verdammung der einen die Begnadigung der
anderen ausgesprochen werden kann. Doch wird man hinzufügen dürfen,
daß ohne diese schmerzliche Konfrontation, stets hervorgegangen
aus der Wurzel eines einst einheitlichen Bekenntnisses, niemals
das Auge geöffnet wird für die Wahrheit der biblischen Botschaft,
daß nur als Gerichteter der Begnadigte gerechtfertigt wird."[119]

118) A.a.O., S117.   119) A.a.O., S.178.

- Und es darf - ohne damit den Stachel abzubrechen oder die Spannung zuzudecken - daran erinnert werden, daß Hosea, der von dieser
bis in das Wesen Jahwes hineinreichenden Spannung erfahren (Hos 11,9)
und das (wenn auch ein anderes) Gericht erlebt hatte, für die Heilszeit von den "Söhnen des lebendigen Gottes" sprechen kann, und ebenso daran, wie auf dem Hintergrund des geschehenen Gerichtes Jahwe,
der אדני , seinen Willen zum Leben bei seiner Lebendigkeit beeidet (Ez 33,11; 18,23).

VIII. Zusammenfassung

Zur Präzisierung der Fragestellung für den religonsgeschichtli-
chen Vergleich fassen wir die bisherigen Ergebnisse kurz zusammen:

Die Untersuchung der vielfältigen Belege für die SF im AT zeigte,
daß es sich um den Verweis und um die Bezugnahme auf Jahwe handelt,
und zwar im Blick auf sein machtvolles Handeln und seine Autorität
einerseits und die von daher bestimmte Relation zu seinem Volk und zu
dessen exponierten Vertretern andrerseits.

Das Wo, Wie und Warum (ziemlich bald reflektiert auch das Wozu)
des mit der SF bekräftigten Handelns Jahwes wurzelt in seiner Zuwendung zum Volk und zum Einzelnen, aber auch in dem daraus resultierenden Anspruch über Volk und Einzelnen, d.h. in Jahwes gnädigem Retterwillen und seinem radikalen Herrschaftsanspruch.

Daraus resultiert andrerseits, daß die Verwendung der SF, und das
heißt die Berufung auf Jahwe, von Kritik, ja sogar völligem Verbot betroffen ist, wo diese Berufung wegen Verzerrung des Gottesbildes, un-
rechtem Tun oder Verehrung anderer Götter dem Wesen Jahwes und seiner
Lebendigkeit und Herrschaft widerspricht und damit illegitim wird.

In der Rede vom "lebendigen Gott" werden die richterlichen,
akklamatorischen und hymnischen Aspekte der SF verbunden zu einer
Gottesbezeichnung, die nicht nur größte Handlungsmächtigkeit anzeigen
will, sondern die auch die 'qualitativen', 'wesensmäßigen' Wurzeln
und Begründungen des Handelns Jahwes in sich schließt.

In der entsprechenden nachexilischen Namengebung wird die Unterstellung des Einzelnen unter die Herrschaft Jahwes, des lebendigen
Gottes, ausgedrückt, wohl nicht ohne den Wunsch, daß sich die Lebendigkeit Jahwes an diesem Menschen und an der ganzen Welt erweise.

Von diesen Aspekten der alttestamentlichen Anschauung vom lebendigen Gott und ihrem entsprechenden 'Sitz im Leben' her ist nun nach
dem Vorhandensein der Rede von der Lebendigkeit einer Gottheit zu
fragen, und zwar methodisch [1] in Verbindung mit der Frage nach Funktion, Kontext und Intention in der jeweiligen Religion und Kultur.

Es geht also um die Frage nach dem richterlichen, akklamatori-
schen und hymnischen Aspekt eines solchen Redens, wozu dann auch die
Namengebung tritt. Zur Relevanz des Vergleichs gehört schließlich die
Frage nach Möglichkeit und Art der Beziehung zur Umwelt bzw. zu Israel.

---

1) Vgl. dazu o.S. 18, bes. A.8

So wie in Israel Gott die Quelle des Lebens ist, so sind in Ägypten die Götter die Quelle, der Ursprung des Lebens. Aber im Konkreten ist die Vorstellung sowohl im Blick auf das Leben Gottes bzw. der Götter als auch im Blick auf das Leben der Menschen eine wesentlich verschiedene.[1]

"Leben" meint in Ägypten "die diesseitige und jenseitige Existenzform, die Gott, König und Mensch, Fauna und Flora in verschieden dosierter Form zu eigen ist. Für die Ägypter keine abstrakte Definition, sondern eine reale Existenz aller Kreaturen, aufgespalten in vielfältige Erscheinungsformen und vielfältige Bedürfnisse. Leben beginnt mit dem Anfang der Schöpfung, die die Bedingungen und Voraussetzungen für ein Dasein auf der Erde schafft: Schöpfergott, kosmische Gegebenheiten, lebensbestimmende und lebenserhaltende Gottheiten sowie die Trägersubstanzen des Lebens: Erde, Licht, Luft, Wasser, Nahrung. Das Symbol des Lebens ist das Anchzeichen, das summarisch alle Lebenserscheinungen und Medien in sich vereinigt, das Leben aber nicht selbst ist. Es ist eine Potenz, die dem Tod gegenübersteht und ihm entgegenwirkt. Die höchste Potenz an Lebensenergie liegt im Wesen der Götter selbst. Sie allein sind in der Lage, das Leben weiterzugeben und zwar in der Form des Anchzeichens.[2] Die Lebensträger übertragen das Leben auf den König, der als Zwischenträger das Leben an die Menschen weitergibt."[3]

1) Als umfassende Darstellung zum Folgenden vgl.: H.Kees, Ägypten, HAW III 1.3.1 (1933); ders. und W.Helck(Hg.): Ägyptologie, HO I 1, mit Beiträgen verschiedener Autoren, (1.Abschnitt 1959; 2.Abschnitt 1970²; 3.Abschnitt 1968); S.Morenz, Ägyptische Religion, RM8 (1960); J.Bergman, Ägyptische Religion, TRE I, S.465-492; R.J.Williams, Ägypten und Israel, TRE I, S.492-505; weiters diverse Artikel in H.Bonnet,Reallexikon der Ägyptischen Religionsgeschichte (RÄRG,1952); W.Helck(Hg.), Lexikon der Ägyptologie (LÄ, 1975ff).

2) Vgl. dazu die häufige Darstellung der Götter mit dem Anch-Zeichen in der Hand (z.B. ANEP Nr.549,550(?),551,558) und die Überreichung des Anch-Zeichens an den König (z.B. ANEP Nr.408, 409,569,572). Siehe auch Ph.Derchain, Anchzeichen, LÄ I, Sp.268f.

3) R.Schlichting, Leben, LÄ III, Sp.949.

Es ist bezeichnend, welche der Götter zu den spezifisch lebens-
bestimmenden zählen.[4] Diese reichen von Chnum, der die Menschen
auf der Töpferscheibe formt, also bei Zeugung und Geburt zuständig
ist,[5] über Schu, der als (in Ägypten!) erfrischender Nordwind
"die Nasen belebt", bis hin zu jenen Göttern, die das Schicksal,
primär im Sinne der Lebensdauer, d.h. also den Tod bestimmen.[6]
Insbesondere aber ist die Maat jene Kraft, die alles Leben bestimmt,
gewissermaßen die Voraussetzung des Lebens, sowohl des individuellen als des Staates und der ganzen Welt ist, sodaß sie das Beiwort
die "Lebende"[7] trägt.

Die Idealgestalt der Lebensvorstellung und damit dessen, was
die Maat ist, findet ihre Widerspiegelung in der Anthropologie:
"Bestimmte Zustände im Leben nennt der Ägypter "Tod" und aus ihnen
läßt sich Wichtiges über die Wesensbestimmung des Menschen erkennen... Zum Wesen des Menschen gehört also "Lebendigkeit" und das
heißt Eingebettetsein in eine gesellschaftliche Umgebung von Familie, Dorfgemeinschaft, in eine bürokratische Hierarchie, in die
Heimat Ägypten usw."[8] Hier findet sich manche Ähnlichkeit zur alttestamentlichen Anthropologie, insbesondere in der Bedeutung der
menschlichen Beziehungen und der Heimat; zur Einbettung in die Hierarchie und den daraus resultierenden Konsequenzen besteht aber
doch ein gewaltiger Unterschied, sowohl soziologisch (z.B. der von
Jahwe jeder israelitischen Familie zugeteilte Erbbesitz, der hie-
rarchischen Staatsansprüchen entgegensteht) als auch religiös (die
Gottesgemeinschaft ist nicht vom König, in dieser weitreichenden
Form auch nie von einer (Staats-)priesterschaft, abhängig gewesen).
Neben aller Einzelausprägung liegt der wesentliche Unterschied in
der bewußt gesuchten Statik und Konstanz. Die Maat ist die den
Kosmos vor dem Chaos bewahrende Kraft. Dadurch, daß jeder an seiner

4)   Vgl. a.a.O., Sp.950f.
5)   Dabei geht Chnum "sogar in den Leib der werdenden Mutter, um
     die Gestalt des Kindes wohlgelingen zu lassen, oder gibt die
     Töpferscheibe in die Gebärmutter"; Brunner, Anthropologie,
     religiöse, LÄ I, Sp.303; vgl. Morenz, Religion, S.192-194 aus
     dessen Darstellung die verschiedenen Ebenen zwischen Mythos
     und "Realität" deutlich werden, die dem Ägypter zum Ausdruck
     religiöser und existentieller Erfahrung zur Verfügung stehen.
6)   Morenz, Religion, S.194f und 76f.
7)   Schlichting, Leben, LÄ III, Sp.951.
8)   Brunner, Anthropologie, LÄ I, Sp.308.

Stelle die Maat tut, wird das Leben gesichert.[9] Die Welt ist daher nur dann in Ordnung, das Leben nur dann gewährleistet, wenn alles so ist, wie es seit jeher, seit der Urzeit, war. "Dadurch wird aber auch die ägyptische Geschichtsschreibung beeinflußt, denn nur das, was der Maat entspricht, kann durch Aufzeichnen "bestehen" bleiben, und was aufgezeichnet wird, muß den Vorschriften der Maat entsprechen. Dabei werden nicht nur das Bild des Königs, sondern sogar die Einzelereignisse umgeformt gegenüber den realen Vorgängen, ja es werden aus dem Zwang der Maat-gerechten Schilderung heraus nie geschehene Ereignisse geschaffen."[10] Auch hier ist der gewaltige Gegensatz deutlich, der sich in der Beschreibung des Lebens und der Taten der "großen Männer" Israels, von den Erzvätern und den Richtern bis hin zu Mose und David, zeigt. Die Konstanz der Maat, daß sie von Anfang an vollendet war, zeigt sich auch daran, daß sogar die Gaueinteilung Ägyptens von der Schöpfung herkommt.[11] Hier zeigt sich wiederum der gewaltige Unterschied zum Glauben Israels, für den es konstitutiv ist, daß es früher eben gerade nicht so war wie jetzt.[12]

Dieses Verständnis wird noch einmal bestätigt durch die Einrichtung des Lebenshauses, einem Gebäude und einer Institution, wo "wissenschaftliche und religiöse Werke der alten Ägypter verfaßt,

---

9) "Diese Regeln der Maat, festgelegt in den Lehren und Aussprüchen der Könige und Weisen bilden die 'Heile Welt', die Götter wie Menschen gemeinsam gegen das Chaos verteidigen. Dies geschieht dadurch, daß man 'die Maat tut'." Helck, Maat, LÄ III, Sp.1115.

10) A.a.O., Sp.1116f.

11) "Die Schöpfungsberichte erwähnen gelegentlich die 'Städte' und 'Gaue'...oft wird berichtet, daß der Schöpfergott das Königtum eingerichtet hat... Da aber 'König' unseren Begriff 'Staat' umschließt, wird die gesamte Staatsverwaltung und -gliederung aus der göttlichen Sphäre abgeleitet." Brunner, Anthropologie, LÄ I, Sp.309.

12) Dem widerspricht nicht, daß der Religionshistoriker manche Veränderungen der Vorstellung aufzeigen kann. Der Gesichtspunkt des Ägypters ergab eine statische Kontinuität: "Der Ägypter hat sich diese einmal gefundene 'Ordnung' nur statisch vorstellen können; sie war von Anfang an 'vollendet', wie im Namen Nefermaat...eines Prinzen am Ende der 3.Dyn. ausgedrückt." Helck, Maat, LÄ III, Sp.1111.

kopiert und aufbewahrt wurden und wo durch ein eigenes Ritual für
die Erhaltung des Lebens in der Welt gesorgt wurde."[13] Das Lebenshaus mit dem dort geschaffenen und tradierten Schrifttum praktisch
aller Lebensbereiche (z.B. von Geographie über Medizin bis zu
theolog.Schriften und Ritualtexten) war "dem Zweck untergeordnet,
die gesamte Schöpfung zu erhalten, und in diesem Sinn war es ein
wirkliches 'Haus des Lebens'."[14]

Im Rahmen dieser Existenzvoraussetzungen für Ägypten und den
Ägypter, und damit auch als Vermittler des zunächst den Göttern
eignenden Lebens, hat konsequenterweise der König eine Schlüssel-
stellung inne. Die Götter "übertragen das Leben auf den König, der
als Zwischenträger das Leben an die Menschen weitergibt."[15] Der
Zustand des Lebens jedoch war bedroht. Diese Bedrohung konnte eintreten durch Beeinträchtigung der für das Leben des Ägypters so gewichtigen Lebensbeziehungen, in denen er stand, also etwa durch
Leben in der Fremde. Die häufigere Gefährdung aber war wohl Krankheit und schließlich, und für jeden unübersehbar, die Grenze des
physischen Todes. Die vielen freundlich klingenden Umschreibungen,
z.B. "das schöne Geschick", oder die Bezeichnung des Sarges als
"Herr des Lebens" sind für den dem Leben verbundenen Ägypter nur
"Euphemismen, die als solche gerade umgekehrt die Scheu vor dem
nomen ipsum des Todes bekunden."[16] Aus dieser Konfrontation mit
dem Tod entsteht für den Ägypter das Bemühen um Überwindung des
Todes und Sicherung der weiteren Existenz. "Die Einsicht in die Un-
ausweichlichkeit des Todes...einerseits und der Drang, das geliebte
Leben über den Tod hinaus in ein wie immer auch geartetes Jenseits
hinüberretten zu wollen, führten zur Wertung des Todes als eines
Übergangsstadiums, mit anderen Worten: der Tod wurde zur Voraussetzung für (erneutes) Leben erklärt: Stirb und werde!"[17] Daraus
resultieren die bekannten und hier nicht weiter zu behandelnden
Vorkehrungen der Ägypter "um zu leben nach dem Tod im schönen
Westen".[18]

Nach dieser Gegenprobe zur Lebensvorstellung im Bereich der
Menschen kehren wir nun zur Frage nach dem Leben im Bereich der

---

13) Weber, Lebenshaus, LÄ III, Sp.954.
14) A.a.O., Sp.956.
15) Vgl., A.3.
16) Morenz, Religion, S.200; vgl., S.194-208 passim.
17) Westendorf, Leben und Tod, LÄ III, Sp.951f.
18) A.a.O., Sp.952.

Götter zurück, an dessen Rand wir mit dem Blick auf den Pharao bereits getreten waren. Die Götter Ägyptens werden immer wieder durch das Attribut des Anch-Zeichens als "Lebendige", d.h. Leben besitzende und Leben weiter gebende, dargestellt. Die Lebendigkeit äußert sich in den von der Gottheit ausgehenden Befehlen, wobei die Wesen, die der Gottheit dienen und so handeln "wie sie es befahl", nicht nur Menschen sind, sondern auch (untergebene) Götter in ihrem Wirkungsbereich. Im nicht-mythischen Bereich sind die Gebote der Gottheit fast völlig auf den staatlichen und sakralen Bereich beschränkt.[19] Im Blick auf den Einzelnen wird vor allem von Leitung, daneben auch von Belehrung, gesprochen[20] (wobei dem Letzteren die menschliche Bereitschaft zur Belehrung korrespondiert). In der Reaktion des Menschen findet sich dann häufig das Bekenntnis zum "Lebendigen" (Gott), z.B. die Skarabäeninschrift "Mein Glück ist im Tempel des Lebendigen"[21] Allerdings wird, soweit mir bekannt ist, in der Literatur kaum beachtet, daß es nicht dasselbe ist, ob eine Gottheit als "Geber des Lebens", "Herr des Lebens" usw., oder direkt als "lebendig" bezeichnet wird. Die Übersetzungen mit "lebendig" oder "der Lebendige" dürften vielfach auf eine Mißachtung dieses Unterschiedes zurückgehen (wie sich weiter unten der Eid einer Gottheit bei ihrem Leben nicht als so eindeutig erweisen wird). Barth, Die Errettung vom Tode, S.40, behauptet "auch bei den Ägyptern...heißt Gott nie 'lebendig', obwohl die Voraussetzungen dazu gegeben wären".

Der Verweis auf das Leben der Götter findet sich nun häufig in den Schwurformeln bzw. allgemeiner im ägyptischen Eid.[22] Der Eid ist dabei zu verstehen "as a solemn appeal to divine authority, a god, gods, or the pharaoh who was himself a god."[23] Nach dem Inhalt lassen sich die Eide in assertorische und promissorische einteilen, wobei allerdings die Übergänge fließend sind.[24] Nach ihrem

---

19) Morenz, Religion, S.63-66.
20) A.a.O., S.66f.
21) Brunner, Ägyptische Texte, RTAT, S.68, Nr.6.
22) Vgl. dazu Bonnet, Eid, RÄRG, S.164. Kaplony, Eid, LÄ I, Sp. 1188-1200. Viele Belege sammelte Wilson, The Oath in Ancient Egypt, JNES 7 (1948) S.129-156. Einige Ergänzungen und den Vergleich mit Gen 42,15f bietet Vergote, Joseph en Egypte, S.162-167.
23) Wilson, Oath, S.129.
24) A.a.O., S.129f.

'Sitz im Leben' kann man unterscheiden zwischen Eiden des Rechtslebens bzw. der Rechtspraxis, "having to do with law or with ad-
ministration of law and justice"[25] und solchen, die eher emotio-
nale Ausrufe oder Anrufungen darstellen, wie etwa die Beteuerung
der Treue gegenüber dem Pharao oder der Ruf zum Gott um Hilfe in
der Bedrängnis einer Schlacht.[26] In den Eidesformeln gibt es zwei
große Gruppen. Die eine ist formuliert mit "so wahr...lebt", die
andere mit "so wahr...dauert", wobei vor allem auf die Götter Amun
und Re und auf den Pharao verwiesen wird. Diesen beiden Formulierungen entspricht teilweise die Unterscheidung zwischen dem "Oath of
the Lord,...the royal oath, uttered in the name of the reigning
pharao, and...particularly employed for legal purposes" und dem
"Oath of the God".[27] Der Gotteseid nennt dabei den Gott, während
der Herren- bzw. Königseid Gott und den Pharao nennt. Dabei ver-
schob sich offensichtlich im Lauf der Zeit das Schwergewicht vom
König zur Gottheit. Diese Einteilung gilt vor allem für die Zeit
des Neuen Reiches, aus der die meisten Belege vorhanden sind. Die
Belege aus dem Mittleren und Alten Reich sind spärlicher und daher
für Schematisierungen noch weniger geeignet,[28] sie zeigen aber das
Vorhandensein und den Gebrauch von Eiden und Schwurformeln von der
frühen bis in die spätere Zeit und auch eine weitreichende Konstanz
der Begrifflichkeit und der Vorstellungen. Dabei ist anscheinend
die Formulierung mit "So wahr...lebt" älter und war andererseits
länger in Gebrauch als jene mit "So wahr...dauert".[29] Geschworen
wird bei Göttern und bei dem im Blick auf sein Amt zu den Göttern
zu rechnenden Pharao.[30] Die Götter ihrerseits schwören bei höher-
stehenden Göttern. "Götter leisten immer den Gotteseid. Isis schwört
bei Neith und Ptah-Tatenen, Sachmet spricht Re direkt an: 'So wahr
du mir lebst'. Re sagt: 'So wahr ich mir lebe'. Im Unterschied zu

---

25) A.a.O., S.130.

26) Vgl. ebd.

27) A.a.O., S.153.

28) A.a.O., S.152.154. Die Ergebnisse Wilsons sind weithin von
    Kaplony, Eid, LÄ I, Sp1188-1200 übernommen.

29) "...gives the visible conclusion that the formula with ⟨nh,
    'As lives...', was older and continued longer...", Wilson,
    Oath, S.151.

30) Gelegentliche Nennung lokaler Machthaber fällt in Zeiten
    schwacher Zentralgewalt, in der jene sich dem Pharao gleich-
    stellten.

Privatleuten, Königen (und Göttern minderen Ranges) ist Re legitimiert , bei sich selbst zu schwören."[31]

Grammatikalisch gehört die Schwurformel im Ägyptischen zu den
"virtual adverb clause", das sind scheinbar selbständige Sätze
(verbale und nicht-verbale), die jedoch in einem bestimmten Verhältnis der Zu- oder Unterordnung stehen, dessen Näherbestimmung der
Ägypter offensichtlich seinem Zuhörer überließ. Es ist sicherlich
anzunehmen, daß der Ägypter um die Unterschiede wußte, andererseits
besteht die Gefahr "of imputing to the Egyptian writers distinctions
which are, in fact, due only to the analysis of our..translation."[32]
Die Schwurformel ist nun eine 'virtual clause of asseveration',[33]
also ein bekräftigender Nebensatz. Sie ist geschrieben mit dem
Anch-Zeichen, und die gebräuchliche Form zur Zeit der 18. und 19.
Dynastie wäre zu übersetzen "as Re lives for me and loves me, and
as my father Amun praises me."[34] Schließlich ist interessant, daß
das Anch-Zeichen, das hier zunächst die verbale Bedeutung "leben"
hat, als Nomen mit der Bedeutung "Eid" begegnet und dann, offensichtlich nochmals einen Schritt weiter in der Bedeutungsentwicklung,
sogar als Verbum in der Bedeutung "schwören".[35] Andererseits ist
dasselbe Anch-Zeichen, das in der Schwurformel verbal zu verstehen
ist, anderwärts, sowohl in Texten, als besonders eindeutig in den
oben erwähnten Darstellungen von der Übergabe des Lebens (vgl.A.2),
als Nomen zu verstehen. Dies bekräftigt die Warnung davor, die
Ägypter auf unsere grammatikalischen Kategorien festzulegen.[36]

---

31) Kaplony, Eid, LÄ I, Sp.1189. Kaplony übergeht die Schwierigkeiten, die der Eid des Gottes Re bei sich selbst darstellt.
Wilson, von dem er den Beleg übernimmt, setzt ihn nur in die
Anmerkungen, weil er "too uncertain for listing" ist (Oath,
S.135, A.37). So weit ich sehe, wäre es auch möglich zu übersetzen: "Dann sagte...Re: Ich schwöre, mein Herz ist jetzt
mehr beschwert als..." Das Wort Anch gewann im Lauf der Zeit
auch die Bedeutung "schwören", was an anderer Stelle das Problem, daß eine Hofbeamtin bei sich selber schwört, lösen würde.
Vgl. unten, A.42.43.44.45. Jedenfalls ist der einzige Beleg
auch schon rein textlich unsicher (Wilson, a.a.O.).

32) Zum Ganzen siehe Gardiner, Egyptian Grammar, §211. Zitate ebd.

33) A.a.O., §218.

34) Ebd.; Gardiner zitiert hierbei offensichtlich den Eid eines
Pharaos.   35) Ebd.

36) Bei aller Beachtung der Unterschiede - aber auch Ähnlichkeiten -

306

Nun gibt es bei den ägyptischen Schwurformeln Gegenstücke zu den meisten der im AT vorfindlichen Formulierungen.[37] Es gibt den Eid bei der Gottheit, "so wahr Ptah lebt" (Wilson, Nr.5; 19.Dyn.), "so wahr Izezi lebt" (Wilson, Nr.63; Altes Reich), entsprechend der im AT vorherrschenden Form יהוה חי(mit den Nebenformen אל חי und חי האלהים). Besonders häufig ist im Ägyptischen der Herreneid, in dem der Pharao (als der "Herr" des Landes) neben den Gott tritt, z.B. "So wahr Amun dauert und so wahr der König dauert".[38] Im AT fanden wir dieses Nebeneinander im Blick auf den König (David) und im Blick auf den Propheten (Elija/Elischa), allerdings relativ selten und nur in der direkten Anrede, die hier wie dort Zeichen der Vertrautheit ist.[39] Daß man den König - außer in der direkten Begegnung mit ihm (also in der Hofsprache) - im Eid nicht neben Jahwe rückt, ist allerdings ein beachtenswerter Unterschied. Diese im AT seltene Anrede in der 2.Person ist im Hebräischen mit "deine näfäš" umschrieben, was in ganz erstaunlicher Weise der ägyptischen Formulierung "so wahr dein Ka lebt" entspricht (Wilson, Nr.18 und 24), wobei zudem in beiden Belegen vom Ka des Königs gesprochen wird. Zwar schwört etwa auch Ramses II. beim Ka seines Vaters (des Gottes) Amun (Wilson, Nr.25), doch sind bei Nr. 18 und 24 gefangene Prinzen aus Syrien-Palästina die Sprecher[40], sodaß hier entweder die ägyptischen Schreiber vielleicht einen semitischen Ausdruck wiederzugeben versuchen, oder - wahrscheinlicher - die Prinzen ägyptische Ausdrucksweise übernehmen. Ka als der wirkende Aspekt am Menschen[41]

---

zum Hebräischen ergibt sich daraus eine Einschränkung der von Greenberg, The Hebrew Oath particle, so vehement vorgetragenen Alternative verbal-nominal. Mit dieser Alternative steht er selber auf dem Boden des von ihm bekämpften "European usage" (S.39).

37) Vgl. Vergote, Joseph en Egypte, S.165-167. Nummern nach Wilson, a.a.O.

38) Wilson, Oath, betont, daß zwischen den Formeln mit "leben" und jenen mit "dauern" praktisch kein Unterschied gemacht werden kann (S.152); Wilson führt 20 Belege für diese Formulierungen an (S.151).

39) Kaplony, Eid, LÄ I, Sp.1189: "Der Eid-Anruf in der 2.Person ist ein Zeichen der Intimität." - Sofern der Begriff "Intimität" hier wirklich zutrifft, wäre für das Hebräische mehr der Akzent auf "Wertschätzung" zu legen.

40) Wilson, Oath, S.133f.

entspricht recht gut der Bedeutung von näfäš in den Schwurformeln
des AT.

Ob es ein Gegenstück zum Eid Jahwes bei sich selbst gibt, wie
wir es im AT von Ezechiel an kennen, muß offen bleiben. Wilson
zitiert nur einen Beleg wo Re bei sich selber schwört; allerdings
hält er den Text für zu unsicher, um ihn in seine Listen aufzunehmen, während Vergote und besonders Kaplony Wilsons Beleg zitieren,
ohne auf die Unsicherheit hinzuweisen.[42] Daneben gibt es Belege
in denen anscheinend ein König (Wilson Nr.26) und eine Finanzbe-
amtin ("treasury official", Wilson Nr.14) bei ihrem eigenen Leben
schwören, was besonders im letzteren Fall sehr merkwürdig ist.
Allerdings kann der Ausdruck grammatikalisch anders genausogut erklärt werden,[43] bzw. ist hier zu beachten, daß das Anch-Zeichen
nicht nur "leben" sondern dann auch "schwören" bedeutet, womit ebensogut übersetzt werden kann "ich schwöre, daß..."[44]. Wilson Nr.26,
hieße dann nicht "As I live, as Re loves me, as my noistrils are
rejuvenated with life, this is more grievous.." sondern: "Ich schwöre: So wahr mich Re liebt, und meine Nase erfrischt wird mit Leben,
das ist schlimmer...". Zugleich würde damit die merkwürdige Ver-
doppelung der Erwähnung der eigenen Person entfallen und die Gottheit, wie im Herreneid üblich, vor dem Pharao erwähnt. Dasselbe
gilt für Wilson Nr.65 und 69. Bei Wilson Nr.14 entfiele die Besonderheit, daß eine Beamtin bei sich selber schwört. Ein Gegenstück
zur ezechielischen Formulierung scheint es also in Ägypten nicht
gegeben zu haben.[45]

Der Eid Josefs beim Leben des Pharao (Gen 42,15f) ist vielfach

41) Vgl. Bonnet, Ka, RÄRG, S.357-362 und Kaplony, Ka, LÄ III,
    Sp.275-282. Beide Artikel zeigen die Vielfalt der Bedeutungs-
    nuancen dieses Begriffs und die besondere Anwendung im Blick
    auf den König.
42) Wilson, Oath, S.135, A.37; Vergote, Joseph, S.164 (A.2 erwähnt
    immerhin die grammatischen Fragen); Kaplony, Eid, LÄ I, Sp.1189.
43) Gardiner, Egyptian Grammar, §218, S.165.
44) Wilson, Oath, S.132 bei Nr.6.
45) Selbst wenn jener fragliche Beleg zuträfe, ist die Formulierung
    bei Ezechiel aus der ihm vorliegenden prophetischen Tradition
    und aus der Eigenart seiner Botschaft (s.o.S.162f)
    voll verständlich. Man müßte annehmen, daß der Schwur des ein-
    zigen bzw. des höchsten Gottes eo ipso zu einer ähnlichen
    Formulierung führt.

diskutiert, besonders Vergote hat sich bemüht, ihn mit den ägyptischen
Belegen in Verbindung zu bringen. Man wird Vergote weithin zustimmen können, auch wenn man ihm nicht in seiner Datierung der Josefsgeschichte folgt. Jedenfalls ist es aber zuviel des Guten, wenn
Vergote Gen 42,15f geradezu als fehlendes Glied in die lückenhafte
Kette der ägyptischen Belege einordnet.[46)]

Schließlich ist, um dem religionsgeschichtlichen Vergleich eine
Basis zu geben, die Möglichkeit der Kontaktnahme und der Beeinflussung kurz zu erörtern.[47)] Zwischen Ägypten und Israel gibt es 3
Phasen intensiveren Kontaktes. Zunächst die Zeit des mittleren und
ausgehenden 2.Jt.,[48)] also die Zeit von "Israel in Ägypten" und die
Zeit der (schwächer werdenden) Vorherrschaft Ägyptens über Palästina, wie sie die Amarnakorrespondenz bezeugt. Zum bisher Bekannten
treten neuerdings Hinweise auf Beziehungen zwischen Ägypten und den
Nomaden am Sinai.[49)] Die nächste Phase ist die frühe Königszeit in
Israel, wo vor allem unter Salomo, neben intensiven persönlichen
und politischen Beziehungen, starke Anleihen im Blick auf Königsideologie und Verwaltungsorganisation gemacht wurden.[50)] Die letzte
Phase intensiverer Beziehungen in der für uns interessanten Zeit
dürfte die Zeit Hiskijas gewesen sein, was neben manchen Worten Jesajas (30,1-5; 31,1-3) auch die Tatsache zeigt, daß die Gewichts-
und Längenmaße mit den ägyptischen abgestimmt wurden.[51)] Angesichts
der Fülle der in der Forschung aufgewiesenen Beziehungen zwischen
Ägypten und Israel bzw. dem AT, die eine weite "Stufenleiter von
zentralen religionsgeschichtlichen Werten bis hinunter zu bloß
kulturhistorischer Beiläufigkeit" umfassen, muß dennoch festgestellt
werden, daß sich "leider der Grad der Erfaßbarkeit ägyptischer Einwirkung als der religionsgeschichtlichen Bedeutung der Fakten indirekt proportional" erweist.[52)]

---

46) Vergote, Joseph, S.167.

47) Vgl. dazu Morenz, Ägyptische Religion, XI. Wirkungen von außen
und nach außen, S.244-273; Williams, Ägypten II, Ägypten und
Israel, TRE I, S.492-505.

48) Vgl. Helck, Die Beziehungen Ägyptens zu Vorderasien im 3. und
2.Jt. v. Chr.

49) Vgl. Rothenberg, Timna, passim und ders. (Hg.), Sinai, passim.

50) Vgl. Williams, a.a.O., S.494.501.

51) A.a.O., S.495.501. Vgl. ders., A people come out of Egypt,
VTS XXVIII, S.252.

52) Morenz, Religion, S.268.

Welche Zusammenhänge erweisen sich nun für unser Thema als wahrscheinlich und relevant?

1.) Sehr wahrscheinlich dürfte das Nebeneinander von Gott und König in den Schwurformeln auf ägyptischen Einfluß, insbesondere der Königsideologie (Vergöttlichung des Herrschers im Blick auf sein Amt) und des Herreneides zurückgehen. In Zusammenhang damit stehen jene Belege, in denen in der direkten, eidlichen Anrede nur der König (1.Sam 17,55, Saul; 2.Sam 14,19, David) bzw. der Priester (1.Sam 1,26) genannt wird.[53)54)]

2.) In den Elija- und Elischageschichten, wo der Konflikt mit dem von Jahwe abgefallenen König im Hintergrund steht, tritt der jahwetreue und Jahwe repräsentierende Prophet an die Stelle des Königs. Diese Entwicklung ist rein inneralttestamentlich voll verständlich, wirft aber doch ein interessantes Licht auf die Bedeutung dieser Formulierungen und die Herausforderung, die das Königtum und die Königsideologie für den Jahweglauben bedeuteten.

3.) Die starken Beziehungen zwischen Israel und Ägypten zur Zeit Hiskijas lassen vermuten, daß die prosalomonische Redaktion von 1.Kön 1f ebenfalls in diese Zeit fällt. Immerhin sammelten, und das bedeutete wohl auch: bearbeiteten die "Männer Hiskijas" (Spr. 25,1) ältere Literatur, wobei sie wohl auch die alten Erzählungen um das Königtum kannten. Zugleich bemühte sich Hiskija anscheinend, dem großen Salomo nachzueifern (2.Chr 30,26).[55)] Die prosalomonische Redaktion wäre dann so etwas wie die Maat-gerechte, d.h. der Königsideologie entsprechende Schilderung des großen Königs der Vergangenheit.

4.) Gegenstücke zu der vor allem bei Ezechiel belegten Schwurformel in der 1.Person sind in Ägypten nicht eindeutig nachzuweisen. Aber auch bei deren Vorhandensein ist kein Einfluß anzunehmen und Ezechiel aus seinen eigenen Voraussetzungen voll verständlich.

5.) Die bedeutendste Frage ist zugleich die am schwersten erfaßbare, nämlich wieweit die grundlegende Form der Schwurformel,

---

53) In ägyptischen Eiden wurde gelegentlich auch der Hauptpriester neben Gott (und Pharao) genannt, womit dieser vergleichbare Autorität beanspruchte; z.B. Wilson Nr.113.

54) Es gibt auch im Ägyptischen den Eid der Treue und Loyalität, durch den König und Untertan aneinander gebunden sind und der ohne Gottesanrufung formuliert ist; Kaplony, Eid, LÄ III, Sp.1192.

55) Williams, A people come out of Egypt, VTS XXIII, S.252.

nämlich יהוה יֽחַ, von ägyptischen Vorbildern abhängig oder beeinflußt ist.

a.) Die äußere Voraussetzung für solche Beeinflussungen ist
durchaus gegeben. Ab der 12. Dynastie (1991-1786) übt Ägypten "ein
gewisses Maß an Kontrolle über das ökonomische und vielleicht auch
das politische Leben Syriens und Palästinas" aus.[56] Weiters sind
uns die Wanderungen semitischer Nomaden zwischen Ägypten und Palästina bezeugt. Die Ächtungstexte der 12. Dynastie beweisen ebenso
wie die Feldzüge Thutmosis III. (1482 Schlacht von Megiddo) und
schließlich die Hilferufe kanaanäischer Fürsten in der Amarnakorrespondenz die intensiven und dauerhaften Beziehungen. Die Beziehungen
gingen mit Wanderungen und Umsiedlungen kleinerer und größerer
Gruppen Hand in Hand.[57] Neuere archäologische Forschungen am Sinai
zeigen, daß besonders durch die ägyptischen Bergbauaktivitäten
auch in diesem Gebiet intensive Kontakte zu den dortigen semitischen
Völkerschaften bestanden, die bis zu gemeinsamer Kultausübung reich-
ten.[58][59] Viele der uns erhaltenen Belege für den Eid in Ägypten

---

56) Williams, Ägypten und Israel, TRE I, S.492.

57) A.a.O., S.492-494.

58) Sowohl in Serabit el khadim im Westen des Sinai als auch in
    Timna, nahe Eilat, ist eine den Ägyptern und ihren semitischen
    'Partnern' gemeinsame Religionsausübung und ein gewisser Syn-
    kretismus belegt: "Unter den Funden war auch die Skulptur
    einer weiblichen Sphinx, die neben der hieroglyphischen Be-
    zeichnung der Hathor auch eine Weihinschrift in protosinaiti-
    scher Schrift trug, in der der Name 'Baʿalath', wohl der se-
    mitische Name der Göttin Hathor, erwähnt ist. Dieser Fund zeigt
    eindeutig, daß die Ägypter und die semitischen Bergleute im
    Tempel von Serabit el Khadim zusammen Kulthandlungen vornahmen
    - eine Situation, die uns auch vom ägyptisch-midianitischen
    Bergbautempel in Timna bekannt ist -, und es darf darum ange-
    nommen werden, daß schon im mittleren Reich die semitischen
    Bergleute freie Arbeiter und keine Gefangenen oder Sklaven
    waren." Rothenberg, Sinai, S.162.

59) In Timna haben Midianiter nach dem Abzug der Ägypter (ca. 1200)
    das Heiligtum der Staatsgöttin Hathor übernommen und adaptiert.
    Rothenberg, Timna, S.139-165; bes. S.163f und 195-199.
    Allerdings möchte ich die Ergebnisse Rothenbergs nicht überbe-
    werten. Die protosinaitische Schrift ist noch nicht allzu
    sicher entziffert, und die tiefgreifende Umgestaltung des er-

stammen aus der Arbeitersiedlung Deir el Medineh,[60] und es ist anzunehmen, daß die verschiedenen Rechtsfälle in den Arbeitersiedlun-
gen am Sinai in ganz ähnlicher Weise gehandhabt wurden. Diese Eide
nannten dann den Pharao und die ägyptischen Götter, in Angelegenheiten mit semitischen Partnern sicherlich auch deren Götter (was
durch die offensichtlich manchmal weit fortgeschrittene interpreta-
tio ägyptiaca erleichtert wurde).[61] Somit ist nicht nur in Palästina-Syrien die Kenntnis ägyptischer rechtlicher Gepflogenheiten anzunehmen, sondern auch im Großraum des Sinai. Dabei lag vermutlich
in Palästina-Syrien das Gewicht stärker auf der Königsideologie,[62]
während am Sinai durch die dortige Form der Kontakte das Rechtsleben in den Vordergrund trat und die Erfahrungen auch der semitischen
Bevölkerungsteile bestimmte. Dem Semiten wie auch dem ägyptischen
Arbeiter begegnete die Vorstellung der Lebendigkeit der Götter und
des Pharao vermutlich primär in den Eiden des Rechtslebens (im
weitesten Sinn; vgl. den Streik der Arbeiter, Wilson, Oath, Nr.89).

   b.) Von der Seite des AT hatte sich eine besonders enge Verbindung der Schwurformel mit jenen Traditionen gezeigt, die in den
Süden von Palästina weisen, nämlich Exodus- und Sinaitradition. Die
traditionsgeschichtlich älteren Belege von 1. und 2.Sam bis hin zu
Ezechiel waren immer wieder verbunden mit Hinweisen auf Erfahrungen
der Rettung, wie sie mit dem Exodus begonnen hatten, einerseits, und
auf Verpflichtungen zum Leben nach dem Willen Jahwes, wie sie am
Sinai verankert waren, andererseits. Zur historischen Bewertung
und zur Verbindung von Exodus und Sinai braucht dazu nur an die, bereits verschiedentlich erwähnte, Bedeutung des Aufenthaltes in Kadesch erinnert zu werden, die in der neueren Literatur wieder sehr
hoch eingeschätzt wird.[63] Etwas pointiert könnte gesagt werden:

---

wähnten Heiligtums offenbart neben der Kontinuität auch Differenzen.

60) Kaplony, Eid, LÄ III, Sp.1188.

61) Zur Offenheit der Ägypter für die Integration fremdländischer
     Götter vgl. Morenz, Religion, S.247-249.

62) Die Beziehungen zu Syrien-Palästina spielten sich hauptsäch-
     lich über die Stadtfürsten ab, die dem Pharao verantwortlich
     waren: "Die juristische Verknüpfung mit Ägypten scheint in der
     Weise vorgenommen worden zu sein, daß von dem Stadtfürsten ein
     besonderer Eid geschworen werden mußte, der anscheinend auch
     in der ägyptischen Verwaltung verwendet wurde", Helck, Be-
     ziehungen, S.256.

312

Die beiden Belege für ein mit einem Eid bekräftigtes Urteil in
Num 14 sind zwar literarisch jung, stehen aber der Sache nach am
richtigen Ort. Schließlich kann - mit der gebührenden Vorsicht[64] -
daran erinnert werden, daß nach biblischem Bericht ein nicht unwich-
tiger Aspekt der israelitischen Rechtspflege auf den Rat von Moses
Schwiegervater, den Midianitischen Priester Jitro zurückgeht. - Und
die Midianiter hatten in Timna ein ägyptisches Heiligtum adap-
tiert.[65] Somit läßt sich sagen, daß jene Israeliten, die im tiefen
Süden Palästinas jene Erfahrungen machten, die für ihren Glauben
und ihre spätere Geschichte konstitutiv wurden, ebendort auch Gelegenheit hatten, Formen der Rechtspflege kennenzulernen, die von
ägyptischen Vorbildern beeinflußt waren. Zu diesen Vorbildern
müßten auch Eide beim Leben der Götter gehört haben.

c.) Neben diesen positiven äußeren Voraussetzungen stehen allerdings beträchtliche inhaltliche Unterschiede bzw. Umprägungen. Die
wichtigste ist die Bezugnahme auf Jahwe und auf diesen allein. Die
Autorität des Pharao und der hinter ihm stehenden Götter ist ersetzt
durch die Autorität Jahwes. Der Einzelne ist nicht eingebettet in
den umfassenden Organismus des ägyptischen Staates und verpflichtet
auf den Pharao, der alles verkörpert, sondern der Israelit ist verpflichtet auf Jahwes Willen zu das Leben fördernder Gerechtigkeit
und eingebettet in die von Jahwes Taten bestimmte Geschichte.

Gattungsgeschichtlich gibt es ebenfalls einen bezeichnenden
Unterschied. Zwar gibt es in Israel wie in Ägypten ein breites
Spektrum in der Verwendung der Eide, von der strengen Situation
des Rechtslebens bis hin zu stärker emotionalen Ausrufen der Loyalitätserklärung und Anrufung um Hilfe. In Israel fehlt aber die Verwendung der Schwurformel als assertorischer Eid. Hier ist sie vielmehr immer zur Bekräftigung eines Urteils, genauer gesagt einer Tatfolgebestimmung, oder im weiteren Sinn einer Handlungsabsicht, verwendet. Dieser Unterschied dürfte begründet sein in einer verschiedenen Erscheinungsform des Rechtslebens. Das ägyptische Recht ist
kodifiziertes, festgelegtes Recht. "Geschriebenes Gesetz" wird im
Neuen Reich mehrfach erwähnt und nach der Dienstordnung des Vezirs

---

63) Vgl. Herrmann, Geschichte Israels, S.106-111; Gunneweg, Geschichte Israels, S.28-30.

64) Vgl. Schmidt, Alttestamentlicher Glaube, S.61-64.

65) Vgl. A.59. Allerdings möchte ich diesen Sachverhalt nur zur
Illustration verwenden; Ausgrabungen ohne Textfunde verlangen
Zurückhaltung vor zu kühnen Folgerungen.

müssen bei jeder Sitzung 40 Lederrollen vor ihm ausgebreitet liegen.[66] In dieser Situation ist mit der möglichst exakten Erhebung
des Tatbestandes das Wesentliche geleistet, daher liegt hierauf das
Schwergewicht und hat hier der Eid seinen Platz. Anders lagen die
Dinge in den kleineren und weithin selbständigen Gruppen des frühen
Israel (bis weit in die staatliche Zeit hinein)[67]. Hier sind die
Ältesten und die Priester die Träger des Rechtes. Zwar richten sie
nicht in Willkür, aber das Recht und die Gerechtigkeit manifestieren
sich in den Entscheidungen, die sie jeweils treffen. Und indem diese
Entscheidungen unter der Autorität Jahwes, als des Herrn der Gemein-
schaft und ihres Rechtes gefällt werden, hat die Berufung auf ihn
hier als Einleitung zu den Entscheidungen ihren Platz.

6.) Die Vorstellung von der Lebendigkeit der Götter ist in
Ägypten generell gegeben. Die Götter sind lebendig, indem sie in
dem Bereich, für den sie zuständig sind, wirken. Auch der Pharao
ist in seiner, den Staat repräsentierenden, leitenden und erhaltenden Funktion wirksam und "lebendig". Zugleich teilen aber die Götter
- keineswegs nur Osiris - mit den Menschen das Schicksal, geschaffen
und sterblich zu sein, mit Ausnahme des Urgottes, der allerdings
eher eine Macht als eine Person darstellt.[68] Allerdings spielt
dieser Gedanke der Sterblichkeit der Götter nur in den Schöpfungs-
lehren eine Rolle. "Praktisch liegen die Dinge einfach so, daß der
gläubige Beter usw. überhaupt nicht an solche mythischen Schöpfungs-
lehren denkt, sondern im Glaubensakt den Gott als Inbegriff der für
ihn wirksamen Macht vor Augen und im Herzen hat."[69]

Gegenüber der im Ägyptischen ganz überwiegend auf Konstanz
und Kontinuität ausgerichteten Vorstellung vom Leben herrscht in
Israel der dynamische, zu Neuem drängende Aspekt vor. Weiters ergibt
sich ein Unterschied in der Konzentration auf den einen und einzig
wirksamen Gott Jahwe. In der Rede vom lebendigen Gott ist dieses
dynamische, meist geradezu kämpferische Wesen des Gottes Israels
hervorgehoben. Auf Grund dieser großen theologischen Unterschiede
ist eine Beeinflussung der pointierten alttestamentlichen Aussage
vom lebendigen Gott kaum anzunehmen.

---

66) Kees, Ägypten, S.226 A.3.
67) Vgl. Köhler, Die hebräische Rechtsgemeinde.
68) Morenz, Religion, S.25-27.
69) A.a.O., S.195f.

314

B. Mesopotamien, Ugarit, Kanaan.

Für die Darstellung des kanaanäischen Bereichs, wie er uns besonders in Ugarit entgegentritt, aber auch des mesopotamischen Bereichs insgesamt, ergibt sich von der Forschungslage her ähnlich "wie bisher immer wieder in der Sumerologie, der unumgängliche Zwang, vom Versuch der großzügigen Überschau ins philologische Detail hinabzusteigen."[1] In eine ähnliche Richtung weist die auffällige Tatsache, daß die Darstellungen der ugaritischen Religion mehr oder weniger lediglich eine Nachzeichnung der mythologischen Texte und eine Aufzählung und Beschreibung der einzelnen Göttergestalten bieten.[2] - Und das in Anbetracht der geographischen, grammatikalischen und literarischen Nähe dieser Texte zur Welt des Alten Testaments und in Anbetracht der immensen Arbeit eines halben Jahrhunderts![3] Diese Einsicht in den Stand der Forschungen nötigt zu einer gewissen Skepsis gegenüber einer zu raschen Konstatierung von Abhängigkeiten. Und wenn D.O.Edzard als Akkadist abschließend gestehen muß: "All dies sind Gründe, die den Verfasser dazu bewogen haben, den ursprünglich vorgesehenen Titel 'Der sumerische Eid' kleinlaut in 'Zum sumerischen Eid' abzuändern",[4] so sind damit die Möglichkeiten und Grenzen des religionsgeschichtlichen Vergleichs - und auch jene des Alttestamentlers, der sich in diese Gebiete begibt - abgesteckt.

Auf Grund des Alters der dortigen Belege, aber auch zum Vergleich und Kontrast zur kanaanäischen Welt, wie sie uns besonders in Ugarit entgegentritt, stellen wir einen kurzen Blick auf den mesopotamischen Bereich voran.

Mesopotamien

In der Behandlung der Vorstellungen vom Eid setzen wir mit ei-

---

1) Edzard, Zum sumerischen Eid, S.63.

2) Vgl. Gese, Die Religionen Altsyriens, RM 10,2 S.1-232;
   Ringgren, Westsemitische Religion, in: Die Religionen des
   Orients, ATD, ErgS, S.198-246.

3) Vgl. dazu etwa die Texte und Untersuchungen in den Zeitschriften, insbesondere "Syria", Reihen, wie etwa "Palais Royal d'Ugarit" (PRU), Jahrbücher wie etwa "Ugarit-Forschungen" (UF) und vielerlei Einzeluntersuchungen.

4) Edzard, a.a.O., S.64.

nem kurzen Blick auf den sumerischen Eid ein. Damit stehen wir zwar
außerhalb des semitischen Bereichs, aber doch in einer Welt, die
den Vorderen Orient in den folgenden Jahrhunderten, ja sogar Jahr-
tausenden wesentlich beeinflußte.[5] Die ältesten Belege für sumerische Eide stammen aus dem Text der "Geierstele" des Eanatum von
Lagasch, ca. 2470 v.Chr.[6] Der Herrscher Eanatum verpflichtet seinen Gegner, eine ihm zudiktierte Grenze einzuhalten. Dieser **Mann
von Umma**" schwört nun: "Beim Leben Enlils, des Königs von Himmel
und Erde! Ich werde das Feld des Ningirsu (nur) gegen Zins (?) essen. Den Graben will ich nicht...werde ich die Grenze des Ningirsu
nicht überschreiten...wenn ich dennoch überschreite, so soll das
große Fangnetz des Enlil, mittels dessen ich geschworen habe, über
Umma herabfallen."[7] Neben der fünffachen Wiederholung dieser Formulierungen gibt es einen Eid, der "beim Leben der Ninki" geschworen ist und bei dem die Strafformulierung abweichend lautet: "Ninki,
bei der ich ihn für mich habe schwören lassen, möge veranlassen,
daß eine Schlange aus dem Boden Umma in den Fuß beißt. Wenn Umma
diesen Kanal hier überschreitet, möge Ninki (Ummas) Fuß vom Erd-
boden hinweggraffen!"[8]

An diesem ältesten Beleg ist mancherlei interessant. Zunächst
ist hier der Pfandsetzungscharakter der Eidesanrufung eindeutig
ausgeschlossen. Der Verweis auf das Leben der Gottheit macht dieses
nicht von der Einhaltung des Eides abhängig, sondern ist ein Verweis auf die den Eidesbruch strafende Instanz. Weiters stehen hier
verschiedene Begriffe nebeneinander, die dieselbe Sache umschreiben.
Neben der eigentlichen Schwurformel zi-GN (= Göttername), "(beim)
Leben der Gottheit NN", stehen Ausdrücke wie "er schwört ihm", "er
veranlaßt ihn, den Namen der Gottheit NN anzurufen", "bei der ich
ihn für mich habe schwören lassen".[9] Dieses Nebeneinander erinnert
an das Nebeneinander der SF, des Verbums שבע und der Umschreibung
"den Namen Jahwes nennen" (1.Sam 19,6; 2.Sam 14,11). Schließlich
sind die sechs angerufenen Götter von Interesse. Es sind offensichtlich die Hauptgötter bedeutender Städte, die für die Vertrags-
partner wichtig waren. Der zuerst angeführte ist Enlil, der Haupt-

---

5)   Laessoe, Babylonische und assyrische Religion, HRG I, S.497.
6)   Zum Folgenden vgl. Edzard, Zum sumerischen Eid, S.63-98.
     Zur Geierstele siehe Falkner/Sollberger, RLA III S.194f.
7)   A.a.O., S.66f.
8)   A.a.O., S.67f.
9)   A.a.O., S.68.

gott und König von Himmel und Erde. Utu, der Sonnengott, ist, wie
Schamasch der "Repräsentant der Gerechtigkeit, als 'Richter des
Himmels und der Erde', der alles sieht und dem Schuldigen bestraft."[10] Den anderen Göttern sind für diese frühe Zeit schwer
konkrete Einzelzüge beizulegen, was selbst für Su-en, den Mondgott
gilt.[11] Ninki, die Gattin des Enki, gehört wie dieser zum Bereich
"des Unteren",[12] die Strafe kommt daher von dort. Bei Thureau-
Dangin findet sich im Text der Geierstele nur bei Enlil und Ninki
die Verbindung zu zi, also die Anrufung "beim Leben".[13] Die ausdrückliche Benennung Enlils als "König von Himmel und Erde" läßt
annehmen, daß Ninki als Herrin der Unterwelt die Reihe abschließt.

"Die Formel zi-GN ist uns in jüngeren Rechtsurkunden nur noch
verhältnismäßig selten erhalten. Ein Grund dafür ist vielleicht,
daß uns promissorische Eide überwiegend in indirekter Rede überliefert sind. Ein zweiter, daß für gewöhnlich der König angerufen
wird und daß hier die Wendung mu-lugal, 'Name des Königs' entweder
seit eh und je üblich war oder aber älteres zi-lugal, 'Leben des
Königs' verdrängt hat."[14] Diese Formulierungen des Eides gibt es
in verschiedenen Zusammenhängen im Rechtsleben aber auch in Erzählungen. Dabei handelt es sich immer um einen promissorischen Eid,
also eine bindende Absichtserklärung für die Zukunft. "Wenn sich
eine Vertragspartei verpflichtet, künftighin etwas zu tun oder zu
unterlassen, so bekundet sie das unter Anrufung einer Gottheit oder
des Königs oder auch beider."[15] Der hier dargestellte Sachverhalt
gilt auch für die Folgezeit, über die Akkade-Zeit und die neusume-
rische Zeit bis hin zur altbabylonischen Zeit, wobei die Formulierung mu-lugal, beim (Namen des) König(s) viel häufiger auftritt als
zi-lugal, beim Leben des Königs.[16] Ganz deutlich vom promissorischen Eid unterschieden ist im Sumerischen der assertorische Eid,
bei dem keine Formulierungen mit zi (Leben) gebraucht wurden, der
im Tempel geleistet wurde und schließlich in großer Nähe zum Ordal

10) Ringgren, Religionen, S.121.
11) A.a.O., S.120.
12) Vgl. Ebeling, Enki, RLA II, S.375; Ringgren, Religionen, S.118f.
13) Thureau-Dangin, Königsinschriften, VAB I 1, S.14-19. Anders
    Edzard, a.a.O., S.81, der die bei Thureau-Dangin angegebenen
    Lücken offensichtlich ergänzt.
14) Edzard, a.a.O., S.81.
15) A.a.O., S.82.
16) A.a.O., S.85-87.

stand bzw. dazu gelangte.[17] Auch hier finden wir eine interessante
Analogie zum AT, als wir dort mit wenigen Ausnahmen, etwa 1.Sam 17,
in der Betonung eines simplen Nichtwissens, die SF immer in eindeutig promissorischen Sinn vorfanden.

Schließlich ist noch darauf hinzuweisen, daß wir für zi zwar
die späteren Äquivalente (napištu), niš und balaṭu angeben können,
aber keine Etymologie.[18] Angesichts der Sachlage im Blick auf das
Sumerische wird eine solche auch in Zukunft kaum möglich sein. Aus
dem Kontext ergibt sich für die Vorstellung vom Leben - jedenfalls
im Rahmen der Eidesformulierungen - eine Näherbestimmung durch die
angesprochene Herrscherfunktion. Der Verweis auf das Leben des
Gottes bzw. des Königs ist ein Verweis auf seine Herrschaft, wie
bei Enlil aus dem Text der Geierstele und beim König eo ipso hervorgeht. Naturgemäß ist dieses Handeln konkretisiert in den Strafen
bei eventuellem Eidesbruch. Diese stellen demzufolge wohl nur einen
Ausschnitt aus dem Ganzen der Lebensvorstellung im Blick auf den
König bzw. die Gottheit dar.

Aus dem noch immer relevanten[19] Artikel von M.San Nicolò über
den Eid im Reallexikon der Assyriologie (1938), geht hervor, daß
die oben geschilderten Verhältnisse im Blick auf den Eid auch für
die folgenden Epochen und die verschiedenen Bereiche Mesopotamiens
zutreffen, wenn auch naturgemäß mit manchen Modifikationen. So hat
etwa der Eid "im altbabylonischen Rechtsleben eine sehr große Rolle
gespielt und sowohl im Vertragsrecht, als auch als Beweismittel im
Prozesse, weitgehende Anwendung gefunden."[20] Der promissorische
Eid begegnet hier vor allem in den Verzichtsklauseln bei Rechts-
geschäften, d.h. die Partner beschwören ihren Verzicht auf eventu-
elle spätere oder weitere Forderungen.[21] In ähnlicher Weise und
etwa zur selben Zeit begegnet "der promissorische Eid auch bei den
Verzichtsklauseln der aus Ešnunna bzw. Dûr-Rimuš stammenden Ge-

---

17) A.a.O., S.88-94.

18) Vgl. Deimel, Sumerisches Lexikon I, S.27 (Zeichen Nr.130);
    ders., Sumerisch-Akkadisches Glossar, S.119.

19) Nach einem freundlichen Hinweis von Herrn Prof. Dr. Hans Hirsch,
    Wien.

20) San Nicolò, Eid, RLA II, S.305-315; Zitat S.307; Pedersen,
    Der Eid bei den Semiten (1914), geht neben dem AT nur wenig
    auf den älteren Orient, sondern überwiegend auf die spätere
    arabische Welt ein.

21) San Nicolò, Eid, S.307.

schäftsurkunden der Hammurapi-Dynastie... Es wird wie zu dieser Zeit
in Babylon bei verschiedenen Gottheiten und beim namentlich angeführten Herrscher geschworen"[22]. Aus dem folgenden Jahrtausend,
bis kurz vor Gründung des neubabylonischen Reiches, haben wir kaum
Material. Immerhin dürfte bereits in der Kassitenzeit (etwa ab 1500)
der Gebrauch der Verzichtklauseln und mit ihnen der promissorische
Eid zurückgetreten sein. In der neubabylonischen Zeit verschwanden
diese völlig und damit hat auch der Eid "in der Häufigkeit und
Regelmäßigkeit der Verwendung...die Vorzugstellung, die er während
der Hammurapi-Dynastie und zum Teil schon früher eingenommen hatte
..., für immer verloren."[23] Ganz anders verhält es sich mit dem
Eid als prozessualem Beweismittel, also dem assertorischen Eid, der
weiterhin eine wichtige Rolle spielt. Ähnlich sind die Verhältnisse
bei den Assyrern. Hier hatte der promissorische Eid von jeher eine
geringe Bedeutung, während assertorische Eide als Beweismittel im
Prozeß gelten und häufig vorkommen.[24] Interessanterweise kommen
aber Eide bei den Assyrern "häufig sowohl in internationalen Staats-
verträgen, als auch bei den mit Vasallen geschlossenen Verträgen,
bei königlichen Landschenkungen und bei der Immunitätsverleihung
für bestimmte Landstriche" vor.[25]

Diese letztere Beobachtung findet ihre Analogie im hethitischen
Rechtskreis. Dort ist der Eid "in den zahlreich erhaltenen völker-
rechtlichen und Vasallenverträgen...ein regelmäßiger Bestandteil
des Formulars, weil er formell die einzige Sanktion zur Sicherung
der Einhaltung und Erfüllung des Vertrages bildet. Die meist sehr
umfangreiche Eidesklausel beginnt mit der Aufforderung der Götter
zur Zeugenschaft..., ihr folgt die Liste der angerufenen Gottheiten
beider Kontrahenten, - darunter manchmal auch personifizierte Na-
turkräfte und Naturerscheinungen..., sodann die Fluchformel für den
Fall der Verletzung und die Segensformel für die Erfüllung des Vertrages. Außerdem sind noch selbständige Treueeide der großen Lehens-
träger an den Großkönig und ausführliche Eide für die Vereidigung
der Truppen bekannt"[26].

Die ausdrückliche Erwähnung des Segens bestätigt die oben ausgesprochene Vermutung, daß die angedrohten Strafen nur einen situa-

---

22) A.a.O., S.307f.
23) A.a.O., S.309.
24) A.a.O., S.310f.
25) A.a.O., S.311.
26) A.a.O., S.313.

tionsbedingten Ausschnitt aus dem Ganzen des möglichen Wirkens der
Gottheit darstellen.

Die in der Eidesanrufung, aber auch sonst gebrauchten Begriffe
für "Leben/leben" sind balaṭu(m)[27] und nišu(m)II (nešu(m)).[28]
Diese Worte decken dabei ein ähnlich weites Begriffsfeld ab, wie
ihre Gegenstücke im Hebräischen oder auch im Deutschen. Es wird
angegeben: "leben, aufleben, genesen" für nešu und: "am Leben sein,
am Leben bleiben, gut gehen, genesen", ja sogar "wirtschaftlich
gut gehen" und vielleicht auch "verfügbar sein" für balaṭu.[29] Auf
dem Hintergrund dieser Bedeutungsvielfalt läßt "schon ein kurzer
Blick...die verschiedenen Auffassungen und Schwierigkeiten der akkadischen Lexikographie sichtbar werden", und ist auch das Bemühen
von H.Hirsch gerechtfertigt, "gewissermaßen das kleinste gemeinsame
Vielfache, das minimal Typische zu suchen."[30] Hirsch untersucht
dabei insbesondere jene Stellen, "in denen ausgesagt wird, daß
ein Toter 'auflebe' bzw. daß (eine Gottheit) einen 'Toten lebendig
mache'."[31] Das Ergebnis ist, daß hier mit Leben und Tod bzw. leben
und sterben nicht so sehr unsere medizinische Todesgrenze gemeint
ist, sondern eine vielfältige Abstufung. Diese reicht von einer
Ausdrucksweise, die der Rede von einem "belebenden Getränk" entspräche
(S.52) bis hin zum physischen Tod, wobei andererseits auch dieser
Zustand des Totseins noch graduell verschieden sein kann (S.50).
Dieses Ergebnis steht jenem von Chr.Barth in der Untersuchung über
"die Errettung vom Tode in den individuellen Klage- und Dankliedern
des Alten Testaments" (1947) sehr nahe.[32]

Die Fähigkeit "den Toten zu beleben" wird verschiedenen Göttern
zugeschrieben. Möglicherweise ist sie schon in der altbabylonischen
Zeit in Personennamen belegt. Dabei ist im Einzelnen derzeit kaum
zu entscheiden, "ob einem bestimmten - oder welchem - Gott vielleicht ein solches Attribut f r ü h e r zugesprochen wurde, ob
es gewandert ist, ob etwa Marduks Hervortreten nur durch ein Ver-

---

27) vSoden, Akkadisches Handwörterbuch (AHw) I, S.98f. The (Chicago)
   Assyrian Dictionary (CAD), Vol.2, S.46-63.
28) AHw II, S.783-797f. In CAD ist dieses Wort noch nicht bearbeitet.
29) Nach AHw. CAD gibt für balaṭu als Nomen 5 und als Verbum
   13 (!) Bedeutungen an.
30) H.Hirsch, Den Toten zu beleben, AfO 22, S.39-58. Zitate S.40.
31) A.a.O., S.49.
32) Siehe besonders "Erster Teil: Das Leben als Bestimmung des
   Menschen", S.20-51 mit dem Exkurs zu balaṭu, S.29-33.

drängen anderer Götternamen erklärt werden soll. (Vgl. die...Austauschbarkeit von Ṣalbaṭanu und Marduk.)"[33]

Für unsere Fragestellung ergibt sich zunächst, daß Eide beim Leben der Gottheit bzw. des Königs im ganzen Bereich Mesopotamiens und praktisch zu allen (schriftlich erfaßbaren und für uns relevanten) Zeiten gebräuchlich waren. Angesprochen ist dabei die Wirksamkeit der Götter, die sich besonders in den, dem spezifischen Herrschaftsbereich der Gottheit entsprechenden, Strafen bei Eidesübertretung äußert. Innerhalb einer Gemeinschaft bzw. eines Staates ist auch der König als Garant des Eides "geeignet", indem er Sanktionen ergehen lassen kann. Daher ist der Königseid, in dem das Leben - und das heißt nicht zuletzt die Herrschaft - des Königs angerufen wird, von großer Bedeutung. Daß der Königseid für sich am Anfang stand, ist m.E. aber für Mesopotamien weniger wahrscheinlich als für Ägypten. Das Zurückschrecken vor einem Meineid, das in Mesopotamien offensichtlich viel stärker war als in Ägypten,[34] dürfte ein Hinweis sein, daß die Eidesvorstellung nie ohne religiöse Komponente war, d.h. ohne Angst vor der Gottheit, die, um es neutestamentlich auszudrücken, "auch in das Verborgene sieht".

Allerdings ist der dargestellte Bereich für uns nur von phänomenologischem Interesse. In der Untersuchung der alttestamentlichen Belege und ihres Sitzes im Leben ergab sich kein Hinweis und keine Verbindungslinie hinüber zu Mesopotamien. Mit aller Deutlichkeit ist zu sagen, daß die Aussagen über das Leben Jahwes nicht mit Schöpfungs- oder Erzvätertraditionen in Verbindung standen. Und auch die wenigen, meist (literarisch!) jüngeren Belege des Pentateuch überhaupt weisen in den Süden Palästinas, nicht nach dem Osten. Nicht zuletzt wird dieses Ergebnis durch das Fehlen vergleichbarer Schwurformeln in Kanaan bestätigt (s.u.).

Anders verhält es sich mit der Vorstellung von der Gottheit als Herr und Geber des Lebens und der Lebenskraft. Zwar sind diese Vorstellungen, wie wir am Beispiel Ägyptens sahen, so weit verbreitet, daß daraus nicht sofort die Herleitung aus einem bestimmten Gebiet gefolgert werden darf, doch weist manches an den Schöpfungstraditionen, wovon obige Aussagen nicht zu trennen sind (vgl. Gen 2,7), auch in den Osten. Doch auch hier wäre die Frage nach "Vermittlern" in der näheren Umgebung zu stellen.[35] Und bei allen Gemeinsam-

---

33) H.Hirsch, a.a.O., S.57 und A.219.

34) Vgl. San Nicolò, Eid, RLA II, S.314f.

35) Zimmerli, TheolAT, führt in seiner Darstellung der Schöpfungs-

keiten in der Vorstellung vom Leben und von Gott bzw. den Göttern
als Herrn des Lebens, kommen auch hier Unterschiede zum Tragen, die
ihre Wurzeln in der spezifischen Beziehung zwischen Gott und Volk
haben dürften: "Der Lebensbegriff ist bei Babyloniern und Israeliten
bis zu einem gewissen Punkt gleich. Inwiefern die Israeliten unter
Leben etwas Besonderes verstehen, ist hier nochmals in Erinnerung
zu rufen. Haben Babylonier und Israeliten ein verschiedenes Ideal
der Lebenserfüllung, so versteht man auch hüben und drüben unter
Heil, Segen, Freude usw. nicht einfach dasselbe. Wohl gibt es eine
gemeinsame Ebene, auf der Gesundheit, körperliches Wohlbefinden,
Segen ein gedeihliches Dasein mit Glück, Reichtum und zahlreichen
Nachkommen, Sicherheit das möglichst lange Verbleiben im Stande
solchen Segens, Freude die ob all dem glückliche Stimmung des Her-
zens ist. Die Israeliten müßten keine Menschen gewesen sein, wenn
solche Ideale nicht auch für sie ihre Geltung gehabt hätten. Ihre
Literatur zeigt aber zum mindesten die Tendenz, jene Heilsgüter
nicht an und für sich, sondern erst im Zusammenhang mit einem anderen Faktor als wirklich wünschenswert gelten zu lassen: erst,
indem sie mit der Teilnahme an den Israel als dem erwählten Volk
verheißenen Heilsgütern verbunden sind. Die Erscheinungsformen des
Lebens müßten in sinnvollem Zusammenhang stehen mit der Erfüllung
dieses besonderen Lebensziels, um wirklich Erscheinungsformen des
Lebens zu sein."[36]

Zuletzt ist auf eine für unser Thema wichtige, in der Literatur aber kaum beachtete Frage einzugehen, die zwar schon die Darstellung der ägyptischen Vorstellungen begleitete, hier aber, auf
Grund der besseren lexikalischen Erschließung, eindeutig beantwortet
werden kann: Bedeutet die Vorstellung von der Gottheit als Herr
und Geber des Lebens eo ipso, daß Gott selbst "lebendig" sei oder
so bezeichnet wird? Auch in den alttestamentlichen Belegen besteht
eine Differenz, die in der Literatur unbeachtet bleibt. Sowohl in
Ps 36,10 als auch Jer 2,13; 17,13 ist eine gewisse Differenz auf-
rechterhalten. Nach Ps 36,10 ist die Quelle des Lebens b e i Jahwe und in den Jeremiastellen scheint neben der Identifikation der
ursprüngliche Charakter des Wortes als Vergleich noch durch. Selbst
für die Identifikation "Jahwe ist die Quelle des Lebens" gilt jedoch noch unsere Frage, und sie ist negativ zu beantworten.[37]

aussagen überwiegend kanaanäisch-phönizisches (und ägyptisches!)
Vergleichsmaterial an (S.24-32).
36) Barth, Die Errettung vom Tode, S.33.

Chr.Barth ist, soweit mir bekannt, der Einzige, der auf die "merkwürdige, bis heute noch nicht erklärte Inkonsequenz" hinweist, "daß
das Prädikat balṭu 'lebendig' auf Götter nie zur Anwendung
kommt".[38] Diese Feststellung ist auch angesichts der neuesten lexikalischen Erschließung des Akkadischen noch zutreffend.[39] Die Eidesformulierungen "(beim) Leben des Gottes/des Königs" sind ebenfalls noch etwas anderes als das Prädikat "lebendig".[40][41]

Ugarit und Kanaan

Die religiöse Welt Kanaans ist uns in den seit 1929 zu Tage
gekommenen Texten der Küstenstadt Ugarit, mit dem modernen Namen
Ras Schamra, am besten bekannt geworden.[42] Diese Textfunde haben

---

37) Kraus, Der lebendige Gott, überschreibt einen Abschnitt "Die
Quelle des Lebens" (S.25-30), wo er zwar von "Bild und Gleich-
nis" spricht, aber dann doch die direkten Aussagen von Ps 42,3;
84,3 unmittelbar anschließt. Mit Recht betont Kraus allerdings
sehr, daß auch Jer 2,13; 17,13 und Ps 36,10 vom geschichts-
mächtigen Rettungshandeln her zu verstehen sind (S.26-28). Er
kommt hier auf ähnliche Unterschiede wie Barth (s.o. A.36).

38) Barth, a.a.O., S.40.

39) Sowohl AHw I, S.100 als auch CAD 16, S.66-70 geben für balaṭu
und balṭutu nur Belege betreffend Menschen, Tiere, Körperteile,
Fleisch und Gegenstände an. Vgl. weiters die Belege Anm.27.28.

40) Nach Barth, ebd. heißt "auch bei den Ägyptern und Westsemiten,
mit Ausnahme der Israeliten...Gott nie 'lebendig' obwohl die
Voraussetzungen dazu gegeben wären".

41) Die Vorstellungen um den sterbenden (aber nicht eigentlich
wiederauferstehenden, s. Röllig, Tammuz, RGG VI, Sp.609) Gott
Dumuzi/Tammuz kann hier ausgeklammert werden. Die Vorstellung
ist in sich und im Rahmen des Alten Orients sehr vielschichtig,
vgl. Edzard, Dumuzi, WM I, S.51-53. Bezüglich der weitreichenden Thesen von Moortgart, Tammuz (1950), sagt Röllig, a.a.O.,
sehr zurückhaltend: "Der Versuch von A.Moortgart, T. als Zen-
tralgestalt im religiösen Denken und in der Bildkunst des
alten Vorderen Orients zu erweisen, ist wegen Vernachlässigung
der literarischen Zeugnisse weitgehend hypothetisch." Für
unsere Arbeit und für das AT sind die dem Dumuzi-Zyklus teilweise entsprechenden Themen des Baal-Zyklus von wesentlich
größerer Bedeutung und daher in jenem Zusammenhang zu behandeln.

sehr viel zur Kenntnis insbesondere der religiösen Verhältnisse
Kanaans beigetragen, die uns bis dahin nur aus vereinzelten bzw.
meist relativ jungen Zeugnissen, oder von den, meist ablehnenden
Stimmen des AT bekannt waren.[43] Die in Ugarit gefundenen Texte sind
daher eine wichtige Quelle für Fragen der alttestamentlichen Sti-
listik[44], Grammatik[45] und Lexikographie[46], viel mehr aber noch
für jene religiösen Vorstellungen, denen Israel begegnete und die
in Übernahme und, noch häufiger, in Ablehnung, das AT mit beeinflußten.

Bei aller Entdeckerfreude und bei allem Enthusiasmus in der
Forschung am Ugaritischen muß man sich doch auch der Grenzen be-
wußt bleiben.[47] Nicht nur zeigt ein Blick auf die vorhandenen
Übersetzungen[48] oft gewaltige Divergenzen des Verständnisses, und

42) Zur "Geschichte der Entdeckung und Identifizierung der Stadt
Ugarit", zum "Hergang der Entzifferung der ugaritischen Keil-
schrift" und zu "Ugarit und das Alte Testament" siehe G.Sauer,
Die Sprüche Agurs, BWANT 84 (1963). Vgl. jetzt auch den Artikel
Ras Shamra in DBS IX, fasc. 52f (1979), Sp. 1124-1466.

43) Gese, Die Religionen Altsyriens, S.21-35 (Die Quellen).

44) Vgl. dazu den Untertitel der angeführten Arbeit von G.Sauer:
"Untersuchungen zur Herkunft, Verbreitung und Bedeutung einer
biblischen Stilform..." Weiters die Zusammenstellungen unter
"Literary Genres..." in L.R.Fisher, RSP II, S.131-247.

45) Vgl. dazu insbesondere die Arbeiten von M.Dahood, Psalms I-III,
AncB und die Rezensionen dazu von G.Sauer, UF 6 (1974),
S.401-406 und UF 10 (1978), S357-386.

46) Allerdings ist zu beachten, daß die Deutung der Texte zunächst
den umgekehrten Weg ging, nämlich vom AT her, und daß in der
Entwicklung der semitischen Sprachen die ursprüngliche Sonderbe-
deutung einer Wurzel zur allein vorhandenen Hauptbedeutung in
einem Sprachzweig werden konnte. Vgl. de Langhe, Myth,
Ritual and Kingship in the Ras Shamra Tablets, S.127.

47) Vgl. die sorgfältigen Vorüberlegungen bei de Langhe, a.a.O.,
S.122-132.

48) Siehe z.B. Gordon, Ugaritic Literature (1949); ders., Poetic,
Legends and Myths from Ugarit (1977); Ginsberg, Ugaritic Myth,
Epics and Legends, ANET^2 (1955), S.129-155; Aistleitner, Die
mythologischen und kultischen Texte aus Ras Schamra (1959);
Jirku, Kanaanäische Mythen und Epen (1962); Bernhardt, Uga-
ritische Texte, RTAT (1975), S.205-243.

324

hat praktisch jeder Text kleinere und oft genug auch größere Lücken,
die Schwierigkeit beginnt schon bei der Entzifferung selbst, die
vorhandenen Editionen[49] weisen oft schon in der Wiedergabe des
Konsonantenbestandes beträchtliche Differenzen auf[50]. Dazu tritt
bei den Werken größeren Umfangs, die für uns interessanten mythologischen und epischen Werke gehören dazu, das Problem der Reihenfolge der einzelnen Tafeln, das noch keineswegs einhellig gelöst
ist. Ebenfalls nicht einhellig beantwortet ist die Frage nach dem
'Sitz im Leben'. Ist es ein 'Sitz im Kult', wie zeitweise pauschal
behauptet wurde, oder ist es eher ein 'Sitz in der Literatur', d.h.
sind die Werke gewissermaßen 'Belletristik', wo das ästetische Moment überwiegt?[51] Schließlich darf weder die Ugaritische Literatur
noch die Bevölkerung der Stadt als völlig homogen betrachtet werden.
Manche der besonders in den "Legenden" bzw. epischen Texten auf-
tretenden Motive weisen in Bereiche einer (noch) nicht städtischen
und (noch) nicht seßhaften Bevölkerung.[52] Aber auch in den mythologischen Texten spiegeln sich vermutlich religiöse und soziologische Entwicklungen wider, etwa in den Konflikten um Baal.[53]
Die Archive von Ugarit verdeutlichen, ebenso wie die Nennung Ugarits
in Texten der damals bedeutenden Mächte,[54] die weitreichenden di-
plomatischen Verbindungen und die Handelsbeziehungen, die sicher

---

49) Erstveröffentlichung meist in Syria; wichtig die Ausgaben des
Werkes von Gordon, zuletzt Ugaritic Textbook (= UT), 1965;
weiters die Zusammenstellung von Herdner, Corpus des tablettes
en cunéiformes alphabétiques (= CTA), 1963; zuletzt Dietrich/
Loretz/Sanmartin, Die keilalphabetischen Texte (= KTU), 1976.

50) Vgl. den Satz in KTU, S.XI (Einleitung): "...weicht in vielen
Fällen und oft sogar erheblich von der Erstpublikation ab."

51) Vgl. de Langhe, a.a.O., S.129-132.

52) Siehe dazu die differenzierte Untersuchung der Aqht- und Krt-
Texte bei Westermann, Die Verheißungen an die Väter, S.151-168,
bes. S.152.

53) "It is not impossible that the couple Baal-Anat may represent
in the local cult of Ugarit the syncretism of two originally
distinct pantheons, the one having as its head the old Semitic
divinity El,...the other making use of the name Dagon, who
had already appropriated the prerogatives of Hadad. It is not
difficult to discern traces of enmity between the two divine
groups..."; de Langhe, a.a.O., S.137f.

54) G.Sauer, Aprüche Agurs, S.125f.

nicht ohne Einfluß auf die Kultur und auch auf die (Zusammensetzung
der) Bevölkerung blieben. Nicht zuletzt in dieser Hinsicht unterscheidet sich Ugarit von jenem Teil Kanaans, in den die Israeliten
einwanderten.[55]

Wenn wir den Vergleich, wie bei Mesopotamien, in der Reihenfolge des Alters der biblischen Belege beginnen, so stoßen wir auf
eine bedeutungsschwere Fehlanzeige: Aus Ugarit sind keine Eide beim
Leben einer Gottheit bekannt, wie überhaupt ein Verbum für "schwören"
oder ein Nomen für "Eid/Schwur" fehlt. - Die entsprechenden Begriffe
fehlen im "english-ugaritic Index" bei Gordon, Ugaritic Textbook
(= UT, S.530-537). Es gibt zwar eine Wurzel šbʿ, diese bedeutet
aber "sich sättigen, satt sein", oder hängt in verschiedener Weise
mit der Zahl "sieben" zusammen,[56] und es gibt keine Entsprechung
für hebräisches אָלָה,[57] wie auch das Erheben der Hand nicht Schwurgestus sondern Gebetshaltung ist.[58] Nicht zuletzt fehlen Schwurformeln, mit denen ja im AT sehr häufig im Rahmen des Rechtslebens
auf Jahwe Bezug genommen wurde.[59]
Die Frage, was das Fehlen dieses sonst so wichtigen Bindegliedes
zwischen Recht und Religion für Ugarit bedeutet, würde hier zu weit
führen und wurde, soweit ich sehe, in der einschlägigen Literatur
noch nicht thematisiert. Jedenfalls weist sie auf ein relativ
starkes Auseinandertreten dieser Bereiche. Ob diese Verbindung
durch andere Elemente hergestellt wird ist fraglich. Leider - oder
bezeichnenderweise? - fehlen uns aus Ugarit Rechtssammlungen oder
-codices, die, wie etwa die Einleitung des Dekalogs oder des Codex

---

55) Dieser liegt durchweg in der südlichen Hälfte der Entfernung
    zwischen Ugarit und - um einen markanten Gegenpol zu nennen -
    Kadesch-Barnea, und hat, mangels geeigneter Häfen, praktisch
    keine Beziehung zum Meer.
56) Gordon, UT, 19.2380 und 2381; Aistleitner, Wörterbuch der
    ugaritischen Sprache (= WB), S.300-302.
57) Ein entsprechendes Wort fehlt bei Gordon, UT und Aistleitner,
    WB; vgl. HAL I, S.49f.
58) Die beiden, nach Aistleitner, WB, S.215, einzigen Belege fin-
    den sich in I Keret 75 und 167, beide Male in Zusammenhang mit
    Kerets Opferdarbringung.
59) Die einer Akklamation entsprechenden, aber ebenfalls mit ḥaj
    gebildeten Formulierungen sind gesondert zu behandeln und
    stehen auch nicht im Rahmen des Rechtslebens.

Hammurapi, eine Verhältnisbestimmung zwischen Gott und Recht geben.
Die bekannten religiösen und mythologischen Texte zeigen uns jedenfalls keine Verbindung dieser Bereiche und die Anrufungen oder Akkla-
mationen, die vom Leben der Götter sprechen, stehen in anderen, vorwiegend natur-mythologischen Zusammenhängen.[60] Während zu richten
und Recht zu verschaffen die Tätigkeit und Aufgabe des irdischen
Königs ist, bezieht sich das Herrschen (und Richten) der Götter nur
auf den mythologischen Bereich (die Göttin Aschera spricht von
Baal als "unser Herrscher") und auf Naturerscheinungen (Jamm ist
der "Beherrscher der Fluten").[61][62] Diese Beobachtung zeigt den
fundamentalen Unterschied zur Gottesvorstellung und zum Glauben des
AT, wo die Beziehung Gottes zum Volk und sein Handeln an dieser Gemeinschaft (und den zu ihr gehörenden Einzelnen) die Mitte bilden.[63]

Ugaritische Namen, die mit der Wurzel ḥwy/ḥyy in Verbindung zu

---

60) Ob die Bezeichnung Baals als ṯpṭn wirklich mit "(Baal is) our
judge" wiederzugeben ist, erscheint mir sehr fraglich.
(Gordon, UT 51:IV:44; übersetzt in ders., Ugaritic Literature,
S.32). Für ṯpṭ ist sowohl Richter als auch Herrscher als Bedeutung anzugeben. Der Parallelismus membrorum an der angegebenen Stelle (Baal ist unser König) macht den Aspekt des
Herrschens wahrscheinlich. Das analoge Epitheton des Gottes
Jamm, ṯpṭ nhr, ist nur mit "Beherrscher der Fluten", nicht mit
"Richter" übersetzbar; vgl. Aistleitner, WB, S.342, der auch
die oben zitierte Stelle mit "Baal ist unser Herrscher" über-
setzt.

61) Siehe die Belege bei Aistleitner, WB, S.342 (Nr.2921).

62) Diese Beobachtungen werden von G.Boyer, Etude juridique, PRU
III, S.281-308, bestätigt, der auf die "elimination de
l'élélement religieux" verweist (S.284), während andererseits
die Rechtsentscheidungen durchweg als persönlicher Akt des
Königs dargestellt werden (ebd.). Die Möglichkeit, daß die
Anwesenheit des Königs manchmal nur fictiv war (ebd.), bestätigt eigentlich nur diese Konzentration auf den König - der
ausführende Beamte trat völlig in den Hintergrund, und der
Gedanke an eine, dem König übergeordnete göttliche Instanz lag
offensichtlich ebenfalls fern.

63) Vgl. dazu den Aufbau der "Theologie des Alten Testaments" von
Zimmerli und, in ähnlicher Weise, auch bereits jener von
Eichrodt.

bringen sind, wurden von F.Groendahl, die Personennamen der Texte aus Ugarit (1967) recht zahlreich angeführt.[64] Eine kritische Durchsicht führt allerdings zu einer beträchtlichen Reduktion der Belege. Die angegebenen Namen lassen sich in 4 Gruppen einteilen, 1. die Namen ḥyil, ḥyl und ḫa-ya-il, 2. die Namen ʿbdḥy und abdy-ḫa-ya, 3. der Name yḫsdq, zu dem die phönizischen Namen yḥmlk und yḥwmlk zu vergleichen sind, und 4. die Namen adnḥwt und ḥyn.

Von diesen Namen ist zunächst die 4. Gruppe auszuscheiden. adnḥwt könnte zwar "Herr des Lebens" heißen, nach den keilschriftlichen Belegen aber auch "Der/Mein Herr ist mein/das Leben".[65] Wahrscheinlicher aber ist es, den Ausdruck - der fragmentarische Text verlangt nicht unbedingt einen Eigennamen! - mit Gordon als "Herr des Hauses" zu übersetzen, von ḥwt = Haus.[66] Der Eigenname ḥyn findet auch bei Groendahl keine Deutung. Es ist fraglich, ob er überhaupt von ḥyy abzuleiten ist.[67]

Für die Namen der ersten Gruppe, ḥyil, ḥyl und ḫa-ya-il ergeben sich dieselben Fragen wie für den Namen des Hiel von Betel, s.o.S. 246-248. Zunächst ist jedoch vermutlich auch der Name (bn) ḥyl aus dieser Gruppe zu streichen, er dürfte eher als (Sohn des) Soldaten zu verstehen sein.[68] Anderenfalls wäre diese Form des Namens ein Beispiel dafür, wie leicht ein Alef ausfallen kann. Für den Namen ḥyil gibt es zwei Belege. Der Text PRU V, Nr.131 (= KTU 4.427) ist ein kleines Fragment, wo auf der einen Seite die Anfänge von sieben Zahlen erhalten sind. Allerdings ist das Lamed des Namens

---

64) S.137, Alphabet-Schrift-Namen; zu den entsprechenden Keilschriftnamen siehe die Einzeldiskussion.

65) Groendahl, Personennamen, S.33; sie verweist selber auf die "Vielzahl an Deutungsmöglichkeiten". Die a.a.O., S.361 angegebene Fundstelle dürfte ein Versehen sein, statt II 140-8 lies II 44-4 (= UT 1023).

66) UT, 19.850 und 856.

67) Wenn man wie Aistleitner an eine Zusammensetzung mit einem Gottesnamen denkt (WB, S.131, Nr.1184), ergibt sich die Frage, ob dieser Name nicht eine Kurzform für aḥyn (Bruder des/ist Janu); vgl. das Folgende zu ḥyil etc.

68) Gegen Groendahl, S.137 und Aistleitner, WB, S.102. Gordon bezeichnet den fraglichen Text UT 1035 als "list of personnel, including bdlm merchants of Ar who have no troops attached to them, and soldiers attached to mkrm merchants." (S.269). Die Übersetzung mit "Soldat(en)" liegt also sehr nahe.

bereits ergänzt. Am Rande der Liste steht "Zwanzig Paar Pferde",
das ganze dürfte eine "liste de noms d'hommes" darstellen (PRU V,
S.178), deren weiterer Sinn aber offen bleibt. Der zweite Beleg
findet sich in einem Brief des Königs an einen ḥyil (PRU II, Nr.10;
= UT 1010; lḥyil in Zeile 3), in dem es um Lieferung (?) von Baum-
stämmen geht (vgl. PRU II, S.23f). Dazu tritt der silbenschrift-
liche Beleg des Namens ḫa-ya-il. Dieser Name scheint sehr für eine
Interpretation als Partizipium von ḥyy zu sprechen, wie Groendahl,
S.66, angibt. Nun bezeichnet aber in der Silbenschrift das ḫa zunächst die Gutturalis ḫ, sodaß der Vokal nicht unbedingt ein a
sein muß,[69] womit eine Herleitung des ḥyil von aḥyil noch nicht
ausgeschlossen ist. Darüber hinaus ergibt eine Überprüfung, daß in
der Erstveröffentlichung des Textes der Name nicht mit y sondern
mit w geschrieben ist, der Name dort also ḫa-wa-il gelesen wird.[70]
Damit scheidet aber die Deutung als Partizip eher doch aus.[71]
Richtiger dürfte die Deutung dieses y bzw. w im Sinn des y bzw.
w-compaginis sein. Dieser Zwischenvokal und der Wechsel von y und
w ist ja auch von vielen israelitischen Namen bekannt, wie etwa dem
Ortsnamen Pniel bzw. Pnuel; in der Amarnakorrespondenz steht neben
der Form Abi-milki auch die Form Abu-milki und in der akkadischen
Namengebung gibt es neben Aḫu-bani die Form Aḫi-bani.[72] Der zuletzt
zitierte Name entspricht anscheinend genau unserem Nebeneinander
von ḥyil und ḫa-wa-il und es ist sehr wahrscheinlich, daß das erste
Element des Namens eine Verkürzung von aḥy/aḥw, Bruder, darstellt.
Damit scheiden diese drei Namen ebenso wie jener des Hiel von
Betel für unsere Fragen aus.

Die nächste Gruppe sind die beiden einander entsprechenden
Namen ʿbdḥy (UT 301, Rev.IV 10) und abdi-ḫaya (Syria 28 (1951),
Rs 14.16, S.173-179). Beide Namen verbinden das Wort "Knecht" mit
dem Element ḥy bzw. ḫa-ya/ḫa-wa. Virolleaud bevorzugt die Lesung
ḫa-wa und übersetzt den Namen als "serviteur de (dieu) Hawa" (Diener
des Gottes Hawa).[73] Für diese Deutung spricht, daß "Knecht" häufig
in Verbindung mit Gottesnamen vorkommt.[74] Der Name fiele damit für

69) Vgl. vSoden, Akkadische Grammatik, S.7f, §6 Die Umschrift.
70) Thureau-Dangin, Trois contrats de Ras Shamra, Syria 18 (1937),
    S.253; = RS 8.213, Zeile 32.
71) Vgl. die bei Gordon, UT, §9.54, S.90 und S.158 angegebenen
    Formen.
72) Zur Frage und zu den Belegen siehe Noth, IP, S.33f.
73) Virolleaud nennt beide Möglichkeiten, Syria 28 (1951), S.178.

unsere Fragestellung "der lebendige Gott" aus. Nun ist aber auch die andere Möglichkeit, nämlich, entsprechend der alphabet-schriftlichen Lesung ḥy, den Namen doch mit ḥyy, leben, in Verbindung zu bringen, gegeben. Allerdings ist "Knecht des Lebendigen" nicht denkbar, da die Bezeichnung "der Lebendige" sonst nicht vorkommt und schon gar in diesem absoluten Sinn auch in den mythologischen Texten fehlt. Am ehesten ist die Übersetzung "der Knecht lebt" möglich, wobei dieser Name als Ersatzname zu verstehen ist. Ersatznamen bringen zum Ausdruck, "daß die Gottheit für ein durch den Tod verlorenes älteres Kind (bzw. den Vater) durch die Geburt eines anderen...Ersatz geschafft hat".[75] Der Verstorbene mag dabei "Knecht des Milk" oder "Knecht des Baal" o.ä. geheißen haben, und dieser "Knecht" (Kurzname)[76] "lebt" nun eben (wieder); in seinem Nachkommen ist es, als sei er selber da. Auch in diesem Sinn scheidet der Name für unser Thema aus.

So bleibt als letzte Gruppe der Name yḥsdq und die erwähnten phönizischen Namen yḥmlk und yḥwmlk. Der Name yḥsdq gehört zu einer Liste mit Personen neben deren Namen auch die Berufsbezeichnung angeführt ist (UT 2084, 17; S.23 und 286; PRU V 84; S.109). Groendahl übersetzt den Namen "entweder 'Der Gerechte möge leben' oder 'ṢDQ (die Gerechtigkeit) möge leben'."[77] Es handelt sich offensichtlich um eine Imperfektform von ḥyy und dem Wort ṣdq, welches das theophore Element darstellt. Bei ṣdq handelt es sich vermutlich nicht um einen von Haus aus selbständigen Gott, sondern eher "um sekundäre Verwendung eines prädikativen Epithetons als Gottesbezeichnung".[78] Außer in Eigennamen gibt es nur zwei Belege für ṣdq,[79] die nur schwer zu deuten sind.[80] Interessant ist, daß das Wort im Altaramäischen den Sinn von "'Loyalität' eines Königs oder

74) Groendahl, a.a.O., S.104f.

75) Noth, IP, S.174. Auf die Bedeutung und Häufigkeit von Ersatznamen hat beonders J.Stamm wiederholt hingewiesen, siehe dazu jetzt den Sammelband "Beiträge zur hebräischen und altorientalischen Namenkunde", OBO 30 (1970), besonders S.59-79, "Hebräische Ersatznamen".

76) Noth, IP, S.36-39.

77) Groendahl, a.a.O., S.41f.

78) Noth, IP, S.176 unter Berufung auf Baudissin, Der gerechte Gott in altsemitischer Religion, FS vHarnack (1921), S.15.

79) Aistleitner, WB, S.204f.

80) Koch, צדק , THAT II, Sp.508f.

Oberpriester als Knecht...vor seinem persönlichen Gott oder gegenüber dem ass(yrischen) Großkönig als dem 'Herrn'"hat.[81] Im Phönizischen "tauchen nur Adj(ektiv) und Subst(antiv) auf, und zwar ausschließlich mit Bezug auf einen König oder Kronprinzen... Es drückt
dann das richtige loyale Verhalten vor den Göttern (KAI Nr.4,6;
10,9) oder Königen (KAI Nr.26, AI, 12) aus, das zugleich die Grundlage für ein langes Leben bildet (KAI Nr.4 und 10), scheint also
nicht bloß eine Verhaltensweise, sondern eine andauernde Mächtigkeit guter Könige vorzustellen."[82] Der Name bezieht sich also auf
die Mächtigkeit eines guten Königs. Groendahls Interpretation des
verbalen Elements als Jussiv besteht sicher zu Recht, sodaß der
Name etwa mit "es lebe die Macht des guten Königs" wiederzugeben
wäre, wobei wohl der König der Götter gemeint ist.[83]

Angesichts der Parallele, die der Name Ya-aḫ-wi-AN aus Mari
darstellt und der Seltenheit sonstiger Imperfektbildungen in der
phönizischen Namengebung, wird auch bei diesem Namen, so wie es
Noth für יחומלך tat, "an Nachahmungen einer Huldigungsformel zu
denken sein, die dem im AT mehrfach bezeugten יחי המלך entsprach;
der älteste und aus dem phönizischen Mutterland als einziger zu be-
legende Name dieser Art lautet ja gerade יחומלך, wobei in diesem
Namen מלך gewiß theophor zu fassen ist."[84] Der Name yḥsdq drückt
somit die Anerkennung, die Akklamation der Gottheit, konkret ihrer
Macht und Gerechtigkeit aus. Damit ist die Beziehung des Individuums
zur Gottheit ausgesagt und zunächst überhaupt erst einmal konstituiert. Diesen Vorgang und diese, durch die Namengebung hergestellte
Beziehung läßt sich sinnvoll in das von Vorländer herausgearbeitete,
im ganzen Vorderen Orient vorhandene Konzept des "persönlichen Gottes" einordnen.[85]

In diesen Rahmen passen auch die beiden Namen yḥmlk und yḥwmlk.
yḥmlk findet sich in der aus dem 10.Jh. stammenden Jeḥimilk-Inschrift
aus Byblos (KAI Nr.4, 1), yḥwmlk in der Inschrift des Jeḥaumilk,

---

81) A.a.O., Sp.508.

82) Ebd.

83) Ṣdq scheint so etwas wie eine 'Hypostase' geworden zu sein,
    vgl. Gese, die Religionen Altsyriens, S.169f und Koch, צדק,
    THAT II, Sp.509, der auf entsprechende babylonische Erschei-
    nungen verweist.

84) Noth, IP, S.XIII (Nachträge).

85) Vorländer, Mein Gott, Die Vorstellungen vom persönlichen Gott
    im Alten Orient und im AT.

ca. 5.-4.Jh. v.Chr. (KAI Nr.10, 1).[86] Donner/Röllig übersetzen
die Namen mit "Milk lebt" bzw."Milk belebe", wobei sie das Verbum
als Qal bzw. Piel bestimmen.[87] In Anbetracht der Seltenheit von
Imperfektbildungen und der Schwierigkeit, das doppelt schwache Verbum ḥwy/ḥyy eindeutig zu bestimmen, ist die Differenz m.E. eher nur
eine orthographische Variante, in der vielleicht das w des 2.Radi-
kals stärker zur Geltung kommt. Zudem gab es in der Reihe der Könige
von Byblos gelegentlich eine Wiederholung desselben Namens.[88]

Auch diese beiden Namen (jedenfalls aber yḥmlk) sind als eine
Akklamation an den Gott Milk, den König der Götter gut verständlich.
Milk ist damit zugleich der "persönliche Gott" des Königs Jehimilk
von Byblos. Interessant ist es nun, einige Sätze aus Vorländers
Bestimmung der Funktion des "persönlichen Gottes" zu vergleichen:
"Als Garant für sein Wohlergehen schenkt er dem Menschen Gesundheit, Erfolg, Harmonie mit der Umwelt und die Gunst der Vorgesetzten.
Ihm verdankt er sein Leben von Geburt an. Bei Königen bezieht sich
die Hilfe des persönlichen Gottes mehrfach auf die Erlangung des
Thrones, und zwar sowohl bei legaler als auch bei illegaler Nachfolge."[89] – Diese Hilfe und die göttliche Legitimation waren wohl
bei illegaler Nachfolge besonders nötig, und Jehimilk war vermutlich ein Usurpator, da er entgegen der allgemeinen Gepflogenheit
keinerlei Genealogie angibt.[90]

Schließlich ist darauf hinzuweisen, daß sowohl in dem Namen
yḥṣdq aus Ugarit wie auch dem Namen yḥ(w)mlk jeweils in ähnlicher
Weise der herrscherlich-richtende Aspekt des Wirkens der Gottheit
angesprochen ist. Die Akklamation "es lebe ṣdq bzw. mlk" ist im
Sinn von "es herrsche ṣdq bzw. mlk" zu verstehen.[91] Damit ist je-

---

86) Weitere Angaben siehe KAI Bd.II, S.6 und 11f.

87) A.a.O., S.6 und 12.

88) Vgl. die Liste der Könige, a.a.O., S.9f.

89) Vorländer, Mein Gott, S.166.

90) KAI, Bd.II, S.7.

91) Hierher gehören wohl auch die oben S.185.187 behandelten Namen
    aus Mari, Ya-aḥ-wi-na-si und Ya-aḥ-wi-AN. Wenn auch Stamm ge-
    genüber Noth das Imperfekt in den alten Namen als Vergangen-
    heit verstehen will (z.B. Namengebung, S.62f.69f), so ist der
    Ausdruck des Wunsches durch Imperfekt (bzw. Jussiv) doch be-
    stätigt durch einen Namen wie La-aḥ-wi-ma-li-ku, der das
    Prekativ zu den obigen Namen darstellt (Huffmon, Amorite
    Personal Names, S.192).

332

doch keine Beziehung zu einer größeren Gemeinschaft, sondern nur zu einem Einzelnen, eben dem Träger des Namens konstituiert; - beim König vermutlich sogar in betonter Exklusivität.

Für den Vergleich mit dem AT ergibt sich, daß Personennamen, die eine Akklamation an die Gottheit und damit die - schützende - Unterordnung ausdrücken, geographisch und zeitlich weit verbreitet waren, von Mari (vgl. A.91) über Ugarit bis Byblos, und d.h. von ca. 1700 bis ins 10. bzw. vermutlich bis ins 5.Jh.v.Chr. Daß ein entsprechender Name in Israel erst in der nachexilischen Zeit belegt ist, dürfte die erst ab dieser Zeit eingetretene Individualisierung zur Voraussetzung haben.

Von der Verbreitung dieser Form einer Akklamation einerseits, und von der Bedeutung der Beziehung zwischen Jahwe und (dem ganzen) Volk andererseits her, ist zu fragen ob es nicht für das Volk als Ganzes eine solche Akklamation gibt. Das Aufkommen dieses Namens müßte mit der Zeit der Volkwerdung Israels zusammenfallen. Seine Struktur müßte den eben behandelten Namen entsprechen, und er müßte etwa "es herrsche..." zu übersetzen sein. Erstaunlicherweise erfüllt der Name יִשְׂרָאֵל diese Bedingungen. Schon Noth hatte (IP, S.207-209) den Namen als "ursprünglichen Stammes- oder Volksnamen, der nach Analogie der Personennamen gebildet wäre" (S.209) verstanden und als Wunschname im Sinn von "Gott möge sich als Herrn, Herrscher beweisen" (S.208) übersetzt. Neuere Funde scheinen diese Erklärung eher zu bestätigen als zu widerlegen.[92] Auffallend ist, daß das theophore Element nicht Jahwe sondern El ist. Anstelle religionsgeschichtlicher Hypothesen scheint es mir naheliegend, daß das in der Frühzeit noch deutlich vorhandene Wissen um die verbale Grundbedeutung des Jahwenamens die Verwendung als Subjekt in einem Verbalsatznamen ausschloß.[93] Diese hiermit vorgetragene Hypothese

---

92) Vgl. G.Sauer, Bemerkungen zu 1965 edierten ugaritischen Texten, ZDMG 116 (1966); zu dem in Ugarit, für ca. 1220 v.Chr. belegten Personennamen jisraʾilu (PRU V 69,3 = UT 2069, Zeile 3) s.S.239-241. Das Nebeneinander dieses Personennamens in Ugarit und der gleichzeitigen Erwähnung des Namens in der Merneptah-Stele, doch wohl als Volksname, bleibt noch zu klären. Gerleman, ישראל, THAT I, Sp.782, scheint der Auffassung Noths, Israel sei von Haus aus Volksname gewesen, zuzustimmen.

93) Vgl. vSoden, Jahwe 'Er ist, er erweist sich'. WO 3 (1966), S.177-187. Die Frage, "wann etwa der Name Jahwe aufgehört hat, ein redender Name zu sein" beantwortet er mit dem Hinweis auf

zum Namen Israel würde immerhin erklären, warum von Anfang an die
Relation Jahwe-Volk die Mitte der alttestamentlichen Aussagen
bildet, aber etwa auch, warum dort, wo der Name Israel seine Heimat
haben dürfte, nämlich im späteren Nordreich, der Ausgleich zwischen
der Herrschaft Jahwes und der Herrschaft eines Königs offenbar besonders schwierig war und sich auch anders gestaltete als im Südreich. Die Bedeutung des Namens Israel möchte ich gegenüber Noth
nicht nur im Sinn der Hilfe "nach außen" hin sondern auch der Verpflichtung "nach innen" (vgl. den performativen Akt der Akklamation;
s.o.S.245 ,A.31) sehen. Der Anlaß wäre die Konstituierung und/oder
Erweiterung eines "Verehrerkreises", also ein Ereignis, wie es vielfach hinter Jos 24 (Landtag zu Sichem) angenommen wird.

Das Verbum ḥwy/ḥyy kommt in zahlreichen ugaritischen Texten
vor. Von den bei Whitacker, A Concordance of the Ugaritic Literature, angeführten 37 Belegen für die Wurzel ḥyy[94] bleibt allerdings bei genauerer Durchsicht nur ein kleinerer Teil, primär aus
den mythologischen und epischen Texten, übrig. Die Briefe und Listen aus PRU II (= UT 1001ff) und PRU V (= 2001ff) haben überwiegend
die Lesung ḥwt, wobei zwar in PRU durchwegs mit "vie" (Leben) übersetzt wird, während aber die Bedeutung "house, dynasty, realm",
wie Gordon (UT 19.850) vorschlägt, durchwegs näher liegt und einen
besseren Sinn ergibt.

Die Belege aus den nicht-mythologischen und nicht-epischen
Texten seien zuerst behandelt. Am wichtigsten ist jener Brief an
den Pharao (PRU II, 18 = UT 1018, 18), in dem nach längerer Einleitung in der Anrede an den Pharao zu lesen ist ḥy np(š... Auf Grund
des Textes in Zeile 2 ist Zeile 17 zu vervollständigen: mlk.r(b.bʿ)
ly.p.l., worauf in den ḥy np(š.. folgenden Zeilen weitere Huldi-
gungen folgen, wobei "Amon und die Götter Ägyptens" als Beschützer
des Pharao genannt werden.[95] Dieser Text zeigt die enge Verbindung

---

die Verkürzung des "Hoheitsnamen(s) Jahwe ʾᵉlohe, ṣᵉbāʾōt
'Jahwe, Gott der Heerscharen' zu Jahwe ṣᵉbāʾōt... Denn einen
Genetiv konnte man von dem Namen Jahwe nur abhängen lassen,
wenn man vergessen hatte, daß er sprachlich eine Verbalform
darstellt." (S.185) - Das Wissen um die Verbalform, das nach
vSoden bis ca. 800 v.Chr. vorhanden war (S.186), würde ganz
entsprechend die Verwendung als Subjekt für eine zweite, analoge Verbalform ausschließen.   94) S.258f.

95) PRU II, S.34.

334

zwischen Ugarit und Ägypten. Der ugaritische König bezeichnet den Pharao als Großkönig und als "mein Herr", was doch wohl ein gewisses Vasallenverhältnis andeutet. Der hier belegte Eid entspricht genau dem hebräischen נפשך ‏חי, vor allem aber den entsprechenden ägyptischen Eiden, speziell jener Gruppe, von der Wilson sagte: "They might be called emotional or exclamatory, as when the autobiography of a noble affirms unswerving fealty to the king, or when the pharaoh in the heat of the battle calls upon the god to assist him against his enemies."[96] Zwar gibt es auch im Akkadischen einen entsprechenden Ausdruck,[97] doch sind es durchweg Texte aus der nach Ägypten adressierten Amarnakorrespondenz und die drei in Frage kommenden Briefe stammen sämtlich aus Palästina: Byblos (EA 85), Jerusalem (EA 289) und ein Ort im mittleren Jordantal (EA 256).[98] Sowohl die Belege aus der Amarnakorrespondenz als auch der ugaritische Text UT 1018 sind Beispiele für ägyptischen Einfluß. Erstere entsprechen in etwa den assertorischen Eiden, letzterer dem Hofstil, konkret einer Akklamation. Die entsprechende Anrufung im AT (חי נפשך im Blick auf den König) ist also nicht von Ugarit herzuleiten, sondern alle drei Bereiche (Ugarit/Byblos, die kanaanäischen Stadtfürsten und das AT) dürften je auf ihre Art von Ägypten her beeinflußt sein. Es ist sehr wahrscheinlich, daß die Stadtkönige von Ugarit und Kanaan, auch wenn sie sich vor dem Pharao als unterwürfige Knechte bezeichneten, ihrerseits eine entsprechende Königsideologie gegenüber ihren Untertanen vertraten.[99] (Vgl. die entsprechenden Entwicklungen in Israel unter Salomo) - Für die Behandlung der epischen und mythologischen Texte wird man die Bedeutung des Vorhandenseins einer solchen Königsideologie nicht unterschätzen dürfen. Die Kategorien waren den Schreibern, vermutlich aber auch der weiteren Stadtbevölkerung, bekannt und legten sich daher auch für die Epen und Mythen nahe.

Die weiteren Belege in den Briefen und Listen scheiden aus. Häufig ist der Text zu fragmentarisch und/oder die Entzifferung

---

96) Wilson, Oath in Egypt, S.130.

97) CAD 2, B, S.57, 3.a.3 , s.v. balaṭu; hier werden nur die Belege EA 256,10f; EA 85,39.86 und EA 289,37 genannt.

98) Vgl. Knudtzon, Die El-Amarna Tafeln, Bd.I und II zu den angegebenen Briefen, und Mettinger, King and Messiah, S.134.

99) Die oben erwähnte Konzentration des Rechtslebens auf den König ist durchaus der Konzentration des ägyptischen Staatswesens auf den Pharao vergleichbar.

unklar, wie ein Blick auf die Keilschrift und dementsprechend die divergierende Wiedergabe zeigt. Das gilt leider besonders für das hier mit anzuführende mythologische Fragment PRU II,1 I 6 = UT 1001 I 6 = KTU 1.82.6. Für ḥwt ist, wie schon erwähnt, die Bedeutung "Haus" im weitesten Sinn die wahrscheinliche. Das wird besonders deutlich bei PRU V, 62 (= UT 2062), wo Ydn, der Absender des Briefes über die Ausrüstung von 150 (!) Schiffen schreibt. Dieser Ydn ist schwerlich der Wächter über das Leben des Königs[100], der doch anwesend sein müßte, sondern ein Verwalter des Hauses, d.h. der Güter und Besitzungen, des Königs.[101] Von Interesse für uns wäre wyh.mlk in UT 26;9 (= KTU 2.7.9). Dies ist kaum anders als "es lebe der König" zu übersetzen,[102] nur ist der Zweck des Briefes (?) genauso unklar wie der Text fragmentarisch. Immerhin ist zu bemerken, daß das Verbum im Blick auf den König verwendet wird.

Im Keret-Epos finden sich vier Belege der Wurzel ḥyy. Das Keret-Epos ist, allerdings nur teilweise, auf den Tafeln UT 125-128 (= CTA 16 und 15) und UT Krt (= CTA 14) erhalten. Die Tafeln dürften in der Reihenfolge von CTA zusammengehören. Keret ist ein König, der durch verschiedene Schicksalsschläge seine ganze Familie verloren hat. Im Traum gibt ihm der Gott El verschiedene Ratschläge, um wieder zu einer Frau und zu Nachkommen zu gelangen. Die Unternehmungen gelingen, und die Götter besuchen und segnen die Ehe, aus der zahlreiche Kinder hervorgehen sollen. Nach mehreren Jahren und der Geburt der Kinder erinnert die Göttin Atirat an ein ihr gegebenes Gelübde. Die Fortsetzung ist lückenhaft. Wo der Text wieder einsetzt, wird ein großes Fest abgehalten, das sich aber als Trauerfest entpuppt, in dem um Keret wie um einen Toten geweint wird.[103] "In der letzten der erhaltenen Tafeln weint der Sohn Kerets bitter um seinen kranken Vater, und sogar der heilige Berg des Baal bricht in Tränen über ihn aus. Der Sohn ist vor allem bestürzt, daß sein

---

100) PRU II, S.89.

101) Das Wort wäre dann eher mit III חוה, versammeln, und dem davon abgeleiteten Nomen חוה /חות, Zeltlager, Heerlager in Verbindung zu bringen; vgl. die Belege und die Diskussion in HAL II, S.284. Zur großen Zahl der Schiffe vgl. Gordon, Poetic Myths and Legends, S.130.

102) Vgl. Gordon, Ugaritic Literature, S.118.

103) Vgl. hier und im Folgenden die Beschreibung der Keret-Legende in WM I, S.292-295 und bei Gese, Religionen Altsyriens, S.84-87.

Vater, den er für unsterblich gehalten hatte, nun wie ein gewöhn-
licher Sterblicher dahingehen könnte."[104] Im weiteren Verlauf
erfährt eine Tochter Kerets von der Krankheit ihres Vaters und nach
verschiedenen Aktionen, die etwas unklar sind, und in denen auch
Baal eine Libation dargebracht wird, ergreift El als oberster Gott
die Initiative und schafft eine Heilgöttin, die Keret wiederher-
stellt. Dieser besteigt bald darauf seinen Thron; und als sein Sohn
ihn bittet, doch zu seinen Gunsten abzudanken, ergrimmt er heftig
und ruft die Götter an, seinen Sohn zu bestrafen. Da weder diese
Bestrafung berichtet wird, noch das grundlegende Problem der Sterblichkeit des nach der Theorie göttlichen und unsterblichen Königs
gelöst ist, scheint der Text eine uns nicht erhaltene Fortsetzung
gehabt zu haben. Das Epos könnte die Legende einer Dynastiegründung
gewesen sein,[105] enthält aber auch das erwähnte, aus der Königsideologie resultierende Problem und das Problem des Thronwechsels.

Die Klage des Sohnes und die Klage der Tochter bei ihrer Begegnung mit dem kranken Vater lautet nun: "An deinem Leben (bḥyk),
oh unser Vater, hätte ich Freude, wenn du nicht sterben würdest,
würden wir jubeln." (UT 125, 14f) Wenige Zeilen später wird dann
der Widerspruch zwischen Wirklichkeit und Königsideologie thematisiert: "Ob denn Götter wirklich sterben? Sollte der Sproß des Gütigen (= der König als "Sohn" der Gottheit, hier des gütigen El) nicht
am Leben bleiben (lyḥ)?" (UT 125, 22f) Dieselben Formulierungen
kehren in Zeile 98 und 105 im Mund der Tochter wieder.[106] ḥyy ist
hier einmal als Nomen und einmal als Verbum verwendet. Es steht im
Gegensatz zu mwt, sterben, hat aber wiederum offensichtlich einen
weiten Bedeutungsbereich, denn beim Trauerfest war Keret schon als
tot bezeichnet worden (UT 128 V 14) während sich seine Krankheit
offensichtlich dann über einige Monate (UT 125. 84f) hinzog. "Leben"
meint also hier Aktivität und Handeln. Die Möglichkeit dazu ent-
gleitet Keret, er ist so gut wie tot. Die Krankheit des Königs hat
ihre Auswirkung auf das Ergehen im Land, "wahrscheinlich hat die
Krankheit des Königs Not über das Land gebracht."[107] Hier liegt
eine interessante Parallele zum Baal-Mythos, wo das Sterben bzw.
Verschwinden des Baal ebenfalls mit Mangel in der Vegetation ein-

---

104) WM I, S.293.

105) Gese, a.a.O., S.84, A.123.

106) Übersetzung nach Aistleitner, Die mythologischen und kultischen Texte, S.99-101.

107) WM, S.294.

hergeht. Des Weiteren wird deutlich, daß El, als der oberste der Götter, der Herr über das Leben ist, denn keiner der Götter kann Keret heilen (UT 126 V 8-23) und es ist eben El, der dann die Heilgöttin schafft. [108)]

Das Aqhat-Epos bietet 10 Belege der Wurzel ḥyy. Die drei erhaltenen Tafeln sind vermutlich in der Reihenfolge UT-Aqht 2 (= CTA 17), Aqht 3 (= CTA 18) und Aqht 1 (= CTA 19) zusammenzustellen. Die Schlußnotiz der Tafel Aqht 1 nennt die Anschlußworte zu einer weiteren Tafel, die leider nicht erhalten ist. [109)] Aqht ist der Sohn Danels den dieser nach langer Kinderlosigkeit erhält. Im Rahmen einer Opferhandlung wendet sich Danel an Baal, der wiederum seinen Vater El für Danel bittet. El segnet Danel, der dann auch einen Sohn bekommt. In diesem Segensspruch Els begegnet ḥyy (2Aqht I 37), und zwar in der Formulierung (mt.hr)nmy npš.yh dn'il. Aistleitner übersetzt: "...Es möge eine Seele ins Leben rufen Dnil". [110)] Allerdings sollte im Dopplungsstamm der 2.Radikal in Erscheinung treten. So ist eher mit Gordon der Grundstamm wiederzugeben: "By my soul, may Dnil...live", [111)] wobei allerdings der Verweis Els auf seine "Seele" ungewöhnlich ist. Zudem fehlt das bei Gordon vorausgesetzte Personalsuffix. Jedenfalls geht es um Danels "Leben", das durch einen Sohn gesichert ist, wobei es auch um das "Leben" nach dem Tod geht. Der Kontext zeigt, daß die Ausübung des Todeskultes zu den ersten Sohnespflichten gehört.

Im weiteren Text begegnet Aqhat schon als Erwachsener. Er erhält vom Gott des Handwerks eines seiner fortgeschrittensten Produkte, nämlich einen Bogen, der aus verschiedenen Materialien zusammengesetzt ist. Dieser Bogen erregt den Neid der Göttin Anat. Sie will ihn haben und bietet dafür zunächst Silber und Gold; als Aqhat ablehnt bietet sie ihm noch mehr, nämlich "Leben": "Verlange Leben, oh Aqhat, du Kraftvoller, verlange Leben, dann gebe ich es dir, Unsterblichkeit, und ich werde sie dir verschaffen, und ich

---

108) Ob die Göttin Aṯirat ohne oder - wie der Satan in Ijob - nur mit Erlaubnis Els Unglück über Keret bringen darf, ist leider wegen Textausfall nicht ersichtlich.

109) Zum Text siehe Gordon, UT und CTA 17-19, S.77-92. Gordon verwendet bereits in Ugaritic Literature, S.85-101, die angeführte Reihenfolge, die in CTA und KTU befolgt ist.

110) Aistleitner, Texte, S.68.

111) Gordon, UT 9.54, S.90; vgl. die Paradigmen, S.158.

lasse dich Jahre zählen mit Baal, Monate wirst du zählen mit den Söhnen (oder korrekter: mit dem Sohn?) Els (d.h. mit den Göttern!), wie Baal, wenn er (wieder?) lebt, schmaust, ((fröhlich) lebend schmaust)[112], seinen Wein trinkt, spielt und dazu schöne Lieder singt, (und man) seinen Gesang erwidert; so will ich auch Aqhat, dem Kraftvollen, Leben verschaffen!" (2Aqht VI 26-32)[113] Doch Aqhat läßt sich nicht beeindrucken, er weiß um die dem Menschen gesetzte Todesgrenze: "Belüge mich nicht, oh Jungfrau, denn für einen Helden ist deine Lüge Abscheu! Was nimmt (denn mehr) weg ein später Tod (als) was wegnimmt ein früher Tod? Beschwerden würden auf mein Haupt gehäuft werden, Runzeln auf meine Stirn, ich sterbe den Tod aller, und werde sicher sterben." (Zeile 33-38)[114] Obendrein gibt er der Göttin zu verstehen, daß für sie als schwache Frau dieser Männerbogen ohnehin nicht verwendbar sei. Daraufhin ergrimmt sie und beschließt den Tod Aqhats, wozu sie allerdings zunächst die Genehmigung Els, ihres Vaters, einholen muß. Diese erzwingt sie in der ihr eigenen Art[115] unter gefährlichen Drohungen, woraufhin sie ein Wesen Namens Jaṭpan dingt, das, in einen Geier verwandelt, Aqhat tötet. Dabei zerbricht allerdings auch der Bogen.

In Gespräch zwischen Jaṭpan und Anat gibt es einen oder zwei Belege für ḥyy. In 3Aqht IV 27 beteuert Jaṭpan, daß er Aqhat wahrhaftig nicht am Leben lassen wolle. In der voraufgehenden Zeile 13 vergewissert er sich vielleicht über die Ernsthaftigkeit Anats, oder betont seine Entschlossenheit, Aqhat nicht am Leben zu lassen (lt(ḥwy)). Allerdings kann die Lücke auch anders ergänzt und übersetzt werden.[116] Auf der letzten der erhaltenen Tafeln scheint Anat zu beteuern, daß sie nur den Bogen wollte ("I smote him on account of his arc, him would I verily have kept alive")[117]. Besser in den Zusammenhang paßt jedoch die entgegengesetzte Deutung des Textes: "Wegen seiner Waffe ließ ich ihn nicht am Leben, dennoch bekam ich nicht seinen Bogen"[118] (1Aqht I 16).

Anschließend hören wir von Danel, wie er, offensichtlich als

---

112) Dieser Ausdruck könnte Dittographie sein; siehe CTA, S.83, A.13.
113) Übersetzung nach Aistleitner, Texte, S.72; ähnlich Gordon, Ugaritic Literature, S.90.   114) Wie A.113.
115) Vgl. den Titel der Monographie von Kapelrud, The violent goddess.
116) Siehe CTA, S.85. Weiters die ganz andere Übersetzung bei Aistleitner, Texte, S.74.
117) Gordon, Ugaritic Literature, S.94.
118) Aistleitner, Texte, S.76.

König, Recht spricht, was ja zum Idealbild des Herrschers gehört.
Unterdessen wird ihm eine Dürre im Land gemeldet. Sieben Jahre (!)
regnet es nicht, offensichtlich ist die Ordnung der Welt, und d.h.
auch, der Natur durch Anats Mord gestört. Durch mancherlei Aktionen
wird der Mörder eruiert und Pugat, die Tochter Danels, bricht auf,
um ihren Bruder zu rächen. "Der Text bricht hier ab. Wir werden uns
die Rache wohl so vorstellen müssen, wie Judith mit Holofernes ver-
fuhr. Ob sich dann eine Wiederaufweckung des Aqhat angeschlossen
hat, wie manche annehmen, muß ganz zweifelhaft bleiben. Dagegen
spricht der tragische Grundton, wie er auch in der Antwort Aqhats
an Anat anklingt, die die Unsterblichkeit anbietet. Vielmehr wird
die Wiederkehr der Fruchtbarkeit, das Einsetzen des Regens an die
Sühnung des Mordes, also an den Tod von jtpn, gebunden sein."[119]
An der Stelle, wo Pugat zu Jatpan aufbricht, finden wir nochmals
einen Beleg für ḥyy. Auf die Bitte Pugats an ihren Vater, den Göttern Opfer darzubringen und ihr Segen und Schutz zuzusprechen, antwortet Danel: npš tḥ (pgt), "By my soul, let live (Pgt)".[120]
(1Aqht VI 198) Hier liegt eine genaue Entsprechung zur oben zitierten Stelle 2Aqht I 37 vor, wo Danel von El so angesprochen worden
war.[121] Es handelt sich offenbar um einen wirkmächtigen Segenswunsch, der das Geschehen mit bewirkt. "Es möge...leben" bedeutet
hier so viel wie "es möge...Erfolg haben". ḥyy, leben, bezeichnet
die Wirksamkeit, die zum Ziel gelangende Aktivität.

Das Aqhat-Epos weist folgende, für uns interessante Vorstellungen auf: El ist der Geber des menschlichen Lebens, erst durch seinen
Segenswunsch erhält Danel einen Sohn. El ist zwar auch Beherrscher
des Lebens (und der Welt), aber seine Souveränität ist hier ange-
schlagen. Zwar muß Anat bei El die Erlaubnis für den Mord an Aqhat
einholen, aber ihr Auftreten zeigt, daß sie sich diese mehr nimmt
als erbittet. Obwohl El zu Danel, der König der Götter zu dem König
der Menschen, in besonderer Beziehung steht, so tritt erstaunlicherweise doch Baal vermittelnd dazwischen, erst auf die Fürsprache
Baals und der anderen Götter hin wird El aktiv. Ist er zu zurück-
gezogen um die Notlage Danels bemerkt zu haben? Interessanterweise
scheint aber auch Anat einen "Vermittler" zwischen der Welt der
Götter und der Welt der Menschen zu brauchen, eben das ominöse We-

---

119) Gese, Religionen Altsyriens, S.89.
120) Gordon, Ugaritic Literature, S.100.
121) Überaschenderweise läßt Aistleitner, Texte, S.81, diese Wendung hier unübersetzt.

sen Jaṭpan. Ihr sonstiges Verhalten zeigt, daß es nicht ihre Art
ist, vor Blutvergießen zurückzuschrecken. Die Notwendigkeit einer
Mittlergestalt dürfte auch der merkwürdigen Zuhilfenahme einer
"Heilgöttin" durch El zur Heilung Kerets (s.o.) zugrundeliegen.

Diese Trennung zwischen der Welt der Götter und der Welt der
Menschen kehrt in der Differenzierung des Lebensbegriffes wieder.
Trotz aller Versprechungen Anats weiß Aqhat, daß das menschliche
Leben unausweichlich durch den Tod begrenzt ist. Dieser Tod ist ein
anderer und d.h. primär, ein realerer Tod als der des Baal, der
stirbt und dann doch wieder da ist, denn das Angebot Anats war ja
gewesen, für immer so zu leben wie Baal und "die Jahre zu zählen"
wie ein Gott. Zu leben wie Baal (2Aqht VI 30) ist für den Menschen
nicht möglich. Die Götter leben. Anat kann Leben geben, bzw. verspricht es zumindest. El jedoch scheint jenseits dieser Fragen zu
stehen: Er gibt Leben, er muß gefragt werden, wenn Leben genommen
wird, aber auf ihn wird der Begriff leben nicht angewendet. Insofern besteht auch hier die von Barth, Die Errettung vom Tode...,
S.40 (vgl. A.38), vermerkte "merkwürdige...Inkonsequenz". (Das Verständnis der Aussage "wie Baal lebt" wird im Rahmen des Baal-Mythos
zu behandeln sein).

Eine vom Bisherigen verschiedene Verwendung von ḥyy findet
sich im Segenswunsch Els bzw. Danels an den jeweiligen "Schutzbe-
fohlenen". Der gemeinsame Nenner ist "leben" im Sinn eines erfolg-
reichen, zum Ziel kommenden Handelns. Bei aller Trennung zwischen
der Welt der Götter und der Menschen bestehen auch starke Analogien.
Etwa die beiden, eben erwähnten Segenswünsche. Besonders jedoch
die gerechte und gütige, aber auch etwas resignierte Art Els, des
Königs der Götter, und Danels, des Königs der Menschen, neben denen die aktiven Kinder, insbesondere die militanten Töchter, die
eigentlich Handelnden sind.

Schließlich finden sich in den mythologischen Texten Belege
der Wurzel ḥyy, und zwar wiederum in verschiedenen Zusammenhängen.
Die in Frage kommenden Texte des Baal-Anat-Zyklus[122] kreisen um
die Beziehungen und Konflikte der Götter, die vor allem durch die
wachsenden Ansprüche des jungen - in das Pantheon eingedrungenen? -
Gottes Baal bestimmt werden. Baal will, entsprechend seiner neu-

---

122) Zur folgenden Beschreibung vgl. Gordon, Ugaritic Literature,
     S.9-56; Röllig, Baal-Zyklus, WM I, S.264-268; Gese, Altsyrische
     Religion, S.51-80.

erlangten Königswürde, einen Palast haben. Diese Begehren muß von
El genehmigt werden. Dazu erhält er die Unterstützung der Anat, er
kommt jedoch andererseits mit Jamm in Konflikt. Die Ereignisse
führen einerseits zum Bau eines Palastes für Baal, andererseits zu
seinem Tod im Kampf mit Mot, bzw. zur Gefangenschaft in der Unterwelt. Doch das ist keineswegs das Ende. Die Versammlung der Götter
vermißt Baal, und Anat macht sich auf die Suche nach Baal, wobei
ihr die Sonnengöttin, die ja die ganze Welt ausleuchtet, hilft. Dabei trifft Anat auf Mot, der ihr erklärt, von ihm sei Baal ver-
schlungen worden, worauf Anat für Baal Rache nimmt, indem sie ihn
tötet und gänzlich vernichtet, allerdings in einem Ritus, der an
Ernte und Verarbeitung von Getreide erinnert - "so entsteht aus
Mot neues Leben."[123] In der nächsten Szene erkennt El im Traum,
daß Baal lebt, daß er wieder da ist. Anat macht sich nochmals mit
Hilfe der Sonnengöttin auf die Suche nach Baal. Nun findet die "endgültige" Auseinandersetzung mit Mot statt, der den Kampf verliert
bzw. auf den Rat der Sonnengöttin hin aufgibt. Als Zeitraum für
diese Ereignisse werden sieben Jahre genannt, womit sich der Mythos,
trotz aller jahreszeitlich bedingten Motive, vom Jahreskreis gelöst
hat und anscheinend auch den Aufstieg Baals im ugaritischen Pantheon
widerspiegelt.[124]

Neben mancherlei Textlücken und neben logischen Widersprüchen,
die jedoch zum guten Teil durch das Prinzip der Dopplung und Wiederholung bedingt sind,[125] bietet die Reihenfolge der Tafeln Schwierigkeiten. Eine einigermaßen verläßliche Reihenfolge ergibt sich erst
ab etwa der Mitte des Mythos, also UT ʿnt (= CTA 3), UT 51 (= CTA 4),
UT 67 (= CTA 5), UT 49 und 62 (= CTA 6). Ob dazwischen noch, wie
bei Gordon, kleinere Texte einzuschieben und vor das Ganze UT 129.137
und 68 (= CTA 2) zu setzen sind, ist unsicher, wenn auch heute vielfach vermutet.[126] Die für uns wichtigen Belege finden sich im Teil
mit der relativ sicheren Abfolge der Texte, nämlich UT ʿnt (= CTA 3);
UT 51 (= CTA 4) und UT 49 (= CTA 6). Darüber hinaus sind zwei Belege in UT 76 (= CTA 10). Dieser Text bildet ein Seitenstück zum
Baal-Zyklus, ohne daß es sich in den vorhin referierten Zyklus ein-

---

123) Gese, a.a.O., S.74.

124) Vgl. die diesbezügliche, entschiedene Meinung bei Gese, a.a.O.,
     S.78f.   125) A.a.O., S.72.74.

126) Siehe die Begründung bei Gordon, Ugaritic Literature, S.8-11.
     Diese Reihenfolge ist übernommen in CTA 2-6 und auch bei Gese,
     a.a.O., S.51-74.

ordnen läßt.[127] In diesen Texten werden drei Götter mit dem Begriff
"Leben" in Verbindung gebracht, El, Baal und Anat.

Die beiden Belege für El stehen in UT ꜥnt V 39 (= CTA 3 V 39)
und UT 51 IV 42 (= CTA 4 IV 42), beide Male spricht Anat zu El:
"And the Virgin Anat replies: Thy word, Il, is wise; thy wisdom
unto eternity; lucky life thy word. Our king is Aliyn Baal, our
rouler, there is none above him..."[128] Die Worte des Textes lassen
sich auch etwas anders verbinden. Aistleitner übersetzt: "Dein Entschluß oh El ist weise; du hast deine Weisheit nebst ewigem Leben
zum Anteil! Dein Entschluß war, oh unser König, daß über uns
Alijan Baal herrsche als unser Fürst, daß niemand über ihm sei...
.."[129] – Damit ist der Königstitel für El reserviert und El ist
ausdrücklich ewiges Leben zugesichert. Die dreigliedrige Ausdrucksweise tḥmk.il.ḥkm ḥkmt (oder : ḥkmk)[130] ꜥm.ꜥlm.ḥyt.ḥzt.tḥmk spricht
eher für die Übersetzung Gordons. Das Ganze ist ja primär eine
captatio benevolentiae, mit der Anat ein in ihrem, bzw. Baals Sinn
"weises Urteil" erwirken will; dieses Urteil bringt dem Betroffenen
ein glückliches Leben. Wenn man das etwas unsichere ḥzt mit "Glück"
übersetzen darf, ergibt sich als Bedeutung der drei Sätze: "Dein
Wort, oh El, ist weise; es ist weise (bzw. deine Weisheit ist) für
immer, (ja,) glückliches Leben (bedeutet) dein Wort." Damit ist
dann nicht auf Els ewiges Leben hingewiesen (indem er an dem Auf
und Ab der anderen Götter unbeteiligt ist, ist das auch nicht notwendig), sondern auf seine segensreichen, eben "glückliches Leben"
wirkenden "Erlässe". Dies entspricht genau der Einleitung im Aqhat-
Epos, wo von dem der Anat gleichrangigen Baal eine Bitte an El herangetragen wird, deren Erfüllung Danel einen Sohn bringt, d.h. für
Danel "glückliches Leben".

Die Belege von ḥyy, die sich auf Baal beziehen, finden wir in
UT 49 III 2.8.20 (= CTA 6 III 2.8.20). Es sind zugleich jene Stellen,
die im Vergleich des AT mit Ugarit fast immer ausschließlich heran-
gezogen wurden (siehe dazu oben S. 10ff). Wir stehen hier fast am
Ende des Baal-Zyklus, kurz vor der Wiederkehr Baals, wo zunächst
El an den Vorgängen in der Natur im Traum erkennt, daß Baal wieder
lebt, wieder da ist, worauf Anat nochmals zur Suche aufbricht und
Baal Mot "endgültig" überwindet. Am Anfang sind von Kolumne III

---

127) Gese, a.a.O., S.77f.
128) Gordon, Ugaritic Literature, S.23 und 32.
129) Aistleitner, Texte, S.31.
130) Siehe CTA, S.19, A.14 und S.26, A.5.

leider zwei Drittel (ca. 40 Zeilen) verloren,[131] der lesbare Text
beginnt mit der für uns wichtigen Zeile 2: "...wenn Aliyan Baal lebt,
und wenn da ist der Fürst, der Herr (= b^{c}l) der Erde". Diese offensichtlich als Bedingung aufzufassende Aussage wird in Zeile 8f
wiederholt. El der Gütige soll bzw. will in einer Vision "die Himmel von Öl triefen und die Täler von Honig fließen" sehen (Zeile 5-
7), um zu erkennen, "daß Aliyan Baal lebt, daß da ist der Fürst,
der Herr der Erde" (Zeile 8f). El, der Gütige, hat nun wirklich eine
Vision. Sie macht ihn ganz fröhlich und heiter, der Bann ist gebrochen und er ruft: "Setzen will ich mich und ausruhen, und ruhig
soll sein in meiner Brust die Seele (Zeile 19f), denn es lebt
Aliyan Baal, da ist der Fürst, der Herr der Erde!" (Zeile 20f).

Wir haben deutlich eine geprägte Formulierung vor uns, die in
verschiedener Weise in den Zusammenhang eingefügt werden kann, einmal zusammen mit einer Bedingung (und wenn...), einmal als Hinweis
(und ich weiß, daß...) und einmal als Begründung (weil...). Der
Zweizeiler ist im strengen Parallelismus membrorum aufgebaut:
ḥy aliyn b^{c}l, iṯ zbl b^{c}l arṣ. Dabei enthält der jeweils zweite
Teil den Namen und die Bezeichnung des Gottes, während der erste
Teil das Prädikat bildet: "lebendig ist" bzw. "vorhanden ist". Der
Parallelismus zeigt, daß diese beiden Aussagen praktisch identisch
sind. Für ḥy aliyn b^{c}l hatte sich oben, S.158f, bei der Behandlung
von Ps 18,47 die Erklärung als Nominalsatz ergeben. Sowohl für
Ps 18,47 als auch für die vorliegenden Zeilen des Baal-Zyklus er-
schien es richtig, auf die Annahme eines prekativen Perfekts zu
verzichten. "In solchen Nominalsätzen kann die Grenze zwischen
Ausruf und Aussage sich verwischen."[132] Der Kontext zeigt beide
Aspekte, zunächst ist der Satz eine Aussage über eine Bedingung
(Zeile 2f und auch noch Zeile 8f), zuletzt aber ein freudiger Ausruf, den man geradezu als hymnisch bezeichnen kann.

Das Lebendigsein Baals ist parallel gesetzt zu seinem Vorhandensein. Das Vorhandensein Baals ist an den Vorgängen in der
Natur zu erkennen, die aber nicht notwendigerweise jährlich wieder-
kehren - der Bauernkalender von Gezer zeigt immerhin, daß praktisch
jede Jahreszeit für die Landwirtschaft Positives bringt und auch
eine Ernte ergibt; ähnlich in Lev 26,4f. Eher dürften Erfahrungen
mit längeren Perioden (7 Jahre?) der Fruchtbarkeit oder der Dürre
im Hintergrund stehen.[133] Baal ist praktisch identisch mit den

131) CTA, S.40 und Fig. 23.
132) Brockelmann, Syntax, S.6.

Vorgängen in der Natur, er stellt ihre Überhöhung und Personifi-
zierung dar. Der Mensch hat es mit Baal zu tun, indem er es mit der
Natur zu tun hat, und indem er es mit der Natur zu tun hat, hat er
es mit Baal zu tun. Der Ausruf "Es lebt Baal, der Fürst, der Herr
der Erde ist (wieder) da!" im vorliegenden Zusammenhang ist der
Hinweis auf diese Zusammenhänge und ihre Anerkennung. Allerdings
wird man daraus keine Schlüsse auf irgendwelche Riten ziehen dürfen, einfach weil der Text nichts entsprechendes andeutet und auch
so seinen Sinn hat.[134] Der Bezug zum Geschehen in der Natur wird
nun auch transzendiert. Ein wesentliches Motiv für die ganze Ge-
schehensfolge ist Baals Verlangen nach einem Palast, der seiner
Herrscherwürde, die er zu erlangen im Begriff steht, entspricht.
Sowohl Anats Forderung (UT ʿnt V 40; s.o.) als auch Aṯirats Bitte
(UT 51 IV 43f) an El um einen Palast für Baal haben als Begründung,
daß Baal jetzt König ist.[135] Der Konflikt zwischen Baal und Jamm
ging ausdrücklich um die (Vor-)Herrschaft, wie auch von beiden Göttern der Thron erwähnt wird, was ebenfalls auf Herrschaft hinweist.
Hier dürfte sich der Aufstieg Baals und sein Eindringen in das Pantheon, dessen König El war, und zu dem sein geliebter Sohn Jamm gehört, widerspiegeln.[136] Mit seiner Freude und seiner Begeisterung
über das Leben und Wiedervorhandensein Baals legitimiert El dessen
große Bedeutung. Ich möchte annehmen, daß sich der dreimalige Ausruf "es lebt Baal, da ist der Fürst, der Herr der Erde" deswegen
nicht im Mund der Gefolgschaft Baals, wie es für ein Kultritual anzunehmen wäre, sondern im Munde Els findet, weil hier El, der höchste
Gott, die Stellung des Baal legitimieren soll. El tritt gewisser-

---

133) Röllig, WM I, S.263. Sehr deutlich neuerdings Gordon, Poetic
Legends and Myths from Ugarit, Berytus XXV (1977): "...to
warn the reader against the widespread view, that Baal was
supposed to die every year at the end of the rainy season,
and revive with the start of autom rains. The summer in between
is, according to this notion, supposed to be sterile. This
theory runs against the climatic and agricultural facts of
Syria-Palestine. Needless to say it is also contrary to the
Ugaritic texts in which Baal is the god of rain and dew.
Dew is limited to the rainless season." (S.103, A.73).

134) Baumgartner, Ugaritische Probleme, S.89-91; de Langhe, Myth,
Ritual..., S.131f.

135) Röllig, WM I, S.260.

136) Vgl. de Langhe, a.a.O., S.137f.

maßen einen Teil seiner Herrschaft an Baal ab. Der zitierte Ausruf Els ist eine Huldigung an Baal und sein die Natur repräsentie-
rendes und beherrschendes Wirken. Diese Überlegung wird dadurch gestützt, daß die Texte des Baal-Zyklus aus der dem Baaltempel ange-
schlossenen Schreiberschule stammen.[137]

Der letzte zu behandelnde Beleg von ḥyy findet sich in UT 76
II 20 (= CTA 10). Diese teilweise sehr schlecht erhaltene Tafel
gehört zu den Texten, in denen Baal und Anat die Hauptrolle spielen,
ohne daß sie sich eindeutig dem soeben behandelten Zyklus zuordnen
lassen (vgl. A.127), jedenfalls ist Baal aber "in bester Verfas-
sung" und hält sich in der Gegend von Šmk zur Büffeljagd auf (II,
2-9). Anat fliegt zu ihm hin, Baal sieht sie kommen, geht ihr entgegen, fällt vor ihr nieder und ruft ihr zu: ḥwt aḥt.wnar- (20)
qrn.dbatk.btlt ʿnt (21) qrn dbtak bʿl.ymšḫ (22) bʿl ymšḫ.hm.bʿp
(23) ntʿn.barṣ.iby (24) wbʿpr.qm.aḫk (25). Gordon übersetzt:
"Mayest thou live, O my sister, and lon(g be thy days)! The horns
of thy strength, O Virgin Anat, let Baal anoint the horns of thy
strength, let Baal anoint them in flight. We have planted my foe in
the earth, in the dust those who rise against thy brother".[138]
Diese Übersetzung ist jener von Aistleitner vorzuziehen.[139] Eindeutig ist die Bezugnahme auf den Sieg über Baals Feinde am Ende
dieser Begrüßung. Die Salbung des "Horns der Stärke" durch Baal
ist kaum anders als eine Ehrung und Huldigung zu verstehen. "Überreichung von Salböl als Akt der Huldigung" ist für den Orient belegt. Wir besitzen dafür Belege sowohl vom hethitischen König als
auch vom ägyptischen Pharao, von letzterem sogar bezüglich Über-
sendung von kostbarem Öl durch einen König aus Zypern.[140] Diese
Überreichung von Öl bedeutet "die Zuwendung von 'Ehre'...durch be-

---

137) De Langhe, a.a.O., S.141. Daß der Name des Schreibers ausge-
    rechnet Ilimilku war, widerspricht dem nicht. Namensgebung hat
    meist eine lange Familientradition, und Ilimilku ist von der
    Überlieferung des Oberpriesters des Baaltempels abhängig (UT
    62 VI 53-55).

138) Gordon, Poetic, Legends and Myths, S.119f.

139) Aistleitner, Texte, S.53. Zum schwierigen Wort dbat siehe
    F.M.Cross, VT 2 (1952) S.162-164, der Gordons Wiedergabe be-
    stätigt. In einer Rezension in Orientalia 48 (1979) S.448 stellt
    Dahood Z.10 von S-Text 33 (UT 2008) neben unseren Text. Dies wäre
    ein weiterer Beleg für eine Huldigung, doch ist der Text unsicher.

140) Kutsch, Salbung als Rechtsakt, S.66-69.

freundete Herrscher oder durch Vasallen" und damit Anerkennung der
Macht.[141] Diese Deutung wird bestätigt durch das Niederfallen
Baals vor Anat. Wenn man bedenkt, wieviel Baal ihr für seinen
Aufstieg verdankt, wird diese Huldigung gut verständlich, wozu
weiters paßt, daß sie gelegentlich als "die Herrin des Königtums,
die Herrin der Herrschergewalt" bezeichnet wird.[142] Damit ist auch
für ḥwt aḫt die Bedeutung einer Akklamation, wie sie schon in der
Übersetzung Gordons anklingt, gesichert. Daß die Ausdrucksweise von
der Königsideologie herkommt, ist deutlich. Die Öllieferung eines
Königs aus Zypern, also in unmittelbarer Nachbarschaft von Ugarit,
als Huldigung an den Pharao zeigt den Bakanntheitsgrad der ägyptischen Königsideologie, der auch für Ugarit anzunehmen ist.

Grammatikalisch ist das Verständnis von ḥwt aḫt als Nominalsatz im Sinn eines Ausrufs hier ebenso möglich, wie bei ḥy aliyn
baal (s.o.). Die Annahme einer femininen Form des Partizipiums ist
m.E. einfacher als jene eines femininen prekativen Perfekts[143].
Der Wechsel von y zu w ist hier wie dort daraus zu erklären, daß
der 2.Radikal von ḥwy/ḥyy, der bei auslautendem y anscheinend
angeglichen wird, bei folgendem t erhalten bleibt.

Exkurs zum Psalmenkommentar von M.Dahood.

Einen der Anstöße für die vorliegende Arbeit, die Bedeutung
und Herkunft der Rede vom lebendigen Gott darzustellen, bildeten
die Arbeiten von M.Dahood, insbesondere sein Psalmenkommentar.[144]
Dahoods Leistung ist es, die Ugaritistik für die Erforschung der
Psalmen fruchtbar gemacht zu haben. Dabei konzentriert er sich
überwiegend auf Fragen des Textes, der Semantik und der Grammatik.
Die dabei vorgetragenen Ansichten fanden ein lebhaftes Echo in
zahlreichen Rezensionen und eine zusammenfassende Sichtung bei
G.Sauer, die Ugaritistik und die Psalmenforschung.[145] Dahood geht
sehr wenig auf die Fragen der Theologie der Psalmen und ihren Platz
in der Religion Israels ein. Die hauptsächliche Ausnahme und zu-

141) A.a.O., S.68f; Zitat S.68.
142) Gese, Religionen Altsyriens, S.157f. Text KTU 1.108 (Zeile 6ff)
     = Ugaritica V, S.551.
143) Gordon, UT, S.90.
144) Dahood, Psalms I 1-50, AncB16, 1965/66; Psalms II 51-100,
     AncB17, 1968; Psalms III 101-150, AncB17A, 1970.
145) Teil I, UF 6 (1974); Teil II, UF 10 (1978).

gleich sein Hauptanliegen in dieser Hinsicht ist die Frage der
Auferstehungshoffnung und der Erwartung jenseitigen Lebens. Diese
sieht er in sehr vielen Psalmen - manchmal unter radikaler Änderung
des gewohnten Textbestandes und der Übersetzung - gegeben. Zusammenfassend dargestellt und gegen Angriffe verteidigt wird seine
Sicht in Bd.III, S.XLI-LII.[146] Im Blick auf die vorliegende Arbeit
ist allerdings festzuhalten, daß Dahood die Frage nach dem ewigen
Leben in den Psalmen nicht mit der Rede vom lebendigen Gott in
Verbindung bringt. Weder bei Ps 18,47 noch bei Ps 42,3.9; 84,3, wo
es noch näher läge, verweist er auf die Vorstellung vom ewigen
Leben. Andererseits verweist er bei seiner Behandlung der Frage
nach ewigem Leben und Jenseitshoffnung nicht auf den lebendigen
Gott. Bei den erwähnten, in Frage kommenden Psalmstellen behandelt
Dahood nur grammatikalische Probleme, nämlich das prekative Perfekt (bei Ps 18,47; vgl. o.S.149f.158f) und das vokative Lamed
(bei Ps 42,3; 84,3). Mit dem Auseinanderhalten der Vorstellung von
Gott als Geber des Lebens (bei Dahood betont: des ewigen Lebens)
und der Bezeichnung "der lebendige Gott" folgt Dahood - wohl eher
unbewußt - einer Unterscheidung die sich hier in dieser Arbeit als
wichtig erwies.

Dahoods Position ist somit für unser Thema nicht unmittelbar
relevant, sondern "nur" mittelbar im Blick auf die Bedeutung kanaanäischer Vorstellungen für den Glauben des AT. Dahoods Meinung
über "Tod, Auferstehung und Unsterblichkeit" im Psalter und damit
im AT insgesamt, kommt zunächst das Verdienst zu, die Frage mit
Vehemenz neu gestellt zu haben. Andererseits kommt Dahood nur bei
wenigen seiner Belege ohne beträchtliche Änderung des Textes aus,
wie auch seine Übersetzung ugaritischer Belege häufig von geläufigen Übersetzungen weit abweicht. Ein Beispiel für beides gibt seine
Behandlung von Ps 36,10, wo aus "(...bei dir ist die Quelle des
Lebens,) in deinem Licht sehen wir das Licht" plötzlich "...in
your field we shall see the light." wird. Hatte Dahood in Bd.I,
S.261, Ps 43,3f noch übersetzt "Let them bring me to your holy
montains and to your dwelling. I would come to the altar of God...",
so wird in Bd.III plötzlich als Ziel des Weges angegeben "...That
I might come to the banquet of God", und zwar einzig mit der Be-

146) Das Thema ist bereits in Bd.I, S.XXXVI, kurz angesprochen und
    als "perhaps the most significant contribution to biblical
    theology", die aus den "new philological principles" resultiert,
    bezeichnet.

348

gründung: "It appears more probable that messengers would be dispatched to conduct one to a banquet (cf. Matt 22,3) than to the altar." (S.XLIX, A.46) Der ständige Blick nach Ugarit führt hier zur Mißachtung so fundamentaler Gegebenheiten wie der Bedeutung des Zion und der Tempelfrömmigkeit für Israel.

Aber auch auf der ugaritischen Seite ist manches fraglich. Warum wird nicht die auch in Ugarit so große Bedeutung von heiligem Ort und Opfern[147] zum Vergleich herangezogen, sondern das - vom ugaritischen Text her recht fragliche - "celestial banquet"? Dahood geht zudem gar nicht darauf ein, daß Aqhat auf dieses Angebot eines "celestical banquet" nur ablehnend reagiert, eben weil er weiß, daß er als Mensch an der Existenzform der Götter nicht teilhaben kann (2Aqht VI 33-39). Religionsgeschichtlicher Vergleich wird hier nicht unter Beachtung von Funktion und Sitz im Leben einer Vorstellung betrieben, sondern als "parallel hunting" (Ringgren). Nicht zuletzt bleibt das Problem der Hermeneutik. Wenn die Gebiete, wo Baal jagt oder wo Baal und Anat einander begegnen,[148] zu eleusischen Gefilden und diese zum Land des (ewigen!) Lebens der alttestamentlichen Frommen (in das sie Gott wie Elija und Henoch entrückt!; z.B. Bd I, S.33.91) werden, so sind hier nicht nur sehr verschiedene Dinge vermischt, sondern auch die hermeneutischen Fragen des kanaanäischen Mythos übergangen.

Bei aller Relevanz für die Erforschung sprachlicher Probleme im AT sind Dahoods Arbeiten doch eher eine Warnung vor einem simplen Durchforsten ugaritischer oder anderer Literatur nach "Parallelen" und eine Aufforderung, die verschiedenen Bereiche zunächst für sich zu betrachten und aus ihren Voraussetzungen verständlich zu machen, und erst dann weitere Verbindungslinien zu ziehen.[149] Die hier angeschnittene Frage der Jenseitserwartung im AT ist, soweit ich sehe, noch immer in der Theologie des AT von W.Eichrodt am treffendsten behandelt. In der Überschrift des betreffenden Abschnittes

---

147) Vgl. den Beginn des Aqhat-Danel-Epos (2Aqht I 1ff) und des Keret-Epos (Krt 5ff.154ff).

148) Es kommen wohl kaum andere ugaritische Belege in Frage. Dahood gibt nirgendwo an, wo er im "Semitic context" (Bd.I, S.XXXVI, A.26) die Vorbilder für die "Elysian Fields" (ebd.) findet. Auch die bei Ps.5,9; 23,3; 36,10; 69,28f gegebenen Verweise bewegen sich im Kreis und sind keine Begründung.

149) Vgl. Ringgren, Israels Place among the Religions of the Ancient Near East, VTS 23 (1972), S.1.

"Die Unzerstörbarkeit der individuellen Gottesgemeinschaft (Unsterblichkeit)"[150], ist sowohl die Gewichtung der Aspekte angezeigt als auch jene Mitte , von der her das AT die Antwort auf die hier anstehenden Probleme des Lebens fand und gibt.

Zusammenfassung

In der folgenden Zusammenfassung wird zunächst von der mesopotamisch-kanaanäischen Welt (I) und dann von Israel her (II) ausgegangen.

I. 1.) Sowohl in Mesopotamien als auch in Kanaan, speziell Ugarit, gibt es die Anschauung, daß die Gottheit Leben gibt und auch beleben kann. Dieses Tun und diese Mächtigkeit scheint in Mesopotamien jeweils dem obersten Gott zugeordnet worden zu sein, und dürfte schon in Eigennamen der altbabylonischen Zeit belegt sein. So geläufig diese Vorstellung ist, so fehlt doch - in "merkwürdiger Inkonsequenz" - das Attribut "lebendig".

2.) Im ganzen mesopotamischen Raum ist uns, von ältester Zeit angefangen, ein vielfacher Gebrauch von Eiden belegt. Die Götter, vor allem die Hauptgötter der jeweiligen Städte und Länder wachen über die Einhaltung der geleisteten assertorischen und promissorischen Eide, wobei auch in letzteren seltener ein Tun (Loyalitätserklärung), viel häufiger ein Nicht-Tun (vgl. bereits die Geierstele und später die Verzichtsklauseln) versprochen wird. Die Götter sind damit auch die Herren, bzw. neben dem König die Oberherren des Rechtslebens, und die Eide sind ein Zeugnis für die Verbindung von Recht und Religion. Die Eide werden geleistet unter Anrufung des Lebens bzw. des Namens von Gott bzw. Gott und König. Der Begriff "Leben" ist dabei, so wie der "Name", zu verstehen als Hinweis auf die Wirksamkeit und Herrschaft im jeweiligen Bereich.

---

150) Eichrodt, TheolAT, Teil 2/3, 1974[6], S.346-370.
   Hier ist weiters auf Nötscher, Altorientalischer und Alttestamentlicher Auferstehungsglauben, 1926, hinzuweisen, dessen Ergebnisse auch angesichts der Funde von Ugarit noch großteils zutreffend sind, vgl. den 'Nachtrag' von Scharbert (ebd., S.349-411).

3.) Gegenüber dieser Verbundenheit von Recht und Religion
(trotz gelegentlicher "Säkularisierung", besser gesagt "Royali-
sierung"), finden wir in Ugarit eine völlige Trennung dieser beiden
Bereiche, die nicht zuletzt durch das völlige Fehlen von Eiden bestätigt wird. Die Rechtssprechung ist ganz auf den König konzentriert.
Dies geht sowohl aus den erhaltenen Rechtsurkunden als auch aus
dem Königsideal der Epen (Danel im Aqhat-Epos) hervor. Andererseits haben die Götter nichts mit dem irdischen Rechtsleben zu
tun. El herrscht zwar, aber seine "Entscheidungen" betreffen die
Götter, und Baal wird ausdrücklich als "unser König" und "unser
Herrscher" bezeichnet, aber eben von den Göttern, und offensichtlich in Parallele zu Jamm, dem "Herrscher über die Fluten". Der
irdische König herrscht über die Menschen. Der Götterkönig herrscht
über die Götter und über "das Leben" (siehe 1.), und die Götter
herrschen über die Natur. Dabei sind die Beziehungen der Götter
nicht von dem geprägt, was wir als Rechtsempfinden bezeichnen
würden, sondern von Machtansprüchen. Die Herrschaft über die Natur wurde wohl von den Ugaritern (und Kanaanäern) als solche aufgefaßt (die aber doch mit Riten der Menschen zumindest gestärkt
wurde), sie stellt sich aber für uns eindeutig als Überhöhung des
Geschehens in der Natur und ihrer Fruchtbarkeit dar. - Allerdings
ist Baal auf dem besten Weg, seinen Herrschaftsbereich zu erweitern,
wie die phönizischen Belege des 1. Jt. zeigen (ein "Baal" als
Stadtgott von Byblos und Karthago).

4.) Neben den Aussagen, daß die Gottheit Leben gibt oder am
Leben erhält (vgl. 1.), die mit den abgeleiteten Stammformen von
ḥyy gebildet werden, gibt es auch einige Belege mit ḥyy im Grundstamm bzw., wie es sich als wahrscheinlich ergab, in einem entsprechenden Aussagesatz. Diese Aussage, besser gesagt, dieser Ausruf "es lebt!/es lebe!" erscheint im Blick auf den Pharao, im Blick
auf Baal und im Blick auf Anat. Es handelt sich dabei um eine Anerkennung und Huldigung für den bzw. die Angeredete(n), also um
eine Akklamation. Anerkannt wird dabei die Herrschaft des Betreffenden in und über seinen Herrschaftsbereich. Dies zeigt sowohl der
Brief des ugaritischen Königs an seinen Herrn, den Pharao, als auch
der Ausspruch Els über Baal im Blick auf dessen Herrschaftsbereich,
eben die Natur, aber auch die Begrüßung der Anat durch Baal, wo
ihr vorangegangenes (oder bevorstehendes) machtvolles Handeln gerühmt wird. Wie der Brief, bzw. die Briefe an den Pharao zeigen,

sind die ägyptische Königsideologie und ägyptischer Hofstil in
Ugarit bekannt. Neben den entsprechenden ägyptischen Vorbildern
macht auch die weitgehende Entsprechung zwischen Königtum und
Mythos das Vorliegen einer Übertragung der Huldigungsformel in den
Bereich der Götter sehr wahrscheinlich. Wir haben damit auch in
Ugarit nicht wirklich einen Beleg für das Attribut "lebendig" für
eine Gottheit (vgl. die Beobachtung von Chr.Barth), wenn auch die
Aussagen in eine gewisse Nähe dazu kommen. Diese Aussagen sind
jedoch ganz anders gefüllt als jene des AT. Die Differenz zeigt
sich nicht zuletzt auch dort, wo gattungsmäßig eine Übereinstimmung
oder weitgehende Entsprechung besteht.

5.) In den Zusammenhang dieser Huldigungsformeln gehört auch
der einzige ugaritische Eigenname, der für unsere Thematik relevant
ist, nämlich yhṣdq, zu dem Jeḥimilk und (weniger sicher) Jeḥaumilk
aus Byblos (10. bzw. 5. Jh) zu vergleichen ist. Es handelt sich um
eine Huldigung an den "persönlichen Gott", also den Schutzgott
des betreffenden Individuums bzw. Königs. Diese Deutung wird durch
amoritische Namen gestützt. Ob sich die Bezeichnung ṣdq auf El oder
auf Baal bezieht, muß offen bleiben. Sie bezieht sich jedenfalls auf
das Königtum und die Herrscherfunktion des gemeinten Gottes, wie
sich aus dem Ideal des "gerechten Herrschers" und aus dem amoritischen Namen ya-aḫ-wi-na-si ergibt. In dieser Namensform wird die
Beschränkung des Wirkens der Gottheit auf den Bereich von Mythos
und Natur durchbrochen. Allerdings geht es nur um die Beziehung
eines Einzelnen zur Gottheit und ist dieser Namenstyp später nur
für einen König belegt.

II. 1.) Im Blick auf das AT ergibt sich, daß die im AT häufigste
und auch älteste Weise von Jahwes Lebendigkeit zu reden, nämlich
im Rechtsleben, für Ugarit, und damit, soweit wir sehen, für die
kanaanäische Religion fehlt. Jahwe, der Gott Israels ist von Anfang an auch Herr über den Rechtsbereich, und er ist Herr über
das Volk bzw. über die Gemeinschaft, an der er sich als Helfer und
Retter erweist. Diese beiden Bereiche gehören für Jahwe und Israel
zusammen. Sie sind zwei Seiten derselben Sache.

2.) In Ugarit tritt der König zwischen Götter und Menschen.
Der Rechtsbereich ist dem König zugeordnet. Die Götter herrschen
im Mythos und in der Natur. Für den Menschen sind sie auf dem "Um-
weg" über die Natur oder über den Staat (als Staats- bzw. Stadtgott)

352

von Bedeutung. Dort wo diese Trennung durchbrochen wird, in der Beziehung zum "persönlichen Gott", geht es um die Beziehung einer Einzelperson, neben der (für sich) eine andere Einzelperson (und auch die Beziehung zu einer anderen Gottheit) stehen kann. Für Israel steht die Gottesbeziehung des Einzelnen im Rahmen der Gottesbeziehung der Gemeinschaft, des Volkes Jahwes. Der Volksname "Israel", zu dessen Deutung sich als Nebenfrucht ein wichtiger Aspekt ergab, verweist von Anfang an auf diesen Tatbestand - dies trotz formaler Gleichartigkeit! Erst nach den, durch die prophetische Botschaft und die Exilserfahrung gegebenen Veränderungen finden wir in Israel den, den Einzelnen meinenden Namen Jechiel.

3.) Die Aussage vom Leben der Götter wird in Ugarit über Baal und Anat gemacht. Es ist eine Lebendigkeit, die sich im Wachstum und in der Fruchtbarkeit der Natur widerspiegelt. Wenn diese vorhanden ist, dann ist auch Baal da, dann lebt er. Baals Herrschaft hat auch den Bereich der Fruchtbarkeit bei Tier und Mensch übernommen (schon im Epos tritt Baal als Vermittler des Wunsches Danels nach einem Sohn auf; allerdings kann dort nur El den Wunsch erfüllen). Hier, bei der Fruchtbarkeit von Mensch und Tier, hat Anat, bzw. später Astart, deren Wirkungskreis ebenfalls das Geschlechtsleben war, ihre Aufgabe. Das Wirken dieser Götter nun konnte und sollte gefördert werden durch kultische Aktionen von Seiten der Menschen, durch Opfer und durch sexuelle Riten. Hier lag zu einem guten Teil die Attraktivität der kanaanäischen Religion, und die Auseinandersetzung zwischen Jahweglauben und kanaanäischer Religion war nicht nur eine Frage der "Dogmatik" sondern auch der "Ethik" Israels. Diese Auseinandersetzung um die Frage, welcher Gott wirklich lebt und herrscht und auch die Frage nach dem Wesen dieses lebendigen Gottes zeigen u.a. die Elija-Elischa-Erzählungen, aber auch Gesetzestexte wie Lev 18,23f gegenüber UT 76.

4.) Daß die verschiedenen Bereiche des Themas "Leben" von der Herrschaft Jahwes über Israel und von seinem Rettungshandeln her in den Glauben Israels integriert wurden, zeigt schließlich die Vorstellung von Gott als Geber des Lebens. Zwar ist diese Vorstellung von der Schöpfungs- und Erzväterüberlieferung an vorhanden, der Vergleich mit der Quelle lebendigen Wassers bzw. des Lebens aber erfolgt doch erst spät. Und so wie die Schöpfungs- und Erzvätertradition von den Traditionen um Exodus und Sinai her inte-

griert werden, so wird bezeichnenderweise die Kritik, Jahwe, die
lebendige Quelle verlassen zu haben (Jer 2,13), im Blick auf das
ganze Volk und im Blick auf Jahwes Geschichtshandeln an diesem
Volk ausgesprochen. Dies zeigen auch die prophetischen Texte:
Jahwe will Leben geben: "Suchet mich, so werdet ihr leben"
(Amos 5,4) meint das ganze Volk, wie u.a. aus der Drohung "daß er
nicht ein Feuer sende gegen das Haus Josef" (V.6) hervorgeht.
Selbst bei Ez geht es um das Volk, auch wenn die Antwort indivi-
duell kasuistisch entfaltet und begründet wird. ("Der individu-
alistische Eindruck rührt von der literarischen Form und der theo-
retischen Begründung her." Ringgren, חיה , ThWAT II, Sp.889)

5.) Israel ist in der Aussage vom Leben und d.h. auch vom
Herrschen Jahwes nicht von der kanaanäischen Religion abhängig.
Vorformen dieser Ausdrucksweise finden wir eher in Mesopotamien
und besonders in Ägypten, von wo auch Kanaan beeinflußt war. Die
kanaanäische Religion und Religiosität und die dort zugrundelie-
gende Vorstellung von der Lebendigkeit und vom Wesen der Götter
wurde aber zur großen Herausforderung Israels, gegenüber der sich
Israels Verständnis von der Lebendigkeit und vom Wesen seines Gottes Jahwe profilieren mußte.

X. Ergebnis.

A. Zum Alten Testament:

1. Ausdrucksweisen.

Der Rede von "lebendigen Gott" begegnen wir in vier verschiedenen Ausdrucksweisen. (1) Zunächst, und wahrscheinlich als der im
AT ältesten Form, in der Schwurformel, mit den Möglichkeiten der
Erweiterung im Blick auf den König oder andere Autoritätspersonen
und mit der Möglichkeit der Umformung in die 1.Person als Gottesrede. (2) Der Form nach sehr nahe verwandt und wohl aus der SF hervorgegangen ist das hymnische Bekenntnis "Jahwe lebt", das in
Ps 18,47 vorliegt, aber auch in Jer 23,7f par. und hinter Jer 46,18
anzunehmen ist. (3) Mit diesem hymnischen Bekenntnis gehört die konkrete Gottesbezeichnung "der lebendige Gott" eng zusammen. (4) Die
individuelle persönliche Huldigung an den lebendigen Gott finden
wir im AT schließlich in der nachexilischen Zeit belegt.

Von diesen Aussagen zu unterscheiden ist die Rede von Jahwe
als der Quelle des Lebens bzw. die Verwendung der kausativen und
faktitiven Stammformen von חיה mit Gott als Subjekt (er läßt am
Leben, er erhält am Leben). Die entsprechenden Belege sind vergleichsweise jung.[1] Hier handelt es sich um die Integration einer
allgemein orientalischen Vorstellung in den Glauben Israels.

Die angeführten Aussageweisen finden ihren gemeinsamen Nenner
in der Vorstellung von der Gottesherrschaft, d.h. der Herrschaft
Jahwes über das (werdende und dann in verschiedener Ausgestaltung
bestehende) Volk Israel. Die sprachlichen Voraussetzungen der SF
und der Akklamation (s.unten, B.1) zeigen, daß es um die Vorstellung

---

1)   Vgl. die Aufstellung o.S.22.
Demgegenüber auch für Israel wesentlich älter ist das, den
Einzelnen betreffende Urteil über Tod oder Leben (1.Sam 14,39.45;
2.Sam 4,9; 14,11), dessen vermutlich teilweise sakralrechtliche Wurzeln bei Ezechiel (Ez 18; vgl. o.S.181-185) nochmals
deutlich werden. Hier handelt es sich aber nicht um Entfaltung
der Schöpfungstradition sondern um die Konkretisierung des
richterlichen Aspekts der Herrschaft Gottes über die Gemeinschaft, nach "innen". Die wahrscheinlich in die Frühzeit zu-
rückreichende Linie (vgl. Gen 16,14; zum Teil noch Ri 8,19)
steht aber immer im Rahmen der Beziehung Jahwe - Israel.

der Herrschaft geht (wobei, und das ist sehr wichtig, der Königtitel zunächst fehlen oder vermieden sein kann). In der konkreten Ausformung geht es um die Herrschaft Jahwes über Israel mit ihren Auswirkungen nach innen und nach außen. Diese Relation bleibt im AT die grundlegende. Von dieser Grundbeziehung zwischen Jahwe und Volk her werden die anderen Redeweisen und Lebensbereiche integriert bzw. "erobert". Dies betrifft die räumliche und zeitliche Entfaltung der Gottesherrschaft wie auch die Zuspitzung auf den Einzelnen, die sich in der Rede von Jahwe als Retter und Erhalter des Lebens (des Einzelnen) und in der nachexilischen Namengebung zeigt.

2. Bedeutung und Entwicklung im Alten Testament.

Die älteste Aussageform (vielleicht außer Gen 16,14) ist die SF. Wir finden sie ab der Frühzeit nach der Landnahme, d.h. ab der Richterzeit, in Israel belegt. In Ri 8,19 steht sie im Zusammenhang der Exekution von Blutrache (vgl. 2.Sam 14,11), in 1.Sam 14,39.45 im Zusammenhang mit Verurteilung bzw. Freispruch wegen eines kultischen Vergehens.[2] Die typische und grundlegende Verwendung der SF ist bereits hier gegeben: Sie steht im Rahmen des Urteilsspruches am Übergang von Tatbestandsfeststellung zur Tatfolgebestimmung und verweist damit auf die Autorität in deren Namen die Entscheidungen getroffen werden. Die SF steht damit von Haus aus sachlich und formal in einem doppelten Bezug. Sachlich steht sie gewissermaßen im Schnitt zwischen "Horizontaler" und "Vertikaler", indem sie auf die göttliche Autorität hinweist und andererseits die entsprechende Ausgestaltung des Volkslebens im Blick auf die Rechtsentscheide bestätigt. Analog dazu kann die SF in formaler Hinsicht ausgestaltet werden durch die Ausführlichkeit der Tatbestandsfeststellung und der Folgebestimmung oder durch die Erweiterung der Gottesbezeichnung (z.B. "beim Leben Jahwes, des Gottes Israels; oder ...der uns, ... der mich gerettet hat, u.ä.).

Ob diese Form des Rechtsentscheides im kultischen Zusammenhang verwurzelt war, d.h. am Heiligtum geübt wurde, ist schwer zu entscheiden. Die Belege aus der Zeit der Anfänge des Königtums (Losverfahren in 1.Sam 14, Beziehungen zu Gilgal), aber auch die gattungsgeschichtlichen Beobachtungen bei Ezechiel sprechen dafür. Eine rein profane Alternative ist für diese frühe Zeit in Israel sicher nicht

---

2) Vgl. S.126f; 38; 62-65; 169f.

anzunehmen, wie auch die in 2.Sam 14,11 vom König geforderte Eidesleistung den großen Unterschied zur ausschließlichen Bindung des
Rechtslebens an den König, wie wir es aus Ugarit kennen,[3] verdeutlicht.

Israel kannte die SF sehr wahrscheinlich durch den Kontakt
seiner Vorfahren mit den Ägyptern im Bereich des Sinai. In Ägypten
fanden wir zwar eine ganz andere Vorstellung und Erfahrung vom Leben, aber gerade hier fanden wir auch einen sehr intensiven Gebrauch
der SF im Rechtsleben, wobei die SF auf den Pharao und die Götter
als Herrn des Rechtslebens wie auch der Gemeinschaft, d.h. in
Ägypten:des Staates, hinweist. Die Kontakte zwischen Ägyptern und
semitischen Nomaden am Sinai machen eine Kenntnis dieser Begrifflichkeit durchaus wahrscheinlich.[4] Eine Übernahme ging aber sicher
mit der Anpassung an die religiösen Vorstellungen der Nomaden und
an die Gestaltung des nomadischen Lebens Hand in Hand. Die Akklamation eines Rechtsentscheides am "Brunnen des Lebendigen,der mich
sieht" (Gen 16,14), der wohl Heiligtum war, würde gut in diesen
Rahmen passen.[5] Jedenfalls brachten die Stämme Israels ihre Überlieferungen des Rechtslebens und des Rechtswillens Jahwes, ihres
Gottes vom "Sinai" oder vom "Großraum Kadesch" (S.Herrmann; vgl.
Ex 15,25) her mit, während im kanaanäisch-ugaritischen Bereich das
Rechtsleben nicht religiös, sondern beim König als dem Herrn und
Repräsentanten der Bevölkerung verankert war.

Inhaltlich-traditionsgeschichtlich ist die SF in der frühen
Königszeit[6] auf Jahwe als den Retter Israels bezogen, aber auch
darauf, daß Jahwe bestimmte Menschen zu Werkzeugen seines Retter-
handelns macht (1.Sam 14,39.45). Hier ist bereits ein Problem angezeigt, das zur Hauptfrage des Glaubens Israels in der frühen Königszeit wird, nämlich das Verhältnis zwischen Jahwe als Herrscher
über Israel und dem (gegenüber den Richtern) kontinuierlich und
dann sogar dynastisch regierenden König. Dieses Nebeneinander zeigt
sich schon formal in der, allerdings seltenen Erweiterung der SF zu:
"beim Leben Jahwes und bei deinem Leben". Hier ist die SF praktisch
zur Akklamation geworden. Wenn man, dem Sinn entsprechend, statt
mit dem blassen "Leben" mit "Herrschaft" übersetzt, so zeigt sich
die Prägnanz aber auch die Brisanz der Aussage: "Bei der Herrschaft

---

3) Vgl. S.286f.
4) Vgl. S.270-274.
5) Vgl. S.249-258.
6) Vgl. S.38-62; 65-69.

Jahwes und bei deiner Herrschaft!" Neben den vier Belegen dafür
stehen zwei weitere Belege, wo unter noch stärkerem Einfluß des
Hofstils und der Königsideologie nur mehr der König in der SF genannt ist. Damit steht für Israel neben der Autorität Jahwes die
Autorität des Königs, und neben die Beziehung zwischen Gott und
Volk tritt die Sonderbeziehung zwischen Gott und König, durch die
der König legitimiert ist für Rechtsentscheide (2.Sam 4,9) bis hin
zur Regelung der Nachfolge (1.Kön 1,29): "beim Leben (= bei der
Wirksamkeit und Herrschaft) Jahwes, der mich aus aller Not errettet
hat...". Diese Form der Legitimation begrenzt aber zugleich seine
Autorität, er bleibt der Herrschaft Jahwes unterstellt, dieser hat
ihn ja auch errettet. Der Kontext und die Erweiterung der SF spiegeln die Strömungen und Probleme der Zeit der Entstehung des Königtums, aber auch die Position, von der her in unserer Literatur die
Antwort gesucht wird. Wie sehr das Königtum die Tendenz hatte, die
hier gegebene Legitimation und Begrenzung zu überschreiten, machte
die Folgezeit, ja schon der Thronwechsel nach David, deutlich.

Bevor wir zu den Elija - Elischa - Erzählungen als der nächsten
größeren Gruppe der Belege für die SF und damit zur Rede vom lebendigen Gott kommen, ist noch einmal zurückzufragen nach den Ursprüngen
und der anfänglichen Intention. Wir hatten soeben verfolgt, welche
positive aber auch kritische Bedeutung die Rede vom lebendigen Gott
auf die Bewertung der Entstehung des Königtums und seiner Etablierung durch David in Jerusalem bekommen hatte. Der Verweis auf das
Leben, und das bedeutete: auf die Herrschaft Jahwes erlaubte die
Integration, aber auch die Begrenzung der Herrschaft des Königs
im Rahmen des Glaubens Israels. Zugleich erfolgte damit die Verknüpfung mit der Zeit vor der Etablierung des Königstums, d.h. mit
den Rettertraditionen der Richterzeit. Hingewiesen wurde auf das
Rettungshandeln Jahwes. Er war es, der Israel in Bedrängnis geholfen und es von den Feinden errettet hatte. Hier ist auf die Überlieferung in Jos 3 hinzuweisen.[7] Dort wurde Jahwe als der Herr des
Landes bezeichnet und daraus ein entsprechender Anspruch abgeleitet.
Offensichtlich war auch Saul von diesen in Gilgal beheimateten anti-
kanaanäischen Traditionen bestimmt, wie manche seiner Aktionen erkennen lassen. Hatte sich schon von der Betrachtung der SF her der
Begriff der Herrschaft nahe gelegt, so bestätigen die Beziehungen
Sauls zu Gilgal und den dortigen "Landnahmebundestraditionen", wie
der dort erhobene Anspruch Jahwes als Herr (אדון) des Landes die-

---

7) Vgl. S.260-267.

ses Bild. Das Anliegen der Rückbindung des Königtums an diese Traditionen erklärt auch die Hervorhebung Jonatans als Bindeglied im
Übergang von Saul zu David.

So bleibt schließlich noch die Frage, ob auch die konkrete
Bezeichnung "der lebendige Gott" schon für diese frühe Zeit, also
noch vor der endgültigen Staatenbildung, anzunehmen ist. Von der
derzeitigen Literarkritik und Einleitungswissenschaft her muß die
Antwort offen bleiben. Trotz vielfacher Spätdatierung verschiedener
Teile von Jos 3 gibt es auch andere gut begründete Meinungen. Zu
den mit der SF gegebenen Vorstellungen würde die Rede vom lebendigen,
d.h. über das Volk herrschenden und für und inmitten seines Volkes
wirksamen Gottes durchaus passen. Mit der in der frühen Königszeit
intensiven Verwendung der SF und Reflexion über die entsprechenden
Vorstellungen ist die Bildung dieser Gottesbezeichnung in dieser
Zeit durchaus denkbar. Ziemlich sicher liegt sie aber Hosea bereits
vor, sodaß sie spätenstens in den 200 Jahren zwischen David und
Hosea entstanden sein muß. Es erscheint mir berechtigt, sie bereits
für die Zeit Sauls anzunehmen und zwar als Ergebnis der Reflexion
über die in der Landnahme- und Richterzeit gemachten Erfahrungen mit
dem Rettungshandeln und Rechtswillen Jahwes, des "Herrn" über das
in und an diesen Erfahrungen gewachsene "Volk" Israel.[8]

Bei den Elija-Elischa-Erzählungen finden wir die nächste
große Gruppe an Belegen für die SF.[9] Zugleich stehen wir hier in
einer neuen Phase der Auseinandersetzungen. Es geht nicht mehr um
den primär militärischen, sondern um den primär religiösen Konflikt.
Gegenüber der synkretistischen Politik des Königs kämpft Elija für
die Ausschließlichkeit der Jahweverehrung. Dabei geht es um den
Machterweis Jahwes in allen Lebenslagen und -bereichen. Er herrscht
über die Natur und hält den Regen zurück (1.Kön 17f), oder er gibt

---

8) Hier stoßen wir auf die Themen Jahwekrieg, Amphiktyonie und
   Bundesrecht. Alle drei Themen wurden (in der angeführten Reihenfolge zunehmend) intensiver Kritik unterzogen und vielfach
   modifiziert, erwiesen sich aber doch als ihrem Kern nach zutreffend und können schwerlich aus der Frühzeit Israels völlig
   eliminiert werden. Daß sich in der vorliegenden Arbeit immer
   wieder Beziehungen zu jenen Fragen ergaben (z.B. Rettertradition; Zusammenwachsen der Stämme (vgl. S. 215 A.44.45, zu Ri 5);
   Rechtsprechung), mag ebenfalls dafür sprechen.

9) Siehe dazu S. 260-267.

ihn und erweist sich als der allein Wunder wirkende Gott (1.Kön 18),
nicht nur in der Natur, sondern auch als Herr über den Tod (1.Kön
17,12; 2.Kön 4,30) und damit als eigentlicher Herr und Geber des
Lebens; ja Jahwe ist sogar dort mächtig, wo Baal sein Herrschafts-
gebiet hätte, aber letztlich doch ohnmächtig ist (Sarepta, 1.Kön
17,12; vielleicht auch am Karmel selbst, c.18).[10]

Die treibende Kraft ist hier wiederum der Herrschaftsanspruch
Jahwes über sein Volk und als "Herr des ganzen Landes". Der Rückhalt
für diese Ansprüche wie für den Propheten selber ist Jahwe, der
Gott, der vom Sinai herkommt und zu dem der Prophet zum Sinai hin
flieht (1.Kön 19). Bei der Analyse von Jer 46,18 ergab sich übrigens die Vermutung, daß dort ein Hymnenfragment zugrundeliegt, in
dem das Ereignis vom Karmel als Erweis des lebendigen Jahwe gesehen
wird.[11]

Hier in den Auseinandersetzungen Elijas wendet sich Gott nun
auch gegen sein Volk. Die Mißachtung seines Herrscherwillens hat
nicht nur Folgen für den Einzelnen, sondern für das ganze Volk. Es
beginnt gewissermaßen ein Prozeß der Loslösung zwischen Jahwe und
Volk bzw. König. Der Kampf Jahwes wendet sich damit zum Teil gegen
sein eigenes Volk; - gibt es einen Teil, der den Anspruch des lebendigen Gottes erfüllt? Die Verwendungsweisen der SF und ihre Erweiterungen zeigen eine ähnliche Streuung wir in den Saul-Jonatan-
Davidererzählungen. Betont ist Jahwe bezeichnet als Jahwe Zebaot und
als Gott Israels. Der Anspruch auf Israel ist nicht aufgegeben. Daneben aber tritt die Rolle des Propheten: Der Prophet ist der, der
"vor Jahwe steht", d.h. ihm dient, ihm ausschließlich, der den
wahren Willen und die wahren Absichten Jahwes kundtut und zwar un-
beeinflußt durch andere Erwartungen oder durch Bezahlung (2.Kön 5,40).
Als "Mittler" des Retter- und Herrscherwillens Jahwes, des Lebendigen,
(1.Kön 17,1 setzt betont mit der SF ein) ersetzt der Prophet den
König: "So wahr Jahwe lebt und so wahr du lebst" gilt nicht mehr
dem König, sondern dem Propheten (2.Kön 2,2.4.6; 4,30).

Diese grundsätzliche Kritik am Königtum gibt es im Südreich
nicht. Der König aus dem Hause Davids erfährt die Rettung und Hilfe
im mächtigen Eingreifen Jahwes und er preist ihn dafür: "Es lebt

---

10) Vgl. dazu jetzt Fensham, A few Observations on the Polarisation
between Yahweh and Baal in I Kings 17-19, ZAW 92 (1980),
S.227-236.

11) Vgl. S.214f.217f.

360

Jahwe! Gepriesen sei mein Fels, hoch erhoben sei der Gott meiner Rettung!" (Ps 18,47).[12] Der Psalm fügt sich gut in die positive Bewertung des Königtums im Südreich und paßt zu dem schon in den Davidserzählungen ausgesprochenen, besonderen Verhältnis Jahwes zum König. Durch die umfangreichere Behandlung der SF in dieser Arbeit ergab sich, daß die hymnische Aussage von Ps 18,47 nicht isoliert steht und daher auch nicht so isoliert diskutiert werden muß.

Wenn, wie dargestellt, die SF von Haus aus den Aspekt der Anerkennung des Herrschers enthält und in einzelnen Belegen der David- bzw. der Elija-Elischaerzählungen der Aspekt der Akklamation bzw. Huldigung besonders hervortritt, so paßt Ps 18,47 (wie auch Jer 23,7f und 46,18) zu dieser Linie. Der religionsgeschichtliche Vergleich führt daher zunächst zu den Ausdrucksweisen für die Anerkennung des Herrschers. Ähnliche Formulierungen gibt es im kanaanäischen Raum nicht nur im Blick auf Baal, sondern in Bezug auf die Göttin Anat, insbesondere aber zeigen die Belege in der ugaritischen Korrespondenz mit dem Pharao die Wurzeln der Formulierungen in dem auf den König bzw. auf den "Herrscher" bezogenen Wortfeld.[13] Das bedeutet nicht, daß der Jahweglauben und speziell die Verehrung Jahwes als des lebendigen Gottes nicht durch die kanaanäische Religion, speziell die Baalverehrung herausgefordert gewesen wäre, aber es bedeutet, daß die SF und die damit eng verwandte hymnische Aussage nicht erst von der kanaanäischen Religion übernommen wurde. Wie die (sog. amoritischen) Personennamen aus Mari und die Akklamation an den König (יחי המלך) zeigen, lag die Begrifflichkeit schon sehr früh vor und fand jeweils ihre eigene Ausprägung (s.unten B.1.)

War es bei Elija und Elischa um den Anspruch Jahwes einerseits und des (tyrischen) Baal andererseits gegangen, so geht es bei Hosea um den Gegensatz zwischen rechter und baalisierter Jahweverehrung. Hosea warnt das Volk, sich schuldig zu machen und will es von dem baalisierten und letzlich jahwefremden kultischen Treiben abhalten. Ähnlich ist das Anliegen (der Schüler) des Amos. Dabei wird nicht die SF oder die Eidesleistung an sich kritisiert, sondern das ganze kultische Treiben an den Heiligtümern und die Verderbnis der sozialen und rechtlichen Beziehungen. Die SF mit ihrem (ursprünglichen) Sitz im Rechtsleben und ihrer vielleicht zum Teil

---

12) Vgl. S.146-161.
13) Vgl. S.294-296 303-307.

auch schon hymnischen Verwendung ist durch beide Aspekte der Fehl-
entwicklung, sowohl durch die kultische als auch durch die politische Verderbnis, betroffen. Über den Versuch, das Volk vom falschen
Kult und aus verfälschter Heilssicherheit zu lösen, hinaus, kündigen
Amos und Hosea das radikale Gericht Gottes an Israel an.[14]

In seinem Heilswort aber spricht Hosea von der über das Gericht
hinaus wirksam werdenden Gnade und Liebe Gottes. Die Heilszeit beginnt mit der Rückführung in die Unmittelbarkeit der Anfangszeit,
eine neue Beziehung zwischen Gott und Volk wird gesetzt. So wie
Jahwe sich seines Volkes in Ägypten angenommen, seinen "Sohn" aus
Ägypten gerufen hatte, so werden die Israeliten dann nicht mehr
"Nicht-mein-Volk", sondern "Söhne des lebendigen Gottes" genannt
werden und von neuem in das Land ziehen (Hos 2,1f). Die Bezeichnung
Jahwes als des lebendigen Gottes mit ihrer Erinnerung an die ex-
klusive Beziehung zwischen Gott und Volk und an die Landnahme und
den Rechtswillen Jahwes war in besonderer Weise für diese Botschaft
geeignet. In der Bezeichnung "Söhne" findet neben dem Herrscheran-
spruch des lebendigen Gottes seine liebevolle Zuwendung (vgl. Hos 11)
ihren Ausdruck.[15]

Ähnlich der in Ps 18 ausgesprochenen besonderen Beziehung
Jahwes, des lebendigen Gottes, zum davidischen König in Jerusalem,
als dessen Retter in der Bedrängnis durch Feinde, prägte die Bezeichnung "der lebendige Gott" auch die "sagenhafte" Goliatgeschichte.
Wenn der Philister die Schlachtreihen Israels verhöhnt hatte, so
verhöhnte er nicht nur diese, sondern den majestätischen Herrscher
Israels, eben den lebendigen Gott. Die Heldentat Davids war die
Rettungstat des Gottes der Heerscharen Israels, David darin das besondere Werkzeug durch das Gott sein Volk rettete und den Philister,
der Israel und seinen Gott verhöhnt hatte, "zu Recht" strafte. Angesichts der Not und Bedrohung durch die assyrischen Heere gewannen
diese alten Ereignisse neue Bedeutung und waren geeignet, Hoffnungen
auf ähnliche Wundertaten Gottes zu wecken.[16]

Die wunderbare Rettung Jerusalems vor der Eroberung durch die
Assyrer im Jahre 701 war offensichtlich ein solches Ereignis und
dazu geeignet, im älteren Licht der Goliatgeschichte betrachtet zu
werden. Der lebendige Gott war eben in besonderer Weise für sein
Volk, besser gesagt, für seine Stadt und den König eingetreten und

---

14) Vgl. S. 97-10 .
15) Vgl. S.267-271.

hatte sie errettet und die Verhöhnung durch die Assyrer und deren König gestraft.[17] Diese Sicht der Dinge war allerdings auch geeignet, zu unkritischer Selbstsicherheit zu führen, gegen die dann Jeremia das Gerichtswort Gottes zu sagen hatte. Die besondere Rolle, die dem frommen König aus dem Hause David in diesen Ereignissen zufiel, führte vielleicht auch dazu, daß man in jener Zeit einige Schatten, die auf die Anfänge der davidischen Dynastie fielen, "aufzuhellen" sich bemühte ("prosalomonische Redaktion").[18]

In ganz anderer und theologisch äußerst bedeutsamer Weise wurde der Gedanke der Majestät des lebendigen Gottes in der deuteronomischen Bewegung entfaltet. Die deuteronomische Bewegung stand nach dem Ende des Nordreiches, nach der "Stunde Null" und nach dem Eintreffen des von den Propheten angekündigten Gerichts. Wie konnte Israel weiterhin existieren oder wieder existent werden? Die Propheten hatten das Verlassen der Ursprünge als eine Ursache des Gerichts angeprangert. So ist die deuteronomische Bewegung zur großen Suche und zum Herausstellen der Anfänge Israels d.h. speziell der Mosezeit und ihrer Bedeutung geworden. Zugleich wird versucht, den positiven Sinn jener Dinge herauszustellen, die die Propheten wegen ihrer Entartung generell abgelehnt hatten. Hatten Hosea und (die Schüler des) Amos das Schwören wegen der kultischen und politischen Verderbnis abgelehnt, so bekommt der Eid in der deuteronomischen Bewegung die Bedeutung des Bekenntniseides (Dtn 6,13; 10,20). In Jer 12,16 finden wir die Ausführung dieses Anliegens, dort sogar in missionarischer, über Israel hinausgehender Weiterführung.[19] Noch bedeutsamer aber ist die Weiterführung der Kritik am Königtum. In der Überlieferung von Elija und Elischa war statt des Königs dem Propheten die Rolle des Mittlers zwischen Gott und Volk gegeben worden. Hosea hatte das Königtum, aber auch die Priester, die die Weisungen Jahwes vernachlässigten, radikal abgelehnt. Im Dtn nun hat Mose die Aufgabe des Mittlers zwischen dem lebendigen Gott und dem Volk, das der Majestät dieses Gottes nicht standhalten kann (5,26).[20] Die Aufgabe Moses ist es, die Weisungen Gottes an das Volk zu übermitteln und Israel durch die Aufforderung, auf diese

---

16) Vgl. S.279-283.
17) Vgl. S.283-287.
18) Vgl. S.81f; 310.
19) Vgl. S.112f.
20) Vgl. S.275-279.

zu hören (vgl. Dtn 6,4), bei seinem Gott zu erhalten. So sehr hier
ein gewaltiger Autoritätsanspruch (der deuteronomischen Verkündigung)
erhoben ist, so wird auch klar, daß der Anspruch nur in der Erfüllung dieser Aufgabe legitim ist. Die hier aufbrechende pädagogisch-
seelsorgerliche Linie weist hinüber bis zu den "Weisen" des Danielbuches, die (in teilweise anderer Art) "viele zur Gerechtigkeit geführt haben" (s.u.).

Im Jeremiabuch finden wir neben der unmittelbaren Verwendung
der SF auch, ähnlich wie Hos 4,15 und Am 8,14, die Reflexion über
die SF, deren Gebrauch sehr beliebt war, wie u.a. die außeralttesta-
mentlichen Belege in den Lachisch-Briefen[21] zeigen. Jeremia, der
Prophet mit dem so scharfen Blick für die Unwahrhaftigkeit im Volk,
sieht die volle Verderbnis im so beliebten Gebrauch der Berufung
auf Jahwe, den lebendigen Herrscher: "...sucht auf den Gassen der
Stadt, ob ihr jemanden findet, der Recht übt und auf Wahrheit hält
... Und wenn sie auch sprechen: So wahr Jahwe lebt!, so schwören sie
doch falsch." (Jer 5,1f). Dementsprechend würde echte Umkehr zu
Jahwe die Abwendung von den Götzen und ein Schwören in Treue, Gerechtigkeit und Recht bedeuten (4,1f). Die Verwendung der SF erfolgt hier primär im Sinn des Rechtslebens, der Aspekt des Bekenntniseides ist aber mit gegeben. Auf eine solche Formulierung des
Bekenntniseides bzw. der hymnischen Tradition wird in Jer 23,7
(par 16,14) zurückgegriffen: "(So wahr) lebendig ist Jahwe, der die
Israeliten aus Ägypten geführt hat". Jetzt im Blick auf das Exil
wird dieses Bekenntnis aber weitergeführt bzw. ersetzt durch das
Bekenntnis zu Jahwe dem Lebendigen, der die Israeliten aus den
Ländern, in die er sie verstoßen hat, zurückbringen will (23,8;
16,15).[22]

In den spätexilischen Ergänzungen in den Völkerworten des
Jeremiabuches findet sich ein weiteres Fragment der hymnischen
Tradition.[23] Zwar ist hier die SF im Stil Ezechiels in die 1.Person
umgesetzt, dahinter steht aber doch ein altes hymnisches Wort, dessen Kern vielleicht in die Zeit Elijas zurückreicht, jedenfalls auf
den Machterweis Jahwes am Karmel Bezug nimmt. Jahwe, der Lebendige,
der König, Jahwe Zebaot, ist, so wie er einst (in der Richterzeit?)

---

21) Vgl. S.144f.
22) Vgl. S.106-125.
23) Vgl. S.208-218.

364

zum Tabor gekommen war, jetzt zum Karmel (wo bisher Baal herrschte) gekommen und hat sich hier als der allein Wirksame erwiesen (46,18). Wie in der Endgestalt von 46,18 ist auch in 10,10, einem Text der ebenfalls an das Ende der Exilszeit gehört, die Benennung Jahwes als des Lebendigen mit dem Königstitel für Jahwe verbunden.[24] Es fällt auf, daß dies erst jetzt, wo es keinen irdischen König über Israel mehr gibt, geschieht. Die Erklärung dürfte in der immer wieder beobachteten Spannung zwischen der Rede vom lebendigen Gott, und das heißt seiner Herrschaft, und dem irdischen Königtum zu suchen sein. Zugleich beobachten wir hier die Verbindung mit einer neuen Form der Fremdgötterpolemik (im Sinn des Monotheismus und rationaler Religionskritik). Dürfte die Verbindung mit dem Königstitel die universalistische Tendenz des Herrschaftsanspruches Jahwes wesentlich gefördert haben, so wurde das "Königtum Gottes" in dieser Verbindung konkret auf die Relation zwischen Gott und Volk und den Herrschaftsanspruch und den Rechts- und Retterwillen des lebendigen Gottes bezogen (vgl. dazu Dtn 32 in seinem ganzen Gedankengang, von V.8f wo noch das (nur) himmlische Königtum Gottes das Bild prägt, über V.10ff, 15ff, 19ff über 26ff bis 39f).

Zeitlich zurück und näher an Jeremia heran führen uns die Erzählungen über den Propheten (die sog. Baruchschrift). Einmal dient die SF der Bekräftigung eines Gotteswortes über die unbußfertigen Israelitinnen (Jer 44,26), einmal wird mit der SF vom König selber der dem Jeremia zugesicherte Schutz beeidigt (38,16).[25] Dabei wird die SF erweitert: "So wahr Jahwe lebt, der uns dieses Leben gegeben hat..." Hier ist das Schöpferhandeln mit der Bezeichnung Jahwes als des Lebendigen verbunden. Der lebendige Gott ist nicht nur der Herrscher des Volkes, sondern auch Geber des Lebens des Einzelnen (das aber damit nicht aus seiner Herrschaft entlassen ist, vgl. 38,20-23). Diese Linie war schon in Jer 2,13 im Vergleich Jahwes mit der lebendigen Quelle angedeutet, dort allerdings im Blick auf die Beziehung Gott und Volk. Somit treffen wir hier auf die Verbindung mit der zunächst selbstständigen, aber schon in alte Zeit zurückgehenden Tradition von der Gottheit als Geber, "Quelle" und Herr des Lebens, von der Gottheit, die tötet und (mit Einschränkungen)[26] lebendig machen kann. Hierher gehört auch die in früher Zeit aller-

---

24) Vgl. S.264-268.
25) Vgl. S.108-112.
26) Vgl. z.B. die Ausführungen zum Aqhat-Epos, S.338-341.

dings seltene Verwendung der kausativen und faktitiven Form von
חיה mit Jahwe als Subjekt (Num 22,33; Hos 6,2; 1.Sam 2,6; vgl.o.
S.   ). Sie findet sich fast nur in poetischen Texten und im individuellen Bereich (vgl. Barth, Die Errettung vom Tode in den individuellen Klage- und Dankliedern des AT). Diese Beobachtung unterscheidet nochmals die ursprüngliche Verschiedenheit der Traditionen
vom lebendigen Gott, dem Herrscher über Israel und von der Gottheit
als Geber und Herr des Lebens (des Einzelnen).[27] Durch die Hineinnahme des Lebensbegriffes in die Beziehung zwischen Jahwe und
Israel erhält dieser seinerseits eine neue Wertung (vgl. Barth,
a.a.O., S.33).[28] Hier schließt sich dann die in den Psalmen ausgesprochene Sehnsucht nach der Nähe des lebendigen Gottes an
(Ps 42,3; 43,3; 84).

Gegenüber den verschiedenen Formen und Traditionen bei Jeremia und besonders gegenüber dem weiten Sammelbecken des Jeremiabuches fanden wir bei Ezechiel und in seinem Buch[29] eine viel
größere formale und inhaltliche Strenge. Die SF bildet durchweg
im alten strengen Sinn der Verwendung im Rechtsleben den Übergang
von der Tatbestandsfeststellung zur Tatfolgebestimmung und verweist
damit auf die hinter der Entscheidung stehende Autorität. Allerdings
ist bei Ezechiel alles in die Gottesrede hineingenommen und damit
auch die SF in die erste Person umgeformt: "so wahr ich lebe...".
    Ezechiel kennt aber auch die alten Überlieferungen der Ge-
schichte Jahwes mit Israel und mit Jerusalem und dem Königtum. Daß
Ezechiel die alten Traditionen der Prophetie (besonders des Nordreiches) und der Geschichte kennt, zeigt sich nicht zuletzt in der
Meidung des Königstitels für Jahwe (sogar in der Heilszeit, c.34)
und in der Verwendung der alten Gottesbezeichnung "Herr" (vgl.
Jos 3,10f, "Herr des ganzen Landes"), gerade in Verbindung mit der
SF. Der Abfall des Volkes und die, auch noch nach dem Gericht zu
Tage tretende Unbußfertigkeit führt, "mit Recht", zum Gericht und
Ende. War bei Elija erstmals die SF zur Ankündigung eines das ganze
Volk betreffenden Unheils verwendet worden (1.Kön 17,1), und war die
Beziehung zwischen Jahwe und Volk seit Amos und Hosea grundsätzlich
als eine Situation des Unheils bestimmt, so galt dies auch noch
bei Ezechiel.

27) Vgl. S.322f.
28) Vgl. S.322 (Chr. Barth).
29) Vgl. S.172-202.

Damit bricht aber die Frage nach der Möglichkeit des Weiter-
lebens überhaupt auf. Sie findet ihre Antwort in Jahwes grundsätz-
lichem Willen zum Leben, den er zudem im Eid bei seiner eigenen
Lebendigkeit bekräftigt: "So wahr ich lebe,... ich habe keinen Gefallen am Tode des Gottlosen, sondern daß der Gottlose umkehre von
seinem Weg und lebe." (33,11). Die formale und sachliche Strenge
der Botschaft Ezechiels zeigt sich aber auch darin, daß die SF als
Redeform des Rechtslebens   auf die Gerichtsworte beschränkt ist.
In den Heilsworten findet sich die SF nur im Gerichtswort an jene,
die im Volk (34,8) oder von außen (35,6.11) dem Heilswillen Jahwes
widerstehen[30] (dies gilt auch für alle von Ez abhängigen Belege
der SF in der 1.Person; in Jer 22,24 ist die Frontstellung gegen
falsche Hoffnungen und in Jes 49,18 zur Bestreitung von Hoffnungslosigkeit weitergeführt). Daß das Gericht nicht das letzte Handeln
Gottes am Volk ist, verbindet Ezechiel mit Hosea, ist aber weder
hier noch dort einfach ableitbar, sondern eine aus der Selbster-
schließung Gottes geschenkte und hier wie dort als Gotteswort wei-
tergegebene Botschaft. Jahwes Wille und Wirken erweist sich ("Erweiswort"!) in seinem Tun und in seinem Reden durch die Propheten
als Gericht gegenüber falscher Sicherheit ("securitas") aber auch
gegenüber deren Kehrseite, der Verzweiflung, und ist zutiefst Wille
zum Heil.[31]

Der auch bei Ezechiel (z.B.c.20) zu findende Anspruch des
ersten Gebotes wird im "Lied des Mose" (Dtn 32) unter der "Herausforderung der Geschichte"[32] in seiner Bedeutung nach außen und
nach innen besonders machtvoll entfaltet.[33] Allerdings ist in Korrektur zu den rachedurstigen Folgerungen (V.42) die bei Hosea und
Ezechiel gegebene Verhältnisbestimmung von Gericht und Heil mit zu
bedenken, ebenso wie das im Jahweeid (Jes 45,23) bekräftigte Ziel
des göttlichen Handelns[34].

In der nachexilischen Zeit werden die, vor allem im Jeremiabuch vorfindlichen verschiedenen Aspekte der Rede vom lebendigen
Gott zunächst im Sinn einer gewissen Individualisierung weiterge-

---

30) Vgl. S.198-202.
31) Vgl. bes. zu Ez 14.16.18.20.33; S.176-189.
32) Zimmerli, vgl.S.234.
33) Vgl. S.232-234.
34) Vgl. S.222 und 234 A.87.

führt. Es wird die, durch das Ende des Königtums freigewordene,
durch die Verbindung des Königstitels mit Jahwe, dem lebendigen Gott,
umso leichter auf diesen übertragbare Akklamationsformel in der
Namengebung verwendet. In Analogie zur Akklamation יחי המלך , mit
der man sich der Herrschaft des Königs unterstellte, drücken die
Namen Jechija und Jechiel die Unterstellung unter die Herrschaft
des lebendigen Gottes und das Bekenntnis zu ihm aus.[35] Diese Namen fanden wir in den Kreisen der levitischen Sänger am nachexilischen Tempel. Jene Psalmen, in denen von der Sehnsucht nach dem
lebendigen Gott gesungen wird und durch die der Wunsch nach seiner
Nähe geweckt werden soll (Ps 42f.84), waren in besonderer Weise
das geistige Eigentum eben jener levitischen Tempelsänger. Diese
Identität zeigt, entsprechend der Weiterführung der Gottesbezeichnung "lebendiger Gott" (Ps 42,3) zur Bezeichnung "Gott meines Lebens" (42,9),[36] wie die Herrschaft des lebendigen Gottes verstanden
und erlebt wurde.

Der Aspekt der Majestät des lebendigen Gottes, deren Uner-
träglichkeit in Dtn 5,26 zur Einsetzung des Mittleramtes und deren
Verhöhnung durch Goliat bzw. Sanherib zur Bestrafung geführt hatte,
wird in Jer 23,36 in der Besinnung auf ein Prophetenwort aufgegriffen. Wenn auch der Verfasser oder seine Zeitgenossen das ursprüngliche
Anliegen des Jeremiawortes übersehen und vordergründig am Buchstaben
hängenbleiben, so spiegelt sich in aller Gebrochenheit doch auch hier
die Wertschätzung der prophetischen Botschaft als Wort des lebendigen
Gottes. Das Wort der Propheten wird in Kontinuität mit dem Wort des
"Propheten" Mose (vgl. Dtn 18,15) gesehen und auf eine etwas vordergründige Art seine Ehre verteidigt.[37]

Eine überwältigende Bedeutung und Entfaltung erfährt die Vorstellung von der Herrschaft des lebendigen Gottes im Buch Daniel,
am Ende der Zeit des AT.[38] In der Zeit des Versuchs der Unter-
drückung und gewaltsamen Auslöschung des Jahweglaubens und seiner
Anhänger wird den Verfolgten Mut gemacht, an ihrem Gott festzuhalten
und auf die von ihm kommende Rettung zu vertrauen. Dazu wird zurückgegriffen auf das Leben des Daniel, der in der Verfolgung, die

35) Vgl. S.236-245.
36) Vgl. S.274, "Exegese des alten Begriffs".
37) Vgl. S.292-294.
38) Vgl. S.141-144; 294-298.

ihm sein treues Bekenntnis zu Jahwe einbrachte, von Gott gerettet
wurde. Ja, **Darius**, der Herrscher des Medisch-Persischen Weltreiches
nennt Daniel einen "Diener des lebendigen Gottes" und er will, daß
alle Welt diesen lebendigen Gott und ewigen König, dessen Königreich
ohne Ende und dessen Herrschaft unvergänglich, und der ein Retter
und Helfer ist (6,27f), anerkennen soll. Auf dem Hintergrund dieses
Bekenntnisses wird dann der weitere Ablauf der Geschichte geschildert (c.7-12) und insbesondere die Gewißheit der Errettung und der
Durchsetzung der Gottesherrschaft bei dem "Ewiglebenden", und d.h.
wieder: bei dem ewig Herrschenden, in höchst feierlicher Form von
zwei Engeln beeidigt. Für diese Aussagen wird deutlich auf das Moselied bezug genommen, nur daß die Macht Jahwes, zu töten und lebendig zu machen (vgl. Dtn 32,39f) jetzt eine konkrete Auferstehungshoffnung einschließt (Dan 12,2). Dabei wird die Macht Gottes, zu
töten und lebendig zu machen, ähnlich wie in Dtn 32,39f (gegenüber
1.Sam 2,6, wo der Bezug nicht ausdrücklich hergestellt ist) mit
seiner Kennzeichnung als der Lebendige verbunden (eben damit wird
ja dieses sein Handeln zugesichert; 12,2.7). Ist hier Gott nicht
mehr nur Retter vor den äußeren Feinden, sondern Herr über den Tod,
so ist andererseits sein Herrschaftsanspruch auf **jeden** Einzelnen
(Israeliten) hin zugespitzt . Bei aller universalen Ausweitung,
weltweit und bis hin zum hier recht nahe erwarteten Ende, und bei
aller Betonung der Bekenntnistreue des Einzelnen bildete doch die Beziehung zwischen Gott und seinem Volk die Grundlage und erweist damit
bei aller Entfaltung doch die Kontinuität mit den Wurzeln der Aussage
von Jahwe, dem lebendigen Gott, dem Herrscher Israels.

In dieser Beziehung zwischen Gott und Volk finden wir aber
auch die Rolle des "Mittlers" (vgl. den Ehrentitel "Knecht des lebendigen Gottes", 6,21) wieder. War dies in der Frühzeit der Mann
gewesen, durch den Jahwe sein Volk aus der Bedrängnis rettete, und
hatte die deuteronomische Bewegung die Aufgabe des Mittlers in der
Weitergabe des Gotteswillens an das Volk gesehen (vorbildlich erfüllt in Mose), so war ab der Zeit der Krise zwischen Gott und Volk
(seit der Zeit Elijas und Elischas) diese Aufgabe dem Propheten zu-
gekommen. Jetzt, bei Daniel, "in der makkabäischen Krise ist der
Apokalyptiker an die Stelle des Propheten getreten"[39]. Der Apokalyptiker ist der "Weise", der im Umgang mit der Botschaft der früheren "Mittler"[40] und besonders durch die ihm zuteil gewordene

39) Zimmerli, TheolAT, S.205.
40) Vgl. Zimmerli, ebd., und über die Beziehung zu Jer und Ez; weiters

Ein-Sicht in die Wege der Herrschaft des lebendigen Gottes, als
Seelsorger und Lehrer, dazu berufen ist "viele zur Gerechtigkeit" -
und d.h. zum Festhalten am Bekenntnis und an der Hoffnung auf Rettung durch den "Ewiglebenden" (12,7) - zu führen.

B. Zur Umwelt:
   =========

1. Die sprachlichen Voraussetzungen.

Im Blick auf die sprachlichen Voraussetzungen ergibt sich,
daß חיה , leben, so wie das in vielerlei Hinsicht ähnliche Verb
היה , sein, nicht im ontologischen Sinn mißzuverstehen ist, sondern
"lebendig" sein schließt Wirksamkeit und Handlungsfähigkeit mit ein.
Im Blick auf unsere Thematik geht es besonders um die Lebendigkeit
und d.h. Handlungsfähigkeit und -mächtigkeit des Herrschers. Dabei
beziehen sich die Akklamation und die Namengebung auf den Anfang
der Beziehung zum Herrscher, während die SF im weiteren Verlauf
darauf Bezug nimmt und auf die Autorität des Herrschers verweist.
Für die untersuchten Belege ergibt sich folgendes Schema:

	Formulierung für	
	<u>den Anfang</u>	<u>den weiteren Verlauf</u>
	der Beziehung zum "Herrscher"	
Ägypten		Schwurformel
Mari	ya-aḫ-wi-AN	
	ya-aḫ-wi-el	
	ya-aḫ-wi-na-si	
Ugarit	yhṣdq	ḥy np(š...
		(an den Pharao)
AT	(ישראל)	חי יהוה
	יחי המלך	חי נפשך
Byblos	yḥmlk	
AT	יחיה,יחיאל	

Diese Aufstellung soll die Beziehung von חיה zur Akklamation
und zur Huldigung an bzw. zur Bezugnahme auf den Herrscher bestäti-

---

vgl. oben und S.142f über die Beziehung zum "Lied des Mose(!)",
Dtn 32, bes. V.39f (Zuschreibung an Mose in 31,30).

gen. Interessant, aber auch bezeichnend ist, daß (bis auf den, im
Sinn der o.S.333f vorgetragenen Hypothese, hier angeführten Eigennamen "Israel") sämtliche Namen die individuelle Gottesbeziehung
ausdrücken. Für die Unterschiede im Gebrauch der SF (teils streng
im Rechtsleben, teils primär als Huldigung und Loyalitätserklärung),
ist auf die Einzeluntersuchung zurück zu verweisen.

Gegenüber den hier aufgezeigten Zusammenhängen ist die Aussage von Gott als Geber des Lebens auch in sprachlicher Hinsicht
eigenständig. Die Vorstellung vom lebendigen Gott hat auch nichts
mit der Polarität lebendig-tot zu tun, wie das völlige Auseinandertreten der hier behandelten Aussagen und des einzigen (!) Beleges,
wo von Jahwe gesagt wird, daß er eben nicht (!) stirbt (Hab 1,12),
zeigt. [41]

2. Religionsgeschichtlicher Vergleich.

Zur Frage von Herkunft und Beeinflussung der Rede vom lebendigen Gott ergibt sich zusammenfassend: Für die Vorfahren der
Israeliten im Süden Palästinas, im Raum der Sinaihalbinsel, ist eine
gewisse Kenntnis des ägyptischen Gebrauchs der SF im Rechtsleben
anzunehmen. Möglicherweise erinnert Gen 16,14 an die Akklamation
eines Rechtsentscheides; dies würde die Übernahme der Begrifflichkeit
durch die Nomaden in diesem Raum, aber auch deren Adaption bestätigen. In Israel finden wir die SF eingeordnet in die Beziehung
zwischen Gott und Volk, und zwar von Anfang an im Blick sowohl auf

---

41) Von dieser Beobachtung und der vorliegenden Gesamtuntersuchung
   her erübrigt sich der reichlich spekulative Erklärungsvor-
   schlag von Delekat zu אל חי . (VT 14 (1964), S.27f). Delekat
   behauptet unter Berufung auf Baudissin, AE, " חי heißt, von
   Mensch und Gott gesagt, nie 'lebendig' im Sinn von 'aktiv',
   sondern immer nur 'lebend' im Gegensatz zu 'tot'" (S.27f),
   und erklärt von III חי , Sippe (vgl. 1.Sam 18,18) her den
   אל חי als πατρῷος θεός . Von "mein väterlicher Gott" in
   Ps 42,9 habe sich "zuerst die Deutung, dann die Umdeutung als
   'lebendiger Gott' ungezwungen" ergeben (S.28). - Neben der
   Vernachlässigung der anderen Aussageweisen scheitert die Auffassung schon daran, daß damit alle anderen Belege für den
   lebendigen Gott (wegen der Weiterentwicklung der Gattung und
   Veränderung des Sitzes im Leben z.T. sogar erheblich) jünger
   sein müßten als Ps 42.

das Handeln Gottes nach innen, innerhalb des Volkes, als auch nach
außen, in der Rettung aus Not. In beiden Bereichen ist die Terminologie und die Vorstellung die vom helfend-rettenden Eingreifen des
Herrschers und Richters. Durch die Einbeziehung in das Verhältnis
zwischen Jahwe und Israel ergab sich ein völlig neues Verständnis.
Nicht mehr die Kontinuität des ägyptischen Staates, seines Herrschers
und seiner Götter, bildet die Grundlage, sondern Jahwe, der mächtig
Handelnde, der seinem Volk seinen Willen kundtut, es rettet und in
neue Lebensbereiche führt, der einen ausschließlichen Anspruch erhebt und sogar seinen Herrschaftsbereich ausdehnen will, steht im
Zentrum der Aussagen. Andererseits bringt auch die primäre Beziehung auf das Volk und auf die, dieses konkrete Volk Israel bestimmenden Erfahrungen der Geschichte und der Gegenwart eine neue Dimension. Die Frage der Abhängigkeit der Rede vom lebendigen Gott ist
im Sinn der Übernahme einer Redeform mit ihrem Kontext des Rechtslebens und Verweis auf die tragende Autorität in einen ganz neuen
Zusammenhang zu beantworten. Ab der Übernahme dieser Redeform des
Rechtslebens in die Beziehung zwischen Jahwe und Israel wird sie
"typisch israelitisch".[42] Durch die Beziehung auf das Verhältnis
Jahwe - Israel, die auch in aller späteren Entfaltung den Kern bildet, erhalten die hier aufgenommenen Ausdrucksweisen eine neue
Qualität, die sowohl für die weitere Entfaltung als auch für die
Kritik am Mißbrauch der Aussagen grundlegend wird.[43] Die Bezeichnung, "der lebendige Gott" ist sehr wahrscheinlich eine relativ
frühe, genuin israelitische Weiterführung dieser Redeweise, für die
es eigentlich kein außerisraelitisches Vorbild gibt.

Unter dem Einfluß der "Königsideologie" ab der Davidszeit bekam die SF als Huldigung an den Herrscher gelegentlich einen stärker
hymnischen Klang. Hier hatte sicherlich der Hofstil der kanaanäischen Herrscher und Stadtkönige einen Einfluß, zunächst auf das
israelitische Königtum, dann auf die Sprache der Hymnen. Doch ist
dieser "kanaanäische Hofstil", wie ihn schon ein Brief aus Ugarit
und drei Briefe der Amarnakorrespondenz (darunter einer aus Jerusalem) zeigen, nicht ohne ägyptischen Einfluß denkbar. Die Redeform der Huldigung fand dann auch Verwendung in den mythologischen
Texten in Ugarit, dort als Huldigung an Anat und Baal, bezeichnenderweise von Göttern an Götter. Die Ähnlichkeit dieser zwei Belege

---

42) Vgl. dazu die inhaltliche Sonderstellung des Namens Israel in der
    oben unter B.1 gegebenen Aufstellung.
43) Vgl. S.299.

(CTA 6; CTA 10) erklärt sich voll und ganz aus der in beiden Bereichen vorliegenden Redeform der Huldigung und setzt keinerlei direkte religionsgeschichtliche Beeinflussung voraus. Die bei Hosea und Amos belegte Ablehnung der SF ist ebenfalls kein Indiz für kanaanäische Herkunft der SF (vgl. die unproblematische Verwendung in den Elija-Elischa-Erzählungen), vielmehr steht diese Ablehnung im größeren Zusammenhang des Kampfes gegen die Verderbnis des Jahweglaubens durch die Baalisierung Israels. Die SF wird nicht wegen kanaanäischen Ursprungs abgelehnt, sondern weil ihr Gebrauch im Kult (Hos 4,15; Am 8,14) und im Rechtsleben (Jer 5,2) und als Bekenntnis zu Jahwe (Jer 4,2; vgl. 12,16) illegitim geworden war. Dies wird nicht zuletzt durch das völlige Fehlen der SF und durch die ganz andere Verankerung des Rechtslebens in Ugarit bestätigt.

Die für unsere Frage interessanten Eigennamen sind im AT erst nachexilisch belegt und lassen sich durchaus als "Nachahmung einer Huldigungsformel", konkret des "im AT mehrfach bezeugten יחי המלך " erklären, wie es Noth (IP,S.XIII) für die beiden entsprechenden phönizischen Namen tat. Dasselbe wird für die sog. amoritischen (Huffmon) bzw. "westsemitischen" (Noth) bzw. "ostkanaanäischen" (Bauer) Eigennamen aus Mari und den einen Namen aus Ugarit gelten. Verbindungen zwischen diesen Namen sind eher unwahrscheinlich. Am ehesten haben die sowohl für Mari als für Ugarit fremden Namen ihre gemeinsame Grundlage bei den "Westsemiten" bzw. "Ostkanaanäern". Interessant ist, daß der Gottheit als Herrscher und Richter (na-si; ṣdq; mlk) gehuldigt wird. Die beiden alttestamentlichen Namen Jechiel und Jechija übertragen die durch das Ende des Königtums "freigewordene" Akklamationsformel auf Jahwe und bezeichnen die Huldigung an den lebendigen Gott und ewigen König (vgl. Jer 10,10) und die Zuordnung des Betreffenden zu Israel, seinem Volk.

3. Auffallende Entsprechung zwischen dem Ergebnis des religionsgeschichtlichen Vergleichs und der Verteilung der Belege im AT.

Die hier aufgezeigte Entwicklung der Rede vom lebendigen Gott findet ihre Bestätigung in der Verteilung der Belege. Hatte Eißfeldt bezüglich der Bezeichnung Jahwe Zebaot festgestellt, "daß das Alte Testament in bezug auf das Alter der in Israel gebrauchten Gottesbezeichnungen, wie sonst, so auch im Falle von jhwh s^eba'ot den geschichtlichen Tatbestand mit erstaunlicher Zuverlässigkeit festgehalten hat" (KS III, S.113), so gilt dies auch hier: Die Bezeichnung "der lebendige Gott" finden wir von dort an, wo Israel unter Führung und Gegenwart Jahwes, des lebendigen Gottes, des Herrn des ganzen Landes, eben dieses Landes betritt (Jos 3,10). Der einzige Beleg im Pentateuch (Dtn 5,26) ist geographisch ganz in der Nähe gesprochen, im Rückblick auf ein Geschehen, ohne das die Beziehung Jahwes zu Israel, aber auch der Anspruch und das Wirken Jahwes in Palästina nicht denkbar wären. In Ri 8,19 fanden wir die SF in einem Rechtsspruch in der Auseinandersetzung mit den Midianitern, den südlichen und östlichen Nachbarn, die einst mit Israel zumindest eine gewisse religiöse Beziehung zu Jahwe und zum Sinai gemeinsam hatten. In 1.Sam 14,39.45 sind dann die Erfahrungen der Richterzeit, aber auch die neuen Probleme der Anfänge des Königtums theologisch reflektiert in die Erweiterung der SF eingebracht. Die wenigen und verstreuten Belege im Pentateuch verweisen auf die weiteren Spuren der Herkunft: Die ganz dem Ägyptischen entsprechenden Belege der SF in der Josefsgeschichte (Gen 42,15f); Hagar am Brunnen am Weg nach Ägypten, die mit einer sprachlich schwierigen (für das Übergangsstadium charakteristischen?) Benennung "dem Lebendigen, der sie sieht" für seine Rettung und sein verheißungsvolles Urteil dankt bzw. "huldigt" (Gen 16,14). Schließlich die, wenn auch im Stil Ezechiels umgeformte, SF in Num 14,21.28, wo Jahwe, jetzt schon in der Beziehung zum Volk, nicht nur zum Einzelnen, seine harte Entscheidung über die Wege mit seinem Volk mitteilt, zwar noch in der Wüste, aber doch im Blick auf das Land.[44] Das Alter der eigentlichen Rede vom lebendigen Gott ab der Frühzeit nach der Landnahme, aber auch die sprachlichen und theologischen Wurzeln sind "mit erstaunlicher Zuverlässigkeit festgehalten".

---

44) Vgl. S.312f (5.b).

Ausblick.
=========

A. Ort und Bedeutung im Rahmen der Theologie des Alten Testaments.

Im Blick auf die Theologie des AT ergab sich die Entdeckung
der großen sachlichen Nähe der mit der Vorstellung vom lebendigen
Gott verbundenen Aussagen zu den Aussagen über die Beziehung zwischen Gott und Volk und zu der Entfaltung und zu den Krisen dieser
Beziehung. Wenn die Verbindung der Rede vom lebendigen Gott mit der
Aussage von der Herrschaft Jahwes über (und das schließt auch ein
"für") Israel, die sich unerwartet, aber immer deutlicher ergab,
zu Recht besteht, so wird man dort, wo der Beziehung zwischen Jahwe
und Volk ein zentraler Platz in der Darstellung der Theologie des
AT eingeräumt wird, dies auch für die Rede vom lebendigen Gott tun
dürfen.

Dies umso mehr, als die Vorstellung vom lebendigen Gott eben
nicht mit den "Vorstellungen vom sterbenden und auferstehenden
Gott" [1] zusammenhängt und im AT nirgendwo in der Polarität lebendig - tot vorkommt (bezeichnenderweise ist in Hab 1,12, dem einzigen
Beleg für die Aussage, daß Jahwe eben nicht(!) stirbt, der Gegenbe-
griff nicht seine Lebendigkeit, sondern sein "Sein" von Urzeit an
und seine Heiligkeit); vgl.o.S.265f.

Weiters müßte auch die Differenz zwischen der Rede von dem lebendigen Gott und von Gott als Geber, "Quelle" und Herr des Lebens
beachtet werden. Die Modifikation und Integration der zweiten Vorstellung von der ersten (Beziehung des "lebendigen Gottes" zu
Israel) her, entspricht der auch sonst zu beobachtenden Vorrangig-
keit der Aussagen über die Beziehung zwischen Jahwe und Israel gegenüber den Schöpfungstraditionen.

Schließlich ergibt sich für die besonders im Blick auf das
Neue Testament wichtige Frage nach den Aussagen über die "Gottesherrschaft", daß die Betrachtung im AT nicht auf die Begriffe
מלך und מלכות eingeengt werden darf. Während diese Begriffe erst
in der exilisch-nachexilischen Zeit, nach dem Ende des Königtums
in Israel, eine größere Bedeutung bekommen, ist die Vorstellung
von der Herrschaft Jahwes über sein Volk schon ab der Frühzeit nach
der Landnahme, praktisch seit der "Volkwerdung" Israels vorhanden.
Von dieser Mitte her ist die weitere Entfaltung der Herrschaft
Jahwes und die spätere Aussage von der Königsherrschaft Jahwes zu

1) So der Untertitel bei Schmidt, Alttestamentlicher Glaube, S.155.

betrachten. Die Vorstellung von der Herrschaft des lebendigen
Gottes über Israel war zudem eine wesentliche Hilfe für die rechte
Einordnung des Königtums und der Prophetie für den Glauben Israels.
Nicht zuletzt ergeben sich aus der Entfaltung und aus der Kritik
Hinweise für rechtes Reden vom "Gott des Alten Testaments" über-
haupt.

B. Zum Neuen Testament und zur Systematischen Theologie.

Im Blick auf das Neue Testament fällt zunächst eine interessante Analogie in der Verteilung der Belege auf: Zwar bilden die in
den Evangelien berichteten Ereignisse (analog denen des Pentateuch)
die Grundlage für alles Weitere, vom lebendigen Gott wird aber nur
zweimal gesprochen: In Mt 26,63 beschwört der Hohepriester Jesus
"bei dem lebendigen Gott", zu erklären, ob er der Christus sei;
hier ist, neben aller sonstigen Bedeutung dieser Stelle, die Herkunft der Bezeichnung "der lebendige Gott" für das NT angezeigt.
Die andere Stelle, Mt 16,16 (vgl. Joh 6,69, Varianten), das sogenannte Petrusbekenntnis, in dieser Ausformung doch wohl eine spätere
Stelle, entspricht in seiner Hervorhebung der Bedeutung des Petrus
für die Kirche sehr stark Dtn 5,26 mit der Hervorhebung der Bedeutung
des Mose für Israel.[1]
Die weiteren Belege des NT[2] beziehen sich auf die Missions-

---

1) Mt 26,63 knüpft damit an Traditionen des Rechtslebens (und
   nicht z.B. an die Schöpfungstradition) an, während in 16,16
   die Konzentration auf die Ekklesiologie deutlich wird.

2) Vgl. dazu Kraus, Der lebendige Gott, VI, S.31-35; Stenger, Die
   Gottesbezeichnung "lebendiger Gott" im Neuen Testament, TThZ
   87 (1978), S.61-69.
   Bei Stauffer, $\vartheta\varepsilon\acute{o}\varsigma, \kappa\tau\lambda$, ThWNT III, S.95-120, finden sich
   nur beiläufige Erwähnungen des "lebendigen Gottes" als empha-
   tische Gottesbezeichnung (S.112 Z.3; 118 Z.9; 119 Z.3). S.118
   wird vom vielfältigen Wirken des lebendigen Gottes gesprochen,
   bei den herangezogenen Belegen ist aber keiner, wo auch das
   NT selber vom lebendigen Gott spricht (Z.10-21)!
   Merkwürdigerweise fehlt in dem von vRad bearbeiteten Teil des
   Artikels $\zeta\acute{\alpha}\omega$, ThWNT II, S.844-850, die Erwähnung des lebendigen Gottes (im AT) völlig, während Bultmann unter "Der Lebensbegriff des AT" (ebd. S.850-853) diesen kurz streift: "...So

situation (Apg 14,15; 1.Thess 1,9), zum größten Teil aber auf die
Gemeinde. Im Blick auf die Missionssituation ist die alttestamentliche Götzenpolemik (vgl. Jer 10,10) aufgenommen, aber es wird auch
vom gnädigen und geduldigen Handeln des lebendigen Gottes gesprochen
(Apg. 14,15). Für diesen missionarischen Sprachgebrauch verweist
Stenger[3] mit Recht auf den Einfluß der "jüdischen Missionstermino-
logie". Für die weiteren Belege aber ist diese Herleitung und die
Beschränkung auf die "mit der Formulierung verbundene Schöpfervor-
stellung"[4] entschieden zu wenig.

Die Rede vom lebendigen Gott findet sich am häufigsten in
Hebr (3,12; 9,14; 10,31; 12,22) und Apk (4,9f; 7,2; 10,6; 15,7),
darüber hinaus bei Paulus (Röm 9,26; 2.Kor 3,3; 6,16; 1.Thess 1,9)
und in 1.Tim 3,15; 4,10. Durchgehend ist dabei auf die Gemeinde bzw.
die Kirche als das Gottesvolk der jetzt in Christus angebrochenen
Heilszeit Bezug genommen. Ähnlich den verschiedenen Aspekten dieser
Gottesbezeichnung im AT tritt dabei teilweise die majestätisch-
fordernde Seite des lebendigen Gottes (Hebr 10,31; 9,14; 1.Tim 3,15)
in den Vordergrund, teilweise sein helfend-rettendes Handeln, das

---

ist auch Gottes Leben darin wirklich, daß er handelt und
schafft." (S.852 Z.18f). Im neueren "Exegetischen Wörterbuch
zum NT" findet sich unter $\zeta\tilde{\omega}$ / $\zeta\omega\acute{\eta}$ (L.Schottroff, EWNT II,
Lfg.3/4 (1980) eine kurze Erwähnung der "allgemein alttesta-
mentlichen, jüdischen und christlichen...Rede vom 'lebendigen
Gott'... Jeweils im Kontext ergibt sich für diese Rede noch
eine spezifische Nuance" (Hinweis auf 1.Thess 1,9). (Sp.262).
Ähnlich kurz bei H.D.Betz, $\vartheta\varepsilon\acute{o}\varsigma$, ebd. Sp.347: "Der im NT
verehrte Gott gilt als 'der allein wahre Gott' (Belege) und
als 'der lebendige Gott' (Belege)."
Bei H.Cremer, Biblisch-theologisches Wörterbuch der Neutesta-
mentlichen Gräcität (1915[10]), $\zeta\acute{\alpha}\omega$, S.469-474 findet sich
eine vergleichsweise ausführliche Behandlung des Begriffs
unter Einbeziehung der alttestamentlichen Aussagen. Der lebendige Gott ist der auf dem Gebiete der Heilsökonomie und
der Geschichte Handelnde (S.470). Einer der wenigen, für die
die Bezeichnung der lebendige Gott von größerer Bedeutung (bis
hin zur Hermeneutik) ist, ist J.Schniewind; vgl. H.J.Kraus,
Julius Schniewind, Charisma der Theologie, bes. VI. Der lebendige Gott (S.119-132).
3) A.a.O., S.62.
4) A.a.O., S.67 und durchgehend.

schon Wirklichkeit geworden ist (2.Kor 6,16; Hebr 12,22), das durch
"den Geist des lebendigen Gottes" geschieht (2.Kor 3,3) und dessen
endgültige Verwirklichung (Apk 10,6; in deutlicher Übernahme von
Dan 12,7), bei dem in alle Ewigkeit Lebendigen (Gott) beschworen
wird.

Paulus schließlich reflektiert das Verhältnis von Heiden und
Juden und die Kontinuität des Gottesvolkes und des göttlichen Handelns. Die dabei gegebene Antwort ist zum guten Teil eine Entfaltung
der in Hos 2,1 gegebenen Verheißung (Röm 9,26). Wenn man Röm 1-11
als Beschreibung des Kommens und der geheimnisvollen Wege der Herrschaft Gottes bis hin zu ihrer endgültigen, aber menschlichem Denken noch uneinsichtigen (vgl. 11.33-36) Durchsetzung sehen darf,
und - ähnlich der Zweigliedrigkeit des Rufes Jesu in Mk 1,15 -
Röm 12-15 als die Darlegung der sich jetzt ergebenden Konsequenzen
für die Gemeinde Gottes,[5] so wäre auch die Rolle des Paulus in
Relation zu diesem Kommen der Gottesherrschaft gesetzt: Paulus,
der Knecht Jesu Christi, sieht sich von Christus mit dem Apostel-
amt und d.h. der Aufgabe betraut, "in seinem (=Christi) Namen den
Gehorsam des Glaubens aufzurichten unter allen Heiden" (Röm 1,8;
vgl. 15,18; "um die Heiden zum Gehorsam zu bringen durch das Wort
und Werk..."). Es wird kein Zufall sein, daß Paulus hier, wo er
sein "kirchengründendes" Evangelium vorstellt, am Anfang und am
Ende seine Position in diesem Geschehen bestimmt. Sie kann durchaus
als die eines 'Mittlers' bezeichnet werden, wie auch die Stichworte
"Diener" (vgl. 1.Kön 17,1; 18,15; 2.Kön 3,14; 5,16, "vor dem ich
stehe")[6] und "zum Gehorsam führen" zum Begriffsfeld "Herrschaft"
gehören.

Wenn die Verbindung des lebendigen Gottes mit der Vorstellung
von der Herrschaft Gottes zutrifft, so wäre trotz des Fehlens der
konkreten Bezeichnung "lebendiger Gott", eine enge Beziehung der
Botschaft Jesu vom nahe herbeigekommenen Gottesreich zu den behandelten Aussagen des AT zu erwarten. Von daher wäre zu überlegen,
ob nicht z.B. die Seligpreisungen sehr konkret in der Erwartung des
schon im AT zu findenden, helfend-rettenden Eingreifens des lebendigen Gottes verwurzelt sind, und damit nicht nur die eschatologische

---

5)   Daß Paulus vom Kommen und vom Wirklich-Werden der Gottes-
     herrschaft her denkt, zeigt die sicher nicht bloß zufällige
     Begründung seiner ethischen Weisung mit einer "Definition"
     des Reiches Gottes, Röm 14,17.

6)   S.o.S.95f.

Erwartung, sondern auch der Gemeinschaftsbezug des Handelns Gottes
stärker zu betonen ist (neben dem Aspekt der "wiederhergestellten
Schöpfung").

Natürlich können die hier vorgebrachten Überlegungen nicht einfach eine Verlängerung des AT in das NT sein. Durch das Kommen
und das Sterben des "Sohnes des lebendigen Gottes" (Mt 16,16) ist
Manches ganz unerwartet fortgeführt, Manches auch abgebrochen. Zudem wären u.a. die Aussagen über den Geist, der lebendig macht
(z.B. 1.Kor 15,45; Röm 8,2; 2.Kor 3,6;[7] Joh 6,63), und über das
Wort Gottes, das lebendig und wirksam ist (Hebr 4,12), mit zu
beachten. Die vorgebrachten Überlegungen haben aber zumindest einen
heuristischen Wert. Insbesondere bleibt die Frage, ob und wie
die Theologie des NT in der Darstellung der Botschaft Jesu von der
nahen Gottesherrschaft die Aussagen des AT von der Herrschaft des
lebendigen Gottes über und für sein Volk aufgreifen kann. Das wird
sich für die Theologie des NT in der Einordnung und Konkretisierung
der Christologie und der Ekklesiologie und in deren Verhältnis zu
Eschatologie und Universalität, sowie im Blick auf Hermeneutik in
der Begründung des Redens von Gott, zeigen müssen.

Im Blick auf die Systematische Theologie und die christliche
Verkündigung ergibt sich eine gewisse Gespaltenheit.[8] Es zeigt
sich, daß der "Begriff im Schwange ist, aber eine feste und deutliche theologische Auswirkung eignet ihm nicht."[9] Der Begriff wird
bei Predigern und in Dogmatiken, von sonst durchaus verschiedener
Prägung, gerne im Sinn einer möglichst aussagekräftigen Gottesbezeichnung herangezogen; und zwar häufig in einem missionarischen
oder polemischen Zusammenhang oder zur "Verlebendigung" eines sonst
eher abstrakten Gottesbildes.

---

7) Hier ist das Nebeneinander und die Unterscheidung von Geist
des lebendigen Gottes (V.3) und dem Geist (der) lebendig
macht (V.6) auffallend.

8) Die folgenden Ausführungen haben die Durchsicht der meisten
Dogmatiken des 20.Jh. zur Grundlage. In eine diesen Werken
gerecht werdende Einzeldiskussion einzutreten, würde aber sowohl den Rahmen als auch die Zielsetzung der vorliegenden
Arbeit überschreiten. Vielmehr sollen lediglich erste Überlegungen für das Gespräch zwischen Exegese und Systematik und
dafür, wo dieses Gespräch relevant würde, vorgetragen werden.

9) Köhler, TheolAT, S.36; dort im Blick auf das AT gesagt.

Häufig ist eine Verwendung des Begriffs bei Schöpfungs- oder
bei den Einzelnen betreffenden Aussagen zu erkennen, womit natürlich
auch eine exegetische Vorentscheidung getroffen oder übernommen
ist.[10] Auffallend ist weiters, daß der Begriff und die biblischen
Belegstellen auseinandertreten, d.h. daß für Aussagen über den lebendigen Gott häufig Belege herangezogen werden, wo diese Gottesbezeichnung eben gerade nicht vorkommt,[11] während jene Stellen der
Bibel, wo der lebendige Gott vorkommt, soferne überhaupt, meist für
andere Aussagen herangezogen werden. Schließlich geht fast durchweg die Rede vom lebendigen Gott sehr schnell in die Rede vom Leben
Gottes über, wobei dann dieser Begriff, den es im AT nicht in diesem
Sinn[12] und im NT eigentlich gar nicht gibt[13], dominiert. Zwar
wird in der Folge dann meist von der Problematik dieses Begriffs gesprochen, wenn nicht schon bei seiner Entfaltung, so wird der Begriff "Leben Gottes" aber spätestens bei seiner Verteidigung zum
Einfallstor für m.E. letztlich fremde Kategorien.[14]

Von den Ergebnissen der vorliegenden Untersuchung zum AT her,
wäre für die sachgemäße Entfaltung der Rede vom lebendigen Gott und
für die Begründung der theologischen Aussagen die Vorstellung von
der Herrschaft des lebendigen Gottes über und für sein Volk von
großer Bedeutung, wie diese auch den "Inhalt" der Botschaft Jesu
und die "Mitte" des NT darstellt. Damit ergibt sich natürlich sofort die Frage nach der Kontinuität des Gottesvolkes und dem Verhält-

---

10) Diese Verwendungsweisen beruhen im Blick auf das AT offensichtlich meistens auf einer Heranziehung von Ps 42,3; 84,3;
Jer 10,10 und 1.Sam 17,26.36; im Blick auf das NT gerne
1.Thess 1,9.

11) Vgl. die ähnliche Beobachtung bei Stauffer, s.o. A.2.

12) Lediglich die Schwurformel wäre, sofern sie als Genitivverbindung zu verstehen ist (was sich als für die ältere Zeit
wahrscheinlich ergab), mit "(beim) Leben Gottes" zu übersetzen. Dabei ist aber doch Anderes gemeint als bei der Rede
vom "Leben Gottes" in der Dogmatik.

13) Der einzige Beleg für $\zeta\omega\grave{\eta}\ \tau o\widetilde{\upsilon}\ \vartheta\varepsilon o\widetilde{\upsilon}$ (Eph 4,18) ist problematisch (vgl. die Kommentare) und doch wohl als das von Gott
gegebene Leben, im Sinn des häufigen Begriffs $\zeta\omega\grave{\eta}\ \alpha\grave{\iota}\acute{\omega}\nu\iota o\varsigma$,
zu verstehen.

14) Um angesichts der Kürze Mißverständnisse oder Einseitigkeiten
zu vermeiden, ist zu diesem Absatz auf Belege verzichtet.

nis von Christentum und Judentum, die schwerlich anders als in
Röm 9-11 zu beantworten ist, wo ebenfalls die Herrschaft Gottes,
seine souveräne Freiheit und sein Wille zum Heil die Grundlage
bilden.

Die Aussage von der Gottesherrschaft und die von Anfang an zu
beobachtende Beziehung der Rede vom lebendigen Gott zu den Rettungstaten Jahwes einerseits, und zu seinem Rechtswillen andererseits,
führt zur Frage nach der Verbindung von Dogmatik und Ethik bzw. nach
dem "Praxisbezug".

Weiters wäre zu fragen, ob nicht die Erscheinung, daß bei aller Ausweitung der Gottesherrschaft, diese doch in der Herrschaft
des lebendigen Gottes über sein ureigenstes Volk ihre Grundlage
und Verankerung hat und behält, auch für das NT gilt. Dies wäre
dann aber doch zugleich ein Kriterium für die Sachgemäßheit der
dogmatischen Darstellung. - D.h., ist nicht eine universale Entfaltung von Dogmatik, oder auch Ethik, die ihre Grundlage in der
Beziehung zwischen Gott und seinem Volk, neutestamentlich zwischen
Christus und seiner Ekklesia, vernachlässigt, zu sehr auf fremde
Schützenhilfe oder auf Postulate angewiesen?

Als Einzelthema könnten vielleicht die Beobachtungen zur Ent-
wicklung der Rolle des oben so bezeichneten "Mittlers" für die
Lehre vom "Amt", besser gesagt von den institutionalisierten
Diensten, und ihrer Aufgabe und Berechtigung fruchtbar gemacht werden.

Schließlich hat die Rede vom lebendigen Gott nicht nur reli-
gionskritische, sondern für die Theologie auch selbstkritische Bedeutung. Neben der Auseinandersetzung mit der kanaanäischen, der
assyrischen und der babylonischen Religion und hellenistischer
"Aufklärung" bzw. Staatskult (Daniel) steht der Kampf der Propheten
gegen die Selbstsicherheit der Berufung auf Jahwe (Hos 4,15; Am 8,14;
Jer 4,2; 5,1f u.a.) und die letztlich damit korrespondierende Verzweiflung (Wie können wir leben?, Ez 33,10f). Ist schon das alttestamentliche Reden vom lebendigen Gott von der Frage "securitas
oder certitudo?" begleitet, so stellt die Rede vom lebendigen Gott
die christliche Theologie vor eben dieselbe Frage.

Das Hören auf das alttestamentliche Zeugnis vom lebendigen
Gott erinnert damit die Theologie an diese reformatorische Einsicht
in den Gegensatz zwischen certitudo und securitas, fragt sie also
nach der Verwurzelung und nach der Intention des Denkens und Redens
von Gott, und könnte ein Beitrag zur derzeit im Gang befindlichen
Besinnung auf die biblische Botschaft von der Herrschaft Gottes
sein.

Literaturverzeichnis.

Bei mehreren Werken eines Verfassers ist nach Kommentare - Wörterbücher, Texte - Lexikonartikel - Monographien, Aufsätze u.a. geordnet; innerhalb dieser Gruppen soweit möglich chronologisch, Kommentare nach der biblischen Reihenfolge.

Aalders, Gerhard Charles, Daniel, COT, 1962.

Ackroyd, Peter R., The second book of Samuel, CNEB, 1977.

Aistleitner, Joseph, Die mythologischen und kultischen Texte aus Ras Schamra, Budapest, 1959.

ders., Wörterbuch der ugaritischen Sprache, Berlin, 1967[3].

Albright, William F., Some remarks on the Song of Moses in Deuteronomy XXXII, VT 9 (1959), S.339-346.

Alt, Albrecht, Der Stadtstaat Samaria (1954), KS III, S.258-302.

Amsler, Samuel, עמד , stehen, THAT II, Sp.328-332.

The Ancient Near East in Pictures Relating to the Old Testament, by Pritchard, James B., Princeton, 1954.

Ancient Near Eastern Texts relating to the Old Testament, ed. Pritchard, James B., Princeton, 1955[2].

Baab, Otto J., The Theology of the Old Testament, 1949.

Bach, Robert, Thabor, BHH III, Sp.1962f.

Baentsch, Bruno, Exodus, Leviticus, Numeri, HK I/2, 1903.

Bardtke, Hans, Jeremia der Fremdvölkerprophet, ZAW 53 (1935), S.209-239.

Barth, Christoph, Die Errettung vom Tode in den individuellen Klage- und Dankliedern des Alten Testaments, Zollikon, 1947.

ders., Zur Bedeutung der Wüstentradition, VTS 15 (1966), S.14-23.

Barth, Herrmann - Steck, Odil Hannes, Exegese des Alten Testaments, Neukirchen 1974[5].

Baudissin, Wolff Wilhelm Graf von, Adonis und Ešmun, Eine Untersuchung zur Geschichte des Glaubens an Auferstungsgötter und an Heilgötter, Leipzig, 1911.

ders., Der gerechte Gott in altsemitischer Religion, FS von
    Harnack, Tübingen, 1921, S.1-23.

ders., Kyrios, Bd.I-IV, Gießen, 1929.

Bauer, Hans - Leander, Pontus, Historische Grammatik der
    Hebräischen Sprache des Alten Testaments, Halle, 1922
    (Nachdr. Hildesheim, 1962).

Baumgärtel, Friedrich, Der Hiobdialog, Aufriß und Deutung,
    BWANT 61, 1933.

ders., Die Formel nᵉ'um Jahwe, ZAW 73 (1961), S.277-290.

ders., Zu den Gottesnamen in den Büchern Jeremia und Ezechi-
    el, FS Rudolph, Tübingen 1961, S.1-29.

Baumgartner, Walter, Ugaritische Probleme und ihre Tragweite
    für das Alte Testament, ThZ 3 (1947), S.81-100.

ders., siehe HAL und Köhler - Baumgartner.

Beaucamp, E., Le Psautier, Ps 1-72, Sources Bibliques, 1976.

Begrich, Joachim, Die Vertrauensäußerungen im israelitischen
    Klageliede des Einzelnen und in seinem babylonischen
    Gegenstück, ZAW 46 (1928), S.221-260.

ders., Studien zu Deuterojesaja, BWANT 77, 1938.
    jetzt: ThB 20, 1963.

Bentzen, Aage, Daniel, HAT I, 19, 1952².

Benzinger, Immanuel, Die Bücher der Könige, KHC IX, 1899.

Bergman, Jan, Ägyptische Religion, TRE I, S.465-492.

Bergsträsser, Gotthelf, Hebräische Grammatik, Teil I, Leip-
    zig, 1918, Teil II, Leipzig 1929; siehe auch Gesenius.

Bernhardt, Karl-Heinz, Ugaritische Texte, RTAT (=ATD Erg 1),
    S.205-243.

Bertholet, Alfred, Das Buch Ruth, KHC XVII, 1898, S.49-69.

Betz, H.D., ϑεός, Gott, EWNT II, Sp.346-352.

Blank, Sheldon H., The Curse, Blasphemie, the Spell, and
    the Oath, HUCA 23/1 (1950-1951), S.73-95.

ders., Jeremiah - man and prophet, Cincinatti, 1961.

Blenkinsopp, Joseph, Structure and Style in Judges 13-16,
    JBL 82 (1963), S.65-76.

Boecker, Hans Jochen, Redeformen des Rechtslebens im Alten
    Testament, WMANT 14, 1964.

ders., Recht und Gesetz im Alten Testament und im Alten
    Orient, Neukirchen, 1976.

Boer, P.A.H.de, Vive le roi, VT 5 (1955), S.225-231.

Bonnet, Hans, Reallexikon der Ägyptischen Religionsgeschichte, (RÄRG), Berlin, 1952.

Bornhäuser, Hans, Sukka (Laubhüttenfest), Die Mischna II,6, Berlin, 1935.

Bottero, Jean, Textes économiques et administratifs,Archives Royales de Mari VII, Paris, 1957.

Boyer, Georges, Etude juridique, PRU III, S.281-308.

Bright, John, Jeremiah, AncB 21, New York, 1965[2].

Brockelmann, Carl, Grundriß der vergleichenden Grammatik der Semitischen Sprachen, I Laut- und Formenlehre, Berlin, 1908; II Syntax, Berlin, 1913; (Nachdr. Hildesheim, 1961).

ders., Hebräische Syntax, Neukirchen, 1956.

ders., Arabische Grammatik, München, 1958[14]; (Nachdr. Leipzig, 1977[19])

Brunner, Hellmut, Ägyptische Texte, RTAT (=ATD Erg 1), S.29-93.

ders., Anthropologie, religiöse, LÄ I, Sp.303-311.

Budde, Karl, Das Buch der Richter, KHC VII, 1897.

ders., Die Bücher Samuel, KHC VIII, 1902.

Buhl, Frants, siehe; Gesenius.

Bultmann, Rudolf, $\int \acute{\alpha}\omega$, THWNT II, S.833-844; 850-853; 862-877.

The (Chicago) Assyrian Dictionary of the Oriental Institute of the University of chicago, Vol 16, "B", Chicago, 1965.

Campbell, Edward F., The Hebrew Short Story: A study of Ruth, in: FS Myers. Philadelphia, 1974, S.83-101.

Carlson, R.A., David the chosen King, A traditio-historical approach to the second book of Samuel, Uppsala, 1964.

Caspari, Wilhelm, Die Samuelbücher, KAT VII, 1926.

Cassuto, Umberto, The Song of Moses (1938), jetzt: Biblical and Oriental Studies I, Jerusalem, 1973, S.41-46.

ders., The God of the Jews of Elephantine (1942), Jetzt: Biblical and Oriental Studies II, Jerusalem, 1975, S.240-249.

Childs, Brevard S., Isaiah and the Assyrian Crisis, SBT II,3, 1967.

Cooke, Georg Albert, The Book of Ezekiel, ICC, 1936 (Nachdr. 1955).
384

Cornill, Carl Heinrich, Das Buch Jeremia, Leipzig, 1905.

Cremer, Hermann, Biblisch-theologisches Wörterbuch der Neu-
       testamentlichen Gräcität, Gotha, 1915[10]; Art. $\int \acute{\alpha} \omega$,
       S.469-474.

Cross, Frank Moore - Freedman, David Noel, A royal song of
       thanksgiving, II Samuel 22 = Psalm 18, JBL 72 (1953),
       S.15-34.

Crüsemann, Frank, Studien zur Formgeschichte von Hymnus und
       Danklied in Israel, WMANT 32, 1969.

ders., Kritik an Amos im deuteronomistischen Geschichtswerk,
       Erwägungen zu 2.Kön 14,27, FS von Rad, München, 1971,
       S.57-63.

ders., Der Widerstand gegen das Königtum, WMANT 49, 1978.

Dahood, Mitchell, Psalms I - III, AncB 16,17,17A, 1965-1970.

ders., Hebrew-Ugaritic Lexicography IV, Biblica 47 (1966),
       S.403-419.

ders., Vocative Lamedh in the Psalter, VT 16 (1966),
       S.299-311.

Dalman, Gustaf, Arbeit und Sitte in Palästina, Bd.I-VIII,
       Gütersloh, 1928-1942.

Danell, Gustaf Adolf, Studies in the Name Israel in the Old
       Testament, Uppsala, 1946.

Deimel, Anton, Sumerisches Lexikon, II.Teil: Vollständige
       Ideogramm-Sammlung, Bd.I, ▷— - ▷— , Rom, 1928.
       III.Teil: Sumerisch-Akkadisches Glossar, Rom, 1925
       (Nachdr. 1934).

Deissler, Alfons, Die Grundbotschaft des Alten Testaments,
       Freiburg-Basel-Wien, 1972 (1976[5]).

Delekat, Lienhard, אל יח in: Zum hebräischen Wörterbuch,
       VT 14 (1964), S.27f.

ders., Tendenz und Theologie der David-Salomo-Erzählung,
       FS Rost, BZAW 105, 1967, S.26-36.

Delitzsch, Franz, Die Psalmen, BC IV,1, 1867.

Derchain, Philippe, Anchzeichen, LÄ I, Sp.268f.

Dietrich, Manfried - Loretz, Oswald - Sanmartin, J., Die
       keilalphabetischen Texte aus Ugarit (=KTU), Teil 1:
       Transkription, AOAT 24/1, 1976.

Dietrich, Walter, Prophetie und Geschichte, FRLANT 108, 1972.

ders., David in Überlieferung und Geschichte, VuF 22 (1977),
   H.1, S.44-64.

Donner, Herbert - Röllig, Wolfgang, Kanaanäische und Aramäische Inschriften, Bd.I-III, Wiesbaden, 1962-1964.

Donner, Herbert, Die literarische Gestalt der Josephsge-
   schichte, SHAW.PH, 1976,2.

Driver, Samuel Rolles, Deuteronomy, ICC, 1902[3] (Nachdr. 1951).

Duhm, Bernhard, Das Buch Jeremia, KHC XI, 1901.

ders., Das Buch Jesaja, HK III/1, 1922[4] (Nachdr. 1968[5]).

Ebeling, Erich, Enki (Ea), RLA II, S.374-379.

Edzard, Diez Otto, Dumuzi, WM I, S.51-53.

ders., Zum sumerischen Eid, in: FS Jacobsen, AS 20, Chicago-
   London, 1975, S.63-98.

Eichorn, Dieter, Gott als Fels, Burg und Zuflucht, Eine Untersuchung zum Gebet des Mittlers, EHS.T 4, 1972.

Eichrodt, Walther, Der Prophet Hesekiel, ATD 22, 1966.

ders., Theologie des Alten Testaments, Teil 1, Leipzig,1933;
   Teil II, Leipzig, 1935; Teil III, Leipzig, 1939;
   (Teil 1, Stuttgart-Göttingen, 1968[8]; Teil 2/3, Stutt-
   gart-Göttingen, 1974[6]).

Eißfeldt, Otto, אדון , ThWAT I, Sp.62-78.

ders., Der Gott des Tabor und seine Verbreitung (1934),
   KS II, S.29-54.

ders., Jahwe Zebaoth (1950), KS III, S.103-123.

ders., Psalm 80, FS Alt, Tübingen, 1953, S.65-78.

ders., Psalm 80 und Psalm 89, WO 3 (1964), S.27-31 (=KS IV,
   S.132-136.

ders., Das Lied des Moses Dtn 32,1-43 und das Lehrgedicht
   Asaphs Ps 78 samt einer Analyse der Umgebung des
   Mose-Liedes, SSAW.PH 104/5, 1958.

ders., Einleitung in das Alte Testament, Tübingen, 1964[3].

ders., Kanaanäisch-ugaritische Religion, HO 1.Abt, VII,1,
   Lfg.1, Leiden-Köln, 1964, S.76-91.

Elliger, Karl, Die Propheten Nahum, Habakuk, Zephanja, Hag-
   gai, Sacharja, Maleachi, ATD 25, 1975[7].

ders., Deuterojesaja, 40,1-45,7, BK XI,1, 1978.

Ewald, Heinrich, Die poetischen Bücher des Alten Bundes,

Zweiter Theil, Die Psalmen, Göttingen, 1840².

Falkner, Margarete, Geierstele (archäologisch), RLA III, S.194.

Fensham, F.Charles, A few Observations in the Polarisition between Yahweh and Baal in I Kings 17-19, ZAW 92 (1980), S.227-236.

Fey, Reinhard, Amos und Jesaja, WMANT 12, 1963.

Ficker, R., מלאך , Bote, THAT I, Sp.900-908.

Fohrer, Georg, Ezechiel, HAT I/13, 1955.

ders., Das Buch Hiob, KAT XVI, 1963.

ders., σώζω und σωτηρία im Alten Testament, ThWNT VI, S.970-981.

ders., Die Hauptprobleme des Buches Ezechiel, BZAW 72, 1952.

ders., Elia, AThANT 31, 1957.

ders., Elia, der Prophet, RGG II, Sp.424-427.

ders., Elisa, RGG II, Sp.429-431.

ders., Einleitung in das Alte Testament, Heidelberg, 1969¹¹.

ders., Geschichte der israelitischen Religion, Berlin, 1969.

ders., Die Propheten des Alten Testaments, Bd.7: Propheten-erzählungen, Gütersloh, 1977.

Gall, August Freiherr von, Altisraelitische Kultstätten, BZAW 3, 1898.

Galling, Kurt, Die Bücher der Chronik, Esra, Nehemia, ATD 12, 1954.

ders., Der Gott Karmel und die Ächtung der fremden Götter, FS Alt, Tübingen, 1953, S.105-125.

ders., Goliath und seine Rüstung, VTS 15 (1966), S.150-169.

Gardiner, Alan, Egyptian Grammar (1927¹), London, 1969³.

Gelderen, Cornelis van, Het Boek Amos, COT, Kampen, 1933.

ders. - Gispen, W.H., Het Boek Hosea, COT, Kampen, 1953.

Gerleman, Gillis, Ruth/Das Hohelied, BK XVIII, 1965.

ders., חיה , leben, THAT I, Sp.549-557.

ders., ישראל , Israel, THAT I, Sp.782-785.

ders., Zephanja, textkritisch und literarisch untersucht, Lund, 1942.

ders., Schuld und Sühne, Erwägungen zu 2.Sam 12, FS Zimmerli, Göttingen, 1977, S.132-139.

Gerstenberger, Erhard, Wesen und Herkunft des 'apodiktischen
    Rechts', WMANT 20, 1965.

Gese, Hartmut, Der Davidsbund und die Zionserwählung, ZThK
    61 (1964), S.10-26.

ders., Die Religionen Altsyriens, in: Gese, Harmut - Höfner,
    Maria - Rudolph, Kurt, Die Religionen Altsyriens, Alt-
    arabiens und der Mandäer, RM 10,2, Stuttgart, 1970.

Gesenius, Wilhelm - Buhl, Frants, Hebräisches und aramäisches
    Wörterbuch über das Alte Testament, 1915[17] (Nachdr.
    1962).

ders. - Kautzsch, Emil - Bergsträsser, Gotthelf, Hebräische
    Grammatik, 1909/1918 (Nachdr. Hildesheim, 1962).

Gordis, Robert, Love, Marriage, and Business in the Book of
    Ruth, FS Myers, Philadelphia, 1974, S.241-264.

Gordon, Cyrus H., Ugaritc Literature, Roma, 1949.

ders., Ugaritic Textbook, AnOr 38, 1965.

ders., Poetic Legends and Myths from Ugarit, Berytus 25
    (1977), S.5-133.

Gräf, Erwin, Das Rechtswesen der heutigen Beduinen, Beiträge
    zur Sprach- und Kulturgeschichte des Orients, o.J.

Gray, George Buchanan, Numbers, ICC, 1903 (Nachdr. 1956).

Gray, John, I & II Kings, OTL, 1964[1], 1977[3].

Geenberg, Moshe, The Hebrew Oath Particle haj/he, JBL 76
    (1957), S.34-39.

Grether, Oskar, Die Bezeichnung 'Richter' für die charisma-
    tischen Helden der vorstaatlichen Zeit, ZAW 57
    (1939), S.110-121.

ders., Hebräische Grammatik für den akademischen Unterricht,
    München, 1955[2].

Groendahl, Frauke, Die Personennamen der Texte aus Ugarit,
    Studia Pohl 1, Rom, 1967.

Günter, K., 'JN , ich, THAT I, Sp.216-220.

Gunkel, Hermann, Genesis, HK I/1, 1910[3] (Nachdr. 1966[7])

ders., Die Psalmen, HK II/2, 1926[4].

ders., Ruthbuch, RGG[2] IV, Sp.2180-2182.

ders. - (Begrich, Joachim), Einleitung in die Psalmen, HK
    Erg, 1933.

Gunn, David M., Narrative Patterns and Oral Tradition in
    Judges and Samuel, VT 24 (1974), S.286-317).

388

Gunneweg, Antonius H.J., Geschichte Israels bis Bar Kochba, Stuttgart (1972), 1979[3].

HAL   siehe:
Hebräisches und aramäisches Lexikon zum Alten Testament von Ludwig Koehler und Walter Baumgartner, neu bearbeitet von Walter Baumgartner, Lfg.1, Leiden, 1967; Lfg.2, Leiden, 1974.

Hehn, Johannes, Zur Bedeutung der Siebenzahl, FS Marti, BZAW 41, Gießen, 1925, S.128-136.

Heiler, Friedrich, Erscheinungsformen und Wesen der Religion, RM 1, Stuttgart, 1961.

Helck, Wolfgang, Maat, LÄ III, Sp.1110-1119.

ders., Die Beziehungen Ägyptens zu Vorderasien im 3.und 2. Jahrtausend v.Chr., ÄA 5, Wiesbaden, 1962.

Hengstenberg, Ernst Wilhelm, Commentar über die Psalmen, Bd.I, Berlin, 1849[2].

Henninger, Joseph, Über Lebensraum und Lebensform der Frühsemiten, Köln-Opladen, 1968.

Hentschke, Richard, Die Stellung der vorexilischen Schriftprophetie zum Kultus, BZAW 75, 1957.

Herdner, Andrée, Corpus des Tablettes en Cunéiformes Alphabetiques descouvertes à Ras Shamra-Ugarit de 1929 à 1939 (=CTA), Bd.1(Textes), Bd.2 (Figures et Planches), Paris, 1963.

Herntrich, Volkmar, Ezechielprobleme, BZAW 61, 1932.

Herrmann, Siegfried, Die prophetischen Heilserwartungen im Alten Testament, BWANT 85, 1965.

ders., Geschichte Israels in alttestamentlicher Zeit, München, 1973.

Hertzberg, Hans Wilhelm, Die Bücher Josua, Richter, Ruth, ATD 9, 1969[4].

ders., Die Samuelbücher, ATD 10, 1968[4].

Hirsch, Hans, Den Toten zu beleben, AfO 22 (1968/69), S.39-58.

Hölscher, Gustav, Das Buch Hiob, HAT I/17, 1937.

ders., Die Propheten, Leipzig, 1914.

ders., Das Buch der Könige, seine Quellen und seine Redaktion, in: FS Gunkel, Göttingen, 1922.

Holzinger, Heinrich, Das Buch Josua, KHC VI, 1901.

ders., Einleitung in den Hexateuch, Freiburg-Leipzig, 1893.

Horst, Friedrich, Die Zwölf Kleinen Propheten, HAT I/14, 1964[3].

ders., Segen und Fluch, II.Im AT, RGG V, Sp.1649-1651.

ders., Der Eid im Alten Testament, EvTh 17 (1957), S.366-384.

Huffmon, Herbert Bardwell, Amorite Personal Names in the Mari Texts, Baltimore, 1965.

Jacob, Edmond, Théologie de l'Ancien Testament, Neuchâtel-Paris, 1955.

Janssen, Enno, Juda in der Exilszeit, FRLANT 69, 1956.

Jenni, Ernst, בוא , kommen, THAT I, Sp.264-269.

ders., גדול , groß, THAT I, Sp.402-409.

ders., עולם , Ewigkeit, THAT II, Sp.228-243.

ders., Zwei Jahrzehnte Forschung an den Büchern Josua bis Könige, ThR 27 (1961), S.1-32;96-146.

ders., Das Hebräische Pi'el, Zürich, 1968.

Jepsen, Alfred, Die Quellen des Königsbuches (1939), Halle 1953; 1956[2].

Jeremias, Jörg, Theophanie, WMANT 10, 1965.

Jirku, Anton, Kanaanäische Mythen und Epen aus Ras Schamra-Ugarit, Gütersloh, 1962.

Jolles, André, Einfache Formen, Tübingen, 1958.

Kaiser, Otto, Der Prophet Jesaja, Kapitel 13-39, ATD 18, 1973.

ders., Einleitung in das Alte Testament, Gütersloh, 1975[3] (1978[4] nur wo eigens vermerkt).

Kaplony, Peter, Eid, LÄ I, Sp.1188-1200.

ders., Ka, LÄ III, Sp.275-282.

Kees, Hermann, Ägypten, HAW III, 1,3,1, München, 1933.

ders., Ägyptologie, Hg., HO 1.Abt, I,1,1-3.

Keil, Carl Friedrich, Die Bücher Samuelis, BC II/2, 1864.

Keller, Carl Adolf, אלה , Verfluchung, THAT I, Sp.149-152.

ders., שבע , schwören, THAT II, Sp.855-863.

Kittel, Rudolph, Die Bücher der Könige, HK I/5, 1900.

ders., Die Psalmen, KAT XIII, 1922[3+4].

Klauser, Theodor, Akklamation, RAC I, Sp.216-233.
390

Klopfenstein, Martin A., Scham und Schande nach dem Alten
    Testament, AThANT 62, 1972.

Knierim, Rolf, עוֹן , Verkehrtheit, THAT II, Sp.243-249.

Knight, George A.F., A Christian Theology of the Old Testa-
    ment, London, 1959.

Knudtzon, Jörgen Alexander, Die El-Amarna-Tafeln (=EA), 1.Teil
    (Texte), 2.Teil (Anmerkungen und Register), Leipzig,
    1915.

Koch, Klaus, צדק , gemeinschaftstreu/heilvoll sein, THAT II,
    Sp.507-530.

ders., Was ist Formgeschichte?, Neukirchen, 1974[3].

Köhler, Ludwig - Baumgartner, Walter, Lexicon in Veteris
    Testamenti Libros, Leiden, 1953 (=KBL).

Köhler, Ludwig, Eid II Im AT und NT, RGG[2] II, Sp.51f.

ders., Zum hebräischen Wörterbuch des Alten Testaments,
    in: FS Wellhausen, Gießen, 1914.

ders., Archäologisches II, ZAW 36 (1916), S.26f.

ders., Theologie des Alten Testaments, Tübingen, 1935; 1953[3].

ders., Der hebräische Mensch, Mit einem Anhang: Die hebrä-
    ische Rechtsgemeinde, Tübingen, 1953.

König Eduard, Geschichte der Alttestamentlichen Religion,
    Gütersloh, 1924[3+4].

ders., Theologie des Alten Testaments, Stuttgart, 1922[1+2].

Kraus, Hans Joachim, Psalmen 1-59, 60-150, BK XV/1+2,
    1978[5].

ders., Theologie der Psalmen, BK XV/3, 1979.

ders., Julius Schniewind, Charisma der Theologie, Neukirchen,
    1965.

ders., Der lebendige Gott, Ein Kapitel biblischer Theologie,
    EvTh 27 (1967), S.169-200; jetzt: ders., Biblisch-
    theologische Aufsätze, Neukirchen, 1972, S.1-36.

ders., Reich Gottes - Reich der Freiheit, Grundriß systemati-
    scher Theologie, Neukirchen, 1975.

Kroeze, J.H., Job, COT, 1961.

KTU,   siehe: Dietrich - Loretz - Sanmartin.

Kutsch, Ernst, Beerseba, RGG I, Sp.956-957.

ders., II חרף , ThWAT III, Sp.223-229.

ders., Salbung als Rechtsakt im Alten Testament und im Alten
    Orient, BZAW 87 (1963)

Labuschagne, C.J., קרא , rufen, THAT II, Sp.666-674.

Laessoe, Jorgen, Babylonische und Assyrische Religion, Hand-
    buch der Religionsgeschichte, Bd.I, S.497-525,
    Göttingen, 1971.

Langhe, Robert de, Myth, Ritual, and Kingship in the Ras Sham-
    ra Tablets; in: Hooke, Samuel Henry, Myth, Ritual, and
    Kingship, Oxford, 1958, S.122-148.

Langlamet, F., Pour ou contre Salomon? La redaction prosalo-
    monienne de I Rois, I-II, RB 83 (1976), S.321-379;
    481-528.

ders., Rezension zu Timo Veijola, Die ewige Dynastie, RB 83
    (1976), S.114-137.

ders., Rezension zu Timo Veijola, Das Gesetz und die Völker,
    u.a., RB 85 (1978), S.277-300.

Lehmann, Manfred R., Biblical Oaths, ZAW 81 (1969), S.74-92.

Liedke, Gerhard, Gestalt und Bezeichnung alttestamentlicher
    Rechtssätze, WMANT 39, 1971

Lisowsky, Gerhard, Konkordanz zum Hebräischen Alten Testament,
    Stuttgart, 1958.

Lohfink, Norbert, Das Hauptgebot, Eine Untersuchung literari-
    scher Einleitungsfragen zu Dtn 5-11, AnBib 20, 1963.

Maag, Viktor, Text, Wortschatz und Begriffswelt des Buches
    Amos, Leiden, 1951.

Macholz, Georg Christian, Die Stellung des Königs in der
    israelitischen Gerichtsverfassung, ZAW 84 (1972),
    S.157-182.

McKane, William, Proverbs, A New Approach, OTL, 1970.

McKenzie, John L., Second Isaiah, AncB 20, 1968.

Mandelkern, Salomon, Veteris Testamenti Concordantiae Hebra-
    icae atque Chaldaicae, Schocken, 1937[2].

Markert, Ludwig, Amos/Amosbuch, TRE II, S.471-487.

Marti, Karl, Das Buch Jesaja, KHC X, 1900.

ders., Das Dodekapropheton, KHC XIII, 1904.

Martin-Achard, Robert, Abraham I.Im Alten Testament, TRE I
    S.364-372.

Metzger, Martin, Grundriß der Geschichte Israels, Neukirchen,
    1977[4].

392

Mettinger, Tryggve N.D., King and Messiah, The Civil and Sacral Legitimation of the Israelite Kings, CB.OT 8, 1976.

Meyer, Eduard, Der Papyrusfund von Elephantine, Lepzig, 1912[3].

Meyer, Rudolf, Hebräische Grammatik, Teil I, 1966[3]; Teil II, 1969[3]; Teil III, 1972[3]; Teil IV, 1972[3], Berlin.

ders., Die Bedeutung von Deuteronomium 32,8f.43 (4Q) für die Auslegung des Moseliedes, FS Rudolph, Tübingen, 1961, S.197-209.

Mildenberger, Friedrich, Die vordeuteronomistische Saul-David-Überlieferung, Diss.Ev.Theol., Tübingen, 1962.

Mittmann, Siegfried, Deuteronomium 1,1-6,3, BZAW 139, 1975.

Montgomery, James A., The Book of Daniel, ICC, 1927; 1950[2].

ders. - Gehman, Henry Snyder, The Book of Kings, ICC, 1951.

Moor, Johannes C.de, The art of Versification in Ugarit and Israel, UF 10 (1978), S.187-217.

Morenz, Sigfried, Ägyptische Religion, RM 8, Stuttgart, 1960.

Morgenstern, Julian, David und Jonathan, JBL 78 (1959), S.322-325.

Moscati, Sabatino, u.a., An Introduction to the Comparative Grammar of Semitic Languages, PLO.NS VI, 1964.

Mowinckel, Sigmund, Israelite Historiography, ASTI 2 (1963), S. 4-26.

Muilenberg, James, The linguistic and Rhetorical Usages of the Particle כי in the Old Testament, HUCA 32 (1961), S.135-160.

Myers, Jacob M., II Chronicles, AncB 13, 1965.

Neuberg, Frank J., An unrecognized meaning of hebrew DOR, JNES 9 (1950), S.215-217.

Nötscher, Friedrich, Altorientalischer und Alttestamentlicher Auferstehungsglaube, Würzburg, 1926; Nachdruck mit einem Nachtrag hg. von Josef Scharbert, Darmstadt, 1970.

ders., Zum emphatischen Lamed, VT 3 (1953), S.372-380.

Noth, Martin, Das Vierte Buch Mose/Numeri, ATD 7, 1966.

ders., Josua, HAT I/7, 1953[2].

ders., Könige I,1-16, BK IX,1, 1968.

ders., Die israelitischen Personennamen im Rahmen der gemeinsemitischen Namengebung, BWANT 46, 1928.

ders., Das System der zwölf Stämme Israels, BWANT 52, 1930.

ders., Überlieferungsgeschichtliche Studien,Die sammenlnden
und bearbeitenden Geschichtswerke des Alten Testaments,
(1943), Nachdr. Tübingen, 1957^2)

ders., Mari und Israel, eine Personennamenstudie, FS Alt,
Tübingen, 1953, S.127-152.

Nowack, Wilhelm, Richter, Ruth und Bücher Samuelis, HK I/4
1902.

Nübel, Hans-Ulrich, Davids Aufstieg in der Frühe israelitischer Geschichtsschreibung, Bonn, 1959.

Nyström, Samuel, Beduinentum und Jahwismus, Lund, 1946.

Otto, Eberhard, Die Religion der alten Ägypter, HO, 1.Abt
VIII, 1, 1.Lfg., S.1-75.

Otto, Eckart, Das Mazzotfest in Gilgal, BWANT 107, 1975.

ders., Stehen wir vor einem Umbruch in der Pentateuchkritik?,
VuF 22 (1977), S.82-97.

Palais Royal d'Ugarit (=PRU), Hg. Charles Virolleaud,
PRU II, Paris, 1957; PRU V, Paris, 1965.

Patrick, Dale, Casuistic Law governing Primary Rights and
Duties, JBL 92 (1973), S.180-184.

Pedersen, Johannes, Der Eid bei den Semiten in seinem Verhältnis zu verwandten Erscheinungen sowie die Stellung des
Eides im Islam, Straßburg, 1914.

Perlitt, Lothar, Bundestheologie im Alten Testament, WMANT
36, 1969.

Plöger, Otto, Das Buch Daniel, KAT XVIII, 1965.

Pohlmann, Karl-Friedrich, Studien zum Jeremiabuch, FRLANT
118, 1978.

Pope, Marvin H., Job, AncB 15, 1965^2.

ders., Oaths, IDB III, Sp.575-577.

ders., siehe: Röllig, WM I.

Porteous, Norman W., Das Danielbuch, ATD 23, 1962.

Pritchard, James B., siehe: Ancient Near East in Pictures.

Procksch, Otto, Die Genesis, KAT I, 1913.

ders., Theologie des Alten Testaments (Hg. Gerhard von Rad),
Gütersloh, 1950.

Quell, Gottfried, ϑεός , B. El und Elohim im AT, ThWNT III, S.79-90.

Rad, Gerhard von, Das erste Buch Mose/Genesis, ATD 2-4, 1976[10]; ATD 4 (Kap.25,19-50,26), 1953.

ders., Das fünfte Buch Mose/Deuteronomium, ATD 8, 1968[2].

ders., ζάω , B. Leben und Tod im AT, ThWNT II, S.844-850.

ders., Das formgeschichtliche Problem des Hexateuch, BWANT 78, 1938; jetzt: ThB 8, S.9-86.

ders., Der Anfang der Geschichtsschreibung im alten Israel (1944), jetzt: ThB 8, 1958, S.148-188.

ders., Theologie des Alten Testaments, Bd.I, 1957 (1969[6]) Bd.II, 1960 (1968[4+5]) München.

ders., Weisheit in Israel, Neukirchen, 1970.

Radjawane, Arnold Nicolaas, Das deuteronomistische Geschichtswerk, Ein Forschungsbericht, ThR 38 (1974), S.177-216.

Rahlfs, Alfred, Septuaginta, Bd.I und II, Stuttgart, 1935.

Ras Shamra Parallels, ed. Fisher, Loren R., Bd.I, AnOr 49, 1972; Bd.II, AnOr 50, 1975.

Ratschow, Carl Heinz, Werden und Wirken, Eine Untersuchung des Wortes hajah als Beitrag zur Wirklichkeitserfassung des Alten Testaments, BZAW 70, 1941.

Redford, Donald B., A Study of the Biblical Story of Joseph, VTS 20, 1970.

Rendtorff, Rolf, Beobachtungen zur altisraelitischen Geschichtsschreibung anhand der Geschichte vom Aufstieg Davids, FS von Rad, München, 1971, S.428-439.

Richter, Heinz, Studien zu Hiob, Der Aufbau des Hiobbuches dargestellt an den Gattungen des Rechtslebens, ThA XI, Berlin, 1959.

Richter, Wolfgang, Traditionsgeschichtliche Untersuchungen zum Richterbuch, BBB 18, 1963.

Ridderbos, J., De Psalmen II (Psalm 42-106), COT, 1958.

Ring, Emanuel, Israels Rechtsleben im Lichte der neuentdeckten assyrischen und hethitischen Gesetzesurkunden, Stockholm - Leipzig, 1926.

Ringgren, Helmer, אלהים , ThWAT I, Sp.285-305.

ders., חיה , ThWAT II, Sp.874-898.

ders., Israelitische Religion, RM 26, 1963.

ders., Israel's Place among the Religions of the Ancient Near East, VTS 23 (1972), S.1-8.

ders., Die Religionen des Alten Orients, ATD Erg S, 1979.

Robinson, Theodore H., Hosea bis Micha, HAT I/14, 1964.

Röllig, Wolfgang, siehe: Donner, Herbert, KAI.

ders., Tammuz, RGG VI, Sp.609.

ders. (und Pope, Marvin H.), Syrien, Die Mythologie der Ugariter und Phönizier, WM I, S.217-312.

Rost, Leonhard, Die Überlieferung von der Thronnachfolge Davids, BWANT 42, 1926.

ders., Erwägungen zu Hosea 4,13f, FS Bertholet (1950), jetzt: in: Das kleine Credo, Heidelberg, 1965, S.53-64.

ders., Das kleine geschichtliche Credo, in: Das kleine Credo und andere Studien zum Alten Testament, Heidelberg, 1965, S.11-25.

Rothenberg, Beno, Timna, Bergisch - Gladbach, 1973 (engl. London, 1972).

ders., (Hg.) Sinai; darin: ders., Archäologie des Zentralsinai, S.109-128; Archäologie des Südsinai, S.137-170, Bern, 1979.

Rowley, Harold Henry, The faith of Israel, London, 1956;

RSP   siehe: Ras Shamra Parallels.

Rudolph, Wilhelm, Jeremia, HAT I/12, 1968[3].

ders., Hosea, KAT XIII,1, 1966.

ders., Joel, Amos, Obadja, Jona, KAT XIII,2, 1971.

ders., Micha, Nahum? Habakuk, Zephanja, KAT XIII,3, 1975.

ders., Das Buch Ruth, Das Hohe Lied, Die Klagelieder, KAT XVII, 1962.

ders., Esra und Nehemia, mit 3.Esra, HAT I/20, 1949.

ders., Chronikbücher, HAT I/21, 1955.

Safren, Jonathan D., New evidence for the title of the Provincial Governor at Mari, HUCA 50 (1980), S.1-15.

Šanda, A., Die Bücher der Könige, EH 9, Bd.I, 1911; Bd.II, 1912.

San Nicolo, Mariano, Eid, RLA II, S.305-315.

Sauer, Georg, Karmel, BHH II, Sp.134f.

ders., Die Sprüche Agurs, BWANT 84, 1963.

ders., Bemerkungen zu 1965 edierten ugaritischen Texten, ZDMG
116 (1966), S.235-241.

ders., Die Umkehrforderung in der Verkündigung Jesajas, FS
Eichrodt, AThANT 59, 1970, S.277-295.

ders., Die Ugaritistik und die Psalmenforschung, Teil I, UF
6, 1974, S.401-406; Teil II, UF 10, 1978, S.357-386.

Schlichting, Robert, Leben, LÄ III, Sp.949-951.

Schmidt, Hans, Die Psalmen, HAT I/15, 1934.

ders., Der heilige Fels in Jerusalem, Tübingen, 1933.

Schmidt, Werner H., אֵל , Gott, THAT I, Sp.142-149.

ders., אלהים , Gott, THAT I, Sp.153-167.

ders., Königtum Gottes in Ugarit und Israel, BZAW 80, 1966[2].

ders., Alttestamentlicher Glaube in seiner Geschichte,
Neukirchen 1968; 1975[2].

ders., Der Jahwename und Ex 3,14, FS Würthwein, Göttingen,
1979, S.123-138.

Schmitt, Hans-Christoph, Elisa, Gütersloh, 1972.

Schmuttermayr, Georg, Psalm 18 und 2.Samuel 22, Studien zu
einem Doppeltext, STANT 25, 1971.

Schoors, Anton, Literary Phrases, RSP I, S.1-70.

Schottroff, Luise, ζῶ , leben, ζωή , Leben, EWNT II, Sp.261-
271.

Schottroff, Willy, 'Gedenken' im Alten Orient und im Alten
Testament, WMANT 15, 1964.

ders., Rezension zu: Hvidberg, Fleming Friis, Weeping and
Laughter in the Old Testament und Eißfeldt, Otto,
Adonis und Adonaj, ZDPV 89 (1973), S.99-104.

ders., Zum alttestamentlichen Recht, VuF 22 (1977), S.3-29.

Schulz, Hermann, Das Todesrecht im Alten Testament,
BZAW 141, 1969.

Seebass, Horst, Nathan und David, ZAW 86 (1974), S.203-211.

Seidl, Erwin, Altägyptisches Recht; Korosec, Viktor, Keil-
schriftrecht, u.a., HO 1.Abt, Erg.III.

Sekine, Masao, Literatursoziologische Beobachtungen zu den
Elisaerzählungen, AJBI 1 (1975), S.39-62.

Sellin, Ernst, Alttestamentliche Theologie auf Religionsge-
schichtlicher Grundlage, 1.Teil: Israelitisch-Jüdische
Religionsgeschichte, 1933; 2.Teil: Theologie des Alten
Testaments, 1933, Leipzig.

Sievers, Eduard, Metrische Studien I. Studien zur Hebräischen
    Metrik, Erster Teil: Untersuchungen, Leipzig, 1901.

Simons, J., The Geographical and Topograhical Texts of the
    Old Testament, Leiden, 1959.

Skinner, John, Genesis, ICC, 1910; 1930[2].

Smend, Rudolph, Lehrbuch der alttestamentlichen Religionsge-
    schichte, Freiburg - Leipzig 1893.

Smend, Rudolph, Jahwekrieg und Stämmebund, FRLANT 84, 1966[2].

ders., Das Gesetz und die Völker, Ein Beitrag zur deuterono-
    mistischen Redaktionsgeschichte, FS von Rad, München,
    1971, S.494-509.

ders., Der biblische und der historische Elia, VTS XXVIII,
    1975, S.167-184.

ders., Die Entstehung des Alten Testaments, Stuttgart, 1978.

Smith, John M.P., A critical and exegetical commentary on
    Zephaniah, ICC, 1948[3].

Soden, Wolfram von, Grundriß der Akkadischen Grammatik,
    AnOr 33, Rom, 1952.

ders., Jahwe "Er ist, er erweist sich", WO 3 (1966), S.177-
    187.

ders., Akkadisches Handwörterbuch, Bd.I A-L, 1965; Bd.II
    M-S, 1972, Wiesbaden.

Soggin, J. Alberto, מלך , König, THAT I, Sp.908-920.

ders., Joshua, OTL, 1972.

Sollberger, Edmond, Geierstele (historisch), RLA III, S.194f.

Speiser, Ephraim A., Genesis, AncB 1, 1964.

ders., Background and Function of the Biblical Nasi',
    CBQ 25 (1963), S.111-117.

Stamm, Johann Jakob, פדה , auslösen, befreien, THAT II,
    Sp.389-406.

ders., Der Name des Königs David, VTS 7, 1960, S.165-183.

ders., Hebräische Ersatznamen, FS Landsberger, AS 16, 1965;
    jetzt: FS Stamm, OBO 30, 1980, S.59-79.

Stauffer, Ethelbert, ϑεός κτλ, ThWNT III, S.95-120.

Steck, Odil Hannes, Überlieferung und Zeitgeschichte in den
    Eliaerzählungen, WMANT 26, 1968.

ders., siehe: Barth, Hermann.

Stenger, W. Die Gottesbezeichnung 'lebendiger Gott' im
    Neuen Testament, TThZ 87 (1978), S.61-69.

Steuernagel, Carl, Deuteronomium und Josua, HK I/3, 1900.

ders., Jahwe, der Gott Israels, FS Wellhausen, BZAW 27, 1914.

Stoebe, Hans Joachim, Das erste Buch Samuelis, KAT VIII, 1973.

ders., Joab, BHH II, Sp.867.

ders., Die Goliathperikope 1.Sam17,1-18,5 und die Form der
      Septuaginta, VT 6 (1956), S.397-413.

ders., Geprägte Form und geschichtlich individuelle Erfahrung
      im Alten Testament, VTS 17, 1969, S.212-219.

Stolz Fritz, ישע , helfen, THAT I, Sp.785-790.

ders., Jahwes und Israels Kriege, AThANT 60, 1972.

Tallqvist, Knut L., Assyrien Personal Names, Helsingfors,
      1914 (Nachdr.1966).

Thiel, Winfried, Die deuteronomistische Redaktion von Jeremia
      1-25, WMANT 41, 1973.

Tholuck, August, Übersetzung und Auslegung der Psalmen...,
      Halle, 1843.

Thureau - Dangin, Francois, Die sumerischen und akkadischen
      Königsinschriften, VAB I/1, Leipzig, 1907.

ders., Trois contrats de Ras-Shamra, Syria 18 (1937),
      S.246-255.

Torczyner, Harry, Lachish I (Tell ed Duweir) The Lachish
      Letters, London - New York - Toronto, 1938.

Ugaritica V, Hg. Jean Nougayrol, Emmanuel Laroche, Charles
      Virolleaud, Claude F.A.Schaeffer, Paris, 1968.

Vaulx, J.de, Les Nombres, Sources bibliques, Paris, 1972.

Veijola, Timo, Die ewige Dynastie, AASF.B 193, 1975.

ders., Das Königtum in der Beurteilung der deuteronomisti-
      schen Historiographie, AASF.B 198, 1977.

Vergote, Jean, Joseph en Egypte, OBL III, Louvain, 1959.

Vetter, Dieter, אם , Ausspruch, THAT II, Sp.1-3.

Virolleaud, Charles, Six Textes de Ras Shamra, Syria 28
      (1951), S.163-179.

ders., siehe: Ugaritica und Palais Royal d'Ugarit.

Volz, Paul, Jesaja II KAT IX 2, 1932.

ders., Der Prophet Jeremia, KAT X, 1928[2].

Vorländer, Hermann, Mein Gott, Die Vorstellungen vom persönlichen Gott im Alten Orient und im Alten Testament, AOAT 23, 1975.

Vriezen, Theodor Christian, Theologie des Alten Testaments in Grundzügen, Neukirchen 1956 (holländisch 1949).

Wanke, Gunther, Untersuchungen zur sogenannten Baruchschrift, BZAW 122, 1971.

Weber, Manfred, Lebenshaus I, LÄ III, Sp.954-957.

Wehmeier, G., עלה , THAT II, Sp.272-290.

Weippert, Helga, Die Prosareden des Jeremiabuches, BZAW 132,1973.

Weiser, Arthur, Der Prophet Jeremia, ATD 20 und 21 (1952 und 1955), 1966[5].

ders., Hosea in: Das Buch der Zwölf Kleinen Propheten, ATD 24,1963[4].

ders., Das Buch Hiob, ATD 13, 1956[2].

ders., Abraham, RGG I, Sp.68-71.

ders., Die Legitimation des Königs David, VT 16 (1966), S.325-354.

Wellhausen, Julius, Die Composition des Hexateuchs und der Historischen Bücher des Alten Testaments (urspr. JDTh 21 (1876), 22 (1877)), Berlin, 1963[4].

ders., Prolegomena zur Geschichte Israels, Berlin, 1899[5].

Welten, Peter, Geschichte und Geschichtsdarstellung in den Chronikbüchern, WMANT 42, 1973.

Westendorf, Wolfhart, Leben und Tod, LÄ III, Sp.951-954.

Westermann, Claus, Genesis, BK I,1 (Gen 1-11), 1974.

    BK I/2 (Gen 12ff), 1977ff.

ders., Das Buch Jesaja, Kapitel 40-66, ATD 19, 1966.

ders., Engel, EKL I, Sp.1071-1075.

ders., כבד , schwer sein, THAT I, Sp.794-812.

ders., Grundformen prophetischer Rede, BEvTh 31, 1964[2].

ders., Die Herrlichkeit Gottes in der Priesterschrift, FS Eichrodt, AThANT 59, 1970.

ders., Sinn und Grenze religionsgeschichtlier Parallelen, ThLZ 90 (1965), Sp.489-496; jetzt: ThB 55, 1974.

ders., Die Verheißungen an die Väter, FRLANT 116, 1976.
400

ders., Theologie des Alten Testaments in Grundzügen, ATD
        Erg 6, 1978.
Whitaker, Richard E., A Concordance of the Ugaritic Literature,
        Cambridge, MA, 1972.
Widengren, Geo, Sakrales Königtum im Alten Testament und im
        Judentum (1952), Stuttgart, 1955.
Wildberger, Hans, Jesaja, BK X,1 (Jes 1-12), 1972;
                        BK X 2 (Jes 13-27), 1978.
ders., Blutrache, BHH I, Sp.261.
ders., בחר, erwählen, THAT I, Sp.275-300.
ders., Die Rede des Rabsake vor Jerusalem, ThZ 35 (1979),
        S.35-47.
Willi, Thomas, Die Chronik als Auslegung, FRLANT 106, 1972.
Williams, Ronald James, Ägypten und Israel, TRE I, S.492-505.
ders., A people come out of Egypt, VTS XXVIII, 1975, S.231-
        252.
Willis, John T., The juxtaposition of synonymous and chiastic
        parallelism in tricola in Old Testament hebrew psalm
        poetry, VT 29 (1979), S.465-480.
Wilson, John A., The Oath in Ancient Egypt, JNES 7 (1948),
        S.129-156.
Wolff, Hans Walter, Dodekapropheton, BK XIV,1, Hosea, 1976[3];
        BK XIV,2, Joel, Amos, 1975[2].
Woude, Adam Simon van der, צבא, Heer, THAT II, Sp. 498-507.
Würthwein, Ernst, Die Bücher der Könige, 1.Kön 1-16,
        ATD 11,1, 1977.
ders., Ruth, Das Hohelied, Esther, HAT I/18, 1969[2].

Zalewsky, S., The struggle between Adonijah and Salomon over
        the kingdom, Beth Mikra 63 (1975), S.490-510.
Zimmerli, Walther, 1.Mose 12-25, Abraham, ZBK.AT, 1976.
ders., Ezechiel, BK XIII, 1 und 2 (1955-1969), 1979[2].
ders., Beerseba, TRE V, S.402-404.
ders., Die Eigenart der prophetischen Rede des Ezechiel,
        ZAW 66 (1954), S.1-26; jetzt: ThB 19 (= GO), S.148-177.
ders., Das Wort des göttlichen Selbsterweises (Erweiswort),
        FS Robert, 1957; jetzt: ThB 19 (= GO), S.120-132.

ders., Alttestamentliche Traditionsgeschichte und Theologie,
     FS von Rad, München, 1971, S.632-647; jetzt: ThB 51,
     S.9-26

ders., Grundriß der alttestamentlichen Theologie, Stuttgart,
     (1972) 1975^2.

Zobel, Hans-Jürgen, אֲרוֹן , ThWAT I, Sp.391-404.

ders., Beiträge zur Geschichte Groß-Judas in früh- und vor-
     davidischer Zeit, VTS28, 1975, S.253-277.

ders., Der kanaanäische Hintergrund der Vorstellung vom le-
     bendigen Gott: Jahwes Verhältnis zu El und zu Baal,
     WZ(G).GS 4, Jg.24, 1975, S.187-194.

*Spuler, Bertold, der semitische Sprachtypus, in: ders.: Hand-
     buch der Orientalistik, Bd. I 3, Semitistik, Leiden,1954.

Nachtrag:

Albertz, Rainer, Jer 2-6 und die Frühzeitverkündigung Jeremias,
     ZAW 94 (1982), S.20-47.

Emerton, J.A., New Light on Israelite Religion: The Implica-
     tions of the Inscriptions from Kuntillet Ajrud, ZAW
     94 (1982), S.2-20.

Stolz, Fritz, Das erste und zweite Buch Samuel, ZBK, Zürich,
     1981.

+) Unterstreichungen kennzeichnen die ausführlichere Behandlung.

51,14   165,170,292
  15-19 291f
  19 212
  57 210A32,216,216A48,217

Ezechiel

Ez 23,25,26,37,162,164,
    170,207,209,217,222,
    223,227A71,229,261,
    268,297,310,312,354,
    355,356,364,366f,369
    A40,374

1,3 162
2 34A32
3,16 172
  22-5,17 172
5,1-17 173A47
  4-17 172f
  10f 172
  11 30A3,171.172-176,176,
    191
  11f 172
  11-13 172,174
  13 172,174
8 172
14 187,201,367A31
14,1-11 187
  11 187
  12 176
  12-20 176,176A64
  16.18.20 171,176f
  21-23 176,176A64

16 170,200,367A31
16,1-34 177
  8 164,170A36
  35-43 177
  44-58 177f
  48 171,175,176,177f,198
  51 178A52
  53 178
  58 178
17 181,196,201
17,1-10 178,179A73
  11-15 179
  11-21 178,179A73
  13f 179
  15 179
  16 171,175,176A61,178-
    181
  16f 179
  16-18 179
  18 179
  19 171,175,178-181,191
  19-21 179
18 183f,185,188,190,196,
    223,229,274,355,367
    A31
18,1-4 185A99

18,1-31 181
  3 171,181-186,221
  4 186
  5-9 182f,185A99
  5-30 182
  9 182f,185A99
  10-13 183f,185A99
  13 182A89,183,183A93
  14ff 185A99
  17 183,183A93
  21 183A93
  23 282,298
  24 183A93
  28 183A93
  28-32 186
  29f 186
  30 182
20 170,170A36,187,190,196,
    200,234,366,367A31
20,1-31 186f,188
  3 171,186f
  4-29 186
  5 164
  5-26 187
  6 164
  8f 202
  9 231
  9ff 227A71,229
  11f 187
  13f 202
  14 231
  15 164,201
  19 287
  22 231
  23 164
  23-25 187
  27-29 186A102
  30f 186f
  31 171,186f,188
  32 186A101,188
  32-44 187
  33 171,186A101,187-189,
    189A107,244
  37 189A107
  40f 189
  40ff 188
  44 188,202
24 189,204
25-32 189,197
25 204
28,2 286
30,30-33 163
33 196,367A31
33,1-20 189
  7-9 189A108
  10f 189f,381
  11 171,189f,191,195,200,
    202,298,367
  12-20 190

33,21f	189	2,1	6,9,13,23,108,259,<u>267-</u> 271,362,378
23-29	190f	1f	269A35,270
24-26	190	1-3	119,267,269
27	171,<u>190-192</u>	2	267f
27-29	190	3	267
34	189,195,196f,202,366	4	177A67,270
34,1-10	193	4-17	177
1-11	192	4-25	119
1-15	195A119	4ff	269
1-16	189A107,192	11ff	268
1-31	192	16	188
2-10	<u>192-194</u>	16ff	269
8	<u>171,192-195</u>,367	17	100,268
10	193	18ff	268
10ff	193	24	268
17	193	3,5	268
17-31	192	4,1	107
20-22	193	1-3	103
20-24	193	6	271
20ff	193	11	100
22	193	15	11,12,25,53,87,<u>97-105</u>, 262,270,364,373,381
22-24	192	5,15-6,3	107A7
23f	189A107,195A119,202	6,2	22,270,366
35f	205	4f	107A7
35	195,196f,205	8,4	285
35,1-15	195	11-13	100
4	195,195A120	9,15	270f
5	204A4	10,12	107A7
5-9	195	11	188,267,362
6	171,194,<u>195-197</u>,220, 367	11,1	100,270
6-11	175	8f	269
7-9	196	9	270,298
9	195,195A120	12,1	270
10	196	5	270
10-13	195	14	117
10ff	196	13,10	154
11	171,194,<u>195-197</u>,220, 367	14	270
12	195,195A120	**Amos**	
14	195	Am	37,139,163,164,199,200f, 209,212,261,361f,363, 366,373
15	195,195A120	1f	112A31,204,205A8
36-39	195	1,9f	204
36	195	11f	204
36,7	164	2,10	117
16-36	227A71	3,9-11	101
39,21-29	227A71	12	101
44,12	164	13-15	101
Hosea		4,1-3	101,168,170A39
Hos	9,37,202,262,269,289, 298,359,361f,363,366, 367,373	2	<u>168</u>,170,199
1	169	3	212
1,2-9	267	4	261f
4	268	4f	100
4f	267,269	5,2	100
9	6,267,268	4	354
		5	99,100,100A17,102A23, 261f

10,6	377f
15,7	377

B. Israelitische und jüdische Texte

1. Bauernkalender von Geser		344
2. Funde aus Kuntillet Ajrud		218
3. Lachisch-Ostraka		144f,364
	3,8-12	144
	9	<u>144f</u>
	6,8	<u>145</u>
	8-15	144
	12	<u>144f</u>
	12,3	<u>144f</u>,144A80
4. Mischna Sukka	4,5	162

C. Texte aus Syrien und Palästina

1. Ugarit   (zitiert nach CTA, KTU, Gordon UT und ggf. Aistleitner)

Mythologische Texte

Baal-Anat-Zyklus
CTA 2-6 = KTU 1.2-6
    341-347,342A126

CTA 2 = UT 129.137.68
    342

CTA 3 = UT nt
    342
| V 39 | 343 |
| V 40 | 345 |

CTA 4 = UT 51
    342
IV 42	343
43f	345
44	327A60

CTA 5 = UT 67
    342

CTA 6 = UT 49.62 = I AB
    160A67,290,342,373
III	338A1
III 2	343,344
2f	160A67
5-7	344
8	83,105,343
8f	11,14,158A62,160A67, 344
19f	344
20f	11,160A67,344
VI 53-55	346A137

CTA 10 = UT76
    290,342,353,373
II 2-9	346
20	149,157,158A62,160A67, 346
20-25	346
22f	149A16

Epische Texte

Keret-Epos CTA 14-16 = KTU 1.14-16
    325A52,<u>336-338</u>,336A103

CTA 14 = UT krt
    336
5ff	349A147
75	326A58
154ff	349 147
167	326A58

CTA 15 = UT 128
    336
| V 14 | 337 |

CTA 16 = UT 125-127
    336
125 14f	337
22f	337
84f	337
98	337
105	337
126 8-23	338

Aqhat-Epos CTA 17-19 = KTU 1.17-19
    325A52,<u>338-341</u>,338A109, 351,365

415

```
CTA  17 = UT  Aqht 2              UT 1023 = KTU 2.18
              338                   328A65
I 1ff         349A147            UT 1035 = KTU 4.214
   37         338,340              328A68
VI 26-32      339          PRU V  = UT 2001ff
    30        341
    33-38     339                 UT 2062 = KTU 2.47
    33-39     349                  336

CTA  18 = UT  Aqht 3              UT 2069 = KTU 4.623
              338          Zeile 3    333A92
IV 13         339
   27         339                 UT 2084 = KTU 4.332
                           Zeile 17   330
CTA  19 = UT  Aqht 1
              338                 UT 2131 = KTU 4,427
I 16          339                  328f
IV 198        340          Syria 18 = RS 8.213 = KTU 4.37
                           Zeile 32   329A70
Sonstige Texte
                           Syria 28 = RS 14.16 - fehlt in KTU
Syria 10 = UT 26 = KTU 2.7          329
   Zeile 9    336
                           PRU III = RS 16.254C - fehlt in KTU
RA 37     = UT 301 = KTU 4.93       155A48
Rev.IV 10    329
                                  RS 24.252 = KTU 1.108
PRU II = UT 1001ff         Zeile 6ff 347A142
             336
           UT 1001 = KTU 1.82  S-Text 33 = UT 2008 = KTU 2.42
I 6          336               Zeile 10   346A139

           UT 1010 = KTU 2.26
  Zeile 3    329

           UT 1018 = KTU 2.23
             335
  Zeile 2    334
       17    334
       18    334


2. El Amarna - Korrespnondenz

EA 85                    335
        Zeile 39.86      335A97
EA 256                   335
        Zeile 10f        335A97
EA 289                   335
        Zeile 37         335A97


3. Kanaanäische und Aramäische Inschriften

KAI  4                   331
     4,1                 331
        6                331

KAI 10                   331
    10,1                 332
       9                 331

KAI 26 A I 12            331

416
```

4. Meša - Inschrift

Zeile 12   98

D. Mesopotamische und hethitische Texte

E. Ägyptische Texte

Verzeichnis der behandelten Namen

A. Alttestamentliche Namen

B. Namen aus Ugarit

C. Phönizische Namen

D. Namen aus Mari

417

Kohlhammer

Altes Testament

Klaus Koch
Die Profeten I
Assyrische Zeit
1978. DM 12,–
ISBN 3-17-004700-0
Urban-Taschenbücher, Bd. 280

Klaus Koch
Die Profeten II
Babylonisch-persische Zeit
1980. DM 14,–
ISBN 3-17-004868-6
Urban-Taschenbücher, Bd. 281
Bd. I + II zus. DM 26,–
ISBN 3-17-004869-4

Martinus A. Beek
Geschichte Israels
Von Abraham bis Bar Kochba
5. Auflage 1983. DM 16,–
ISBN 3-17-007982-4
Urban-Taschenbücher, Bd. 47

Rudolf Smend
**Die Entstehung des Alten
Testaments**
2., durchges. und erg. Auflage 1981
237 Seiten. Kart. DM 29,80
ISBN 3-17-007240-4
Theologische Wissenschaft, Bd. 1

Antonius H. J. Gunneweg
**Geschichte Israels bis
Bar Kochba**
4., neubearb. Auflage 1982
210 Seiten. Kart. DM 22,–
ISBN 3-17-007570-5
Theologische Wissenschaft, Bd. 2

Walther Zimmerli
**Grundriß der alttestament-
lichen Theologie**
4., durchges. und erg. Auflage 1982
232 Seiten. Kart. DM 29,80
ISBN 3-17-007468-7
Theologische Wissenschaft, Bd. 3

Helmer Ringgren
Israelitische Religion
2., überarb. u. erw. Auflage 1982
XII, 348 Seiten
Leinen DM 88,–. Subskript. DM 79,–
ISBN 3-17-004966-6
Die Religionen der Menschheit, Bd. 26

H. u. H. A. Frankfort/J. A. Wilson/T.
Jacobsen/W. A. Irwin
**Alter Orient – Mythos und
Wirklichkeit**
Aus dem Englischen v. P. Dülberg
2. Auflage 1981. DM 20,–
ISBN 3-17-007220-X
Urban-Taschenbücher, Bd. 9

Verlag W. Kohlhammer
Stuttgart · Berlin · Köln · Mainz

Kohlhammer

Kohlhammer Taschenbücher
Biblische Konfrontationen

O. Kaiser/E. Lohse
Tod und Leben
1977. DM 10,–. Bd. 1001
ISBN 3-17-002010-2

Siegfried Herrmann
Zeit und Geschichte
1977. DM 10,–. Bd. 1002
ISBN 3-17-001925-2

E. Otto/T. Schramm
Fest und Freude
1977. DM 10,–. Bd. 1003
ISBN 3-17-002133-8

E. S. Gerstenberger/W. Schrage
Leiden
1977. DM 14,–. Bd. 1004
ISBN 3-17-002429-0

H.-J. Hermisson/E. Lohse
Glauben
1978. DM 10,–. Bd. 1005
ISBN 3-17-002012-9

Odil Hannes Steck
Welt und Umwelt
1978. DM 16,–. Bd. 1006
ISBN 3-17-004849-X

A. H. J. Gunneweg/W. Schmithals
Leistung
1978. DM 12,–. Bd. 1007
ISBN 3-17-002014-5

K. Seybold/U. Müller
Krankheit und Heilung
1978. DM 12,–. Bd. 1008
ISBN 3-17-002246-6

E. Würthwein/O. Merk
Verantwortung
1982. DM 20,–. Bd. 1009
ISBN 3-17-002617-8

A. H. J. Gunneweg/W. Schmithals
Herrschaft
1980. DM 14,–. Bd. 1012
ISBN 3-17-002013-7

E. S. Gerstenberger/W. Schrage
Frau und Mann
1980. DM 16,–. Bd. 1013
ISBN 3-17-005067-2

W. H. Schmidt/J. Becker
Zukunft und Hoffnung
1981. DM 20,–. Bd. 1014
ISBN 3-17-002011-X

R. Smend/U. Luz
Gesetz
1981. DM 18,–. Bd. 1015
ISBN 3-17-002015-3

Verlag W. Kohlhammer
Stuttgart · Berlin · Köln · Mainz